ISBN 978-1-334-56255-6
PIBN 10476495

This book is a reproduction of an important historical work. Forgotten Books uses
state-of-the-art technology to digitally reconstruct the work, preserving the original format
whilst repairing imperfections present in the aged copy. In rare cases, an imperfection in
the original, such as a blemish or missing page, may be replicated in our edition. We do,
however, repair the vast majority of imperfections successfully; any imperfections that
remain are intentionally left to preserve the state of such historical works.

1 MONTH OF
FREE
READING

at
www.ForgottenBooks.com

By purchasing this book you are eligible for one month membership to ForgottenBooks.com, giving you unlimited access to our entire collection of over 700,000 titles via our web site and mobile apps.

To claim your free month visit:
www.forgottenbooks.com/free476495

English
Français
Deutsche
Italiano
Español
Português

www.forgottenbooks.com

Mythology Photography **Fiction**
Fishing Christianity **Art** Cooking
Essays Buddhism Freemasonry
Medicine **Biology** Music **Ancient**
Egypt Evolution Carpentry Physics
Dance Geology **Mathematics** Fitness
Shakespeare **Folklore** Yoga Marketing
Confidence Immortality Biographies
Poetry **Psychology** Witchcraft
Electronics Chemistry History **Law**
Accounting **Philosophy** Anthropology
Alchemy Drama Quantum Mechanics
Atheism Sexual Health **Ancient History**
Entrepreneurship Languages Sport
Paleontology Needlework Islam
Metaphysics Investment Archaeology
Parenting Statistics Criminology
Motivational

International congress

CINQUIÈME CONGRÈS INTERNATIONAL

D'HYGIÈNE ET DE DÉMOGRAPHIE

à La Haye

(DU 21 AU 27 AOÛT 1884)

COMPTES RENDUS ET MÉMOIRES

PUBLIÉS PAR

LE SECRÉTAIRE GÉNÉRAL

avec le concours de MM. les Secrétaires de Séances et
MM. les Secrétaires des Sections

TOME I

Organisation — Séances générales — Première Section

LA HAYE

IMPRIMERIE SUD-HOLLANDAISE

1884

1884

ORGANISATION DU CONGRÈS.

PRÉSIDENT D'HONNEUR:

M. J. Heemskerk Az., Ministre de l'Intérieur des Pays-Bas.

COMITÉ D'ORGANISATION:

MM. W. H. de Beaufort, docteur en droit, membre de la 1e Chambre des Etats-Généraux. — *Président.*

T. H. Blom Coster, docteur en médecine. — La Haye. — *Vice-président.*

G. P. van Tienhoven, docteur en médecine, médecin en chef de l'Hôpital civil de La Haye. — La Haye. — *Vice-président.*

le Baron E. R. van Welderen Rengers, commis au Ministère du Waterstaat, du Commerce et de l'Industrie. — La Haye. — *Trésorier.*

G. van Overbeek de Meijer, professeur d'hygiène à l'Université d'Utrecht. — *Secrétaire général.*

L. van der Hoeven, docteur en médecine. — La Haye. — *Secrétaire.*

W. J. de Meijer, docteur en médecine, médecin-principal de 3e classe de l'armée. — Deventer. — *Secrétaire.*

W. F. U. Steyn Parvé, docteur en médecine. — La Haye. — *Secrétaire.*

Membres:

MM. B. Carsten, docteur en médecine, inspecteur médical adjoint pour la Hollande méridionale. — La Haye.

J. F. W. Conrad, inspecteur du Waterstaat, président de l'Institut Royal des Ingénieurs. — La Haye.

F. C. Donders, professeur de physiologie à l'Université d'Utrecht.

F. J. Dupont, docteur en médecine. — Rotterdam.

L. J. Egeling, docteur en médecine, inspecteur médical pour la Hollande méridionale. — La Haye.

A. P. Fokker, professeur d'hygiène à l'Université de Groningue.

J. Forster, professeur d'hygiène à l'Université d'Amsterdam.

Th. H. Mac Gillavry, professeur d'hygiène à l'Université de Leyde.

A. A. G. Guye, docteur en médecine. Rédacteur en chef du Recueil médical des Pays-Bas. — Amsterdam.

J. Menno Huizinga, médecin. — Harlingue.

J. van Breda Kolff, docteur en médecine, médecin principal de 1re classe de l'armée des Pays-Bas. — Amsterdam.

F. J. van Leent, docteur en médecine, médecin principal de 1re classe de la Marine des Pays-Bas. — Amsterdam.

J. Th. Mouton, docteur en sciences naturelles, chimiste. — La Haye.

Lodewijk Mulder, ancien inspecteur de l'enseignement primaire. — La Haye.

J. G. Patijn, docteur en droit, bourgmestre de La Haye.

W. P. Ruysch, médecin, inspecteur médical adjoint pour le Brabant et le Limbourg. — Maastricht.

H. Snellen, professeur d'ophthalmologie à l'Université d'Utrecht.

J. A. Snijders CJz., professeur de physique à l'École polytechnique de Delft.

G. Th. A. Wolterbeek Muller, docteur en médecine. — La Haye.

Délégués par le Comité d'organisation comme:

Comité des fêtes.

MM. J. G. Patijn, B. Carsten et G. Th. A. Wolterbeek Muller.

Comité de réception.

MM. J. G. Patijn, bourgmestre de La Haye. — *Président d'honneur.*

W. H. de Beaufort. — *Président.*

T. H. Blom Coster et G. P. van Tienhoven. — *Vice-présidents.*

le Baron E. R. van Welderen Rengers. — *Trésorier.*

G. van Overbeek de Meijer et F. A. Ingen-Housz. — *Secrétaires.*

Membres:

MM. le Comte C. J. E. van Bylandt, docteur en droit, membre député des Etats provinciaux de la Hollande méridionale.

B. Carsten, membre du Comité d'organisation.

J. Coert, docteur en médecine. — La Haye.

N. B. Donkersloot, docteur en médecine, Rédacteur en chef de la Gazette médicale. — La Haye.

J. van Dooremaal, docteur en médecine. — La Haye.

C. W. Eikendal, docteur en médecine. — La Haye.

E. Evers, Secrétaire de la Ville de La Haye.

le Baron K. J. G. van Hardenbroek van Bergambacht, Colonel de la Garde Civique de La Haye.

H. F. van Praag Heymans, docteur en médecine. — La Haye.

C. P. Pous Koolhaas, docteur en médecine, Secrétaire du Conseil médical de la Hollande méridionale. — La Haye.

P. M. Mess, docteur en médecine, directeur des bains de mer à Schéveningue.

J. N. Ramaer, docteur en médecine, inspecteur des Maisons de santé des Pays-Bas. — La Haye.

J. D. Sachse, contre-amiral, inspecteur du Service médical de la Marine des Pays-Bas. — La Haye.

le Comte R. J. Schimmelpenninck tot Nyenhuis, Grand-maître de la Maison de S. M. le Roi des Pays-Bas. — La Haye.

J. van Stralen, échevin de la Ville de La Haye.

J. H. Vinkhuijzen, docteur en médecine. — La Haye.

G. Th. A. Wolterbeek Muller, membre du Comité d'organisation.

Comité des Logements.

MM. T. H. Blom Coster, J. F. W. Conrad, G. P. van Tienhoven.

COMITÉS AUXILIAIRES.

Comité Anglais.

Dr. G. Buchanan, F. R. S. — Médecin en chef du „Local Government Board". — Londres.

Dr. A. Carpenter. — Président du Conseil du „Sanitary Institute of Great Britain".

Captain Galton, C. B., F. R. S. — Président du Conseil du „Parkes Museum".

Dr. W. H. Corfield. — Professeur d'hygiène à „University College". — Londres.

Dr. Collingridge. — Medical Officer of Health of the Port of London.

W. Eassie, Esq. — Ingénieur.

Rogers Field, Esq. — Ingénieur.

E. G. Robins, Esq. — Architecte.

Ernest Turner, Esq. — Architecte.

H. H. Collins, Esq. — Architecte et „Surveyor".

Dr. F. de Chaumont. — Professeur d'hygiène à l'Ecole de médecine militaire de Netley, près de Southampton.

Comité Belge.

MM. Crocq. Sénateur, professeur à l'Université de Bruxelles, exprésident de l'Académie de médecine, Président de la Commission médicale locale, membre du Conseil supérieur d'Hygiène, médecin et professeur de clinique médicale à l'Hôpital St. Jean de Bruxelles, etc.

Buys. Inspecteur adjoint du service d' Hygiène de Bruxelles, membre correspondant de l'Académie, membre de la Commission médicale locale, secrétaire du Comité fédéral d'Hygiène de l'agglomération bruxelloise, etc.

Depaire. Pharmacien du Roi, Professeur à l'Université de Bruxelles, membre du Conseil supérieur d'Hygiène, membre titulaire de l'Académie de médecine, etc.

Feigneaux. Secrétaire honoraire de la Société Royale de médecine publique de Belgique, Directeur Gérant de l'Art médical, etc.

Kuborn. Président de la Société Royale de médecine publique, membre titulaire de l'Académie de médecine, professeur d'Hygiène à l'École normale de Liège, etc.

Janssens. Inspecteur général du service d'Hygiène de Bruxelles, membre titulaire de l'Académie, membre du Conseil supérieur d'Hygiène, de la Commission médicale locale de Bruxelles, Président du Comité fédéral d'Hygiène de l'agglomération bruxelloise, membre de la Commission permanente du Congrès International de Démographie, etc.

Vandevelde. Pharmacien, secrétaire de la Commission médicale provinciale d'Anvers, etc.

Vleminckx. Secrétaire du Conseil supérieur d'Hygiène, membre correspondant de l'Académie, chef de service à l'hôpital St. Jean de Bruxelles, etc.

Wehenkel. Directeur de l'Ecole Vétérinaire de l'Etat, Professeur à l'Université de Bruxelles, membre titulaire de l'Académie, membre du Conseil supérieur d'Hygiène, etc.

Destrée. Membre du service d'Hygiène de Bruxelles, Professeur d'Hygiène aux Cours de la Ville de Bruxelles, Rédacteur à la Presse médicale Belge, etc.

Le comité a désigné M. Crocq pour remplir les fonctions de Président, M. Destrée pour remplir celles de Secrétaire.

Comité Espagnol.

Président:

M. le Docteur Vilanova, J., Membre des Académies Royales des Sciences et de Médecine, professeur à l'Université Centrale (Faculté des Sciences). Délégué d'Espagne en différents Congrès, etc.

Membres :

MM. Son Excellence M. Aldecoa, C. I., ex-Directeur général de Santé Civile, Vice-Président de la Société d'Hygiène, délégué d'Espagne au Congrès de Turin, etc.

Dr. Avilés, B., Médecin inspecteur des eaux minérales, Directeur du journal La Higiene.

Belmás, M., Architecte du Ministère des Travaux publics, Membre du bureau de la Société d'Hygiène, Directeur de la Revista de Arquitectura.

Dr. Castelo, E., Membre de l'Académie Royale de Médecine, médecin en chef de l'Hôpital de vénériens de S. Juan de Dios de Madrid.

Dr. Fernandez Caro, Médecin major de 1re Classe, Membre du

Conseil supérieur de Santé de la Marine et de plusieurs Sociétés savantes, président de section de la Société d'Hygiène.

Dr. Martinez Pacheco, M., Député au Parlement, Membre du Conseil Royal de Santé, Premier Vice-Président de la Société d'Hygiène, Sous-inspecteur de Santé de l'armée.

Dr. Ovilo, J., Médecin major de l'Armée et de la Direction générale d'instruction militaire, délégué d'Espagne au Congrès de Genève.

Dr. Pulido, A., Membre de l'Académie Royale de Médecine, Secrétaire général de la Société d'Hygiène, Rédacteur du Siglo Médico.

Rubio, I. M., Ingénieur des mines, membre du Conseil Royal de Santé et du bureau de la Société d'Hygiène.

Dr. Ruiz del Cerro, I., Pharmacien, officier du Secrétariat du Conseil Royal de Santé, membre du bureau de la Société d'Hygiène.

Dr. Tolosa Latour, M., Médecin de l'Hôpital des Enfants Malades, Membre de plusieurs Sociétés savantes, du bureau de la Société d'Hygiène, Directeur de la Revue d'hygiène La Madre y el Nino.

Secrétaire :

Dr. Cabello, V., Médecin major de 1re classe, membre du Conseil supérieur de Santé de la Marine, de plusieurs Sociétés savantes nationales et étrangères, délégué d'Espagne en divers congrès.

Comité Français.

Président d'honneur: Dr. Fauvel, Inspecteur Général des services sanitaires, etc. etc.

Présidents: Dr. Béclard, Doyen de la Faculté de Médecine, Secrétaire Perpétuel de l'Académie de Médecine, etc.

Pasteur, Membre de l'Institut, etc. etc.

Wurtz, Membre de l'Institut, Président du Comité consultatif d'Hygiène de France, etc. etc.

Vice-Présidents : Dr. P. Bert, Député, Membre de l'Institut, etc. etc.

H. Bouley, Membre de l'Institut, Inspecteur Général des Ecoles Vétérinaires, etc. etc.

Dr. P. Brouardel, Professeur à la Faculté de Médecine, Membre de l'Académie de Médecine, etc.

Durand-Claye, Ingénieur, Professeur à l'Ecole des Ponts et Chaussées, etc.

Dr. Proust, Membre de l'Académie de Médecine et du Comité Consultatif d'Hygiène, Président de la Société de Médecine Publique, etc.

Secrétaire : Dr. H. Napias, Secrétaire Général de la Société de Médecine Publique et d'Hygiène Professionnelle, etc.

Secrétaire adjoint: Nocard, Professeur à l'Ecole d'Alfort, etc. etc.

Membres :

MM. Allard, Architecte, Membre de la Commission des logements insalubres, etc.

Dr. Arnould, Professeur d'Hygiène à la Faculté de Médecine de Lille, etc.

Dr. Bourneville, Député, Médecin de l'Hospice de Bicêtre, etc.

Cendre, Ingénieur en Chef des Ponts et Chaussées, Directeur Général des chermins de fer au Ministère des travaux publics.

- Cernesson, Architecte, Couseiller Général de Paris, etc.

Dr. L. Colin, Médecin Inspecteur de l'armée, Membre de l'Académie de Médecine, etc.

Dr. Dubrisay, Membre du Comité Consultatif d'Hygiène de France, etc.

Dr. Du Mesnil, Médecin de l'Asile de Vincennes, Membre de la Commission des Logements insalubres, etc.

Dr. Drouineau, Chirurgien en Chef des Hôpitaux de La Rochelle, etc.

Delcominète, Professeur à l'Ecole Supérieure de Pharmacie de Nancy, Membre du Conseil d'Hygiène de Meurthe et Moselle, etc.

Dr. Fieuzal, Médecin en Chef de la Clinique Nationale des Quinze-Vingt, etc.

Ch. Girard, Directeur du Laboratoire Municipal de la Ville de Paris.

Dr. Gariel, Ingénieur en Chef des Ponts et Chaussées, Membre de l'Académie de Médecine, etc.

Dr. Gibert, Médecin au Hâvre.

Dr. Henrot (Henri), Professeur à l'Ecole de Médecine de Reims, etc.

Dr. Javal, Directeur du Laboratoire d'Ophthalmologie, etc.

Koechlin-Schwartz, Manufacturier, Maire du VIIIe Arrondissement de Paris.

Dr. Lacassagne, Professeur à la Faculté de Médecine de Lyon, etc.

Dr. Lagneau, Membre de l'Académie de Médecine, etc.

Dr. Layet, Professeur d'Hygiène à la Faculté de Médecine de Bordeaux, etc.

Dr. Leudet, Directeur de l'Ecole de Médecine de Rouen, etc.

Dr. Le Roy de Méricourt, Médecin en Chef de la Marine, Membre de l'Académie de Médecine, etc.

Dr. Laborde, Directeur des travaux physiologiques à la Faculté de Médecine de Paris, etc.

Dr. Liouville (Henri), Député, Médecin des Hôpitaux, etc.

Dr. Lunier, Membre de l'Académie de Médecine, etc.

Dr. Loiseau, Membre du Conseil Municipal de Paris.

Marié-Davy, Président de la Société Française d'Hygiène, Directeur de l'Observatoire de Montsouris, etc.

Marey, Professeur au Collège de France, etc.

Muller, Ingénieur, Professeur à l'Ecole Centrale, etc.

MM. N o r m a n d, Architecte du Gouvernement, Inspecteur Général des Pri-
    sons, etc.
Dr. P a m a r d, Chirurgien en Chef de l'Hôpital d'Avignon, etc.
Dr. J. R o c h a r d, Inspecteur Général du service de santé de la Marine,
    Membre de l'Académie de Médecine, etc.
Dr. R e l i q u e t, Professeur libre à l'Ecole pratique de la Faculté de
    Paris, etc.
R o c a c h é, Ingénieur, Maire du XIe Arrondissement de Paris.
S t r a u s s (Paul), Membre du Conseil Municipal de Paris.
Dr. T h é v e n o t, Ancien Professeur à l'Université de Santiago du Chili,
    trésorier de la Société de Médecine Publique, etc.
Em. T r é l a t, Professeur au Conservatoire des Arts et Métiers, Directeur
    de l'Ecole d'Architecture, etc.
Dr. V i d a l, Médecin de l'Hôpital St. Louis, Membre de l'Académie de
    Médecine, etc.
Dr. V a l l i n, Professeur d'Hygiène au Val de Grâce, Directeur de la
    Revue d'Hygiène, etc.
Ce Comité s'est réuni le 29 Décembre 1883 à l'Ecole de Médecine de Paris
(salle des Thèses). Il a décidé que la direction serait remise à une Commission
exécutive, composée des membres du Bureau auxquels s'adjoindraient:
MM. C e r n e s s o n, L i o u v i l l e, J. R o c h a r d, E. T r é l a t, et V a l l i n.

Comité Italien.

MM. F a n z a g o, F r a n ç o i s, Docteur, Assesseur municipal d'Hygiène à Padoue.
    G a m b a, A l b e r t, Professeur, Conseiller municipal, membre du Conseil
    Sanitaire et Président de Section au Congrès d'hygiène à Turin.
    M a n t e g a z z a, P a u l, Prof. à l'Institut Supérieur de Florence, Sénateur.
    P a c c h i o t t i, J a c i n t h e, Professeur, Sénateur, Vice-Président du Conseil
    Sanitaire, Ex-Président du Congrès d'Hygiène à Turin.
    P a g l i a n i, L o u i s, Professeur d'Hygiène à l'Université de Turin.
    S o r m a n i, J., Professeur d'Hygiène à l'Université de Pavie.
    S p a t u z z i, A c h i l l e, Prof. libre d'Hygiène, Directeur du Bureau
    d'Hygiène, à Naples.
    T o m m a s i - C r u d e l i, Professeur d'Hygiène à Rome, Député.
    T o s c a n i, D a v i d, Professeur à l'Université de Rome, Directeur du
    Bureau d'Hygiène, Membre du Conseil Sanitaire, Président de l'Asso-
    ciation médicale Italienne.

Comité Roumain.

Président: M. le Dr. E. C a p s a, Directeur général du service sanitaire
                 civil, Professeur à la Faculté de médecine de Bucarest.

Vice-président: M. le Dr. I. Félix, Membre du Conseil médical supérieur de Roumanie, Professeur à la Faculté de médecine de Bucarest, Vice-président du Conseil d'Hygiène de Bucarest.

Membres: MM. Dr. A. Fotino, Membre du Conseil médical supérieur de Roumanie, Médecin Inspecteur-général de l'armée, Sénateur.

Dr. N. Kalindero, Membre du Conseil médical supérieur, Médecin des hôpitaux civils, député.

Dr. A. Marcovici, Membre du Conseil médical supérieur, Professeur à la Faculté de médecine de Bucarest, Médecin des hôpitaux civils.

Dr. I. Theodori, Membre du Conseil médical supérieur, Médecin Inspecteur-général de l'armée, professeur à la Faculté de médecine de Bucarest.

Dr. N. Turnesco, membre du Conseil médical supérieur, professeur à la Faculté de médecine de Bucarest.

Secrétaire: M. le Dr. I. Polyso, sous-Directeur du service sanitaire civil, secrétaire du Conseil médical supérieur de Roumanie.

Comité Serbe.

MM. Dr. Vladan Georgévitch, chef de section au Ministère Royal de l'Intérieur, Grand Officier etc. — Président.

Dr. A. Médovitch, Professeur d'Hygiène publique à l'Université de Belgrade, chevalier de plusieurs Ordres, etc.

Dr. M. Yankovitch, Inspecteur des Hôpitaux, Commandeur etc.

Dr. Lazar Stephanovitch, 1er secrétaire de la section sanitaire du Ministère Royal de l'Intérieur, chevalier etc.

Dr. I. Danitch, membre du Conseil supérieur de santé, Médecin de l'Hôpital des Aliénés.

Dr. Lazar K. Lazarévitch, membre du Conseil supérieur de santé, Médecin en chef de la section interne à l'hôpital central de l'Etat à Belgrade.

RÈGLEMENT GÉNÉRAL

DU

Cinquième Congrès international d'hygiène et de démographie.

Art. 1.

Le cinquième Congrès international d'hygiène et de démographie se réunira à La Haye, du 21 au 27 Août 1884, sous la Présidence d'honneur de Son Excellence M. J. Heemskerk Az., Ministre de l'Intérieur du Royaume des Pays-Bas.

Art. 2.

Le but de ce Congrès est de réunir tous ceux qui voudront discuter les questions se rattachant aux progrès de l'hygiène et de la démographie et aux intérêts de la santé publique.

Les gouvernements, les municipalités, les administrations, les Universités, les Académies, les Sociétés scientifiques, les Conseils de santé et autres autorités sanitaires sont invités à prêter leur concours à cette oeuvre et à s'y faire représenter par des délégués.

Membres.

Art. 3.

Comme membres du Congrès seront admis tous ceux qui se seront fait inscrire et auront versé une cotisation de 10 florins des Pays–Bas. Ils recevront un exemplaire du compte rendu des travaux de la session.

Cette cotisation sera versée par Messieurs les adhérents en même temps qu'ils enverront leur adhésion. Le secrétariat reçoit dès à présent ces adhésions (avec mention des titres et l'adresse aussi exacte que possible), afin d'être à même d'envoyer les publications du Congrès.

Les inscriptions seront aussi reçues dans les locaux du Congrès qui seront indiqués ultérieurement; le 20 Août 1884 de 10 h. du matin à midi, et de 1 heure à 4 heures du soir; le 21 Août 1884 de 9 h. du matin à midi, et les autres jours (jusq'au 28 Août 1884) de 8 à 9 heures du matin.

Travaux.

Art. 4.

Les travaux du Congrès embrasseront l'hygiène individuelle, l'hygiène générale, la police sanitaire, la démographie, et la statistique médicale.

Ils seront répartis entre cinq sections, savoir:

1re Section. Hygiène générale et internationale. Prophylaxie des maladies infectieuses et contagieuses; etc. —

2e Section. Hygiène des villes et des campagnes. Assainissement. — Voies de communication; distribution des rues; pavage; etc. Approvisionnement d'eau. Evacuation des matières de rebut. Eclairage. Edifices publics: hôpitaux; hospices; prisons; bains; etc. — Drainage. Irrigation. Déboisement; etc. — Moyens publics de transport; chemins de fer; etc. — Inhumation et cimetières. Crémation.

3e Section. Hygiène individuelle. Acclimatement; acclimatation. — Alimentation. Vêtements. Habitations. Education; enseignement; gymnastique; etc. — Enfants trouvés. Orphelins.

4e Section. Hygiène professionnelle. — Economie sociale. Etablissements insalubres. Accidents professionnels. Maisons et cités ouvrières. Garnis. Crèches; etc. — Hygiène militaire.

5e Section. Démographie.

Art. 5.

Un certain nombre de sujets de discussion dans les Sections seront choisis par le Comité d'organisation du Congrès, et ce Comité invitera à les traiter les savants qui lui sembleront préparés à cette tâche par leurs travaux antérieurs. L'exposé de chaque question se terminera par un résumé qui servira de base à la discussion et qui sera communiqué d'avance aux membres du Congrès.

Art. 6.

Chaque Section du Congrès disposera du temps qui lui restera pour recevoir des communications en dehors du programme officiel. Cependant, les membres qui désireront profiter de cette occasion, devront en donner connaissance au Comité, avant le 1er Juillet 1884. Le Comité décidera de l'opportunité des communications et de l'ordre suivant lequel elles seront faites.

Art. 7.

Le Comité d'organisation du Congrès invitera un certain nombre de savants à vouloir bien traiter des questions d'intérêt général en assemblée générale. Ces conférences ne seront pas suivies de discussions, mais celles-ci pourront être renvoyées à l'une des Sections du Congrès.

Art. 8.

Bien que la langue française soit celle dans laquelle seront conduites les séances, les membres seront également admis à s'exprimer en d'autres langues;

lorsque le désir en sera exprimé, les communications ainsi faites seront résumées en français par l'un des membres présents à la réunion.

Les programmes et les conclusions des rapports seront publiés en français et en allemand.

Séances.

Art. 9.

Le Congrès se réunira deux fois par jour; une première fois pour les travaux des Sections, une seconde fois pour ceux de l'Assemblée générale.

Art. 10.

Les séances de l'Assemblée générale seront consacrées d'abord, à la communication des procès-verbaux, rapports, etc., qui doivent être soumis à son approbation; ensuite aux conférences désignées dans l'article 7.

Art. 11.

Dans la séance générale d'ouverture, le Congrès nommera son bureau définitif qui se composera d'un président, de deux vice-présidents, d'un nombre indéterminé de présidents honoraires, d'un secrétaire général, et de trois secrétaires de séances. — Les Sections auront des bureaux provisoires constitués par le Comité d'organisation du Congrès, mais elles éliront leurs bureaux définitifs (un président, deux vice-présidents, un nombre indéterminé de présidents honoraires, et deux secrétaires).

Art. 12.

Les séances des quatres premières Sections alterneront deux par deux de la manière suivante: le 22, 23, 25, 26 et 27 Août 1884 se réuniront chaque matin de 9 à 11 h. les Sections I et IV, et de 11 h. du matin à 1 h. du soir les Sections II, III et V.

Les séances générales commenceront à 3 h. du soir.

Art. 13.

Sauf autorisation de l'assemblée, le même orateur ne pourra parler plus de deux fois sur le même sujet, et la durée des discours ne dépassera pas 15 minutes. Cette disposition n'est pas applicable aux rapporteurs, ni aux conférenciers.

Art. 14.

Tous les travaux lus, et toutes les communications faites au Congrès, seront immédiatement remis par écrit aux Secrétaires; de même chaque orateur qui prendra part à la discussion, déposera aussitôt après un résumé de son discours au bureau. Le Comité d'organisation qui reprendra ses fonctions après la session pour procéder à la publication des actes du Congrès, décidera de l'insertion partielle ou totale, ou de la non-insertion, dans le compte rendu.

Art. 15.

Le Président dirigera les séances et les débats suivant le mode adopté dans les assemblées délibérantes en général. Il ne sera mis aux voix que des questions d'ordre intérieur, à moins que l'assemblée n'en décide autrement.

————————

PROGRAMME DES TRAVAUX.

Séances générales.

Jeudi, 21 Août 1884. — Discours d'ouverture.

Vendredi, 22 Août 1884. — Conférences:

1. M. L. Pasteur, de Paris. L'atténuation des virus.
2. M. H. Pacchiotti, de Turin. L'hygiène publique à présent et à l'avenir.

Samedi, 23 Août 1884. — Conférences:

1. F. C. M. Finkelnburg, de Bonn. Les applications pratiques des progrès récents de la doctrine des virus, à l'hygiène publique.
2. M. Jules Rochard, de Paris. La valeur économique de la vie humaine, et sa comptabilité.

Dimanche, 24 Août 1884. — Une excursion à Rotterdam, Feyenoord, etc.

Lundi, 25 Août 1884. — Conférences:

1. M. Stephen Smith, de New-York. Le service sanitaire maritime des Etats-Unis de l'Amérique du Nord.
2. M. E. J. Marey, de Paris. Les forces utiles dans la locomotion.

Mardi, 26 Août 1884. — Conférences:

1. M. W. H. Corfield, de Londres. La science l'ennemi de la maladie.
2. M. Emile Trélat, de Paris. Régime de la température de la maison et de l'air qu'on y respire.

Mercredi, 27 Août 1884. — 1. Conférences:

a. M. J. Crocq, de Bruxelles. Les eaux potables.
b. M. A. Corradi, de Pavie. Ebauches de législation sanitaire.
2. Rapport du Jury nommé pour l'adjudication du prix de 2000 francs fondé par la Société „for the prevention of blindness" de Londres, et des seconds prix offerts par la Société de l'Oeuvre internationale pour l'amélioration du sort des aveugles.
3. Choix du siège du sixième Congrès international d'hygiène et de démographie.
4. Discours de clôture.

Travaux des Sections.

1ʳᵉ SECTION.

Bureau provisoire. — MM. L. J. Egeling, président. — F. J. Dupont, vice-président. — G. P. van Tienhoven et G. Th. Wolterbeek Muller, secrétaires.

Rapporteurs officiels.

1re question. — Le rapport de la Commission chargée d'examiner les propositions de M. le prof. Van den Corput, de Bruxelles, au sujet de la fondation d'une Ligue médicale internationale ayant pour but de s'instruire mutuellement du développement épidémique des maladies infectieuses et d'instituer les mesures les plus propres à en prévenir ou à en limiter l'extension. — Cette Commission a été nommée dans une Séance générale du premier Congrès international des Colonies, à Amsterdam, en Septembre 1883. Elle se compose de MM. Van den Corput, de Bruxelles, Le Roy de Méricourt, de Paris, de Chaumont et Lewis de Netley (Southampton), da Silva Amado, de Lisbonne.

2e question. — L'utilité et la nécessité de la création de chaires d'hygiène et de laboratoires ou d'instituts d'hygiène à toutes les universités. — Rapporteur: M. Jos. Fodor, de Budapest.

3e question. — Résultats de l'enquête sur la transmissibilité de la phthisie pulmonaire. — Rapporteur: M. Alphonse Corradi, de Pavie.

4e question. — Quelles mesures au point de vue de l'hygiène doivent accompagner le traitement médical du premier cas de maladie contagieuse épidémique qui se manifeste dans un centre de population? — Rapporteur: M. G. P. van Tienhoven, de La Haye.

5e question. — Les chiffons infectés, un danger national et international. — Rapporteur: M. W. P. Ruysch, de Maastricht.

Communications annoncées.

1. Projet d'organisation d'une Société universelle de défense contre les grandes épidémies, peste, choléra, fièvre jaune, etc., etc., — par M. E. Raymondaud, de Limoges.

2. La fièvre jaune devant l'hygiène internationale, — par M. A. F. Caro, de Madrid.

3. La diphthérie de l'homme et du pigeon, et sa cause dans les habitations, — par M. Rodolphe Emmerich, de Munnich.

4. Communication sur le „Cow-pox", — par M. J. Philippe, de Rouen.

5. La propagation de notions hygiéniques parmi la population indigène de l'île de Java, en tirant parti des prescriptions et des prohibitions se trouvant dans le Koran et dans la doctrine de l'Islam en général, par M. N. P. van der Stok, de Rijswijk.

2me SECTION.

Bureau provisoire. — MM. B. Carsten, président; — H. Snellen, vice-président; — W. P. Ruysch et C. G. van Mansvelt, secrétaires.

Rapporteurs officiels.

1re question. — Le déboisement est dangereux dans les climats tempérés de l'Europe; il est utile d'y garnir les dunes de plantations. — Rapporteur: M. A. Schwappach, de Giessen.

2e question. — La crémation peut rendre des services importants à la science et à la santé publique, même dans les pays où les cimetières sont organisés et administrés d'après les préceptes de l'hygiène. — Rapporteur: M. Th. H. Mac Gillavry, de Leyde.

3e question. — Quels sont les derniers résultats obtenus par l'application et l'étude continuée du système différenciateur (Liernur)? — Rapporteur: M. A. J. C. J. S. Bergsma, d'Amsterdam.

Communications annoncées.

1. Le nouveau programme de l'assainissement de Paris, par M. A. Durand-Claye, de Paris.

2. Les eaux potables et les tuyaux de plomb, par M. A. Hamon, de Billancourt.

3me SECTION.

Bureau provisoire. — MM. H. L. Verspyck, président; — J. Forster, vice-président; — Lodewijk Mulder et J. Menno Huizinga, secrétaires.

Rapporteurs officiels.

1re question. — Des falsifications alimentaires. Sur la proposition de M. P. Brouardel, de Paris, approuvée par le Congrès de Genève, la question sera mise de nouveau à l'ordre du jour du Congrès de La Haye, afin que les représentants des diverses nations apportent les textes des législations en vigueur chez elles, de façon à pouvoir étudier les mesures à prendre d'une façon internationale.

2e question. — Le danger de l'alimentation avec la viande et le lait des animaux tuberculeux. — Rapporteur: M. E. Vallin, de Paris.

3e question. — Des divers modes adoptés en Angleterre pour élever les enfants que la misère laisse aux seuls soins de l'Etat. — Rapporteur: Madame E. Bovell Sturge, de Nice et de Londres.

4e question. — Les maisons maritimes pour les sujets débiles, lymphatiques, scrofuleux, rachitiques, et pour les maladies chroniques en général (enfants et adultes). — Rapporteur: M. A. Armaingaud, de Bordeaux.

5e question. — Quels sont les dangers auxquels est exposé le système nerveux des écoliers et des étudiants, par l'application qu'exigent les études et les examens? — Si ces dangers existent, comment peut-on y remédier? — Rapporteur: M. J. Menno Huizinga, de Harlingue.

Communications annoncées.

1. La prévention da la cécité et l'éducation physique des aveugles, — par M. Mathias Roth, de Londres.

2. Les préjugés comme cause de la cécité, — par M. J. C. van Dooremaal, de La Haye.

3. Recherches expérimentales sur la valeur nutritive des poudres de viande, — par M. Poincaré, de Nancy.

4. La mesure du degré d'éclairage par la lumière diffuse du soleil, dans les écoles, — par M. Hermann Cohn, de Breslau.

4. Les progrès de l'hygiène et particulièrement de l'hygiène scolaire à Lausanne, depuis le Congrès de Genève, — par M. Joël, de Lausanne.

6. La nécessité d'instruire, dans les écoles normales les instituteurs, et dans les écoles de médecine les étudiants, en tout ce qui concerne l'hygiène personnelle et l'éducation physique scientifique, — par M. Mathias Roth, de Londres.

7. Recherches expérimentales sur les effets des parfums artificiels employés par les confiseurs et les liquoristes, — par M. Poincaré, de Nancy.

8. Des dangers que présente l'habitude de respirer par la bouche, tant pour l'organe de la respiration que pour celui de l'ouïe, — par M. A. A. G. Guye, d'Amsterdam.

4e SECTION:

Bureau provisoire. — MM. A. P. Fokker, président; — F. J. van Leent, vice-président; — A. Post, d'Arnhem, et W. Schutter, de Groningue, secrétaires.

Rapporteurs officiels.

1re question. — C'est un droit et un devoir pour l'Etat de prendre des mesures pour la salubrité du travail et la sécurité des travailleurs. — Le soin de la santé des ouvriers appartient aux fabricants pour autant qu'elle subit l'influence du travail. — Il ne servirait à rien d'assurer l'hygiène du travail, si on n'assurait en même temps l'hygiène des habitations ouvrières. — La sécurité du travail doit être assurée aussi bien que la salubrité. — Rapporteur: M. H. Napias, de Paris.

2e question. — Des différences fonctionnelles des yeux. — Rapporteur: F. C. Donders, d'Utrecht.

3e question. — La restriction volontaire apportée dans la procréation au point de vue de ses conséquences humanitaires et sociales. — Rapporteur: M. A. Layet, de Bordeaux.

4e question. — De l'influence que les caisses d'assurance, dites Sociétés d'enterrement, exercent sur la mortalité des enfants en bas âge. — Rapporteur: M. C. J. Snijders, de 's-Gravesande.

Communications annoncées.

1. Recherches expérimentales sur les effets des couleurs d'aniline, — par M. Poincaré, de Nancy.

2. L'asthme des fabricants de biscuit de seigle, par M. C. Verstraeten, de Gand.

5e SECTION:

Bureau provisoire. — MM. A. Beaujon, président; — Arthur Chervin, vice-président, — le Baron E. R. Van Welderen Rengers et le Jhr. R. A. Klerck, secrétaires.

Rapporteurs officiels.

1re question. — La mortalité en Suisse. — Rapporteur: M. Kummer, de Berne.

2e question. — Rapport sur les travaux de statistique démographique en Italie. — Rapporteur: M. L. Bodio, de Rome.

3e question. — Méthode de calcul de la mortalité d'après les causes de décès. — Rapporteur: M. Richard Boeckh, de Berlin.

4e question. — La mortalité par maladies épidémiques à Paris, depuis 1865. — Les enfants illégitimes. — Rapporteur: M. Jacques Bertillon, de Paris.

5e question. — Méthode de groupement rationnel par catégories, des moyennes proportionnelles. — De l'influence de la division de la propriété sur le peuplement. — Rapporteur: M. Arthur Chervin, de Paris.

6e question. — La publication des données statistiques et la formation des tables de mortalité. — Rapporteur: M. A. J. van Pesch, d'Amsterdam.

7e question. — Population et vivres. — Rapporteur: M. A. Beaujon, d'Amsterdam.

DÉLÉGATIONS.

I. Délégués des Gouvernements.

Amérique du Nord. Etats-Unis.

A. Délégué du Service de santé de l'armée: Dr. J. S. Billings.

B. Délégués du Service de santé de la marine: MM. Dr. J. M. Browne et Dr. J. Rufus Tryon.

République Argentine.

Dr. Guillermo Rawson. — Professeur à la Faculté de médecine de Buenos-Ayres.

Autriche.

Ministère de l'Intérieur et Ministère de l'Instruction publique: Dr. J. Soyka. — Professeur à l'Université de Prague.

Bavière.

Dr. Rodolphe Emmerich. — Agrégé de l'Institut d'hygiène de l'Université de Munnich.

Belgique.

MM. Dr. Crocq, sénateur, professeur à l'Université de Bruxelles; — Dr. A. Feigneaux, secrétaire honoraire de la Société Royale de médecine publique de Belgique; — Dr. V. Vleminckz, membre, secrétaire du Conseil supérieur d'hygiène publique de Belgique; — Dr. F. Putzeys, professeur d'hygiène à l'Université de Liège.

Brésil.

Dr. Ferreira de Abreu, baron de Thérésopolis, membre du Conseil de S. M. l'Empereur du Brésil. Ancien Doyen et professeur à l'Université de Rio-Janeiro.

Bulgarie.

Dr. Jordan Bradel, médecin en chef de la Principauté, à Sofia.

Espagne.

Dr. Don Angel Fernandez Caro, médecin-major de 1re classe au Ministère de la Marine; — Dr. José de la Véga, médecin-major de la Marine, à Carthagènes.

France.

MM. Dr. Jules Rochard, inspecteur général du Service de santé de la Marine; — Dr. E. Vallin, médecin principal de 1re classe, professeur d'hygiène au Val-de-Grâce; — Dr. P. Brouardel, professeur à la Faculté de médecine de Paris; — Dr. A. Proust, inspecteur général des services sanitaires.

Ministère du Commerce: MM. les Docteurs P. Brouardel, A. Proust, et E. Vallin.

Ministère de l'Instruction publique et des Beaux-Arts de France: Dr. Em. Alglave, professeur de droit de la Faculté de droit de Paris.

Ministère de l'Intérieur: Dr. Henri Liouville, député, agrégé, médecin des Hôpitaux de Paris.

Italie.

Dr. Alphonse Corradi, professeur à l'Université de Pavie, président de la Société Italienne d'Hygiène.

Japon.

Dr. Masanori Ogata, de Tokyo.

Roumanie.

Dr. J. Felix, professeur d'hygiène à la Faculté de médecine de Bucharest.

Serbie.

Dr. G. Klinkovski, président du Conseil sanitaire du Royaume de Serbie.

Suisse.

Dr. G. Haltenhoff, professeur d'ophthalmologie à l'Université de Genève; — Dr. F. Joël, ancien médecin de division de l'armée fédérale Suisse; — Dr. H. R. Albrecht-Gerth, professeur agrégé à l'Université de Berne; — Dr. J. J. Kummer, directeur du Bureau fédéral de statistique de la Suisse; — H. Bourrit, architecte, ancien professeur.

Turquie.

Dr. A. Zoéros-Bey, Colonel, professeur de clinique médicale à la Faculté impériale de médecine de Constantinople, secrétaire du Conseil de santé de Constantinople.

2. Délégués de provinces, conseils généraux, provinciaux, municipaux, universités, académies.

a. Amérique. State Board of Health of Michigan: Dr. A. Hazlewood, docteur en médecine à Grand Rapids.

State Board of Health of New-York: Dr. Edward Moore, président du Conseil. — Dr. Woolsey Johnson. — Dr. Alfred L. Carroll, secrétaire du Conseil.

Ville de New-York: C. F. Chandler, professeur à l'Ecole des Mines de „Columbia College". — Dr. J. Oakley van der Poel.

b. R é p u b l i q u e A r g e n t i n e. — Province Buenos-Ayres: Dr. E m i l i o R. C o n i, directeur en chef de la Revista médico-Quirúrgica.

c. B e l g i q u e. — Conseil de salubrité publique de la province de Liège: Dr. G. d e W a l q u e, président du Conseil, professeur à la Faculté des sciences de l'Université de Liège. — M a l h e r b e, Ingénieur et Conseiller communal de la Ville de Liège. — Dr. A l e x a n d r e N e u j e a n, ingénieur. — Dr. G. J o r i s s e n n e, Secrétaire général du Conseil.

Université de Liège: Dr. F. P u t z e y s, professeur d'hygiène à cette Université.

Université Catholique de Louvain: Dr. V e r r i e s t, professeur de clinique interne à cette Université.

d. G r a n d e - B r e t a g n e. — Medical Council of the United Kingdom: Dr. W. H. C o r f i e l d, professeur d'Hygiène à „University College".

e. F r a n c e. — Préfecture de la Seine: Dr. J a c q u e s B e r t i l l o n, chef du Service de statistique de la Ville de Paris. — Dr. A. C h e r v i n, professeur à l'Institut des Bègues.

Académie de médecine: MM. les Docteurs A. P r o u s t et P. B r o u a r d e l.

Faculté de médecine de Bordeaux: Dr. A. L a y e t, professeur d'hygiène à cette Faculté.

Faculté de médecine de Lille: Dr. J u l e s A r n o u l d, directeur du Service de santé du 1er corps d'armée, professeur d'hygiène à la Faculté de médecine de Lille.

Ecole de médecine et de pharmacie d'Alger: Dr. T e x i e r, directeur de cette Ecole.

Conseil départemental d'Hygiène de la Charente Inférieure: Dr. G. D r o u i - n e a u, Secrétaire du Conseil. — P a u l F l e u r y, pharmacien de 1re classe à Marans.

Conseil central d'Hygiène publique et de Salubrité du Département de Meurthe-et-Moselle: Dr. D e l c o m i n è t e, professeur à l'Ecole de Pharmacie, de Nancy. — Dr. P o i n c a r é, professeur d'hygiène à la Faculté de médecine de Nancy.

Conseil d'Hygiène de la Seine: Dr. P. B r o u a r d e l, professeur à la Faculté de médecine de Paris. — Dr. E. H a r d y, chef des travaux chimiques de l'Académie de médecine. — F. B e z a n ç o n, Chef de division à la Préfecture de Police.

Conseil central d'Hygiène publique et de salubrité de la Seine Inférieure: Dr. J. C l o u ë t, professeur de chimie à l'Ecole de médecine de Rouën. — J. P h i l i p p e, vétérinaire en chef départemental.

Conseil d'Hygiène du Département de Vaucluse: Dr. A. P a m a r d, chirurgien en chef des hospices et hôpitaux d'Avignon.

Administration municipale de Paris: Dr. R o b i n e t, conseiller municipal. — Dr. M i c h e l i n, docteur en droit, professeur, conseiller municipal. — Dr. H.

Chassaing, conseiller municipal. — A. Durand-Claye, ingénieur en chef des Ponts et Chaussées. — Dr. Henri Napias, inspecteur départemental du Travail des Enfants dans l'Industrie, secrétaire général de la Société de Médecine publique et d'Hygiène professionnelle.

Administration municipale de Bordeaux : Dr. A. Layet, professeur d'hygiène à l'Ecole de médecine de Bordeaux. — Dr. E. Mauriac, inspecteur général adjoint de la Salubrité.

Commission administrative de l'Hospice Civil du Havre: Dr. A. Launay, directeur du Bureau municipal d'hygiène.

Administration municipale de Reims: Dr. Henri Henrot, maire de Reims. — Dr. Langlet, directeur du Bureau municipal d'hygiène.

f. Roumanie. — Couseil municipal de Bucharest: Dr. J. Félix, professeur d'hygiène à la Faculté de médecine de Bucharest.

3. Délégués de Sociétés savantes et autres.

a. Allemagne. — Société internationale pour prévenir l'infection du sol, des eaux et de l'air: Dr. C. Reclam, président de la Société, professeur d'hygiène à l'Université de Leipsic.

b. Amérique. — American Public Health Association: Dr. Stephan Smith (New-York City), Dr. Robert C. Kedzie (Lansing, Michigan), Dr. Azel Ames (Boston, Mass.), Dr. William K. Newton (Paterson New-York), Dr. Hillan Ryan, Dr. J. M. Browne, Dr. J. E. Link (Indiana), Dr. O. W. Wight (Detroit, Michigan), A. C. Girard M. D., George E. Waring C. E. (Newport, Rhode I.), Dr. Ezra M. Hunt (Trenton, N.-J.), John K. Allen (Chicago, Ill.).

c. Belgique. — Société Royale de Médecine publique de Belgique: Dr. G. De Walque, professeur à la Faculté des sciences de l'Université de Liège.

d. Grande-Bretagne. — The Ladies Sanitary association: Dr. Mathias Roth, fondateur de la Société pour la prévention de la Cécité, à Londres.

Royal College of Physicians.
  „   „   „ Surgeons.
Sanitary Institute of Great Britain.
The Epidemiological Society.
The British Museum.

Dr. F. de Chaumont, professeur d'hygiène à l'Ecole de médecine militaire de Netley. — Dr. W. H. Corfield, professeur d'hygiène à „University College" de Londres.

The Parkes Museum: Dr. F. de Chaumont, professeur d'hygiène à l'Ecole de médecine militaire de Netley.

e. Espagne. — Société Espagnole d'hygiène: Dr. Don Augel Fernandez Caro, médecin-major de 1re classe de la Marine.

f. France. — Société d'Enseignement supérieur de France: Dr. L. Pasteur, Membre de l'Institut, etc. etc. — Emile Trélat, architecte, professeur au Conservatoire des Arts et Métiers.

Association Française pour l'avancement des sciences: Dr. H. Napias, secrétaire général de la Société de Médecine publique et d'Hygiène professionnelle. — Emile Trélat, architecte en chef du Département de la Seine, directeur de l'Ecole spéciale d'architecture, professeur au Conservatoire des Arts et Métiers. — Dr. Jules Rochard, inspecteur général du service de santé de la Marine.

Société nationale de Médecine: Dr. J. Teissier, professeur agrégé à la Faculté de médecine de Lyon.

Société Française d'Hygiène: Dr. P. de Pietra Santa, secrétaire général de la Société. — A. Joltrain, secrétaire de la Société.

Société d'hygiène de Bordeaux: Dr. E. Mauriac, inspecteur général adjoint de la Salubrité.

Société des Crèches: M. Eugène Marbeau, ancien Conseiller d'Etat, président de la Société. — Dr. René Blache, membre de la Société.

Société Française de Crémation des cadavres: M. Koechlin-Schwartz, Maire du 8e Arrondissement de la Ville de Paris, président de la Société. — Dr. Henri Napias, vice-président de la Société, secrétaire général de la Société de Médecine publique et d'Hygiène professionnelle. — A. Durand-Claye, ingénieur en chef des Ponts et Chaussées. — Dr. A. Layet, professeur d'hygiène à la Faculté de médecine de Bordeaux.

g. Pays-Bas. — Académie Royale des Sciences, Section des Sciences naturelles: Dr. F. C. Donders, professeur de physiologie à l'Université d'Utrecht. — Dr. Th. H. Mac Gillavry, professeur d'hygiène à l'Université de Leyde.

Société de Médecine des Pays-Bas: Dr. A. A. G. Guye, rédacteur en chef du Journal de la Société. — W. P. Ruijsch, membre du Comité d'organisation.

Société de Médecine des Pays-Bas, Section La Haye: Dr. J. M. Piepers (La Haye) et Dr. J. van der Mandele (Schéveningue).

Société de Médecine des Pays-Bas, Section Leyde et environs: Dr. Th. H. Mac Gillavry, professeur d'hygiène à l'Université de Leyde.

Société de Médecine des Pays-Bas, Section Schiedam et environs: Dr. C. Vaillant (Schiedam).

Société de Médecine des Pays-Bas, Section La Zeelande et environs: Dr. Dozy, inspecteur médical pour la province de Zeelande.

Société de Pharmacie des Pays-Bas: Dr. J. Th. Mouton, docteur en pharmacie. — H. Nanning, pharmacien (La Haye).

Société de Pharmacie des Pays-Bas, Section La Haye· Dr. J. E. de Vrij, membre honoraire de la Société.

Société pour la propagation de la vaccination dans les Pays-Bas: Dr. L. Ali Cohen, inspecteur médical pour les provinces de Frise et de Groningue. — Dr. Ph. S. Frank, directeur du Parc vaccinogène à Harlem.

Société pour la propagation de la vaccination dans les Pays-Bas, Section La Haye: Dr. B. Carsten, inspecteur médical adjoint pour la Hollande méridionale. — Dr. J. A. Moll, médecin à La Haye.

Société de crémation des cadavres: Dr. B. H. Pekelharing, professeur à l'Ecole Polytechnique.

Société d'Hygiène de La Haye. — J. F. F. Moet, ingénieur en chef aux Indes Orientales, en retraite. — Dr. M. J. Bouvin, médecin à La Haye.

Société d'Hygiène d'Utrecht. — Dr. S. de Jager, professeur à l'Ecole vétérinaire de l'Etat, à Utrecht. — Dr. C. Winkler, médecin à Utrecht.

Conseil d'Hygiène de la Ville de Rotterdam: Dr. F. J. Dupont, médecin à Rotterdam.

Société des médecins de La Haye: Dr. H. de Jong, président, et Dr. H. de Zwaan, vice-président de la Société.

Société pour l'amélioration des habitations de la classe ouvrière à La Haye: M. le Jhr. K. Hora Siccama et M. le Jhr. J. Beelaerts van Blokland.

Société d'Escrime et de Gymnastique de La Haye: M. C. D. Doeleman, professeur de gymnastique.

Hospice des idiots à La Haye: M. C. G. van Mansvelt, ancien médecin de la Marine des Pays-Bas.

Société pour la protection des animaux à La Haye: M. le Jhr. R. A. Klerck, Commis au Ministère des Affaires Etrangères. — M. le baron R. Ch. E. G. J. Snouckaert van Schouburg.

h. Russie. — Société d'hygiène de Russie: M. le Comte Paul de Suzor, conseiller municipal de la Ville de Saint-Pétersbourg, professeur à l'Institut des Ingénieurs Civils de Saint-Petersbourg.

Société médicale de Varsovie: Dr. W. Lubelski, médecin du Consulat de France et des Hôpitaux Civils à Varsovie.

LISTE GÉNÉRALE

DES

Membres du Congrès.

A.

Dr. Ferreira de Abreu, baron de Thérésopolis, de Paris.

Dr. H. R. Albrecht—Gerth, de Neuchâtel.

M. C. J. Aldecoa, de Madrid, ex-directeur général de santé civile.

Dr. Em. Alglave, de Paris.

M. Edmond Allard, architecte, de Paris.

Dr. J. D. Ancona, de Paris.

Dr. A. Armaingaud, professeur agrégé à la Faculté de médecine de Bordeaux.

Dr. Jules Arnould, de Lille.

Dr. Aulas, médecin de la Compagnie des Mines à Firminy (Loire).

Dr. B. Avilès, directeur du Journal „La Hygiene", de Madrid.

B.

Dr. W. Baartz, de Rotterdam.

Dr. I. F. Baerken, de La Haye.

M. J. Bartolotti Rijnders, médecin militaire, de La Haye.

Dr. E. Baselga, député, sous-inspecteur du service de santé de l'Armée Espagnole, de Madrid.

Dr. I. Bataller, pharmacien, de Madrid.

Dr. W. H. de Beaufort, président du Congrès.

Dr. A. Beaujon, professeur de Statistique à l'Université de la Ville d'Amsterdam, président de la 5e Section du Congrès.

M. le Jhr. J. Beelaerts van Blokland, de La Haye. Délégué.

Dr. J. A. M. Beguin, de Voorbourg.

Dr. M. Belmas, directeur de la „Revista de Arquitectura", de Madrid.

Dr. Th. Belval, inspecteur de l'hygiène scolaire au Ministère de l'Instruction Publique de Belgique, de Bruxelles.

Dr. A. Benavente, médecin de l'Hôpital des Enfants „del Nino Jesus", de Madrid.

Dr. M. Benavente, membre de l'Académie Royale de Médecine, de Madrid.

Dr. Bazile Benzengre, de Moscou.

Madame P. C. E. Berg, directrice de l'Hôpital des Enfants, d'Amsterdam.

M. J. G. van den Bergh, Ministre du Waterstaat, du Commerce et de l'Industrie des Pays-Bas.

M. A. J. C. J. S. Bergsma, ancien échevin de la Ville d'Amsterdam, industriel, d'Amsterdam.

Dr. Jacques Bertillon, de Paris. Délégué.

M. Fernand Besançon, de Paris. Délégué.

Dr. J. S. Billings, de Washington. Délégué.

M. le Comte C. J. E. van Bylandt, membre du Comité de réception.

Dr. René Blache, de Paris. Délégué.

Dr. C. Blas, professeur de Chimie à l'Université Catholique de Louvain.

Dr. Rodolphe Blasius, professeur d'hygiène à l'Ecole Polytechnique de Brunswick.

Dr. T. H. Blom Coster, de La Haye, Vice-président du Congrès.

Dr. L. Bodio, directeur des travaux de statistique démographique en Italie, de Rome.

Dr. Richard Boeckh, directeur du Bureau de Statistique de la Ville de Berlin.

Dr. L. Boehm, conseiller médical, de Magdebourg.

Dr. Edward Boetzkes, de Venlo.

Dr. Bonnafont, ex-médecin principal des Armées, de Paris.

M. le Jhr. Dr. G. de Bosch Kemper, secrétaire général du Ministère du Waterstaat, du Commerce et de l'Industrie des Pays-Bas.

M. H. Bourrit, de Genève. Délégué.

Dr. M. J. Bouvin, de La Haye. Délégué.

Madame Dr. E. Bovell—Sturge, de Londres.

Dr. Jordan Bradel, de Sofia. Délégué.

Dr. J. van Breda Kolff, d'Amsterdam, membre du Comité d'organisation.

Dr. P. Brouardel, de Paris. Délégué.

Dr. J. M. Browne, de Washington. Délégué.

Dr. J. L. de Bruijn Kops, député, de La Haye.

Dr. F. Bürger, de Neckar Salm (Wurtembourg).

Dr. G. Busey, de Washington.

C.

M. le Jhr. Dr. H. de la Bassecour Caan, membre des Etats Députés de la Hollande méridionale, de La Haye.

Dr. V. Cabello, médecin-major de 1re classe de la Marine Espagnole, attaché au Bureau Central de Santé de la Marine, de Madrid.

Dr. P. Calderin, de Madrid.

M. L. Cannegieter, médecin militaire de l'armée des Indes orientales Neerlandaises.

Dr. H. van Cappelle, référendaire pour les affaires de police médicale au Ministère de l'Intérieur des Pays-Bas.

Dr. Don Angel Fernandez Caro, de Madrid. Délégué.

Dr. B. Carsten, de La Haye, membre du Comité d'organisation, président de la 2e Section du Congrès.

Dr. E. Castelo, membre de l'Académie Royale de Médecine, de Madrid.

Dr. H. Chassaing, de Paris. Délégué.

Dr. F. de Chaumont, de Southampton. Délégué.

Dr. A. Chervin, de Paris, vice-président de la 5e Section du Congrès. Délégué.

Madame Chervin, de Paris.

Dr. V. du Claux, secrétaire de la Rédaction des Annales d'Hygiène publique et de Médecine légale, de Paris.

Dr. J. Clouët, de Rouen. Délégué.

Dr. J. Coert, de La Haye, membre du Comité de réception.

Dr. L. Ali Cohen, de Groningue. Délégué.

Dr. Hermann Cohn, professeur d'ophthalmologie à l'Université de Breslau.

Dr. Emilio R. Coni, de Buenos-Ayres. Délégué.

M. J. F. W. Conrad, de La Haye, membre du Comité d'organisation.

Dr. W. H. Corfield, de Londres. Délégué.

Dr. Jules Coronel, médecin militaire aux Indes occidentales Neerlandaises.

Madame Coronel, née Salomons, de Harlem.

Dr. van den Corput, professeur à l'Université de Bruxelles.

Dr. Alphonse Corradi, de Pavie. Délégué.

Dr. Auguste Corradi, docteur ès lettres, de Pavie.

Dr. I. Cortejarena, professeur à l'Université de Madrid.

Dr. C. M. Cortezo, membre du Conseil Royal de Santé publique, de Madrid.

Dr. Crocq, de Bruxelles. Délégué.

Dr. Antonio Manuel de Cunha Bellem, rédacteur de la Gazette des Hôpitaux militaires de Lisbonne.

Dr. Gustave Custer, de Rheineck (St.-Gallen).

D.

M. Ch. Davidson, I. R. C. S. E., de Londres.

Dr. Delcominète, de Nancy. Délégué.

Dr. Edmond Destrée, professeur d'hygiène aux Cours de la Ville de Bruxelles.

Dr. G. de Walque, de Liège. Délégué.

M. Henri Doat, ingénieur civil, de Vennes, près de Liège.

M. C. D. Doeleman, professeur de gymnastique, de La Haye.

Dr. F. C. Donders, d'Utrecht. Délégué.

Dr. N. B. Donkersloot, de La Haye, membre du Comité de réception.

Dr. J. C. van Dooremaal, de La Haye, membre du Comité de réception.

Dr. I. de Downarowicz, conseiller d'Etat, de St.-Petersbourg.

Dr. G. Drouineau, de La Rochelle. Délégué.

Dr. P. L. Dunant, professeur d'hygiène à l'Université de Genève.

Dr. F. J. Dupont, de Rotterdam. Délégué, vice-président de la 1re Section du Congrès.

M. A. Durand-Claye, de Paris. Délégué.

Dr. Dutrieux-Bey, médecin de division de l'hôpital du Gouvernement à Alexandrie.

Dr. Charles Duverdy, avocat à la Cour d'appel, de Paris.

Dr. A. J. Duymaer van Twist, Ministre d'Etat des Pays-Bas, de Diepenveen.

E.

Dr. L. J. Egeling, de La Haye, membre du Comité d'organisation, président de la 1re Section du Congrès.

Dr. C. W. Eikendal, de La Haye, membre du Comité de réception.

Dr. H. C. A. K. Eikendal, de La Haye.

Dr. Rodolphe Emmerich, de Munich. Délégué.

Dr. Guilherme José Ennes, rédacteur de la Gazette des hôpitaux militaires de Lisbonne.

Dr. A. N. Erkelens, de La Haye.

Dr. Esberg, de Hannovre.

Dr. H. Eulenberg, conseiller intime supérieur au Ministère de l'Instruction Publique de Prusse.

M. E. Evers, de La Haye, membre du Comité de réception.

F.

Dr. Paul Fabre, président de la Société des Sciences médicales de Gannat, de Commentry (Allier, France).

Dr. C. J. L. Feith, de La Haye.

Dr. J. Félix, de Bucharest. Délégué.

Dr. A. Feigneaux, de Bruxelles. Délégué.

Dr. J. Feradas, sous-inspecteur du service de santé de l'Armée Espagnole, de Madrid.

Dr. Fieuzal, médecin en chef de l'Hospice des Quinze-Vingts, de Paris.

Dr. F. C. M. Finkelnburg, professeur à l'Université de Bonn.

Dr. J. P. L. Fischer, médecin militaire, de La Haye.

Dr. A. Fiumi, vétérinaire, de Paris.

Dr. Fleury, directeur du Bureau municipal d'Hygiène et de Statistique de Saint-Etienne (Loire).

M. Paul Fleury, de Marans. Délégué.

Dr. C. Flügge, professeur d'hygiène à l'Université de Goettingue.

Dr. A. P. Fokker, de Groningue, membre du Comité d'organisation, vice-président de la 4e Section du Congrès.

Dr. J. Forster, d'Amsterdam, membre du Comité d'organisation, vice-président de la 3e Section du Congrès.

Dr. B. Francia, médecin de la Marine Espagnole, aux Iles Philippines.

Dr. P. S. Frank, de Harlem. Délégué.

G.

Dr. M. M. I. Galdo, ex-sénateur, professeur d'hygiène à l'Institut du „Cardinal Cisneros", de Madrid.

Dr. A. Garcia Calderon, interne du Laboratoire micropathologique de l'Hôpital „St. Juan de Dios", de Madrid.

Dr. Vladan Georgévitch, chef de Section au Ministère de l'Intérieur de la Serbie, de Belgrade.

Dr. J. H. M. Gerards, de La Haye.

Dr. Alfred C. Girard, de Washington. Délégué.

Dr. K. M. Giltay, de Rotterdam.

Dr. A. Goni, rédacteur de „La Presse médicale", de Madrid.

Dr. W. D. Gratama, professeur au Gymnase de la Ville de Delft.

Dr. Henri Guéneau de Mussi, membre de l'Académie de médecine de France et de Belgique, de Paris.

M. H. Guillemard, architecte, membre de la Commission d'Hygiène publique et de Salubrité du 3e Arrondissement de Paris.

Dr. W. M. Gunning, professeur d'ophthalmologie à l'Université de la Ville d'Amsterdam.

Dr. A. A. G. Guye, d'Amsterdam. Délégué.

H.

Dr. G. Haltenhoff, de Genève. Délégué.

Dr. P. F. van Hamel Roos, directeur du Laboratoire chimique et microscopique de la Ville d'Amsterdam.

Dr. K. W. Hamilton of Silvertonhill, ancien médecin principal de l'Armée des Indes orientales Neerlandaises, de La Haye.

M. le Baron K. J. G. van Hardenbroek van Bergambacht, de La Haye, membre du Comité de réception.

Dr. E. Hardy, de Paris. Délégué.

Dr. J. Hartzfeld, ancien médecin principal de l'Armée des Indes orientales Neerlandaises, de La Haye.

Dr. A. van Hasselt, docteur en sciences naturelles, de Assen.

Dr. I. Hauser, de Madrid.

Dr. A. Hazlewood, de Grand Rapids (Michigan). Délégué.

Dr. J. Heemskerk Azn., Ministre de l'Intérieur des Pays-Bas, président d'honneur du Congrès.

Dr. Henri Henrot, de Reims. Délégué.

M. Jules Henrot, membre du Conseil d'hygiène de l'Arrondissement de Reims.

M. Ch. Herscher, ingénieur, membre de la Société de Médecine publique, de Paris.

Dr. L. van der Hoeven, de La Haye, secrétaire du Comité d'organisation.

M. Harco T. Hora Siccama, de La Haye. Délégué.

La Commission administrative de l'Hospice civil du Havre.

M. J. Menno Huizinga, de Harlingue, membre du Comité d'organisation, Secrétaire de la 3e Section du Congrès. Délégué.

Dr. Ezra M. Hunt, de Trenton (New Jersey). Délégué.

Dr. M. Hymans van Wadenoyen, de La Haye.

I.

M. C. Ibanez, général du Génie, directeur-général de l'Institut géographique et statistique d'Espagne, de Madrid.

Dr. F. A. Ingen-Housz, de La Haye, secrétaire du Comité de réception.

J.

Madame Dr. Aletta Jacobs, d'Amsterdam.

Dr. S. de Jager, d'Utrecht. Délégué.

Dr. François Joël, de Lausanne. Délégué.

M. A. Joltrain, de Paris. Délégué.

Dr. Henri de Jong, de La Haye. Délégué.

Dr. Gustave Jorissenne, de Liège. Délégué.

K.

Dr. H. P. Kapteyn, d'Abcoude.

M. Keuchenius, étudiant en médecine à l'Université de Leyde, de La Haye.

M. le Jhr. R. A. Klerck, de La Haye, Secrétaire de la 5e Section du Congrès. Délégué.

Dr. George Klinkovski, de Belgrade. Délégué.

M. J. A. van der Kloes, professeur à l'Ecole Polytechnique, de Delft.

M. A. van der Knaap, médecin, de Ryswic.

M. A. Koechlin-Schwartz, de Paris. Délégué.

Dr. Joseph Körôsi, directeur du Bureau Municipal de Statistique de la Ville de Budapest.

Dr. A. A. Korteweg, interne de l'Hôpital civil de La Haye.

Dr. A. Kosciakiewicz, de Rive-de-Gier (Loire).

Dr. J. J. Kummer, de Berne. Délégué.

L.

M. Otto Lackner, de Steglitz (près de Berlin).

M. Ernest Lamy, membre de la Société de Médecine publique et d'Hygiène professionelle, de Paris.

Dr. Charles Landré, de La Haye.

Dr. Langlet, de Reims. Délégué.

Dr. A. Launay, du Havre. Délégué.

Dr. Alexandre Layet, de Bordeaux. Délégué.

Dr. F. Ledé, professeur d'hygiène aux Cours des Ecoles du 4e Arrondissement de Paris.

Dr. F. J. van Leent, d'Amsterdam, membre du Comité d'organisation, vice-président de la 4e Section du Congrès.

M. D. J. de Leeuw, ancien Chef du Service médical aux Indes orientales Neerlandaises, de La Haye.

M. Victor Levis, étudiant en médecine, de Bruxelles.

Dr. T. R. Lewis, professeur à l'Ecole de médecine militaire de Netley, près de Southampton.

Dr. Henri Liouville, de Paris. Délégué.

Dr. M. Llovet, de Malaga.

Dr. I. M. Lopez Bernal, directeur de l'hôpital de la Marine du Département de Cadix, de Cadix.

Dr. Ed. Lorent, membre du Conseil d'hygiène de la Ville de Brême.

Dr. D. Lubach, inspecteur médical pour les provinces de Drenthe et d'Overyssel.

Dr. W. Lubelski, de Varsovie. Délégué.

Dr. L. Lunier, membre de l'Académie de médecine, de Paris.

Mademoiselle Lunier, de Paris.

M.

Dr. C. F. T. H. van Maanen, avocat-général de la Haute Cour des Pays-Bas, de La Haye.

M. C. G. van Mansvelt, ancien médecin de la Marine des Pays-Bas, secrétaire de la 2e Section du Congrès, de La Haye.

Dr. Masanori Ogata, de Tokyo. Délégué.

M. J. C. van Marken Jr., fabricant, de Delft.

Dr. Th. H. Mac Gillavry, de Leyde, membre du Comité d'organisation. Délégué.

M. Malherbe, de Liège. Délégué.

Dr. J. van der Mandele, de Schéveningue. Délégué.

M. Eugène Marbeau, de Paris. Délégué.

Dr. E. J. Marey, professeur au Collège de France, de Paris.

Dr. A. J. Martin, secrétaire général adjoint de la Société de Médecine publique et d'Hygiène professionnelle, de Paris.

Dr. E. Martin, de Genève.

Dr. de Maurans, rédacteur en chef de „La Semaine médicale", de Paris.

Dr. E. Mauriac, de Bordeaux. Délégué.

Société Royale de Médecine Publique de Belgique.

M. Hugo van der Meer de Walcheren, général-major de l'artillerie, en retraite, de La Haye.

Dr. A. Mendoza, chef du Laboratoire histo-pathologique de l'Hôpital S. Juan de Dios, de Madrid.

Dr. T. M. Mess, de Schéveningue, membre du Comité de réception.

Dr. W. J. de Meijer, de Deventer, secrétaire du Comité d'organisation.

Dr. G. van Overbeek de Meijer, d'Utrecht, secrétaire général du Congrès.

Dr. Michelin, de Paris. Délégué.

M. J. F. F. Moet, de La Haye. Délégué.

Dr. J. A. Moll, de La Haye.

Dr. C. A. Moolenaar, de La Haye.

Dr. F. J. Mouat, Local Government Inspector, de Londres.

Dr. J. Th. Mouton, de La Haye, membre du Comité d'organisation. Délégué.

M. Lodewijk Mulder, de La Haye, membre du Comité d'organisation, secrétaire de la 3e Section du Congrès.

M. A. G. H. Muller, médecin, de La Haye.

Dr. Octave Muller, de Romainmôtier (Vaud, Suisse).

Dr. R. de Musgrave Clay, de Pau (Basses Pyrénées).

N.

M. H. Nanning, de La Haye. Délégué.

Dr. Henri Napias, de Paris. Délégué.

Dr. Alexandre Neujean, de Liège. Délégué.

Dr. E. J. M. Nolet, de Schiedam.

Dr. A. M. Nortier, de La Haye.

O.

Dr. S. Oakley van der Poel, de New-York. Délégué.

M. E. Ordonez, directeur général de santé civile, secrétaire du Parlement, de Madrid.

M. H. L. Oudenhoven, contre-amiral, en retraite, ancien inspecteur du service de santé de la Marine des Pays-Bas, de La Haye.

Dr. I. Ovilo, médecin-major de l'Armée Espagnole, de Madrid.

P.

Dr. H. Pacchiotti, professeur à l'Université de Turin.

Dr. Martinez Pacheco, sous-inspecteur du Service de santé de l'Armée Espagnole, de Madrid.

Dr. L. Pagliani, professeur d'Hygiène à l'Université de Turin.

Dr. Alfred Pamard, d'Avignon. Délégué.

Dr. L. Pasteur, de Paris. Délégué.

Dr. J. G. Patijn, bourgmestre de La Haye, président d'honneur du **Comité** de réception, membre du Comité d'organisation.

Dr. B. H. Pekelharing, de Delft. Délégué.

Dr. A. Pellegrin, de Paris.

Dr. I. Perez, ancien médecin major de la Marine Espagnole, de **Madrid**.

Dr. E. R. Perrin, membre de la Commission des logements insalubres, de Paris.

Dr. A. J. van Pesch, professeur à l'Université de la Ville d'**Amsterdam**.

M. J. Philippe, de Rouen. Délégué.

Dr. J. M. Piepers, de La Haye. Délégué.

Dr. P. de Pietra Santa, de Paris. Délégué.

Dr. Poincaré, de Nancy. Délégué.

Dr. François P. L. Pollen, vice-consul d'Allemagne, de Schéveningue.

Dr. A. Post, inspecteur médical adjoint pour les provinces d'Utrecht et de Gueldre, secrétaire de la 4e Section du Congrès.

Dr. C. P. Pous Koolhaas, de La Haye, membre du Comité de réception.

Dr. H. F. van Praag Heymans, de La Haye, membre du Comité de réception.

M. H. E. Prins Wielandt, ancien médecin militaire de l'Armée des Indes orientales Neerlandaises, de La Haye.

Dr. A. Proust, de Paris. Délégué.

Dr. A. Pulido, membre de l'Académie Royale de Médecine, secrétaire général de la Société Espagnole d'Hygiène, de Madrid.

Dr. Félix Putzeys, de Liège. Délégué.

R.

Dr. J. N. Ramaer, de La Haye, membre du Comité de réception.

Dr. E. Raymondaud, professeur à l'Ecole de Médecine de Limoges.

Dr. Ch. Reclam, de Leipzic. Délégué.

Dr. Robinet, de Paris. Délégué.

Dr. Jules Rochard, de Paris. Délégué.

Dr. D. L. Roosenburg, de La Haye.

Dr. Mathias Roth, de Londres. Délégué.

M. J. M. Rubio, ingénieur, membre de la Société Espagnole d'Hygiène, de Madrid.

M. W. P. Ruysch, de Maastricht, membre du Comité d'organisation, secrétaire de la 2e Section du Congrès. Délégué.

Dr. J. Rufus Tryon, de Washington. Délégué.

Dr. M. B. Ruiz, sous-inspecteur du Service de santé de l'Armée Espagnole, de Madrid.

Dr. J. Ruiz del Cerro, pharmacien, officier au Secrétariat du Conseil Royal de Santé, de Madrid.

Dr. J. M. C. E. Le Rütte, de La Haye.

S.

M. J. D. Sachse, de La Haye, membre du Comité de réception.

Dr. R. H. Saltet, d'Amsterdam.

M. J. H. D. L. Sänger, médecin militaire de l'Armée des Indes orientales Neerlandaises.

M. le Comte R. J. Schimmelpenninck tot Nyenhuis, de La Haye, membre du Comité de réception.

Dr. W. Schutter, de Groningue, secrétaire de la 4e Section du Congrès.

Dr. A. Schwappach, professeur à l'Université de Giessen.

M. J. Semmelinck, ancien médecin principal de l'Armée des Indes orientales Neerlandaises, de La Haye.

Dr. R. Serret, rédacteur du „Siglo Medico", de Madrid.

M. le Jhr. W. Six, ancien Ministre de l'Intérieur des Pays-Bas, de La Haye.

M. Adolphe Smith, F. C. S., de Londres.

Dr. H. Snellen, d'Utrecht, membre du Comité d'organisation, vice-président de la 2e Section du Congrès.

Dr. J. Snellen van Vollenhoven, de Naaldwic.

Dr. J. A. Snijders Czn., de Delft, membre du Comité d'organisation.

Dr. C. J. Snijders, de 's Gravesande.

Dr. A. Sognies, directeur du Bureau d'Hygiène de la Ville de Nancy.

Dr. J. Sormani, professeur d'Hygiène à l'Université de Pavie.

. J. Soyka, de Prague. Délégué.

Dr. E. Stein, de La Haye.

Dr. W. F. Unia Steyn Parvé, de La Haye, secrétaire du Comité d'organisation.

M. C. J. van Stockum van Akendam, médecin principal de la Marine des Pays-Bas, de La Haye.

Dr. J. A. van der Stok, médecin militaire, de La Haye.

M. N. P. van der Stok, ancien médecin militaire de l'Armée des Indes orientales Neerlandaises, de Rijswic.

Dr. B. J. Stokvis, professeur à l'Université de la Ville d'Amsterdam.

M. J. van Stralen, de La Haye, membre du Comité de réception.

Dr. Alfred Struelens, de Grammont (Belgique).

M. le Comte Paul de Suzor, de Saint-Pétersbourg. Délégué.

Dr. R. D. R. Sweeting, Medical Superintendent of the Western Fever Hospital, de Londres.

M. M. Symons, ingénieur civil, de Rotterdam.

T.

Dr. J. Teissier, de Lyon. Délégué.

M. G. C. Terlaak, médecin, de La Haye.

Dr. Texier, d'Alger. Délégué.

Dr. G. P. van Tienhoven, de La Haye, membre du Comité d'organisation, vice-président du Congrès.

Dr. M. Tolosa Latour, directeur du Journal d'hygiène „La Madre y el Niño", de Madrid.

Dr. A. Torres, médecin-major de 1re classe, attaché au Bureau central de Santé de l'Armée Espagnole, directeur de La „Gaceta di sanidad militar", de Madrid.

M. Emile Trélat, de Paris. Délégué.

Dr. Hector Treub, de Leyde.

U.

Dr. I. Ustaria, médecin de l'Hôpital de la „Princesa", rédacteur de la „Presse Médicale", de Madrid.

V.

Dr. C. J. Vaillant, de Schiedam. Délégué.

Dr. J. P. Vaillant, échevin de la Ville de La Haye.

M. C. V. van Valkenburg, médecin, de La Haye.

Dr. H. T. Valle, médecin de la Marine Espagnole, de Madrid.

Dr. E. Vallin, de Paris. Délégué.

Dr. Georges Varrentrapp, conseiller intime sanitaire, de Francfort sur le Mein.

M. C. H. Vechtman, médecin militaire de l'Armée des Indes orientales Neerlandaises.

Dr. J. Vega, de Cartagène. Délégué.

Dr. H. F. van de Ven, de La Haye.

Dr. Verriest, de Louvain. Délégué.

Dr. C. Verstraeten, secrétaire de la Société de Médecine de Gand.

M. H. L. Verspyck, inspecteur médical pour les provinces d'Utrecht et de Gueldre, président de la 3e Section du Congrès, d'Utrecht.

Dr. Charles Vibert, membre de la Société de Médecine publique et d'Hygiène professionnelle, de Paris.

M. W. J. Vigelius, pharmacien, de La Haye.

Dr. I. Villanova, membre des Académies Royales de Sciences et de Médecine, de Madrid.

Dr. H. J. Vinkhuijzen, de La Haye.

Dr. V. Vleminckx, de Bruxelles. Délégué.

Dr. C. W. Vollgraff, de La Haye.

W.

M. F. J. Wäkerlin, de La Haye. Délégué.
Dr. H. A. M. van Walchern, de La Haye.
Madame la Baronne van Wassenaer van Catwyck, de La Haye.
Dr. A. E. Waszklewicz, ancien Inspecteur du Service de Santé aux Indes orientales Neerlandaises, de La Haye.
M. E. H. baron van Welderen Rengers, de La Haye, trésorier du Congrès.
M. H. L. Wichers, capitaine d'infanterie, de La Haye.
Dr. G. J. van Wieringhen Borski, de La Haye.
Dr. C. Winkler, d'Utrecht. Délégué.
M. H. C. de Wolff, assureur, de Rotterdam.
Dr. G. Th. A. Wolterbeek Muller, de La Haye, membre du Comité d'organisation, secrétaire de la 1re Section du Congrès.

Z.

Dr. J. Zeeman, membre de l'Académie Royale des Sciences des Pays-Bas, d'Amsterdam.
Dr. Charles Zehnder, conseiller sanitaire, de Zurich.
M. F. C. Zillesen, directeur honoraire de la Compagnie du Chemin de fer Rhénan.
Dr. A. Zoéros-Bey, de Constantinople. Délégué.
Dr. H. de Zwaan, de La Haye. Délégué.

LIVRES, BROCHURES, ETC.

pour être distribués aux Membres du Congrès, ou déposés dans la Salle de lecture.

———

Alpenmilch, erste Schweizerische Export-Gesellschaft in Romanshorn. Petite brochure de 1882, et prospectus. (à distribuer).

Archives de neurologie.

Revue des maladies nerveuses et mentales publiée sous la direction de M. J. M. Charcot. Rédacteur en chef: Bourneville. Abonnement d'un an: Union postale: 23 frs. — Paris, Bureaux du Progrès médical, 14, Rue des Carmes. Le numéro du 20 Mars 1884 comme spécimen.

République Argentine. — province de Buénos-Ayres. — Publications exposées par le Délégué: M. le Docteur Emilio R. Coni, et destinées à être distribuées:

a. — *Statistique générale. Recensements.*

1o. **Censo General de la provincia de Buenos Ayres.** Démográfico, Agricola, Industrial, Comercial, etc., verificado el 19 de Octubre de 1881. (Recensement général: démographique, agricole, industriel, commercial, etc., de la province de Buénos-Ayres, dressé le 19 Octobre 1881). — Buénos-Ayres, 1883.

2o. **Censo de la Plata** (Capital de la provincia de Buenos Ayres): Poblacion, Comercio é Industria, levantado el 25 de Marzo de 1884. (Recensement de la Plata, capitale de la province de Buénos-Ayres: Population, commerce et industrie, dressé le 25 mars 1884).

3o. **Annuaire Statistique de la province de Buénos-Ayres**, publié sous la direction du docteur Émile R. Coni, directeur du Bureau de Statistique générale. Deuxième année, 1882. — Buénos-Ayres, 1883.

4o. **Résumé de Statistique générale de la ville de Buénos-Ayres**, publié par le docteur Émile R. Coni. — Premier semestre 1882.

5o. **La Province de Buénos-Ayres**, par le docteur Émile R. Coni. —

Résumé de l'Annuaire statistique. Brochure publiée en trois langues : français, italien et allemand. -- Paris, Rome, Zurich, 1884.

6o. Informe à la Oficina de Estadistica de la provincia de Buenos-Ayres. (Rapport sur l'organisation des bureaux de statistique de l'Europe, par le docteur E. Coni. — Buénos-Ayres, 1880).

b. — Publications périodiques.

7o. Revista Médico-Quirúrgica. Publicacion quincenal, órgano de los intereses médicos argentinos. (Revue Médico-chirurgicale. Publication bimensuelle, organe des intérêts médicaux argentins. Directeur et rédacteur en chef: Docteur Émile R. Coni.) — Années XX et XXI. 1882 à 1884. — Buénos-Ayres.

8o. Bulletin mensuel de Démographie de la ville de Buénos-Ayres: I. Démographie; II. Météorologie; III. Assistance publique. Publié par le docteur Émile R. Coni. IIe année, 1883, (IIIe année, cinq numéros de 1884, janvier à mai).

9o. Boletin mensual de Estadística Municipal, dirijido por el Dr. Emilio R. Coni. Año I, 1882. (Bulletin de statistique municipale, dirigé par le Docteur Emile R. Coni. Année I. 1882).

c. — Publications d'hygiène et de médecine.

10o. Contribucion al estudio de la lepra anestésica. Quigila (Brasil). Gafeira (Portugal). (Contribution à l'étude de la lèpre anaesthésique, par le docteur Emile R. Coni. — Buénos-Ayres, 1878).

11o. Contribucion al estudio de la viruela en Buenos-Ayres. Causas de su propagacion; excesiva mortalidad en la ciudad y campana, etc. (Contribution à l'étude de la variole à Buénos-Ayres; causes de sa propagation; mortalité excessive dans la ville et la campagne, etc., par le Docteur Émile R. Coni. — Buénos-Ayres, 1878).

12o. Estadística mortuoria de las afecciones puerperales en la ciudad de Buenos-Ayres (Statistique mortuaire des maladies puerpérales dans la ville de Buénos-Ayres, par le Docteur Émile R. Coni, 1878).

13o. El servicio sanitario de la ciudad de Buenos Ayres (Le service sanitaire de la prostitution dans la ville de Buénos-Ayres, 1880).

14o. La inspeccion higiénica y médica en las escuelas (L'inspection hygiénique et médicale dans les écoles).

15o. Higiene escolar. Primeros sintomas de las enfermedades contagiosas que pueden atacar à los niños de las salas de asilo y escuelas primarias, por el Docteur Delpech (Hygiène scolaire. Premiers symptômes des maladies contagieuses qui peuvent atteindre les enfants des salles d'asile et des écoles primaires, par le Docteur Delpech). Traduit du français par le Docteur Coni.— Buénos-Ayres, 1880.

16o. **Consideraciones sobre la estadística de la enagenacion mental en la provincia de Buenos-Ayres** (Considérations sur la statistique de la folie dans la province de Buénos Ayres, par les Docteurs Melendez et Coni. Mémoire lu au Congrès International des Sciences Médicales d'Amsterdam de 1879. — Buénos-Ayres, 1880).

17o. **Informe sobre la organizacion de un instituto de sordomudos.** (Rapport sur l'organisation d'un institut de sourds-muets, présenté au gouvernement de la République Argentine par une commission composée des Docteurs Rawson, Terry, Melendez, Gandolfo et Coni).

18o. **Código Médico Argentino** (Code Médical Argentin. Recueil et résumé de la législation et jurisprudence sur la profession. Devoirs et droits des médecins, pharmaciens et sages-femmes, par le Docteur Émile R. Coni, 2e édition, 1882).

d. — Publications démographiques.

. 19o. **Apuntes sobre la estadística mortuoria de la ciudad de Buenos Ayres desde el año 1869 hasta 1877** (Notes sur la statistique mortuaire de la ville de Buénos-Ayres depuis 1869 jusqu'à 1877, par le Docteur Emile R. Coni. 1878).

20o. **Movimiento de la poblacion de la ciudad de Buenos Ayres, desde su fundacion hasta la fecha.** (Mouvement de la population de la ville de Buénos-Ayres depuis sa fondation jusqu'à ce jour, par le Docteur Emile R. Coni. — Buénos-Ayres, 1879).

21, 22, 23, 24o. **Movimiento de la poblacion de la ciudad de Buenos Ayres.** (Mouvement de la population de la ville de Buénos-Ayres. (Années 1878, 79, 80 et 81).

25o. **La mortalidad infantil en la ciudad de Buenos Ayres** (La mortalité des enfants dans la ville de Buénos-Ayres. Étude comparative à celle de Rio-de-Janeiro, Montévideo, Lima, Mexico et autres villes américaines. — Buénos-Ayres, 1879).

e. — Plans et Cartes.

26o. Plan de la République Argentine.

27o. Plan de la ville de Buénos-Ayres (capitale de la République Argentine).

28o. Plan de la ville La Plata (capitale de la province de Buénos-Ayres).

29, 30 et 31o. Distribution topographique des décès de variole et fièvre typhoïde dans la ville de Buénos-Ayres pendant les années 1880 et 1882.

E. Barrier, à Saint-Quay Portrieux.

Médecine des Pauvres, 3e édition, deux brochures, (à distribuer).

a. Hygiène et médecine des familles.

b. Ma Tisane.

Dr. Th. Belval, de Bruxelles.

L'hygièue internationale, brochure, (à distribuer).

NB. La brochure discute la proposition van den Corput, inscrite à l'ordre du jour de la 1re Section du Congrès.

Dr. Richard Boeckh, de Berlin.

a. Rapport sur le calcul de la mortalité d'après les causes de décès, (à distribuer).
b. Die Bewegung der Bevölkerung der Stadt Berlin in den Jahren 1869 bis 1878. — Berlin, Leonhard Simion. 1884. — (un exemplaire).

Boll & Dunlop, distillateurs, de Rotterdam, 65 Baan.

Spécimens de genièvres d'excellente qualité distillés dans leur fabrique, soit:
a. genièvre 1re qualité à 46,5%, destiné à être bu sec.
b. „   „   „ à 59,2%, „Londonproof", exporté en très grande quantité à la Grande Bretagne et ses Colonies, au Canada, à l'Amérique du Sud.
c. „   „   „ à 50,5%, connu aux Etats-Unis de l'Amérique sous le nom de „Cöllngin", nommé actuellement „Cologne" et très répandu en Amérique pour usage médical, comme diurétique, etc.

Ces alcoolats sont obtenus par la distillation d'un alcool de 1re qualité et produit par la fermentation de seigle et d'orge, sur des baies de genièvre et quelquefois encore d'autres ingrédients, aromatiques végétales.

Dr. J. L. de Bruijn Kops, de La Haye.

Résumé statistique pour le Royaume des Pays-Bas, no. 2, 1880—1883 (un exemplaire).

Dr. B. Carsten, de La Haye.

De Vaccinatie en het Parc vaccinogène te den Haag. 1883. Brochure, (à distribuer).

Edwin Chadwick, Esq., C. B. (de Londres).

a. National education. On the rise and progress of the half-school-time principle for mixed physical and mental training, as the foundation of a National system of education. — London. Knight en Co., Fleet street, 1881. — (un exemplaire).
b. Origine du système d'éducation à demi-temps. — Résultats obtenus. — Moyens à employer pour son avancement (traduction libre de la brochure A) — (un exemplaire).
c. Educational Progress. A memoir of the late Horace Grant, Esq., as a successful experimentalist to determine the receptivity of Children in primary education. — London, J. Meldrum, Catherine street, Strand. — (un exemplaire).

Dr. van den Corput (de Bruxelles).

Les lazarets volants et les lazarets fixes. Bruxelles, F. Hayez, 1884. — Brochure, (à distribuer).

Cosmos. Les mondes.

Revue hebdomadaire des Sciences et de l'Industrie, fondée par M. l'abbé F. Moigno et publiée sous sa direction par M. l'abbé H. Valette. — Paris, 49, Rue de Grenelle.

Numéros spécimens. — Abonnement 32 frs. par an pour l'Union Postale.

Joseph Danly.

Ingénieur, maître des forges d'Aiseau (Belgique).

Notice sur les Hôpitaux en toles d'acier embouties. 15 Juillet 1884. (à distribuer).

Eau minérale, dite de Minerve.

Un approvisionnement sans cesse renouvelé a été mis gratuitement à la disposition de MM. les membres du Congrès, dans la salle de lecture et dans les salles des sections, par le fabricant, M. Merens, d'Amsterdam.

Ladies' Sanitary Association.

Publications de cette Association. Six volumes. — London, Jarrold & Sons, 3, Paternoster Buildings. — (un exemplaire).

Dr. W. Lubelski, de Varsovie,

a déposé les travaux suivants (un exemplaire):

a. Travaux publiés en polonais:

1. Rogowicz. — Annuaire médical polonais. (Rocznik, 1884).

2. Rogowicz. — Instruction pour les sages-femmes ayant pour but de prévenir le développement des maladies puérpérales, 1884. (adoptée par la Société Médicale de Varsovie).

3. Mesures prophylactiques contre le choléra, laborées par le Comité Sanitaire de la même Société.

4. Assainissement, par M. Fritsche, ingénieur en chef.

5. Statistique des hôpitaux civils de Varsovie, par MM. Chelminski et Dunin.

6. Anthropométrie des enfants de Varsovie, par le Dr. Léon Dudrewicz.

7. Mouvement de la population de Varsovie, par le Dr. Polak.

8. Tobie Kohn, médecin polonais du XVIIème siècle, par M. Mathias Bersohn (avec un portrait gravé sur bois).

9. Hygiène populaire, par le Dr. Lubelski.

10. Cités ouvrières (et plans schématiques), par le même.

11. Description de l'hôpital pour les enfants israélites à Varsovie (avec plans et dessins) (Dr. Portner).

12. Le choléra à Alexandrie en 1883, par le Dr. Ktodzianowski, médecin sanitaire et délégué Autrichien en Egypte. — Dans cette petite brochure l'auteur tend à prouver que la découverte du microbe-virgule du choléra Asiatique remonte à 1871, et que le premier observateur a été le Dr. Niedzwiecki, polonais, qui publia ses études en allemand, à Leipzic en 1874.

b. *En polonais et en russe:*

13. Recensement de la population de Varsovie en 1882, publication officielle par M. Zateski, Dr. ès sciences politiques. 1884.

c. *En français:*

14. Essai sur l'alcoolisme (d'après un travail du Dr. Rothe), par le Dr. Lubelski.

15. Sur la rage et l'hydrophobie en Pologne, par le même (et en italien).

16. Dessiccation des matières fécales par les appareils spéciaux, inventés par M. Swiecianowski, architecte à Varsovie (brochure illustrée, en polonais et en français).

17. Tableaux graphiques de l'alimentation proposés pour les hôpitaux civils de Varsovie, élaborés par une commission ad hoc siégeant sous la direction de son Exc. M. Wilouyeff, conseiller privé, etc. etc., avec légende explicative. Rédaction française du Dr. Lubelski, membre de cette commission; collaborateur pour la partie chimique M. le Dr. Nencki.

Louis Jean Mueller, de Magdebourg.

Représenté par M. J. J. van Oorde, à Arnhem, Verlengde Rijnkade 20.

Universeele verwarming van kerken, met teekeningen ter verduidelijking van den aanleg. — (à distribuer).

Dr. Alexandre Neujean, de Liège.

a. Brochure, traitant de la purification des eaux d'égouts — (à distribuer).

b. Brochure, traitant de la condensation du Gaz acide sulfureux provenant du grillage des minerais — (à distribuer).

c. Lettre à MM. les membres du Collège des bourgmestre et échevins de la Ville de Liège, sur les eaux de vidange — (à distribuer).

d. Relation avec plans de l'excursion en Belgique et en Hollande, de la Société Française des Ingénieurs civils, du 18 au 25 Septembre 1883. — Liège, Ch. Aug. Desoer. — 1883. — (à distribuer).

Le Progrès Médical.
Journal de Médecine, de Chirurgie et de Pharmacie.
Rédacteur en chef: Bourneville.
Bureaux: 14, Rue des Carmes. Paris.

Le numéro du 9 Août 1884, comme spécimen — (un exemplaire). — Le

De chez les libraires de Bruxelles.

... ... Bruxelles. F. Hayez. 1884. —
brochure. à distribuer.

Parmi les parties.

Revue ... les sciences et le Naturisme, fondée par M. l'abbé
... A ... et ... sous la direction par M. Julien H. Valette. —
... ...

... ... — Abonnement 12 fr. par an pour l'Union Postale.

... ...

... ... les formes d'Aseau Belgique.

Revue ... des Travaux ... ... d'acier annoncées. 15 Juillet 1884. (à
distribuer).

... ... de Minerve.

... ... à la dispo-
... ... MM. les membres ... longtemps dans la salle de lecture et dans les
salles des sections ... ... M. Mertens, d'Amsterdam.

Ladies Sanitary Association.

... ... de cette Association. Six volumes. — London, Jarrold &
Sons. 3 Paternoster Buildings. — un exemplaire.

3. V Lubelski de Varsovie,

... et travaux suivants un exemplaire :

i. Travaux publiés en polonais.

1. ... ... — Annuaire médical polonais. (Rocznik, 1884).

2. ... ... — Instruction pour les sages-femmes ayant pour but de
... ... accouchement les maladies puerpérales. 1884. (adoptée par la
Société Médicale de Varsovie.

3. ... ... prophylactiques contre le choléra. Élaborées par le Comité Sani-
... de la même Société

4. ... assainissement, par M. ... ... Ingénieur en chef.

5. Statistique des hôpitaux civils de Varsovie, par MM. Chelminski et
... ...

6. ... ... les enfants de Varsovie, par le Dr. Léon Dudrewicz.

7. ... ... de la population de Varsovie, par le Dr. Polak.

8. ... ... médecin polonais du XVIIème siècle, par M. Mathias
... ... gravée sur bois).

9. ... ... par le Dr. Lubelski

10. ... ... et plans schématiques, par le même.

11. ... ... de l'hôpital pour les enfants israélites à Varsovie (avec
plans et dessins) Dr. Portner.

12. Le choléra ... ...
médecin sanitaire et ... ... — ... ...
chure l'auteur tend à ... ...
choléra Asiatique ... ...
Dr. Niedzwiecki ... ...
en 1874.

13. Recensement ... ...
cielle par M. ... ...

14. Essai sur ... ...
Lubelski.

15. Sur ... ...
16. ... ...
par M. ... ...
nais et en français.

17. ... ...
civils de ... ...
directeur de ... M. ... ...
explique ... ...
sion. ... ...

Reçus par M. ... ...
... ...
vue en français. — ... ...

a. Brochure ... ...
b. Brochure ... ...
   la police des ... ... — ... ...
c. Lettre à M. ... ...
   Vice du ... ...
d. Lettre ... ...
   Société Française ... ...
   Liège ... ...

... ...
... ...
... ...
Le ... ...

journal paraît à Paris, le Samedi de chaque semaine. — Prix de l'abonnement: 21 frs. par an pour l'Union Postale.

La Revue Sanitaire de Bordeaux et du Sud-Ouest.
Journal des intérêts de la Salubrité publique.
Rédacteur en chef: Dr. Alexandre Layet.
Le numéro 1 de la première Année (10 Décembre 1883) comme spécimen — (un exemplaire). — Le journal paraît le 10 et le 25 de chaque mois. — Prix de l'abonnement: 10 frs. par an; pour l'Etranger le port est en sus.

Dr. E. Raymondaud.
Des accidents traumatiques causés par les machines agricoles, mémoire lu au Congrès international d'hygiène de Turin en 1880. — Limoges, D. Gely, 1884 — (à distribuer).

Sociedad Española de Higiene.

a. Estatutos de la Sociedad Española de Higiene, aprobados por Real Orden de 12 de Setiembre de 1881. — Madrid, Enrique Teodoro, calle de Atocha, núm. 80. — 1881. — (à distribuer).

b. Discursos pronunciados en la solemne Inauguracion de la Sociedad Española de Higiene, celebrada el dia 23 de Abril de 1882 con assistencia de S. M. el Rey Don Alfonso XII por el Dr. D. Carlos María Cortezo y por el Dr. D. Francisco Mendez Alvaro. — Madrid, Enrique Teodoro, 1882. — (à distribuer).

c. Discurso pronunciado por S. M. el Rey D. Alfonso XII el dia 23 de Abril de 1882 en la solemne Inauguracion de la Sociedad Española de Higiene. — (à distribuer).

d. Discusion acerca de la Mortalidad de Madrid. — Discurso del arquitecto Belmás, pensionado por S. M. el Rey D. Alfonso XII para estudiar la higiene de las construcciones económicas. — Madrid, Paseo de San Vicente, 20. — 1882. — (à distribuer).

e. Reglamento de la Sociedad Española de Hygiene, aprobado en Junta General que se celebro el dia 19 de Enero de 1883. — Madrid, Enrique Teodoro, Ronda de Valencia, 8. — 1883. — (à distribuer).

f. Discursos leidos en la Sociedad Española de Higiene por Don Angel Pulido y Fernández, Secretario de la Sociedad, y Don Fermin Hernández Iglesias, Consiliario de la misma y Presidente de la Seccion de Legislacion sanitaria, el dia 28 de Octubre de 1883. — Madrid, Enrique Teodoro, Ronda de Valencia, 8. — 1883. — (à distribuer).

Section de Madrid.

g. Instrucciones relativas á los medios de preservacion del Cólera epidémico, dirigidas á las Autoridades y al Público por la Sociedad Española de

Higiene (seccion de Madrid). — Madrid, Enrique Teodoro, Ronda de Valencia, 8. — 1883. — (à distribuer).

h. Revista de la Sociedad Española de Higiene, organo oficial de la misma. — Madrid, Enrique Teodoro, — Año I. — Año II, — 15 de Mayo de 1883—15 de Julio de 1884. — (un exemplaire).

Société de lecture médicale, de La Haye.

La Société a bien voulu différer la mise en circulation de ses Recueils et Journaux, pour les déposer dans la salle de lecture du Congrès.

Société pour la propagation de la crémation.

Bulletin de la Société pour la propagation de la crémation, fondée en 1880, autorisée par Arrêté du Préfet de Police du 23 Décembre 1880. — Paris, au siège social de la Société, 11, rue d'Anjou.

a. première année. — no. 1, janvier 1882. ⎫
b. deuxième année. — no. 2, janvier 1883. ⎬ (à distribuer).
c. troisième année. — no. 3, janvier 1884. ⎭

Gottfried Stierlin, de Schaffhausen.

. Représenté par Charles Koch, à Amsterdam, Rapenburg 44.
Prospectus: Selbstschliessende Thürbeschlägen, neuer Beschlag zu Ventilations-flügeln, u. s. w. — (un exemplaire).

Statistisch Bureau des eidgenössischen Departements des Innern.

a. Zur Alkoholfrage. Vergleichende Darstellung der Gesetze und Erfahrun-gen einiger ausländischer Staaten, zusammengestellt vom eidg. statistischen Bureau. — Bern, Stämpfli. — 1884. — (un exemplaire).

b. Schweizerische Statistik LVII. — Die Bewegung der Bevölkerung in der Schweiz im Jahre 1882. — Bern, Orell Füssli & Co. in Zürich. 1884. — (à distribuer).

c. La même statistique, publiée en français et en italien. — (à distribuer).

Vereeniging voor Lijkverbranding.

Statuten, Berichten en Mededeelingen, Catalogus der Bibliotheek. (Bulletin, etc. de la Société neerlandaise de Crémation). — (un exemplaire).

SÉANCES GÉNÉRALES.

SÉANCE D'OUVERTURE.

Jeudi, le 21 Août 1884.

La séance est ouverte à trois heures du soir, dans la salle „Diligentia", au
  Lange Voorhout, à La Haye.
M. W. H. de Beaufort occupe le fauteuil de la présidence.
  Près de lui sont placés:
MM. les Ministres de plusieurs Gouvernements étrangers accrédités à La Haye.
M. le Bourgmestre de La Haye,
  ainsi que Messieurs les membres du Bureau provisoire: Drs. T. H. Blom
  Coster et G. P. van Tienhoven, vice-présidents; E. R. baron van
  Welderen Rengers, trésorier; G. van Overbeek de Meijer, secré-
  taire général; L. van der Hoeven, W. J. de Meijer, W. F. U. Steyn
  Parvé, et F. A. Ingen-Housz, secrétaires.

M. le président de Beaufort ouvre la séance et dit que M. le Ministre
de l'Intérieur des Pays-Bas Président honoraire du Comité se voit empêché,
par l'état de sa santé, d'assister à cette séance d'ouverture, mais que son
Excellence a exprimé le désir de venir témoigner un des jours suivants, de
l'intérêt que le Gouvernement des Pays-Bas porte à ce Congrès.

M. le président prononce le discours suivant.

Messieurs!

Au moment où je prends la parole pour vous souhaiter la bienvenue dans
notre pays et dans notre ville, et pour prononcer l'ouverture du Cinquième
Congrès international d'Hygiène et de Démographie, un sentiment douloureux
s'empare de moi. La place que j'occupe aujourd'hui aurait du être remplie
par un autre que les voeux unanimes du comité d'organisation y avait appelé.
Hélas! une mort prématurée nous l'a ravi. Par le décès de M. Klerck la
Hollande a perdu un de ces citoyens les plus distingués; le comité d'organisation de notre Congrès un président qui de coeur et d'âme s'était voué à
sa tâche. Ce serait manquer à tous les devoirs, que de ne pas rendre hommage à sa mémoire, dans un moment où sa perte sera le plus vivement sentie.

Vous me pardonnerez, qu'en vous adressant la parole, mes pensées se soient d'abord reportées vers le triste évènement qui m'en a procuré l'honneur.

En vous voyant ici rassemblés en si grand nombre, je me sens fier et heureux de pouvoir vous souhaiter la bienvenue dans ma patrie et dans La Haye. Soyez assurés que c'est pour nous une vive joie, une véritable satisfaction de vous voir ici. Après avoir reçu l'hospitalité aux pieds des Alpes, sur ces bords du Lac Léman qu'on languit toujours de revoir, quand on a pu les quitter, vous avez exprimé le désir de vous réunir en Hollande.

Nous vous en savons gré de tout notre coeur. Vous ne trouverez pas à La Haye les distractions des grandes capitales, ni la vie bruyante et animée des centres commerciaux et industriels de l'Europe; vous n'y trouverez pas — malheureusement — cet air de fête qui n'aurait pas fait défaut à votre séjour ici, si la perte irréparable du dernier fils de notre roi ne nous eût imposé le pénible devoir de respecter un deuil national aussi douloureux que légitime. Mais ce ne sont pas les fêtes et les distractions que vous êtes venus chercher ici. En revanche je puis vous garantir un accueil cordial et sympathique. Vous trouverez en Hollande un public qui s'intéresse vivement à vos délibérations, qui est pénétré de la haute importance des questions qui ont été traitées par vous dans vos congrès précédents, et de celles qui serviront de base à vos discussions dans votre réunion actuelle.

C'est du point de vue de ce public, je dirais presque comme son organe, que je me hasarde à vous soumettre quelques observations sur votre oeuvre. La science dont je vois ici les plus illustres représentants, n'est pas de mon ressort. Mes pensées vous suivent sans doute quand dans vos laboratoires et vos cabinets de travail vous vous livrez à ces recherches laborieuses, à ces admirables expériences, qui font le bonheur de votre vie, parce qu'elles pourront servir un jour à faire le bonheur de l'humanité, mais j'avoue mon incompétence pour pouvoir apprécier à leur juste valeur l'énergie et la persévérance qu'il vous faut déployer pour arracher des secrets à la nature. Simple spectateur de vos efforts et de vos succès, je m'incline devant votre science quand je vois ces brillants résultats, qui en constatent le progrès incessant. Ce qui me frappe surtout, et ce qui doit frapper tous ceux qui, comme moi, sont appelés à prendre une part plus ou moins active à l'administration ou à la legislation d'un pays, c'est l'influence toujours croissante que vos découvertes exercent sur la société moderne, sur ses idées et sur ses besoins. Quand la science a dit son dernier mot, l'oeuvre du législateur commence. C'est sa noble tâche d'appliquer les vérités que vous avez découvertes, de les consolider par la pratique, d'en assurer les bienfaits à l'humanité par des lois et des mesures administratives. Je ne vous fatiguerai pas par une longue énumération de toutes les dispositions légales que les progrès de l'hygiène ont fait entrer dans les codes des nations civilisées, elle serait d'ailleurs pour vous d'une banalité effrayante. Je me bornerai à une observation générale.

L'hygiène en introduisant un nouvel élément dans notre législation a par cela même contribué à modifier les théories politiques et économiques de notre époque. Au fonds de ces théories se trouve toujours cette grave question, qui de tout temps a occupé l'esprit des philosophes et des hommes d'Etat, des limites de la liberté individuelle. Bastiat le subtil auteur des Harmonies économiques l'a nettement formulée: „ Quelles sont les choses " — a-t-il dit — „ que les hommes ont le droit de s'imposer les uns aux autres par la force?" — et il croyait avoir trouvé la solution en répondant: „ il n'y en a qu'une, la justice". Il oubliait que ce qui est justice aux yeux des uns, est quelquefois injustice aux yeux des autres. En effet, on pourra chercher des formules abstraites autant qu'on veut, on ne parviendra pas à en trouver une qui convienne à tous les pays et à toutes les situations. Car tout en admettant qu'il y a des choses qui doivent absolument rester en dehors du domaine de l'état, tandis qu'il y en a d'autres que l'Etat ne pourra jamais abandonner, il faudra bien reconnaître qu'en face des nouveaux besoins que les progrès de la civilisation font naître, toute solution est par elle même incomplète. Ce sont donc les besoins de la société, qui modifient les théories, et parmi ces besoins il y en a une quantité qui, jadis inconnus, doivent leur origine à la propagation des études hygiéniques. Nos ayeux, évidemment, avaient les mêmes besoins physiques que nous, mais en y satisfaisant, ils étaient beaucoup moins raffinés, que ne l'est la génération actuelle. Si l'eau qu'ils buvaient était malsaine, si l'air qu'ils respiraient était impur, ils s'en plaignaient peut-être, mais ils subissaient toutes ces misères, comme on subit les calamités inévitables. Mais à mesure que l'hygiène a pris son essor et a fait connaître non seulement les nombreux dangers qui menacent notre santé, mais aussi les moyens de les éviter, la société est devenue plus exigeante. Quand les hommes les plus instruits, les plus clairvoyants, se sont mis à suivre ces préceptes et ensuite à les prêcher aux autres, des voix se sont bientôt fait entendre pour réclamer que tout le monde fût obligé plus ou moins à s'y conformer. La société a compris qu'il s'agissait d'un intérêt commun. On s'est dit: ma santé fait partie de la santé publique, mon intérêt est donc identique avec les intérêts de la société. C'est juste que l'état intervienne, là où il n'y aurait que l'ignorance ou le mauvais vouloir qui pourraient s'y opposer. Ecarter tout ce qui peut nuire à la santé publique, ne rien négliger de ce qui peut lui être favorable, certes, pour en revenir à la formule de Bastiat, ce sont là des choses que les hommes ont le droit de s'imposer les uns aux autres par la force. Ainsi l'opinion publique éclairée par les enseignements de votre science, a amené peu à peu les législateurs à introduire de nouvelles fonctions dans le cercle des attributions de l'Etat. Et même chez les nations qui de tout temps ont été le plus jalouses de la liberté individuelle, dans le pays où vous vous trouvez en ce moment par exemple, en Angleterre surtout où l'initiative particulière a toujours lutté pour se mettre à l'abri des empiè-

4

tements de l'état, les effets de ce changement dans les idées ont été très sensibles. Vous vous rappellerez, Messieurs, l'intéressante communication faite par M. Edwin Chadwick à votre congrès de Paris de 1878, au sujet de l'organisation d'un ministère de santé publique. Vous y trouverez la preuve de ce que je viens d'avancer. „Durant l'invasion des épidémies" — dit M. Chadwick — „nos ordres (c'est-à-dire les ordres du Conseil Général de santé dont il était président) furent des lois et quiconque les enfreignait ou les negligeait était soumis à des pénalités. La maison d'un Anglais, dit le proverbe, est son château fort; il n'en fut pas ainsi toutefois avec nous, et nous intervînmes dans les arrangements domestiques des particuliers à un point jusque là sans précédent." Et il ajoute, après avoir constaté qu'il n'y avait pas d'opposition sérieuse contre toutes ces mesures sanitaires: „J'attribue cet acquiescement général en grande partie aux peines prises pour démontrer aux individus que ce que nous faisions était ce qu'il y avait à faire de mieux dans leur intérêt."

Ces paroles sont très remarquables. Le citoyen de la Grande Bretagne admettant l'intervention de l'Etat dans ses affaires domestiques, dans son „home", nous indique clairement à quel point votre science a opéré un changement dans les opinions.

Mais si l'hygiène a modifié les rapports entre l'Etat et l'individu, elle n'a pas été sans influence sur les rapports des Etats entre eux. Si nous parcourons la longue série des traités et des conventions internationales du dix-septième et du dix-huitième siècle, nous verrons que pour la plupart ils n'ont eu d'autre but que de donner des territoires à un prince et d'en ôter à un autre. Ce n'est que dans notre siècle que la complication des intérêts sociaux des différents pays, a amené de plus en plus les gouvernements de l'Europe et de l'Amérique à s'entendre pour s'assurer mutuellement la pleine jouissance des bienfaits de la civilisation moderne. C'est encore votre science qui a contribué à pousser les gouvernements dans ce sens, et j'ose espérer qu'elle les poussera encore beaucoup plus loin. Surtout en ce qui concerne la prophylaxie des maladies contagieuses, les avis émis dans vos congrès par les hommes les plus compétents, semblent indiquer qu'il reste encore beaucoup à faire. M. Fauvel entre autres a démontré plusieurs fois l'efficacité des mesures contre le cholera, prescrites par les Conseils sanitaires d'Alexandrie et de Constantinople. Si l'exécution de ces mesures pût être mieux assurée, dans tous les pays où elle pourrait être nécessaire, l'Europe serait pûtêtre à l'abri des dangers qui la menacent chaque fois que le cholera franchit les frontières de son domaine. Un accord international établi sur des bases solides offrirait sans doute de grands avantages. J'avoue cependant que la question est délicate et que les difficultés sont grandes. Si les individus sont jaloux de leur liberté, les gouvernements le sont encore bien davantage. Toutefois ne perdons pas le courage, et n'oublions pas que les intérêts hygiéniques puissamment secondés par les tendances humanitaires de notre siècle, ont déjà remporté plus d'un triomphe. Le futur historien du dix-neuvième siècle, après avoir raconté les guerres sanglantes de notre époque, pourra consacrer un chapitre plus consolant à tout ce qui a été mis en pratique pour soulager les maux causés par ces terribles luttes. Il s'arrêtera surtout sur cette convention de Genève de 1864, qui restera une des gloires de notre siècle, et en traçant l'histoire de la Croix rouge, il n'oubliera pas votre Congrès de Bruxelles de 1876 où des savants et des philanthropes, de tous les pays de l'Europe, après avoir vu de près les horreurs des champs de bataille, se sont communiqués les fruits de leur expérience dans le noble but d'alléger à l'avenir, autant que possible, le poids des souffrances dont la guerre accable ses victimes.

En nous rendant compte de tout ce que la société humaine doit à votre science, nous n'oublierons pas que nous ne voyons qu'une partie des résultats que vous avez obtenus. Il y a des choses qu'on ne voit pas, il y en a d'autres dont le progrès est si lent que la durée de la vie humaine est insuffisante pour le constater. D'ailleurs une science qui, comme l'hygiène, a pour but principal de prévenir, n'a souvent que des résultats négatifs. Nous ne voyons pas tous ces maux dont vous nous épargnez la souffrance, tous ces dangers auxquels nous échappons grâce à votre prévoyance. Mais ce que nous pouvons voir, c'est votre zèle, votre persévérance, c'est l'esprit qui vous guide, le dévouement dont vous faites preuve. Votre dévouement en effet est d'un caractère tout-à-fait extraordinaire, c'est une véritable abnégation de vos intérêts personnels; car en combinant tous vos efforts pour prévenir les maladies, vous travaillez à supprimer ceux qui sont appelés à les guérir. Un poète grec a dit et Michel Montaigne dans ses „Essais" l'a répété: „nul médecin ne prend plaisir à la santé de ses amis". Je ne sais pas si ce reproche était fondé pour les médecins de l'antiquité ou pour ceux du seizième siècle. S'il en est ainsi, il faudra bien reconnaître qu'un immense changement s'est produit. Les médecins de nos jours prennent plaisir non seulement à la santé de leurs amis, mais à la santé de l'humanité entière. Non contents de guérir les maladies, ils s'efforcent à les faire disparaître. Ils ne reculent devant aucun danger quand il s'agit de nous préserver de ces terribles épidémies qui ont désolé trop souvent l'Europe. Ils vont loin de leurs familles et de leur patrie risquer leur vie au milieu des miasmes pestifères, pour tâcher de découvrir les germes du mal destructeur qui nous menace. Voilà, Messieurs, un courage et un dévouement dont le souvenir ne s'effacera pas. On a beau dire que notre siècle est un siècle de décadence, qu'il est plongé dans un découragement moral qui paralyse toute action; la postérité, j'aime à le croire, ne le jugera pas si sévèrement. En lisant le récit de ces croisades scientifiques aux bords du Gange et du Nil, elle saura reconnaître que, si le dix-neuvième siècle a eu ses mauvais penchants, comme tous les siècles, il a aussi connu les aspirations nobles et généreuses, le désintéressement et le sacrifice.

Sans doute, comme tous ceux qui travaillent à l'accomplissement d'une grande oeuvre, vous aussi vous connaissez ces moments de découragement, quand le but que l'on croyait toucher semble s'éloigner tout d'un coup. Un des hommes éminents de notre siècle a dit: „il y a dans la vie une résignation pénible à acquérir, mais nécessaire à qui veut s'y engager efficacement et y laisser trace de son passage, c'est la résignation la à profonde imperfection de ce qu'on voit et de ce qu'on fait, à l'imperfection des hommes comme des choses, de ses propres oeuvres et de ses propres succès."

Vous aurez éprouvé ce sentiment quand la nouvelle de l'invasion du choléra en France est venu jeter l'alarme dans l'Europe entière. Malgré votre vigilance non interrompue, malgré vos efforts persévérants, l'ennemi a pénétré et le moment est venu où il vous faudra concentrer toutes vos forces pour arrêter sa marche funeste. Dans une situation pareille, en présence d'un péril imminent, on aime à se trouver ensemble pour concerter des moyens de défense. C'est en se communiquant librement ses craintes et ses espérances, qu'on retrouve toute son énergie.

J'aime à croire que le congrès qui s'ouvrira aujourd'hui, tout en conservant son caractère scientifique, sera en quelque sorte un conseil de guerre où l'état-major de l'hygiène, accouru de toutes les parties du monde, viendra discuter et préparer son plan de campagne. Dans presque tous les pays de l'Europe, les gouvernements s'occupent en ce moment à chercher les moyens les plus sûrs et les plus pratiques pour se prémunir contre l'épidémie menaçante. Plus qu'à aucune autre époque ils auront recours à vos lumières, pour les guider dans la solution du grave problème qui appelle leur sollicitude. Mais ce ne seront pas seulement les hommes d'état, qui voudront profiter de vos leçons. Dans les temps d'épidémie, tout le monde s'occupe d'hygiène; c'est l'intérêt personnel qui y pousse. Vos délibérations ne pourront manquer d'attirer au plus haut dégré l'attention générale. Dans l'ancienne salle des Etats de Hollande qui sera mise à votre disposition pour les séances d'une de vos sections, vous admirerez le plafond qui date du dix-septième siècle, époque où la république des Provinces Unies était à l'apogée de sa gloire. Le peintre y a représenté des habitants de tous les pays du monde, dont les regards semblent chercher l'assemblée réunie dans la salle. Cette allégorie qui rappelle la puissance de la république hollandaise et l'étendue de ses relations, sera pour vous un symbole significatif. Le monde civilisé, tout entier, aura les yeux fixés sur vos délibérations.

Je souhaite vivement qu'il en receuillera amplement les fruits et que les résultats de votre réunion à La Haye soient autant de bienfaits pour l'humanité à laquelle vous avez déjà rendu de si nombreux services.

Je déclare le Congrès ouvert.

M. le président donne la parole au Secrétaire général, pour présenter un rapport sur l'organisation du Congrès.

Discours de M. van Overbeek de Meÿer.

Mesdames et Messieurs!

Une tradition qui mérite d'être suivie, veut que le Secrétaire général d'un Congrès expose, dans la séance d'ouverture, quelles mesures ont été prises par le Comité d'organisation pour assurer le succès de l'oeuvre qui nous est chère à tous.

J'obéis à mon tour. Mais ne craignez pas des longueurs; je ne m'arrêterai qu'aux points essentiels, passant tous les détails.

Le 4ᵉ Congrès international d'hygiène et de démographie, réuni à Genève du 4 au 9 Septembre 1882, a désigné par acclamation la ville de La Haye pour siége du 5ᵉ Congrès. Or, tous ceux qui dans les Pays-Bas s'intéressent aux progrès de l'hygiène et de la démographie, et à tout ce qui tend à améliorer la santé publique, ont accepté avec empressement cette décision et se sont efforcés de préparer aux hygiénistes et aux démographes étrangers un accueil des plus chaleureux et des plus sympathiques.

Un Comité d'organisation s'est constitué au mois de Mai 1883, et ce Comité a trouvé partout un appui et un concours des plus bienveillants. Son Excellence M. J. Heemskerk Az., Ministre de l'Intérieur du Royaume des Pays-Bas, a bien voulu accepter la présidence d'honneur de cette cinquième réunion scientifique. — La Section d'histoire naturelle de l'Académie Royale Neerlandaise des Sciences a désigné deux de ses membres pour prendre part à l'organisation du Congrès. La Société médicale des Pays-Bas a délégué également deux de ses membres.

Les Gouvernements étrangers ont été invités officiellement par le Gouvernement· des Pays-Bas à envoyer des délégués au Congrès, et la plupart ont bien voulu répondre à cet appel. De même plusieurs Conseils généraux, provinciaux, et municipaux, des Académies, des Universités, des Sociétés savantes, ont chargé quelques uns de leurs membres de les représenter au Congrès.

Des Comités se sont constitués dans plusieurs pays pour assurer la participation de leurs compatriotes à notre oeuvre, nommément par ordre alphabétique en Angleterre, en Belgique, en Espagne, en France, en Italie, en Roumanie, en Serbie.

Le Comité d'organisation a délégué six de ses membres pour constituer un Comité de réception et plusieurs habitants de La Haye ont bien voulu accepter l'invitation d'être membre de ce Comité.

La Compagnie pour l'exploitation des Chemins de fer de l'Etat Neerlandais a eu l'extrême bienveillance, non seulement d'accorder quant à son réseau une remise de $\frac{1}{2}$ place aux membres inscrits du· Congrès, mais elle a bien voulu être l'interprète du Comité auprès des autres Compagnies des Chemins de fer des Pays-Bas, et auprès des Administrations des réseaux des pays limitrophes. Les Administrations des Chemins de fer de l'Etat Belges, et les Administrations des réseaux de la France ont répondu favorablement à cet appel. La Compagnie des Chemins de fer du Rhin a eu l'obligeance de mettre à la disposition du Comité un train spécial qui transportera les Membres du Congrès le jour de l'excursion.

Un Comité des logements s'est chargé de procurer un logis convenable aux Membres du Congrès, et plusieurs habitants de La Haye ont bien voulu mettre à la disposition de ce Comité leurs chambres d'amis, pour le cas où les hôtels de la ville ne suffiraient pas à loger tous nos hôtes.

L'administration de la Ville a été trouvé tout disposée, dès le commencement, à prouver que l'hospitalité franche et cordiale est encore actuellement une de nos vertus traditionnelles.

De la sorte tout marchait à souhait, et le Comité d'organisation voyait avec confiance dans le succès de ses efforts s'approcher le jour de l'ouverture du Congrès. Mais bien malheureusement des nuages venaient assombrir notre horizon. D'abord, la mort cruelle nous enlevait le Président du Comité, M. le Jhr. G. J. G. Klerck, en janvier 1884, regretté très sincèrement par tout ceux qui avaient eu la faveur d'être admis dans son intimité et d'apprécier son urbanité, son coeur excellent et son immense savoir.

Ensuite, la mort a choisi une nouvelle victime dans la maison Royale des Pays-Bas: le Prince d'Orange a été enlevé à sa famille et à son peuple; à son anniversaire qui aurait été célébré au milieu de nos travaux, nous trouverons son palais fermé, sa place vide, le silence et le deuil au lieu des illuminations et des fêtes.

M. le trésorier du Comité, le Jhr. M. de Bosch Kemper, était à son tour frappé dans ses plus chères affections. Mme de Bosch Kemper succomba à une fièvre typhoïde qui l'avait attaquée pendant qu'elle voyageait en Suisse. — Le président de la 2e Section, M. le Professeur Mac Gillavry, quelques jours seulement avant l'ouverture du Congrès, voyait éclater la diphthérie dans sa famille, et dans peu de jours il perdait un enfant, puis un enfant adoptif, et à cette heure encore un autre de ses enfants est très gravement malade. — Il était bien naturel, que ces deux Messieurs, si cruellement éprouvés, demandaient leur démission au Comité.

Ces vides, cependant, pouvaient être comblés, grâce à la bienveillance de M. de Beaufort qui acceptait la présidence du Comité, M. le Baron van Welderen Rengers qui voulait bien se charger des fonctions de trésorier, M. Verspyck qui remplaçait M. Mac Gillavry comme président de la 2e Section.

Mais un nouveau nuage, et celui-là très redoutable, s'était montré présageant une affreuse tempête qui pouvait détruire notre oeuvre toute entière: le choléra asiatique avait éclaté à Toulon, puis à Marseille; des centaines de victimes avaient déjà succombé, et d'un moment à l'autre la maladie pouvait être transportée au loin, créant des foyers d'infection multiples, entravant le libre parcours, retenant les médecins qui avaient le devoir sacré de défendre la santé publique le plus longtemps possible, retenant aussi MM. les ingénieurs, les démographes, et tous les autres, quoique non appelés personnellement à combattre le fléau. Car la peur du public insuffisamment instruit forçait les gouvernements à établir des quarantaines de 5 jours, voire même de 7 jours, aux frontières de terre. L'expérience a beau avoir prouvé, que ces mesures sont inutiles et même dangereuses dans une époque où les moyens de transport de personnes et de bagages sont si multiples et où des centaines de voyageurs affolés arrivent pour ainsi dire heure par heure, dans l'espoir de se sauver du foyer d'infection ou de regagner leur domicile et leur famille; nonobstant tout cela la quarantaine était impérieusement réclamée, et il fallait bien céder pour tranquilliser autant que possible les peureux. Il y en a même, à quelques frontières, qui auraient plutôt reçu les voyageurs à coups de fusil que de leur permettre l'entrée et le libre parcours. Avec cela, bien malheureusement, autant de pays, autant de systèmes; au lieu de mesures bien étudiées et uniformes, l'arbitraire le plus complet, des précautions ridicules et parfois très vexatoires. Tout cela était prévu, et depuis longtemps on a réclamé l'institution d'un Conseil de santé international, chargé de proposer des mesures sanitaires obligatoires pour tous les gouvernements. Mais les dissidences ou les rivalités politiques ont empêché cette consultation internationale indispensable, et nous sommes presqu' aussi désarmés qu'auparavant, devant les fléaux dévastateurs.

Les hygiénistes le savent mieux que personne. Or, probablement peu de médecins, d'ingénieurs, de démographes, auraient envie de voyager à l'étranger pour être obligés de se soumettre à des fumigations complètement inutiles, des arrosages de leur linge qui ne pouvaient servir que les intérêts des maisons de confection, ou bien pour être obligés de passer 7 jours sous une tente ou dans une barraque, dans un pêle-mêle absolument intolérable et privé de toutes ressources.

Faillait-il donc contremander le Congrès, et le remettre à un an? Pour agir de la sorte, nous n'aurions eu d'autre motif que la peur de voir éclater le choléra autour de nous, peu de jours avant l'ouverture du Congrès, et de perdre ainsi tous les fruits de nos travaux. Mais la peur, nous ne la connaissons pas, trempés comme nous sommes par des campagnes antérieures qui nous ont appris que le choléra n'est pas si redoutable, quand on lui résiste courageusement et surtout quand on a préparé ses armes à temps. Pour nous forcer à différer le Congrès, il fallait des faits constatant un danger pour la santé publique réel et indéniable, c'est-à-dire l'envahissement de notre pays tout entier et de la ville même où nous devions nous réunir; car en temps d'épidémie il faut éviter toute agglomération un peu considérable de personnes.

Nous avons cru, cependant, devoir consulter en premier lieu nos confrères français qui étaient aux prises avec la maladie et qui savaient mieux que tout autre, ce qu'il y avait de vrai ou d'exagéré dans les nouvelles des journaux. Le Comité a donc prié le Comité auxiliaire français de vouloir bien l'éclairer, et la réponse ne s'est pas fait attendre. Mon excellent confrère et ami M. H. Napias, le secrétaire général du Comité français, a fait valoir le 12 juillet, les arguments suivants. Le choléra asiatique, il est vrai, existe à Toulon et à Marseille. Mais rien ne prouve qu'il viendra à Paris; — rien ne prouve, s'il y vient, qu'il y acquerrera de l'intensité et qu'il empêchera les médecins de s'absenter quelques jours pour aller à La Haye. Ça sera même une bien excellente occasion de parler sérieusement des quarantaines et de diverses questions d'Hygiène internationale. Il n'est pas possible, en tout cas, parce qu'une épidémie éclate en un coin de l'Europe, de mettre obstacle au mouvement scientifique international. Personne ne voudrait prendre la responsabilité d'arrêter ce mouvement sous le prétexte d'une épidémie qui peut être bénigne et qui d'ailleurs peut durer un an, deux ans, 3 ou 4 ans même, tantôt sur un point, tantôt sur un autre de la surface du sol Européen. — Il n'appartient pas à des hygiénistes de partager l'affolement des ignorants. Si l'épidémie ne s'étend pas ou si elle est suffisamment bénigne en France, les hygiénistes français iront à La Haye; si contre toute attente l'épidémie prenait soudain une intensité terrible, chacun resterait à son poste et ferait bravement son devoir.

Cette argumentation était trop juste pour ne pas être acceptée et acclamée immédiatement. Aussi, le Comité d'organisation prit la résolution d'aller hardiment de l'avant et de continuer l'oeuvre qui a le but élevé de servir le bien-être de tous par la communion du travail.

Mais le choléra asiatique nous a causé pourtant une perte très déplorable. M. van Cappelle, le savant référendaire pour les affaires de police sanitaire au Ministère de l'Intérieur des Pays-Bas, se voyait beaucoup trop retenu par les exigences de son service, pour pouvoir continuer à concourir au travail de préparation du Congrès; il a demandé sa démission comme vice-président du Comité d'organisation, et comme président du Bureau provisoire de la 3e Section du Congrès. Le Comité devait bien accorder cette démission, quoique bien à regret; il a eu le bonheur de voir remplacer M. van Cappelle: dans la vice-présidence par M. van Tienhoven, membre du Comité d'organisation et du Comité des logements, et dans la présidence de la 3e Section par M. Verspyck, inspecteur du service sanitaire dans les provinces d'Utrecht et de Gueldre.

Or, Mesdames et Messieurs, nous voilà arrivés à l'ouverture du Congrès, et les évènements ont prouvé que le Comité auxiliaire français et le Comité d'organisation ont vu juste au sujet du choléra: la maladie s'est répandue un peu dans le midi de la France, et quelques cas isolés ont été constatés ailleurs; mais en général la maladie ne marche que très lentement. Je me plais à le constater ici, car nous en sommes redevables, sans nul doute, à ceux qui là-bas ont combattu si énergiquement jour et nuit, se dévouant à la cause publique, servant de leur corps leur patrie et l'humanité, et par conséquent, cette grande cause de l'Hygiène qui nous réunit actuellement. A ces vaillants, Mesdames et Messieurs, un hommage des plus chaleureux et des plus sympathiques !

Le succès du Congrès de Copenhague prouve du reste que beaucoup de médecins n'ont pas vu dans les ravages du choléra à Toulon et à Marseille une raison de ne pas s'absenter pendant quelques jours de leur domicile.

Quant à l'organisation de nos travaux, j'ai à appeler votre attention sur une innovation suggérée surtout par l'éminent professeur d'hygiène du Val-de-Grâce, M. Vallin. Le programme des travaux des Sections de quelques uns des Congrès antérieurs a été trop chargé, sans contredit; par suite, le temps nécessaire à une discussion approfondie a généralement manqué. Comme la discussion d'une des grandes questions d'hygiène pendant une seule séance ne peut amener aucun résultat utile, le Comité n'a choisi pour chaque section qu'un nombre très restreint des questions les plus importantes. De cette manière on provoquera des discussions sérieuses auxquelles les savants les plus distingués et les plus compétents se feront un plaisir de prendre part.

En second lieu le Comité a cru devoir partager l'opinion de ceux qui pensent que dans les congrès antérieurs, les discussions publiques en séance générale ont été peu profitables et pourraient être utilement remplacées par des conférences confiées à des savants éminents, dont la notoriété serait un attrait pour le Congrès.

Dans cet ordre d'idées le Comité d'organisation a préparé un programme des travaux qui, dans sa simplicité, pourra attirer un auditoire nombreux par l'importance même des questions à traiter et par la compétence des rapporteurs et des conférenciers. C'est un essai à faire, mais le Comité se flatte d'avoir marché dans la voie du progrès; en déviant des routes tracées, il a le ferme espoir de réussir.

Dès le commencement, la démographie a été classée dans le programme de la 1re Section. Mais la Commission permanente de MM. les démographes, nommée au Congrès de Genève de 1882, a préféré une situation plus indépendante. Le Comité d'organisation s'est empressé de satisfaire à ce désir; une cinquième Section a été créée, destinée exclusivement à la démographie.

Le programme des travaux ne propose pas des ordres du jour; il semblait plus utile de laisser le soin de cette proposition au Bureau définitif que chaque Section doit nommer en remplacement de son Bureau provisoire. Dans notre chère patrie où le culte de l'autonomie est très développé et toute action inutilement autoritaire est justement blamée, ou ne pouvait faire autrement.

Je m'abstiens, Mesdames et Messieurs, de nommer séparément MM. les délégués. Il m'a semblé plus pratique de vous présenter la liste que vous avez entre les mains et que vous pourrez consulter tout à votre aise.

De même je ne parle pas des renseignements qui peuvent vous être utiles ou agréables. Ils sont consignés soit dans le programme, soit dans une communication qui vous a été offerte à votre entrée dans cette salle.

Mais je serais bien ingrat, si je passais sous silence les gracieuses invitations qui ont été adressées aux Membres du Congrès.

La ville de La Haye se fera un plaisir de vous recevoir officiellement au Palais des Arts et Sciences, ce soir à 8¹/₂ heures.

Le Président et les Vice-Présidents du Comité d'organisation ont invité MM. les délégués, Mardi 22 Août.

La Section „Rotterdam" de la Société médicale Neerlandaise recevra MM. les membres du Congrès, à Rotterdam, Dimanche prochain, et l'Administration du Chemin de fer Rhénan a eu l'obligeance de mettre un train spécial à notre disposition.

Mardi soir M. le Comte de Bylandt vous invite à sa belle campagne d'Arendsdorp, située tout près de la ville.

Tous les jours vous pourrez entrer, sur présentation de votre carte d'inscription, au Cercle littéraire, au Jardin d'acclimatation et sur la terrasse de l'Hôtel des bains à Schéveningue. Mais à Schéveningue les cartes sont essentiellement personnelles; les dames qui désireraient être admises gratuitement devront être membres du Congrès.

Il me reste, Mesdames et Messieurs, à vous dire que la première Chambre des Etats-Généraux a eu l'extrême obligeance de mettre à notre disposition la Salle de ses séances publiques et quelques salles contiguës. Le Comité en est profondément reconnaissant.

Le Comité exprime également sa profonde gratitude à Leurs Excellences MM. les Ministres de l'Intérieur et des Affaires Etrangères des Pays-Bas, qui ont bien voulu appuyer ses efforts. Son Excellence M. le Ministre du Waterstaat, du Commerce et de l'Industrie a eu l'obligeance de permettre à la 5ᵉ Section de se réunir dans l'ancienne Salle des Etats-Généraux. Nous nous trouverons donc là-bas, au Binnenhof, dans un centre qui rappelle bien des péripéties de notre histoire nationale, à partir du 14ᵉ siècle. C'est là que Guillaume d'Orange a signé de sa devise „je maintiendrai" sa vigoureuse réfutation de l'arrêt d'exil qui avait été prononcé contre lui. C'est là encore qu'a retenti souvent cette autre devise du peuple Hollandais et de ses princes: „l'union fait la force". Pous nous, c'est d'un bon augure; car nous aussi, nous cherchons notre force dans l'union; nous aussi, devant l'ignorance et les préjugés, nous maintiendrons!

M. W. H. de Beaufort dépose les pouvoirs du Comité d'organisation entre les mains de l'Assemblée et l'engage à constituer son Bureaud éfinitif.

Sur la proposition de M. Jules Rochard, le Bureau provisoire est maintenu et confirmé à titre définitif.

M. de Beaufort propose ensuite à l'Assemblée, de nommer des présidents d'honneur. Par acclamation sont nommés

Présidents d'honneur du Congrès:

MM. Billings, de Washington.
Bradel, de Sofia.
Brouardel, de Paris.
Caro, de Madrid.
de Chaumont, de Londres.
Coni, de Buenos-Ayres.
Corfield, de Londres.
A. Corradi, de Pavie.
Crocq, de Bruxelles.
Donders, d'Utrecht.
Emmerich, de Munnich.
Eulenberg, de Berlin.
Félix, de Bucharest.
Haltenhoff, de Genève.
Klenkovsky, de Belgrade.
Oakley van der Poel, de New-York.
J. Rochard, de Paris.
Soyka, de Prague.
le Comte de Suzor, de St. Petersbourg.
le Baron de Thérésopolis, de Rio-Janeiro.
Zoéros-Bey, de Constantinople.

M. de Beaufort offre la parole à Messieurs les présidents d'honneur.

M. le Dr. Alphonse Corradi, délégué de l'Italie, prononce l'allocution suivante:

Il y a déjà presque deux cents ans, qu'un homme célèbre dans l'histoire de la médecine, le maître de Haller, invitait à l'Université de Leyde Morgagni, le prince des anatomistes du XVIII siècle, le fondateur de l'anatomie pathologique. Mais Boerhaave craignait, que la différence de religion serait un obstacle (Utinam religionis non obstaret dissidium), et Morgagni en effet resta à Padoue, à cette Padoue où avaient enseigné Vésal et Spieghel, Vesling et Guilandinus. Là et dans les autres Universités italiennes s'était élevée aussi une élite d'observateurs (Dodonaeus, Forestus, etc.), pareille à celle qui honora la médecine hollandaise durant la renaissance.

Dans cet échange de relations on ne craignait pas de froisser l'amour-propre; on allait chercher et prendre la science où elle était, malgré toutes les entraves et tous les préjugés de ces temps-là, on sentait que la science est universelle; on avait une langue qui lui était propre, la langue des savants.

Oui, elle est universelle, et les Congrès internationaux en sont la plus haute démonstration; les divers pays ne font que donner la forme et la couleur à cette vie de l'esprit qui est le patrimoine de tous.

Si la santé, le bonheur, le bien-être physique et moral, sont le but suprême de la science, nous pouvons dire, que l'Hygiène qui vise directement à ce but, et y dirige toutes les connaissances, est la science par excellence en action.

Je remercie au nom de mon Gouvernement du gracieux accueil que nous venons de recevoir; je vous apporte, Messieurs et confrères! un salut affectueux de l'Italie, de ce peuple ancien, et de cette jeune nation qui veut raffermir les gloires de ses ancêtres par les travaux de ses fils. Agréez aussi les hommages de la Royale Société italienne d'Hygiène qui souhaite au Congrès de conquérir de nouveaux lauriers à la science dont il est l'apôtre.

Monsieur le Dr. Don Angel Fernandez Caro, délégué de l'Espagne, prononce le discours suivant:

Mr. le Président,

Mesdames et Messieurs,

Je manquerais à un devoir de courtoisie envers vous, en ne vous adressant pas quelques paroles comme témoignage de ma reconnaissance.

Rien n'existe qui puisse donner une idée plus élevée du progrès de la civilisation, que ces Congrès où l'on trouve rassemblés les hommes les plus éminents de tous les pays, où chacun apporte les fruits de son étude et où l'on établit une espèce de communion générale sans différences de pays ni de nationalités.

Moi, quoique sans mérites pour me trouver parmi vous, je viens vous entendre, pour reprendre le fruit de vous travaux et pour connaître de vous-mêmes l'état actuel de la Science, si florissante dans ce pays-ci et si dignement représentée aujourd'hui dans cette nation. L'Espagne, quoique un peu contrariée dans son mouvement scientifique, à cause de ses continuelles perturbations politiques, se relève à présent avide de savoir et pleine d'une courageuse énergie devant une aurore de paix qui nous promet des longues années de prospérité et de gloire. L'Espagne compte dans son sein plusieurs hommes éminents capables de mettre la science maternelle à la hauteur de celle des pays les plus avancés. L'Espagne donc, désireuse de suivre vos traces, admirant vos gloires, aspirant à égaler vos progrès, vous envoie par M. Véga et moi, qui avons l'honneur de la représenter, ses salutations les plus empressées et en même temps elle vous adresse ses voeux les plus sincères pour votre prospérité et pour votre agrandissement.

M. le président remercie MM. les Délégués de leurs paroles si bienveillantes pour les Pays-Bas.

Il regrette vivement de devoir communiquer au Congrès que M. Pasteur est retenu par une indisposition à Copenhague, et ne pourra pas faire demain soir la conférence qu'il avait promise au Comité d'organisation. Le Bureau espère toutefois que M. Pasteur se trouvera bientôt suffisamment rétabli pour venir assister au Congrès, la semaine prochaine.

M. Jules Rochard, en attendant, a bien voulu prendre la place de M. Pasteur dans la Séance générale de demain. — (Vifs applaudissements.)

M. le Dr. J. Pacchiotti se voit également empêché de faire sa conférence, annoncée pour demain. Il est retenu à Turin comme Vice-Président du Conseil d'Hygiène de Turin, ne pouvant abandonner son poste au moment où le choléra asiatique attaque l'Italie.

La séance est levée.

Séance du Vendredi, 22 Août 1884.

La séance est ouverte à 3 h. du soir.

M. de Beaufort, président, propose à l'Assemblée de nommer Président d'honneur du Congrès M. le Dr. Kummer, Directeur du Bureau de Statistique de la Confédération Suisse, Délégué de la Confédération Suisse. — Adopté par acclamation.

M. le président fait les communications suivantes:

1o. M. le Professeur Finkelnburg se trouve un peu indisposé par le voyage. Au lieu de demain, il fera sa conférence lundi prochain.

2o. M. le Professeur Hermann Cohn parlera dans la séance générale de demain de la mesure du degré d'éclairage par la lumière diffuse du soleil. Il parlera en allemand; M. le Dr. Guye aura l'obligeance de donner au fur et à mesure un résumé en français. Les appareils nouveaux de M. Weber seront exposés et décrits.

3o. Madame Bovell—Sturge parlera dans une séance générale de la semaine prochaine.

4°. Selon l'avis imprimé, distribué aux Membres du Congrès, l'administration de la Maison de Bains de La Haye (Mauritskade) invite MM. les membres du Congrès et leurs Dames à visiter cet établissement ce soir à 5 heures.

Elle se fera un plaisir d'admettre gratuitement, sur présentation de la carte d'inscription, MM. les membres du Congrès qui désirent prendre des bains.

5°. La Société pour l'amélioration des maisons ouvrières à La Haye engage MM. les membres du Congrès à venir visiter les habitations qu'elle a fait construire. S'adresser à M. Beelaerts van Blokland, Koninginnegracht, 33.

M. le président invite M. le Dr. P. Brouardel, président d'honneur, à vouloir bien le remplacer. (Vifs applaudissements).

M. Brouardel adresse ses remerciements à M. de Beaufort et à l'Assemblée. Il donne la parole à M. Jules Rochard.

Discours de M. Rochard.

Messieurs!

Je dois à l'absence de Mr. Pasteur, l'honneur périlleux de parler à sa place et de prendre le premier la parole dans cette enceinte où nous aurions été si heureux d'entendre sa voix.

Je sens d'autant plus vivement le poids de cette tâche que j'ai pris l'engagement de traiter devant vous, un sujet bien aride et que je suis forcé dès en commençant, de faire appel à toute votre indulgence et de réclamer toute votre attention. Je vais être obligé de faire passer sous vos yeux des armées de chiffres; mais je tâcherai de faire en sorte qu'elles se présentent en bon ordre et qu'elles défilent au pas accéléré. Il s'agit d'une comptabilité d'une espèce nouvelle et d'une valeur que les économistes n'ont pas encore soumise à leurs calculs. Ils ont inventorié dans chaque pays le sol, les édifices, les cultures, les instruments de travail et les animaux domestiques; ils ont calculé les revenus de ce capital et les oscillations qu'il subit; mais aucun d'entre eux ne s'est demandé quelle somme pouvait représenter la population qui exploite toutes ces richesses et les utilise à son profit.

Quelques essais ont été cépendant tentés dans cette direction. Ceux d'entre vous qui ont assisté au Congrès d'Hygiène de Paris, doivent se souvenir d'avoir entendu notre illustre collègue, le vénérable Dr. Chadwick, exprimer le voeu que les hommes se laissassent traiter et considérer comme matière à placement de capitaux. Chaque individu des classes ouvrières pourrait, disait-il, être regardé comme représentant un placement de 200 livres sterling (c'est à dire 5 000 francs) par tête. A l'âge de quarante ans ce serait le double de cette somme. Le Dr. Farr, ajoutait-il, a repris récemment ce côté économique de la question dans son rapport au Registral général et estime à 159 livres (c'est à dire 3975 francs) par tête, la valeur de chacun des habitants du Royaume Uni, hommes, femmes et enfants, en tant que race de travailleurs productive. 1)

Mr. Douglas Galton, président du Congrès de l'Institut Sanitaire tenu à Newcastle sur Tyne en 1882, a envisagé la question sous un autre point de vue, dans son discours d'ouverture. Il avait à rendre compte des résultats favorables obtenus par la création des logements perfectionnés pour les ouvriers de Londres. Ses calculs l'avaient conduit à ce résultat que sur les 50 000 personnes composant les 11 000 familles ainsi logées, il y avait 1 000 décès, de moins par an, et que les cas de maladie étaient réduits de 20 000 à 15 000. Les économies réalisées sur la mort, sur la maladie, et sur les frais d'inhumation estimés à 125 frs. par décès, formaient une somme de beaucoup supérieure à l'intérêt du capital de 47 500 000 frs. dépensés pour construire les nouveaux logements.

Il estimait en outre que la vie des habitants de ces quartiers arrivés à l'âge adulte, serait prolongée de 10 ans et qu'il en résulterait une économie de 116 000 000 frs. à raison de 25 frs. par semaine et par famille, ce qui constitue le salaire moyen, d'après l'évaluation des économistes. 2)

Enfin, tout récemment, dans un discours prononcé le 17 juin 1884, à l'inauguration des Jurys de l'Exposition Sanitaire internationale de Londres, Sir James Paget a fait connaitre le résultat de ses calculs sur la valeur de la santé publique. 3) En s'appuyant sur les relevés des sociétés de secours mutuel (Friendly societies) et en admettant que la morbidité de la population anglaise tout entière ne s'écarte pas beaucoup de celle de ces groupes, il a trouvé que la perte annuelle de travail était de 1 314 semaine par homme et de 1 334 semaine par femme, c'est-à-dire un peu plus de neuf jours, ce qui constitue une perte totale de 9 692 505 semaines par an pour les hommes et 10 592 761 semaines pour les femmes, soit en chiffres ronds, 20 millions de semaines pour les deux sexes, ce qui représente le quarantième de la population totale de 15 à 65 ans.

Plus de la moitié de ce travail est perdu par les classes agricoles, industrielles et par les domestiques. Ils perdent 11 millions de semaines et, en estimant à une livre sterling (25 francs) le prix de la semaine, on arrive à une perte de 11 millions de livres ou de 275 millions de francs. Il est impossible d'évaluer le prix de travail du reste de la population composée de

---

1) Edwin Chadwick, de Londres. Congrès international d'hygiène tenu à Paris du 1er au 10 Août 1878. 1re Section, hygiène générale et internationale, T. II, page 1.

2) Douglas Galton, president of the Congress at Newcastle upon Tyne, 1882. Transactions of the Sanitary Institute of Great-Britain, T. IV. 1882—83.

3) Sir James Paget, Bart. D. C. L., F. R. S. The British medical Journal, 21th June 1884.

négociants, de juges, de médecins, d'avocats, etc.... dont le salaire échappe à toute appréciation.

Sir James Paget s'est livré à des calculs analogues sur le travail des enfants, sur les frais qu' entrainent leurs maladies, etc. — Je reviendrai plus tard sur ces études intéressantes, mais je dois dire tout d'abord que les savants anglais qui s'y sont livrés, n'avaient pas le même but et n'ont pas pris le même point de départ que moi, qu'ils n'ont pas envisagé le problème sous toutes ses faces comme j'ai dû le faire pour en tirer les conclusions pratiques que je poursuivais. Il m'a donc fallu serrer la question de plus près.

Ce n'est pas en effet dans un simple intérêt de curiosité, ou pour ajouter une page de plus au livre de la Statistique, que j'ai entrepris ces recherches arides. C'est pour y trouver une base qui m'était indispensable et pour en tirer des déductions qui me semblaient importantes.

L'Hygiène, malgré les progrès considérables qu'elle a faits depuis un demi siècle, malgré la faveur dont elle jouit aujourd'hui dans le monde scientifique, n'a pas encore traversé toutes les couches de l'opinion publique; elle n'a pas encore conquis le terrain le plus important pour elle, celui de l'administration. A l'exception des grandes villes dont l'édilité est à la hauteur de toutes les questions qui intéressent la santé publique, les conseils élus dans la plupart des départements (je ne parle que de la France, bien entendu) ne se montrent pas favorables aux améliorations qu'elle réclame pour peu qu'il doive en résulter une dépense. Lorsqu'on lit les procès verbaux des conseils d'hygiène et de salubrité de nos villes, on est attristé par le spectacle de la parcimonie avec laquelle ceux qui disposent de leurs deniers, traitent les sujets relatifs à la salubrité. Les municipalités votent sans hésitation des sommes souvent considérables pour construire un théâtre, pour percer un boulevard et lui donner le nom de quelque célébrité du pays; mais, s'il s'agit de creuser un égout, de faire disparaître quelque affreux cloaque, de déblayer, d'assainir les vieux quartiers, les bourses se ferment et le crédit est refusé. Les villes, comme les individus, sacrifient le plus souvent l'utilité à l'amour-propre. De là ces monuments d'un gout détestable qu'on trouve si souvent sur leurs places et qui attristent les regards du voyageur après avoir obéré les finances de la ville, pour satisfaire la vanité de quelque architecte du crû.

Il faut avoir eu à traiter, avec des conseils municipaux de petites villes, ces questions d'assainissement, pour se faire une idée de l'indifférence et de la force d'inertie qu'on y rencontre. Les gens du monde, même les plus éclairés, ne croient pas à la puissance de l'hygiène et ne comprennent pas la nécessité de lui faire quelques sacrifices pécuniaires. Sans doute, disent-ils, il serait à désirer que les améliorations dont vous parlez, pussent se réaliser. Sans doute il est très agréable pour les villes d'avoir des rues larges et bien entretenues, un réseau d'égouts bien établi, des eaux abondantes et de bonne qualité, de même qu'il y a avantage pour les individus à se bien nourrir et se loger confortablement. Il est vraisemblable même que la santé publique doit en retirer quelque bénéfice; mais à quelles dépenses ne serait-on pas conduit si l'on entrait dans cette voie? Ce sont des millions qu'il faudrait dépenser et il n'est pas de budget municipal qui pourrait y suffire. En somme, c'est un luxe comme un autre que de se bien porter, que de ne pas mourir et ce luxe là, les villes ne sont pas assez riches pour le payer à leurs habitants.

Eh bien! Messieurs, c'est contre cette erreur que je viens protester ici. Ma conférence n'a pas d'autre but et j'aurais pu lui donner pour épigraphe les trois propositions qui suivent et qui, par le fait, ne sont que trois formes différentes d'une même vérité :

1º. Toute dépense faite au nom de l'hygiène est une économie.

2º. Il n'y a rien de plus dispendieux que la maladie, si ce n'est la mort.

3º. Pour les sociétés, le gaspillage de la vie humaine est le plus ruineux de tous.

Pour arriver à la démonstration de ces aphorismes, je vais commencer par établir ce que la mort et la maladie coûtent aux nations; je prouverai ensuite qu'il leur est possible de diminuer cette rançon et que l'hygiène est en mesure, dès à présent, de leur en fournir les moyens.

I.

Pour déterminer quelle est la dime mortuaire d'un pays, il faut d'abord et de toute nécessité, fixer le prix qu'y représente la vie humaine. Cette recherche, il est à peine besoin de le dire, ne peut conduire qu'à des résultats approximatifs; elle exige de longs calculs, elle expose à froisser de légitimes susceptibilités. Il répugne à tout le monde et plus au médecin qu'à tout autre, de traiter la vie de son semblable comme une marchandise qui se mesure au quintal et de calculer ce qu'elle pèse dans la balance des intérêts. Je suis forcé de le faire pour la défense de la thèse que je soutiens et dont l'importance ne me permet pas de m'arrêter devant une question de sentiment; mais, avant de descendre sur ce terrain, je tiens à m'expliquer, comme je l'ai déjà fait, lorsque j'ai abordé ce sujet épineux, pour la première fois, devant l'académie de médecine.

La vie de l'homme n'a pas de prix, disais-je, quand on l'envisage sous son côté moral et intellectuel. Tout l'or des nations ne suffirait pas pour payer l'existence des grands hommes qui font leur prospérité et leur gloire. Il n'est pas de père qui ne donnât sa fortune entière pour racheter la vie d'un de ses enfants et, dans certaines familles, cette rançon pourrait s'élever à plusieurs centaines de millions. Dans toutes les entreprises collectives, où la vie des hommes est en jeu, dans les travaux périlleux que nécessitent certaines industries, dans les calamités publiques, aucun sacrifice ne coûte et tout le monde s'expose pour aller au secours de ceux qui sont menacés. Cette solidarité fait la force de toutes les réunions d'hommes, qu'elles s'abritent derrière les murs d'un cloître, dans les flancs d'un navire, ou sous les plis d'un drapeau; elle fait la puissance et la sécurité des peuples et, quand. l'un d'eux recule devant un sacrifice d'hommes ou d'argent, pour sauver la vie de ses nationaux ou pour venger leur mort, ce peuple est sur la route de la décadence. Plus les nations sont avancées en civilisation et plus elles tiennent à la vie de leurs enfants. J'ai cité ailleurs les dépenses énormes que l'Amérique a faites pendant la guerre de sécession et l'Angleterre dans sa campagne contre les Ashantis, ainsi que les beaux résultats qu'elles en ont retirés; il me reste maintenant à aborder la question à un autre point de vue.

La vie humaine indépendamment de cette valeur morale et intellectuelle que personne ne songe à chiffrer, a une valeur matérielle; elle représente un capital. La loi ne l'envisage pas d'une autre manière, quand elle impose des dommages et intérêts à celui qui a causé involontairement la mort d'autrui; et nous même, lorsque nous contractons une assurance sur la vie, nous estimons que notre existence vaut une certaine somme et nous voulons garantir à notre famille, en cas de décès, le remboursement de cette somme, exactement comme si nous assurions une maison contre l'incendie, ou un navire contre le naufrage.

Cette valeur économique représente ce que chaque individu a coûté à sa famille, à la commune ou à l'Etat, pour vivre, se développer et s'instruire; c'est l'emprunt qu'il a fait au capital social pour arriver à l'âge où il pourra le lui rembourser par son travail; elle est égale à la somme dont le produit de ce même travail représente l'intérêt. Elle va en augmentant depuis la naissance jusqu'à l'âge où l'homme est en plein rapport; elle reste quelque temps stationnaire, parcequ' à mesure que la force et l'habilité du travailleur augmentent, il voit décroître en même temps le nombre des années pendant lesquelles il pourra jouir de cette activité productive; elle commence à décroître enfin, comme celle de tout capital périssable, pour s'annuller dans la vieillesse où l'homme ne peut plus rendre de service à la société et devient une non-valeur au même titre que l'infirme, que le malade, que l'aliéné, que l'oisif, qui ne sont que des charges sociales.

Les calamités publiques qui frappent surtout les faibles, les vieillards, les malades et les valétudinaires, les enfants chétifs et malvenus, comme les famines, les hivers rigoureux, sont beaucoup moins désastreuses, au point de vue social, que les épidémies qui atteignent de préférence les sujets dans la force de l'âge et surtout que les guerres qui pèsent sur la partie la plus vigoureuse, la plus active de la nation et font couler son sang le plus riche et le plus pur. Les guerres ont de plus cette conséquence déplorable, qu'en , éloignant de la famille tous les hommes jeunes et bien constitués, elles abandonnent l'entretien de la race aux infirmes, aux valétudinaires et aux gens agés. Les conséquences de ce mode de reproduction se sont fait très nettement sentir chez nous, pendant la période qui a correspondu, à vingt ans de distance, aux grandes guerres du premier empire. De 1831 à 1835 notamment, le nombre des conscrits réformés pour défaut de taille, pour faiblesse ou pour vice de constitution, a été considérable. 1)

L'âge n'est pas la seule condition qui fasse varier le prix de la vie humaine; il est une foule d'autres éléments dont il faut tenir compte dans son appréciation. Trois d'entre eux m'ont paru avoir une importance prépondérante: le sexe, le lieu de l'habitation et la position sociale. Il est incontestable que partout la femme consomme et produit moins que l'homme, qu'elle coûte et rapporte moins et que par conséquent sa valeur économique est moindre. Il est également certain que la vie est moins chère et le travail moins rétribué à la campagne qu'à la ville, et dans les petites villes que dans les grandes; enfin, il est inutile de s'appesantir sur les différences que la condition sociale, le rang et la position de la famille apportent dans les frais de l'éducation, les dépenses de toute nature, ainsi que dans les revenus que procure le travail.

Ce sont là les données sur lesquelles j'ai basé mes calculs. Je les ai faits pour la France seulement; mais il est possible de les appliquer à tous les peuples civilisés. Les chiffres seront différents, mais les déductions seront exactement les mêmes. Les statistiques publiées par le ministère du Commerce donnent d'une façon très exacte le dénombrement de la population par sexe, par groupes d'âges, par département, par arrondissement, ainsi que les chiffres des habitants des villes et des campagnes; elles fournissent en un mot tous les renseignements relatifs aux deux premières conditions que j'ai prises pour bases. Quant aux deux autres, j'ai pu me renseigner assez facilement sur le prix des loyers, des denrées alimentaires et de la journée de travail, dans les départements ainsi que dans les principales villes. La moyenne des salaires dans l'industrie et dans le commerce, suivant les localités, le rendement des impôts, le produit des octrois, le budget des municipalités m'ont permis d'établir certains chiffres; d'autres m'ont été fournis par le tableau des différentes professions et le nombre de ceux qui les exercent; enfin les comptes de l'assistance publique m'ont mis à même de faire le calcul des nonvaleurs et des frais qu'elles occasionnent.

---

1) D'après la Statistique de Boudin, de 1831 à 1835, le nombre des exemptés pour défaut de taille s'est élevé à 875 pour 10000 examinés et cette influence fâcheuse s'est fait sentir pendant une dizaine d'années, correspondant à la période qui a suivi le rétablissement de la paix. [Boudin. De l'accroissement de la taille en France, etc. (Mémoires de la Société d'anthropologie. T. II. page 221—259).

A l'aide de ces données, j'ai partagé la population en petits groupes pour chacun desquels j'ai fait le compte de la valeur individuelle; puis j'en ai déduit celle du groupe tout entier. En faisant la somme de tous ces résultats, j'ai obtenu un chiffre qui représente, d'une façon très approximative il est vrai, mais aussi rapprochée de la vérité qu'on peut le concevoir, la valeur totale de la population de la France. Elle est de 41 321 236 656 francs, chiffre qui, divisé par celui de la population d'après le dernier recensement (37 672 048 habitants), donne pour chaque Français une valeur de 1097 francs.

Ce chiffre est sensiblement inférieur à ceux qu'on a énoncés en Angleterre et en Amérique. Mr. Chadwick, comme je l'ai dit plus haut, évalue à 2o0 livres sterling (5 000 francs) la valeur d'un travailleur arrivé à l'âge adulte et pense qu'il vaut le double à 40 ans. Il cite, comme concordant avec les siens, les calculs du docteur Farr qui porte à 159 livres (3 975 francs) la valeur moyenne des habitants de l'Angleterre. Je ne comprends rien à ces évaluations. D'abord la somme de 5000 francs pour un travailleur anglais, parvenu à l'âge adulte, me parait beaucoup trop faible, soit qu'on estime ce qu'il a coûté, soit qu'on capitalise le produit annuel de son travail. 1) Les Américains me semblent plus près de la vérité, lorsqu'ils estiment qu'un homme arrivé à l'âge où il va rapporter le plein nécessaire à sa vie propre et à la vie sociale, représente en moyenne une somme de 3 500 dollars, c'est à dire de 17 500 francs. Ce chiffre ne semble pas trop élevé, lorsqu'on songe au prix de la main d'oeuvre et de tous les objets de consommation en Amérique. — Je comprends moins encore la seconde assertion de Mr. Chadwick. Comment s'explique-t-il que l'homme double de valeur de l'âge adulte à 40, alors qu'en sa qualité de capital périssable, il perd chaque année, puisqu'il a une année de moins à produire et qu'il se rapproche de plus en plus de l'âge où il passera à l'état de nonvaleur? — Enfin, je ne me rends pas compte davantage de l'accord que notre éminent collègue trouve entre son estimation et celle du docteur Farr. Si le travailleur adulte ne vaut que 200 livres, il est inpossible de fixer à 159 la valeur moyenne de chacun des habitants de l'Angleterre. Dans tous les pays, le travailleur ne représente qu'une très faible portion de la population; les femmes, les enfants, les vieillards et les nonvaleurs en forment la plus grande partie et, d'après mes calculs, l'homme arrivé à 20 ans, bien portant et bien constitué, tel en un mot que l'état le prend pour le service de ses armées, représente plus de cinq fois la valeur moyenne, telle que je l'ai précédemment fixée. On peut estimer à 2 frs. par jour le prix de son travail. C'est la moyenne des salaires

---

1) En prenant les chiffres de Sir James Paget que j'ai cités plus haut, c'est à dire 50 semaines de travail par an et une livre (25 francs) de salaire moyen par semaine, on trouve que le travailleur anglais gagne 1 250 frs. par an, qui capitalisés au taux des rentes viagères, donnent 12 500 frs.

pour la France entière, villes et campagues comprises. A 300 journées de travail par an, cela fait 600 francs, qui capitalisés au taux des rentes viagères, donnent un chiffre de 6 000 frs., qui doit être très près de la vérité. C'est sur ce taux qu'on peut calculer la valeur des armées et l'on voit déjà ce que coûtent tous les bras immobilisés en temps de paix, toutes les existences sacrifiées en temps de guerre. Ce sont de douloureux calculs sur lesquels il ne faut pas trop s'appesantir.

Ce chiffre de 6 000 frs. est une moyenne englobant tous les travailleurs; mais que de nuances depuis l'ouvrier bijoutier qui est payé à Paris 10 frs. par jour jusqu'au garçon de ferme des campagnes pauvres qui ue gagne que sa nourriture. Dans les professions libérales, la valeur de l'homme croit en raison directe des sacrifices que son éducation a nécessités. Ainsi, pour prendre un exemple dans la carrière qui nous intéresse le plus, il n'est pas de médecin qui, le jour où il entre en possession de son diplôme, ait coûté à sa famille, depuis sa naissance, moins de 30 à 35 mille francs. C'est là le capital que représente sa vie, ce qui ne l'empêche pas de la sacrifier, quand le devoir l'exige, comme si elle n'avait rien coûté. C'est la gloire de la profession médicale et c'est ce qui nous permet de parler de la vie humaine, comme je le fais aujourd'hui, sans qu'on puisse nous reprocher d'en faire trop bon marché. Nous ne faisons bon marché que de la nôtre.

Arrivons maintenant à l'évaluation de la dîme mortuaire, puisque c'est là le but que je me suis proposé. Pour cette estimation, j'ai procédé comme pour l'autre. La statistique des décès m'a permis d'établir entre les morts les mêmes groupes que parmi les vivants. J'ai pris pour base l'année 1880; pendant le cours de laquelle il y a eu, en France, 858 237 décès, dont à peu près la moitié pour chaque sexe; 336 346 ont eu lieu dans les villes; 521 891 dans les campagnes. En établissant les mêmes catégories que précédemment, j'ai trouvé le chiffre de 477 559 854 frs. pour la valeur des pertes subies en 1880 par la population urbaine et de 463 126 590 frs. pour celles qui ont porté sur la population rurale, total 940 686 444 frs. qui représentent la dîme mortuaire de la France en 1880. En y ajoutant les frais de sépulture que j'ai négligés, on arriverait au milliard à peu de chose près. Ces chiffres, je l'ai déjà dit, ue sont qu'approximatifs; mais je garantis qu'ils sont au dessous de la vérité et, pour la thèse que je soutiens, je n'ai pas besoin de plus d'exactitude.

Je passe donc à la dîme de la maladie, et celle là il me sera possible de l'établir avec toute la précision désirable.

Eu effet, les statistiques officielles donnent le chiffre des malades traités dans tous les hôpitaux de France, en les divisant en trois catégories (hommes, femmes, enfants). Elles donnent, pour chaque groupe, le nombre des journées d'hôpital et celui des décès. Enfin elles nous renseignent sur la dépense totale que le traitement de tous ces malades a occasionnée.

Ainsi, pendant l'année 1880, que j'ai prise pour type, il a été traité dans les hôpitaux de France, 462 357 malades qui ont fourni 15 904 373 journées (soit 34 journées par malade) et coûté 31 808 756 frs. pour la nourriture, les médicaments, les frais de personnel et l'entretien du matériel; ce qui fait monter le prix de la journée à 2 frs. De ces 462 357 malades, il en est mort 41 911, ce qui donne 9 décès pour 100. 1)

Il convient d'ajouter aux frais de traitement le prix des journées de travail perdues par les malades. En négligeant les enfants, en estimant à 2 frs. comme nous l'avons déjà fait le salaire d'un homme et à 1 fr. celui d'une femme 2) nous trouvons de ce fait 16 649 916 frs. perdus pour les premiers et 5 437 503 frs. pour les autres, soit 22 087 419 frs. pour ce que je me permettrai d'appeler les frais d'invalidation. Cette somme, jointe à celle que nous avons trouvée pour les frais de traitement, donne un total de 53 896 175 frs., représentant les pertes causées par la maladie dans le personnel hospitalisé.

Il s'agit maintenant de faire le même travail pour ceux qui ont été soignés à domicile. Nous n'en connaissons pas le nombre, mait il nous est facile de le déduire des chiffres précédents. Nous savons en effet qu'il est mort en France en 1880 858 237 personnes. En défalquant les 41 911 décès des hôpitaux, il en reste 816 326 pour la clientelle civile, lesquels évidemment correspondent à un nombre proportionnel de malades, si on laisse de côté les indispositions, les affections légères, en un mot les maladies d'une gravité inférieure à celles qui conduisent d'habitude les gens dans les hôpitaux. Ce nombre est de 9 005 607. Comme à gravité égale de maladie, la durée du traitement a dû être la même, il suffit de multiplier ce chiffre par 34, ce qui donne 306 190 638 journées. Elles reviennent à 2 frs. dans les hôpitaux; mais si le traitement à domicile coûte beaucoup plus cher dans les classes aisées et dans les villes, en revanche dans les campagnes il revient à très peu de chose. En l'estimant à la moitié du prix de la journée d'hôpital, c'est à dire à 1 fr., nous devons nous rapprocher de la vérité. Les frais de traitement à domicile, même en ne comptant que les maladies sérieuses, peuvent donc être évalués à 306 190 638. Quant aux pertes causées par la suspension de travail, il est facile de les calculer d'après cette donnée, que le nombre d'hommes, de femmes et d'enfants a dû se présenter dans les mêmes proportions, en ville qu'à l'hôpital. Le

---

1)   Hommes — 277 242.   Journées, 8 324 958.   Décès, 22 484
     Femmes — 137 468.   »   5 437 503.   »   14 575
     Enfants — 47 647.   »   2 141 912.   »   4 952

Totaux, Malades — 462 357.   Journées, 15 904 373.   Décès, 42 011

2) Dans les villes de France, chefs-lieux de département (moins Paris) le salaire moyen dans la petite industrie est de 3 35 pour les hommes et de 1.75 pour les femmes; les gages des domestiques suivent la même proportion. J'ai dû prendre un chiffre beaucoup plus faible à cause des campagnes.

prix des salaires étant le même dans les deux cas, j'ai trouvé pour les frais d'invalidation 348 333 770 1), qui joints aux 306 190 638 de traitement, donnent 654 524 408 frs. pour les malades soignés à domicile, en ne tenant pas compte de ce fait que le personnel qu'on traite dans les hôpitaux se recrute exclusivement dans les classes pauvres, tandis que la catégorie des malades soignés à domicile, comprend tout le reste et englobe par conséquent les professions libérales, les hauts fonctionnaires, les industriels et les commerçants, dont le labeur représente des sommes bien plus considérables. Je suis donc encore, sur ce point, bien au dessous de la vérité.

En joignant le chiffre ainsi obtenu aux dépenses causées par les frais de traitement et d'invalidation des malades hospitalisés, on obtient le total de 708 420 583 francs, exprimant d'une façon aussi exacte que possible, la rançon que la France paie chaque année à la maladie. En y joignant le montant de sa dîme mortuaire que nous avons évaluée plus haut, on arrive à un total de 1 649 107 027 frs., somme colossale qui représente plus de la moitié de son budget et qui est pourtant bien au dessous de la vérité, pour les raisons que j'ai plus d'une fois indiquées.

Et maintenant, si par un moyen quelconque, on parvenait à diminuer, d'un dixième seulement, le nombre des malades et des morts, et je prouverai bientôt que l'hygiène est en mesure d'aller bien au délà, si l'on réduisait, dis-je, cette rançon seulement d'un dixième, il en résulterait, pour la France, une économie annuelle d'au moins 165 millions. Quel magnifique budget de la Santé et que ne ferait-on pas avec des ressources pareilles! Si les villes, au lieu de s'endetter pour faire face à des dépenses souvent improductives ou de pur agrément, empruntaient le capital de la somme représentée par le dixième de leur dîme mortuaire pour effectuer, en quelques années, les travaux que réclame leur hygiène, elles réaliseraient la plus fructueuse des opérations financières.

Il s'agit maintenant de prouver que cette diminution des décès et des cas de maladie, n'est pas une utopie et que l'hygiène est en mesure de fournir, dès à présent, aux nations les moyens de la réaliser.

II.

Toutes les maladies meurtrières, toutes celles qui déciment les populations, sont des maladies contagieuses, et toutes les maladies contagieuses sont destinées à disparaître un jour. Qand je parle de disparition, je ne veux pas dire que ces maladies passeront à l'état de fossiles pathologiques et qu'il faudra, pour en trouver la description, remuer la poussière des vieux livres, comme il faut aller dans les musées

---

1) Hommes à 2 frs. la journée — 10 810 134 frs.; femmes à 1 fr. la journée — 2 669 571 frs.; total pour une journée 13 480 405 frs. et pour 34 journées durée moyenne 348 333 770 frs.

pour trouver les vestiges des animaux antédiluviens; j'entends seulement qu'elles deviendront assez rares pour qu'on n'ait plus à en tenir un compte sérieux parmi les causes de mortalité. Lorsque je prédis que cette disparition se produira, je ne prétends pas que nos petits fils en seront les témoins; il faudra pour cela l'actiou lente des siècles; mais, dans la vie de l'humanité, les siècles ne comptent pas plus que les minutes dans l'existence de l'homme et plus le chemin à parcourir doit être long, plus il importe de se mettre en route de bonne heure. Quant au fait en lui même, quant à l'action du temps et de la volonté humaine sur l'évolution des maladies contagieuses, elle est démontrée par le raisonnement et par l'expérience. Du moment où une affection se transmet du malade à l'homme sain, il est évident qu'en principe, il est possible d'empêcher cette transmission et même d'anéantir. le germe, quelqu'il soit, qui part de l'un pour aller se multiplier chez l'autre. L'histoire de la médecine est pleine de faits de ce genre. Que sont devenues ces épidémies qui ravageaient l'Europe au moyen-âge et dont elle sait à peine le nom, aujourd'hui? Elles ont disparu sous les efforts de cette hygiène inconsciente aux lois de laquelle les nations obéissent involontairement. Elles cherchaient le bien être, le confortable; elles ont trouvé la santé par surcroît.

Permettez-moi de vous en citer quelques exemples. Il en est un qui se présente à l'esprit de tout le monde. C'est la peste. Sans parler des apparitions qu'elle a faites à Rome sous le règne de Marc-Aurèle et plus tard sous celui de Gallus, nous la voyons se montrer au VIième siècle et, pendant un règne de 42 aus, faire cent millions de victimes dans la population si faible de l'Europe de ce temps-là; puis, après quelques années de répit, reparaître et la désoler sans trève ni merci, jusqu'à la formidable épidémie du XIVième siècle, qui sembla devoir porter le dernier coup au genre humain. La peste noire, qu'on nommait aussi la mort dense, la mort noire ou tout simplement la mort, dévasta en quatre ans toute la terre connue, et fit 77 millions de victimes dont 40 millions en Europe. L'Italie fut presque dépeuplée; Gênes perdit 40000 habitants, Naples 60000, Vénise 70000; 90 familles patriciennes y furent éteintes et les membres du grand collège se trouvèrent réduits de 1250 à 380! Que sont, je vous le demande, nos épidémies d'aujourd'hui à côté de ces fléaux épouvantables? Qu'est ce que le choléra qui, dans sa plus redoutable invasion, n'a pas enlevé à l'Europe 1 habitant sur *400* à côté de la peste noire qui en fit périr 1 sur *4*? 1) — Eh bien la peste, dont le nom seul faisait frissonner les populations du moyen-âge, n'a plus même aujourd'hui le pouvoir de réveiller l'attention des sociétés savantes, quand on en parle devant elles.

---

1) La France qui a été particulièrement éprouvée par le choléra n'a perdu pendant chacune de ses quatre premières épidémies que 2.73 habitants par 1000, soit 1 sur 378, ce qui fait le dixième de sa mortalité totale. (L. Colin. Traité des maladies épidémiques. page 865).

La peste n'a pas disparu cependant. Marseille se souvient encore de la terrible épidémie de 1720 et Moscou se rappelle celle de 1771. Dans notre siècle même, nous l'avons vue se montrer dans quelques îles de la Méditerranée. 1)

Tout récemment à la fin de 1878, elle a fait sur l'Europe un retour offensif. Elle a franchi la mer Caspienne et fait explosion dans quelques villages de pêcheurs sur les bords du Wolga; mais en somme, depuis le XVIIième siècle, elle recule devant la civilisation et devant l'hygiène. Elle leur a abandonné l'Europe pour se réfugier en Perse, en Mésopotamie, en Arabie, où elle trouve encore la misère, la malpropreté et l'incurie, qui sont les conditions de son développement.

La lèpre qui a couvert l'Europe au temps des Croisades à ce point qu'on y trouvait alors 19 000 leproseries, a diminué rapidement depuis le XIVième siècle et elle a si bien disparu aujourd'hui de nos climats, qu'il faut, pour l'étudier, aller la chercher au nord de la Suède et qu'il y a certainement plus de la moitié des médecins Européens qui n'en ont jamais observé un cas.

La suette qui fit de si grands ravages en Angleterre à la fin du XVième siècle et au commencement du XVIième, n'a pas disparu davantage, mais au lieu d'enlever 99 malades sur 100 comme en 1486, et de faire périr le tiers et même la moitié de la population de certaines villes, 2) elle se borne à se montrer de loin en loin dans nos campagnes et s'y éteint promptement, en laissant derrière elle un petit nombre de victimes.

Vous parlerai-je de la grande épidémie gangréneuse du moyen-âge qui fit de si prodigieux ravages au Xe, au XIe et au XIIe siècle, que, pour détourner la colère du ciel, les princes et les seigneurs en vinrent à faire entre eux une sorte de pacte par lequel ils s'engageaient à observer la Justice. 3) Les peuples ne savaient quel nom lui donner. Ils l'appelaient le feu sacré, le mal des ardents, le feu Saint-Antoine, le feu Saint-Marcel, le feu d'enfer, etc. Celle-là a si bien disparu qu'on ne sait plus au juste ce que c'était. En général cependant on pense qu'il s'agissait d'une forme grave de la maladie que nous désignons aujourd'hui sous le nom d'ergotisme; mais quelle expression atténuée de ces formidables épidémies que celle que nous avons sous les yeux! — Je ne veux pas pousser plus loin cet examen retrospectif. Ces exemples suffisent pour prouver que les maladies populaires les plus terribles peuvent s'éteindre, sous l'influence de l'hygiène et de la civilisation et, puisque celles-ci nous ont débarrassés de pareils fléaux, elles auront plus facilement raison de ceux qui nous affligent encore et qui ne sont rien à côté des épidémies des temps passés. Toutefois, si nous laissons marcher les choses, il leur faudra bien du temps pour s'accomplir; tandis qu'en se

1) Epidémies de Malte (1813), de Noïa (1815), des Baléares (1819).

2) Anglada, ètude sur les maladies éteintes et sur les maladies nouvelles. Paris, 1869, page 452.

3) Henri Martin, Histoire de France. T. III, p. 31, 4e édition).

mettant sérieusément à l'oeuvre, les nations modernes peuvent accélérer cette
évolution, dans une mesure considérable et réaliser l'oeuvre des siècles en un
nombre restreint d'années. Elles ont pour cela trois choses qui manquaient
aux générations du passé : 1º. Des notions scientifiques positives qui permettent d'aller droit au but, sans hésitation, sans tâtonnements coûteux. 2º. Des
forces et des agents mécaniques qui rendent tout facile. 3º. Ces deux grands
leviers des temps modernes qui s'appellent l'argent et l'association.

Les questions comme celles que je traite devant vous, sont de celles qui
demandent à être serrées de très près. Tant qu'on se tient dans les termes
généraux, on peut entrainer les esprits, mais on n'y fait pas entrer la conviction. Il faut pour cela rendre la vérité palpable et la faire toucher du
doigt, par des exemples saisissables. Je vais donc passer en revue les principales maladies populaires et montrer ce qu'on peut économiser sur chacune d'elles.

Je commencerai par les fléaux exotiques, par les maladies pestilentielles.
On désigne sous ce nom, dans le langage sanitaire, la peste, la fièvre jaune
et le choléra. La peste n'est plus guère à redouter pour l'Europe, ainsi que
je l'ai dit plus haut; cependant, elle lui a causé une terrible émotion, il y
a cinq ans, lorsqu'elle apparut sur les bords du Volga. Les déclarations des
médecins réunis à Vienne, le 24 janvier 1879, n'étaient rien moins que rassurantes et en réalité on ne sait pas au juste ce qui serait advenu sans les
mesures radicales prises par le gouvernement russe. Le général Loris de
Melikoff, envoyé sur les lieux avec de pleins pouvoirs, établit un triple
cordon sanitaire autour des villages en proie à l'épidémie. Un fossé d'un
mètre et demi de profondeur fut creusé autour de Vetlianka; le village fut
nettoyé à fond. Les habitants furent lavés; on leur donna des vêtements neufs
et on brûla leurs vieilles fourrures. Le cimetière fut recouvert d'une couche
épaisse de terre et de chaux et enfin on finit par mettre le feu aux maisons
infectées. La peste fut ainsi détruite sur place et ne s'étendit pas au-delà.

Il en a été de même des petites épidémies locales qu'on a vu, surtout
depuis 1874, éclater presque tous les ans, tantôt sur un point, tantôt sur
un autre, en Arabie, en Mésopotamie ou en Perse. En ce moment encore,
elle règne dans le district de Bedra (près de Bagdad), à Mendeli et dans
quelques tribus nomades errant dans la plaine. La peste tourne autour de nous
dans un cercle qui ne s'est pas encore rétréci; mais elle peut pourtant le
franchir d'un jour à l'autre. Je ne crois pas que l'Europe soit menacée d'épidémies comme celles du moyen-âge. Le terrain ne s'y prête plus, mais enfin
les cordons de cosaques et les procédés sommaires du général Loris-Meli-
koff me rassurent davantage encore.

La fièvre jaune n'est pas beaucoup plus redoutable pour nous. Elle a fait
cependant de fréquentes incursions en Europe depuis le commencement du
siècle. De 1730 à 1870, elle s'est montrée onze fois au moins, sur le littoral
de l'Espagne. Elle a éclaté deux fois à Lisbonne, la première en 1823, la

seconde en 1857 et cette fois elle y fit plus de dix mille victimes. Elle a régné à Livourne en 1804. Enfin elle est apparue à diverses reprises sur les côtés de France et même d'Angleterre 1), mais elle n'a jamais pu s'y propager, sans doute à cause de la température trop peu élevée de ces deux pays. Cependant, il ne faudrait pas s'y fier. Nous avons quelquefois en juillet et en août des chaleurs qui ne le cèdent en rien à celles des régions intertropicales. Si, pendant qu'elles règnent, un paquebot transatlantique venait mouiller à St. Nazaire avec la fièvre jaune à son bord, comme cela est arrivé à „la ville de Paris" il y a trois ans 2) et qu'on lui donnât la libre pratique, les passagers partant le même jour par le train de Paris, pourraient fort bien y apporter la maladie et il est impossible d'affirmer qu'elle n'y prendrait pas des proportions formidables. La fièvre jaune est le plus terrible des fléaux qui nous sont restés. En 1878, au Sénégal elle a enlevé, en moins de quatre mois, près de la moitié des Européens. 3) On frémit en songeant à ce qui pourrait se passer, si elle éclatait avec cette violence au milieu d'une population de plus de deux millions d'âmes. Elle ne durerait probablement que quelques jours, parce que les grandes chaleurs ne se maintiennent pas longtemps à Paris; mais que de victimes pendant ce temps-là!

Quant au choléra nous n'en sommes malheureusement pas à faire des suppositions. En un demi siècle il nous a déjà envahis cinq fois et il en est à la sixième. Chacune des trois premières invasions a fait en France plus de cent mille victimes; les cinq réunies forment un total d'au moins 400 000 décès pour une population moyenne de 35 726 904 habitants. 4) Nous ne savons pas ce que nous coûtera celle-ci. Or, la population de l'Europe d'après les derniers recensements est huit fois et demi plus nombreuse que celle de la France 5); il en résulte que si les pertes se sont réparties d'une manière à peu près égale, le nombre des morts causées en Europe par le choléra depuis sa première invasion, a été de 3 400 000. En évaluant à 1000 francs seulement la valeur économique de chacune de ces existences, on arrive à la somme énorme de 3 400 000 000, sans tenir compte des frais de traitement et

1) A Marseille 1820—1821; à Brest 1852—1866; à Saint-Nazaire 1851—1881; à Southampton 1852—1869; à Swansea 1866.

2) Le paquebot La ville de Paris arriva à Saint-Nazaire le 4 juin 1881. Il avait à son bord cinq malades atteints de fièvre jaune, qu'il débarqua au Lazaret et sur lesquels quatre moururent.

3) De juillet à octobre 1878, il est mort 250 Européens de la fièvre jaune sur 580 qui s'y trouvaient.

4) Les trois premières épidémies ont causé 346 478 décès sur une population moyenne de 34 839 356 habitants. Paris en a perdu à lui seul 51 717, dont 18 302 en 1832; 19 184 en 1849; 7626 en 1823—54; 5751 en 1865—1866; et 854 en 1873.

5) D'après le dernier annuaire du bureau des longitudes, la population de l'Europe est actuellement de 327 700 000 habitants et celle de la France de 37 672 048.

d'invalidation, qui sont du reste peu de chose parce que la maladie ne dure guère. Maintenant, admettons que toute l'Europe n'ait pas été éprouvée au même degré que la France, admettons (ce qui n'est de ma part qu'une simple concession) que la valeur moyenne de la vie humaine y soit moindre que chez nous, pour couper court à toutes les objections réduisons ce chiffre à trois milliards, n'y a-t-il pas dans cette énorme rançon vingt fois ce qu'il faut pour rétribuer pendant un siècle tous les services sanitaires de l'Europe et pour indemniser le commerce de toutes les pertes qu'un bon système préventif leur aurait occasionnées? Les trois fléaux dont je viens de parler ne peuvent arriver jusqu'à nous qu'en franchissant la mer qui entoure l'Europe de trois côtés ou les contrées presque désertes qui la bornent à l'Est 1). Du côté de la mer, des quarantaines régulièrement observées doivent nous garantir de toute invasion et dans les grandes plaines nues de la Russie Méridionale, on peut barrer le passage à la maladie à l'aide de cordons sanitaires comme ceux qui ont donné de si bons résultats dans l'épidémie de Vetlianka et qui ne peuvent· réussir que là. Du reste tout le monde sait que ce n'est pas de ce côté que le choléra nous menace aujourd'hui. Il a depuis longtemps pris la direction de la mer Rouge et, pendant 16 ans, nous l'avons arrêté dans ce défilé, par un ensemble de mesures sanitaires bien entendues. Puis il est arrivé un jour où ces mesures ont été éludées; le Gouvernement Français a protesté contre cette imprudence, par tous les moyens dont il disposait. Il ne s'est pas lassé de prédire les conséquences funestes qui allaient en résulter. Sa voix n'a pas été écoutée et l'Egypte a été envahie. Bientôt des navires venant de l'Inde, avec le choléra à leur bord, ont franchi librement la mer Rouge, le canal de Suëz, et sont venus semer leurs cadavres dans la Méditerranée; enfin le choléra en a atteint le littoral; il a éclaté à Toulon ,et le voilà maintenant qui fait le tour de l'Europe. Personne ne songe à récriminer; mais il faut pourtant que cette rude leçon nous profite.

En résumé les maladies pestilentielles sont au nombre de celles dont l'Europe peut et doit se préserver. Avec les moyens d'information, avec les ressources dont elle dispose, il ne lui est pas permis de se laisser envahir indéfiniment par des fléaux semblables. Le choléra lui a déjà coûté environ trois milliards sans compter les douleurs qu'il a causées, les larmes qu'il a fait verser et les désastres financiers dont il a été cause. Pour prévenir de nouveaux malheurs, il faut revenir sérieusement à l'emploi des mesures sanitaires qui ont fait

---

1) Cet isolement cessera dans quelques années. Les contrées où règne la peste seront bientôt reliées entre elles et rattachées à l'Europe par des voies ferrées. Déjà la Russie a multiplié les siennes. La Perse communiquera bientôt avec elle et Bagdad avec l'Empire Ottoman. Lorsque ces communications seront établies, les mesures de préservation sanitaire seront bien difficiles à appliquer.

leurs preuves et dont l'efficacité n'est contestée que par les gens intéressés à la nier. Ceux qui demandent la suppression de ces garanties ou qui cherchent à les éluder, sacrifient l'intérêt de la santé publique à celui du commerce et il n'est pas permis de déchainer le choléra sur l'Europe, pour la satisfaction de quelques marchands.

Je ne veux pas soulever ici la question des quarantaines qui sera traitée au sein de la première section. Je sais qu'il y a des réformes à apporter au système qui les régit. C'est un sujet à remettre à l'étude et l'épreuve que nous subissons en ce moment, nous en fait un devoir. Il faut que les nations Européennes s'entendent pour édifier un Code sanitaire international basé sur les connaissances que nous possédons aujourd'hui, débarrassé des pratiques puériles que le moyen-âge nous a léguées; mais conservant toutes les garanties que réclame le premier intérêt des nations. Ce code sanitaire, oeuvre collective de tous les peuples civilisés, deviendra leur loi commune; il mettra fin à la confusion qui règne aujourd'hui, en assurant l'uniformité des mesures et leur scrupuleuse exécution, et comme le disait bien, notre savant secrétaire général : c'est aux congrès comme celui-ci qu'il appartient de provoquer la réunion de ces assises pacifiques.

L'Europe ne pourra pas se départir de ces précautions et supprimer ces barrières, tant que les fléaux qui la menacent conserveront dans leur pays d'origine leur activité et leur force d'expansion. Or, il est à craindre que cela ne dure longtemps. -— Si la peste est à la veille de disparaître, en revanche, la fièvre jaune et le choléra ne semblent pas sur le point de désarmer. Depuis que la navigation à vapeur a multiplié les communications et abrégé les traversées, la fièvre jaune a considérablement élargi son domaine. Elle s'y meut en pleine liberté,. grâce aux facilités qu'elle y trouve; mais il faut espérer qu'il n'en sera pas toujours ainsi; que les pays où elle ne règne qu'à la suite d'une importation, se décideront à lui fermer leurs portes et, quant à ses foyers primitifs, on est en droit de compter qu'ils s'assainiront un jour. Dans ces pays pour lesquels la nature a tant fait, les hommes finiront bien par faire quelque chose. Lorsqu'on connaît le Mexique, les Antilles Espagnoles, le Brésil et les autres pays qu'affectionne la fièvre jaune, on n'est pas étonné qu'elle s'y plaise. Il serait difficile de pousser plus loin l'oubli des prescriptions les plus élémentaires de l'hygiène publique. Les protestations les plus ardentes des médecins ne peuvent rien contre l'insouciance des autorités et des populations; mais ils finiront tôt ou tard par avoir gain de cause et la fièvre jaune entrera comme la peste dans sa phase de décroissance. Puisse-t-elle ne pas mettre comme l'autre, deux siècles à la parcourir.

Quant au choléra, son atténuation est plus vraisemblable encore. A son égard le passé nous répond de l'avenir. Au temps des Rajahs et même sous la domination des Mongols et des Mahrattes, l'Inde était florissante et bien cultivée. Les grandes plaines d'alluvion qui en forment la majeure partie, étaient sillonnées de cours d'eau bien aménagés et de canaux d'irrigation entretenus avec soin. Elles étaient protégées contre les inondations par les bois qui couvraient les montagnes et, si le choléra y existait déjà, il n'y donnait lieu qu'à des épidémies locales et, ne s'écartait pas de ses foyers d'origine. Ce n'est pas le moment de raconter comment cet état de choses a pris fin, comment ce malheureux pays épuisé par les guerres du XVIIIième siècle a été ruiné par le vainqueur; comment l'exportation constante de tous les produits a stérilisé le sol, comment l'accroissement progressif des impôts qui ont fini par égaler la moitié des revenus et par s'élever en 1857 au chiffre énorme de 825 millions a découragé les cultivateurs et paralysé leurs forces. Ce qu'il y a de certain, c'est que le pays n'est plus aussi bien cultivé qu'il l'était autrefois; les canaux ne sont plus entretenus; les hauteurs se sont peu à peu déboisées, parce que, comme le rappelait le docteur Joseph Fayrer au congrès d'Amsterdam, on a perdu de vue le précepte des Hindous qui prescrit à tout homme de planter au moins un arbre dans sa vie; les pluies sont devenues rares, le sol sec, sablonneux, désert et brûlant. L'insalubrité du pays a augmenté et le choléra a pris des proportions insolites. C'est alors qu'il a débordé sur l'Europe. Aujourd'hui que les populations de l'Inde sont soumises à un régime plus doux, il faut espérer qu'elles connaîtront de meilleurs jours, que la fertilité du pays renaîtra, que les bois repousseront, que les fleuves rentreront dans leur lit et le choléra dans le sien. Il ne faut pas se dissimuler que tout cela ne se fera pas, en un jour, mais en attendant que le temps ait fait son oeuvre, il est une mesure que les gouvernements Européens peuvent prendre sur le champ et qui préviendrait plus d'une épidémie; c'est de supprimer ces grands pélérinages d'Hurdwar, de Jaggernath où les Indiens accourent par centaines de mille, et d'où le choléra est si souvent parti. C'est d'en finir, une bonne foi, avec ce pélérinage de La Mecque qui, tous les ans, menace l'Europe d'une invasion nouvelle.

Les fièvres éruptives ne font assurément pas autant de ravages que la fièvre jaune et le choléra, cependant elles prélèvent chaque année, sur les populations, un tribut qui vaut encore la peine qu'on s'en occupe. Nous ne pouvons pas le connaître d'une manière exacte, faute de recensements, mais la statistique des grandes villes nous permet de l'établir d'une manière approximative. Ainsi Bertillon nous a donné pour l'année 1883 le chiffre des décès causés par ces affections, dans douze des principales villes de l'Europe, avec leur population en regard 1). Il en résulte que sur 11 514 455 habitants, ces grands centres en ont perdu 2237 par la variole, 4145 par la scarlatine et 7419

---

1) Londres, Paris, Berlin, Saint-Pétersbourg, Vienne, Glascow, Bruxelles, Marseille, Copenhague, Edimbourg, Christiania, Magdebourg. Voyez Bulletin récapitulatif annuel de statistique municipale. Ville de Paris, 1883 — A Paris, en 11 ans, de 1869 a 1882, (1870 et 1871 non compris), il est mort 5883 per-

par la rougeole. Or il est à penser que la variole fait plus de ravages dans les campagnes que dans les villes, puisque la vaccine y est moins répandue et que les épidémies de rougeole y sont plus meurtrières, parceque les malades y sont moins bien soignés et entourés de beaucoup moins de précautions; mais sans tenir compte de cette différence et en supposant qu'il y ait parité, la mortalité proportionnelle causée par ces trois maladies s'élèverait chaque année pour l'Europe entière, à 393 240 décès, représentant, d'après les données précédentes et en chiffres ronds, la somme très respectable de 393 millions.

Ce tribut est un de ceux qu'il est le plus facile d'alléger. Il suffit pour cela de quelques mesures générales et d'un peu de persévérance. Il est incroyable qu'en 1883, près d'un siècle après la découverte de Jenner, on en soit encore à perdre par an 2237 varioleux sur une population de 11 millions et demi d'habitants, et cela au milieu des principales villes de l'Europe. Dans presque toutes les armées, on s'en débarrasse peu à peu, grâce aux vaccinations et aux révaccinations répétées 1). Les mêmes moyens réussiraient assurément dans la population civile. Il n'est pas, je le sais, aussi facile de les appliquer et les résultats ne seraient ni aussi prompts, ni aussi complets; mais on y mettrait plus de temps et voilà tout.

Dans presque tous les pays, on a pris des mesures contre la propagation de la variole. Il y en a même un certain nombre où la vaccination a été rendue obligatoire par une loi 2); mais nulle part que je sache, on ne s'est

sonnes de variole (530 par an), 8049 de rougeole (731 par an), et 1820 de scarlatine (165 par an). Brouardel. Revue d'hygiène, 1882, no. du 20 Novembre, p. 955.

1) De 1874 à 1878, la mortalité par la variole dans les armées Européennes à été en moyenne de 7 pour 100 000 hommes d'effectif, tandis que dans les 12 grandes villes énumérées plus haut, elle s'élevait encore en 1853 à 20 pour 100 000. La France dans cette période a perdu par la variole 15 hommes sur 100 000 d'effectif, l'Italie 7 pour 100 000. En Prusse la mortalité a été nulle (Sormani. Etude sur la mortalité et les causes de décès dans les armées Européennes. Congrès de Genève, T. II, p. 144). Dans l'armée Prussienne les décès par variole qui étaient en moyenne de 100 par an de 1831 à 1833, sont tombés sous l'influence des révaccinations à 5, 9, 3; à partir de 1847, ce chiffre oscille entre 2 et 3 et depuis 1873, on ne compte plus un seul décès par variole, dans toute l'armée Prussienne. (Zuber. Archives de médecine militaire, 15 août 1883, p. 104).

2) La vaccination est obligatoire en Angleterre en vertu de la loi du 12 Août 1867 et cette obligation est sanctionnée par une pénalité sévère (amendes répétées et prison au besoin). Il en est de même en Russie, en Belgique et en Suisse (depuis le mois de Décembre 1881) En Amérique, il n'y a pas de loi de contrainte; mais les mesures prises contre les varioleux sont de la dernière rigueur. En Autriche, en Italie, en Espagne et en France la législation est muette. Au mois de mars 1880, le Dr. Liouville a présenté a la chambre des députés un projet de loi rendant la vaccination et la révaccination obligatoires, sous peine d'amende, mais il n'y a pas encore été donné suite. (Voyez le texte de ce projet

préoccupé de la rendre accessible à tout le monde, d'établir un service régulier de vaccination fonctionnant d'un bout du territoire à l'autre, par les soins du gouvernement, de telle sorte que dans les plus petites localités, chacun puisse, à jour fixe, sans déplacement, sans embarras et sans frais, trouver la vaccine à sa portée. C'est pourtant par là qu'il aurait fallu commencer. C'est ce que nous avons fait en Cochinchine et nous avons complètement réussi. Lorsque la France y établit sa domination, ce grand pays était décimé par la variole et la mortalité était effrayante pendant les épidémies. On perdait en moyenne deux enfants sur cinq dans les familles et on ne rencontrait guère d'adulte qui n'eut payé son tribut à la maladie. On sait qu'il en était à peu près de même en Europe, avant la découverte de Jenner et c'est ce qui s'observe encore au centre de l'Asie, de l'Afrique et partout où la vaccine n'a pas pénétré. En Cochinchine, on tâtonna pendant quelque temps avant d'arriver à un système de vaccination satisfaisant. Les médecins des postes en furent d'abord chargés, mais ils n'y suffisaient pas, en raison de leur petit nombre et de leur dissémination. On confia alors la propagation de la vaccine à des indigènes qui la portaient de village en village, mais on s'aperçut bientôt, que, malgré les leçons qui leur avaient été données, on ne pouvait compter ni sur leur savoir ni sur leur probité. C'est alors qu'un arrêté du gouverneur, en date du 21 mars 1878, établit le système qui fonctionne encore aujourd'hui. Les médecins des postes sont chargés d'entretenir la vaccine et d'assurer la conservation du virus. Deux médecins de 1re classe visitent, deux fois par an, chacun des dix neuf arrondissements de la colonie, en vaccinant dans tous les villages, les enfants qui n'ont pu être portés au chef-lieu. Ils n'ont pas d'autre fonction. Le nombre des vaccinations qu'ils ont opérées, doit dépasser aujourd'hui 300 000, sur une population de 1 595 540 Asiatiques et, comme presque tous les adultes ont eu la variole, cette maladie ne trouve plus de terrain propice et on n'en entend plus parler depuis cinq ou six ans. Dans le principe, au moment de l'occupation surtout, les Annamites montraient quelque répugnance à se soumettre à l'inoculation; mais on en a eu raison avec de simples amendes et aujourd'hui qu'ils voient les résultats, ils viennent d'eux mêmes présenter leurs enfants au médecin. Leurs voisins du Cambodge qui ne sont pas soumis à notre domination, supplient aujourd'hui les vaccinateurs d'aller opérer sur leur territoire, pour leur procurer la même immunité. Ce que nous avons fait en Cochinchine, dans un pays qui a le 9ième de la superficie de la France et qui n'a pas le 20ième de sa popu-

---

de loi dans le Bulletin de la Société de médecine publique, 1880, T. 111, p. 217). Voyez pour les mesures et réglements adoptés contre la propagation de la variole, dans les principales villes du monde civilisé, la brochure de M. Joamy Rende intitulée: De l'isolement des varioleux à l'étranger et en France. Paris, 1878.

lation 1), dans un pays sans routes, sans moyens de communication, avec deux médecins obligés de se transporter tantôt en canot, tantôt à cheval, ou sur des charrettes trainées par des boeufs, parfois à dos d'éléphant, plus souvent à pied, en trainant le vaccinifère à leur suite, on pourrait le réaliser avec beaucoup plus de facilité dans les différentes contrées de l'Europe, qui sont sillonnées par des voies de toute sorte et où les médecins abondent. Il suffit de le vouloir. Les résistances ne sont pas à craindre. Sauf quelques cerveaux fêlés, personne en Europe ne redoute la vaccine. C'est contre l'insouciance, contre la force d'inertie qu'il faut lutter. Quant à la liberté individuelle qu'on a voulu mettre en avant dans cette question, elle n'a rien à y revoir. La liberté individuelle a pour limites, d'une part la liberté d'autrui et de l'autre la sureté publique. Un père de famille n'a pas plus le droit de conserver dans sa maison des enfants non vaccinés qui peuvent contracter la petite vérole et la répandre dans tout le quartier, qu'un propriétaire n'a le droit d'entasser dans sa cave, des provisions de dynamite ou de picrate de potasse, sous prétexte, qu'il ne croit pas aux propriétés explosives de ces substances. Du reste, dans les pays où la liberté individuelle est respectée, quand il s'agit de la vaccine, on ne craint pas d'y porter atteinte à l'égard des varioleux. En Amérique, on les traite comme des pestiférés. Les médecins sont tenus de les dénoncer, sous peine d'encourir une forte amende. Les conseils de santé des villes ont le droit de faire envoyer de force, à l'hôpital des varioleux, ceux qui ne leur paraissent pas dans des conditions suffisantes d'isolement, à domicile 2). Enfin, au mois de juillet 1881, le pays s'est ému d'une légère augmentation dans les cas de variole, causée par l'arrivée des immigrants; une conférence sanitaire s'est réunie à Chicago: les conseils d'Hygiène des différents Etats de l'Union y ont envoyé des délégués et on y a pris contre les immigrants des mesures d'une extrême rigueur 3).

La déclaration est obligatoire pour le médecin, dans toute l'Allemagne, en Autriche, en Suisse, en Russie, en Hollande, à Pavie, à Venise, à Turin. Elle est passée dans les moeurs en Angleterre et en Belgique. En France, elle ne s'applique qu'aux bestiaux 4). Partout, sauf chez nous, il y a des dispositions règlementaires adoptées pour l'isolement des varioleux dans les hôpitaux et à domicile, pour leur transport, pour la désinfection des effets. Ces mesures sont autrement arbitraires et froissent bien autrement la liberté

---

1) La Cochinchine a 59 456 kilomètres carrés de superficie pour 1 595 540 habitants et la France 528 573 kilomètres carrés pour 37 672 048.

2) Joanny Rendu. De l'isolement des varioleux à l'étranger et en France, loco cit., p. 50.

3) Vallin. La Variole aux Etats-Unis. Revue d'hygiène. 1881, no 12, p. 985.

4) Vidal. Rapport sur les mesures sanitaires applicables à la prophylaxie de la variole. Bulletin de la Société de médecine publique, 1879, T. II, p. 150.

individuelle que l'obligation de se laisser faire quelques piqures au bras et cependant elles sont moins efficaces. Je crois qu'il n'est pas indispensable de recourir à de pareilles rigueurs. Avec un bon système de vaccination régulier, général et obligatoire 1); avec des hôpitaux spéciaux ou des pavillons particuliers dans les hôpitaux généraux; avec des précautions bien entendues, mais n'ayant rien de coercitif pour le transport des malades, pour leur isolement, pour la désinfection des vêtements, de la literie et des locaux, on obtiendrait sans froisser les légitimes susceptibilités du corps médical qui, en France, répugnent à la dénonciation de quelque nom qu'on l'appelle, sans user de violence à l'égard des familles, on obtiendrait, dis-je, une atténuation considérable dans le nombre des cas de variole et par conséquent des décès et on ferait, sur les frais de traitement et d'invalidation, ainsi que sur les pertes causées par la mort, des économies beaucoup plus considérables que les dépenses qu'entrainerait l'établissement du système de vaccination dont je parlais tout à l'heure 2).

Les autres maladies éruptives n'ont pas, comme la variole, un préservatif assuré, mais elles comportent les mêmes précautions à l'égard des malades. En Angleterre, on a pris contre la scarlatine des mesures sérieuses et elles portent leurs fruits. A New-York, quatre ans après la création du Board of Health, et à la suite des mesures sanitaires qui en furent la conséquence, la mortalité par la scarlatine et la diphthérie avait diminué de 75 pour 100 3). En France nous appliquons les mêmes doctrines à la vaccine, à la variole et à la scarlatine, ainsi qu'aux autres affections du même genre. C'est celui de la liberté absolue avec toutes ses conséquences et je n'ai pas besoin de dire que je ne conseille à personne de nous imiter.

Les maladies dont je me suis occupé jusqu'ici sont celles dont il est le plus facile de préserver les populations, les unes à cause de leur éloignement, les autres en raison de leur haut dégré de contagiosité. Leur prophylaxie est une simple affaire de police sanitaire. Il n'en est plus de même de celles dont il me reste à parler.

La fièvre typhoïde qui se place tout naturellement à la suite des fièvres

1) La vaccination obligatoire a été admise en principe par le comité consultatif d'hygiène de France, par l'Académie de médecine de Paris et par la Société de médecine publique et d'hygiène professionnelle.

2) Paris a perdu en 1883 458 malades de variole sur 2 239 928 habitants. En admettant qu'il y ait eu le même nombre de décès proportionnels pour toute la France, cela fait 7 387, qui à 1 000 frs. en moyenne donnent 7 387 000 frs., juste dix fois la somme que coûteraient 362 médecins vaccinateurs à 2 000 l'un, pour les 362 arrondissements de la France, et cela sans compter les frais de maladie et d'invalidation des vingt ou trente mille malades que supposent ces 3 787 décès. La vaccination en Cochinchine coûte à la Marine 24 000 francs par an, représentant la solde et le supplément des deux médecins vaccinateurs.

3) Extrait du British medical Journal, in Journal d'Hygiène, 1881, p. 510.

éruptives, est la graude maladie zymotique de nos climats. Pour eux, c'est la plus meurtrière des maladies aigues et elle frappe presqu' exclusivement la jeunesse. C'est le fléau des armées Européennes. Sur 100 000 hommes d'effectif, elle en fait mourir chaque année 337 en France, 209 en Italie, 158 en Autriche, 95 en Prusse et 31 en Angleterre 1). En laissant de côté l'Angleterre dont l'armée très peu nombreuse est placée dans de meilleures conditions que les autres et en prenant la moyenne des quatre autres puissances (200 décès sur 100 000 hommes d'effectif), pour l'appliquer à l'ensemble des années Européennes, nous arrivons aux résultats suivants:

Les effectifs budgétaires des armées permanentes régulières des différentes puissances de l'Europe s'élèvent, cette année, à 2 834 600 hommes 2), ce qui, à 200 décès de fièvre typhoïde par 100 000 hommes, donne 5669 décès annuels pour la totalité des armées Européennes. Or, d'après les évaluations précédemment établies, chaque soldat représente une valeur de 6 000 frs.; la dîme mortuaire de la fièvre typhoïde s'élève donc à 34 014 000 frs. par an.

Faisons maintenant le compte de la maladie. La mortalité causée dans les armées Européennes par la fièvre typhoïde peut être estimée à 12 décès sur 100 cas. C'est du moins la moyenne des deux armées pour lesquelles nous avons les renseignements les plus précis. Elle est de 14 pour 100 en France d'après les calculs de Mr. Léon Colin 3) et de 10 pour 100 en Allemagne d'après ceux de Mr. Frantz Glénard 4). La durée moyenne du séjour à l'hôpital dans cette maladie est de 22 jours et la journée de traitement peut être évaluée à 2 francs, cela fait par conséquent 2 078 604 francs pour les frais de maladie. Je ne compte pas la perte du temps, parce que le travail

---

1) **Sormani**. Etude sur la mortalité et sur les causes des décès dans les armées Européennes. Comptes rendus du 4e Congrès international d'hygiène et de démographie. Genève, T. II, p. 113. Le Dr. **Frantz Glénard** d'après un relevé fait sur la statistique médicale de l'armée Française donne comme moyenne pour les six années comprises entre 1875 et 1880 inclus, un chiffre un peu plus élevé, 3,84 pour 1 000, et pour l'armée Allemande un chiffre plus faible 0.76.

2)

Belgique	. . 40 000 h.	Roumanie.	. 20 000 h.	Angleterre .	. 195 000 h.
Hollande	. . 29 600 »	Serbie . .	. 9 000 »	France .	. . 450 000 »
Danemark	. . 6 000 »	Bulgarie.	. 16 000 »	Espagne .	. . 80 000 »
Allemagne	. . 432 000 »	Turquie.	. 140 000 »	Suède et Norvége	40 000 »
Autriche	. . 272 000 »	Russie. .	. 900 000 »	Grèce. .	. . 27 000 »
Italie. .	. . 185 000 »				

3) Voyez la discussion sur la fièvre typhoïde à l'Académie de médecine de Paris. Bulletin de l'Académie. 1883. Séance du 23 janvier. Dans un travail antérieur (article morbidité du Dictionnaire Encyclopédique) Mr. **Léon Colin** assigne le chiffre de 17 décès sur 100 cas à la mortalité causée par la fièvre typhoïde dans l'armée française, pendant la période quinquennale 1862—1866. C'est le chiffre qu'elle atteint dans la population civile d'après la moyenne des calculs.

4) **Frantz Glénard**. Traitement de la fièvre typhoïde à Lyon par les bains froids, en 1883. Paris 1883.

du soldat ne peut pas s'évaluer en argent; mais enfin, si les gouvernements n'avaient pas à compter avec ce déchet, ils seraient obligés d'emprunter un moins grand nombre de travailleurs aux populations. En somme et en chiffres ronds, c'est 36 millions que la fièvre typhoïde coûte par an aux armées Européennes. Que d'améliorations ne pourrait-on pas apporter dans l'hygiène du soldat, avec le quart de cette rançon?

Il est impossible de faire l'application de ce qui précède, aux populations tout entières. L'armée est le théâtre de prédilection de la fièvre typhoïde. Tout l'y attire: l'âge des sujets, leur agglomération, le changement brusque apporté dans leur vie et la nature des exercices auxquels ils sont soumis. Aussi le tribut qu'elle lui paie ne subit-il pas de grandes variations? Il n'en est pas de même dans le reste du pays où la maladie sévit par bouffées, par petites épidémies et dans des proportions beaucoup moindres. Ainsi, dans les 12 grandes villes dont j'ai parlé plus haut, et qui m'ont déjà servi de terme de comparaison, la mortalité moyenne par la fièvre tyhoïde n'est que de 51 pour 100 000 habitants 1). C'est à peine le quart de celle de l'armée et si nous supposons maintenant que les pertes subies par l'ensemble des populations de ces mêmes pays et de ceux pour lesquels nous n'avons pas de statistiques, sont moitié moindres que celles de leurs douze plus grandes villes, comme la population de l'Europe est de 327 700 000 habitants, nous atteindrons le chiffre approximatif de 81 925 décès de fièvre typhoïde par an!

En faisant d'après nos évaluations habituelles le compte de la mort et de la maladie, nous arrivons à bien près de cent millions. Eh bien, je suis convaincu qu'il serait possible d'atténuer cette perte d'au moins un quart et de réaliser pour l'Europe une économie de 25 millions par an, sur la fièvre typhoïde seule.

La prophylaxie de cette maladie n'est assurément pas aussi facile que celle des fièvres éruptives, mais elle est tout aussi certaine, à la condition de faire les sacrifices nécessaires pour l'obtenir. J'ai traité cette question si longuement et avec tant d'insistance à la tribune de l'Académie de médecine, il y a deux ans, que j'ai quelque répugnance à me répéter et à reproduire ici les mêmes arguments, aussi me bornerai-je à les résumer. La fièvre typhoïde est le produit de l'encombrement et de la malpropreté, en prenant ce mot dans son sens le plus large. Pour la faire naître, il suffit de rassembler un trop grand nombre de jeunes gens dans un établissement trop petit. Que ce soit une caserne, un lycée, un pensionnat, ou un couvent, on la voit apparaître d'une manière presque fatale et avec le caractère èpidémique, aussitôt que l'effectif

---

1) Londres, Paris, Berlin, Saint-Pétersbourg, Vienne, Glascow, Bruxelles, Marseille, Copenhague, Edimbourg, Christiania, Magdebourg, ont ensemble 11 514 455 habitants et en ont perdu 5889 de fièvre typhoïde en 1883, soit 51 pour 100 000 habitants.

dépasse un certain chiffre. Pour la faire cesser, il suffit d'évacuer le local, de le nettoyer à fond et de le laisser quelque temps inoccupé. On peut ensuite y faire rentrer le personnel sans crainte, l'épidémie a cessé et ne reparaîtra que lorsque les conditions qui l'ont fait naître se reproduiront de nouveau. Tout le monde conviendra que, lorsqu'on peut ainsi enrayer une maladie, il est encore plus facile de la prévenir. Voilà pour l'encombrement. En ce qui concerne la malpropreté des rues, des habitations et des personnes, son influence est démontrée par ce fait que la fièvre typhoïde décroît dans toutes les villes soucieuses de leur hygiène, où la voie publique, les égouts, les cours et les maisons elles mêmes sont l'objet d'une surveillance assidue, où l'eau, la lumière et l'air sont partout distribués avec abondance. Je pourrais citer pour exemple Bruxelles 1), Francfort, Munich, Genève, Lausanne, etc. La fièvre typhoïde augmenté au contraire dans toutes les villes où on ne fait rien pour la prévenir et la combattre et, si je n'en cite pas d'exemple, c'est pour n'humilier personne.

On peut donc lutter avec avantage contre les causes de la fièvre typhoïde; mais il ne suffit pas pour cela de quelques décrets ou de quelqu' article de loi; il faut la surveillance active d'agents compétents, convaincus et armés de pouvoirs suffisants; il faut de plus se résoudre aux dépenses nécessaires. Pour distribuer l'eau avec abondance, pour faire pénétrer l'air et la lumière dans les quartiers déshérités, pour remplacer par des logements salubres les bouges qu' habitent les malheureux et les contraindre à y maintenir une propreté convenable; pour assurer le service si difficile des vidanges et doter les villes d'un bon réseau d'égouts, il faut souvent de grands frais et toutes les villes n'ont pas un budget suffisant pour faire face à de pareils déboursés; aussi serait-il absurde d'exiger que les travaux d'assainissement soient partout exécutés d'après le même plan. Toutes les municipalités ne peuvent pas dépenser un million pour leurs conduites d'eau et se payer des égouts à 300 frs. le mètre courant. Dans l'étude des problèmes hygiéniques, on fait fausse route, quand on poursuit une solution unique et qu'on veut l'imposer partout, lorsqu'on n'a en vue que les grandes agglomérations et qu'on veut appliquer les mêmes systèmes aux petites localités. Chaque ville a ses besoins, comme elle a ses ressources, et pour les satisfaire, il faut tenir compte du climat et du sol, des habitudes et même des goûts de la population, aussi bien que des revenus dont elle dispose. Aussi la plus grande latitude doit-elle être laissée à l'initiative locale. L'hygiène publique ferait un grand pas, si elle obtenait que, dans tous les centres de population de quelqu' importance, on fît un état des travaux

---

1) Depuis 1874, époque à laquelle le service d'organisation sanitaire a commencé à fonctionner à Bruxelles, les décès par maladies zymotiques et surtout par fièvre typhoïde ont diminué de moitié. — Proust. Bulletin de l'Académie de médecine de France du 31 Octobre 1882, T. XI, p. 1240.

qu'exige leur assainissement et que chaque année on consacrât à leur exécution, en suivant l'ordre d'urgence, une partie des revenus disponibles. Il faudrait, en un mot, qu'on établit le cadastre sanitaire de tout le pays. L'administration centrale, ayant ainsi sous les yeux le tableau de toutes les améliorations réclamées par l'hygiène, pourrait venir en aide aux communes les plus pauvres et dont les besoins seraient les plus urgents; ce serait l'emploi tout naturel des économies qu'on réaliserait ultérieurement par le fait de ces mêmes améliorations. L'Etat ferait ainsi pour la santé des populations ce qu'il fait déjà pour leur instruction, et ce serait justice, car s'il est bon d'instruire la Jeunesse, c'est également une excellente chose que de l'empêcher de mourir.

Ce que je viens de dire de la fièvre typhoïde, je pourrais le répéter pour la diphthérie dont les ravages augmentent dans la même proportion, dans les mêmes localités et sous les mêmes influences. Il est certain pour moi que les mêmes mesures d'hygiène feront reculer cette maladie qui fait le désespoir des familles et l'effroi des mères et, comme elle est contagieuse au même degré que les fièvres éruptives, on peut lui opposer de plus les mesures de préservation que j'ai indiquées en parlant de celles-ci.

Les affections dont je viens de vous entretenir épouvantent les populations par la soudaineté de leur apparition, la rapidité de leur marche et leur caractère épidémique. Cela se comprend, et pourtant il est une maladie chronique à laquelle on ne prend pas garde, parce qu'on y est habitué et qui fait à elle seule plus de ravages que toutes les infectieuses réunies. Ce fléau qui règne en tout temps, sous toutes les latitudes et qui, loin de s'atténuer comme les autres, va plutôt en grandissant, c'est la phthisie pulmonaire. Elle entre aujourd'hui pour plus d'un sixième dans la mortalité totale du globe. En France, elle cause chaque année plus de cent mille décès, soit 2702 par million d'habitants. On en compte 2675 par million en Angleterre et la moitié des jeunes gens qui meurent entre 20 et 25 ans, dans ce pays, sont des poitrinaires 1).

La phthisie, ai-je dit, va plutôt en s'aggravant; c'est l'opinion générale des médecins et, pour certains points du globe, le fait est absolument incontestable. Ainsi à Paris, le nombre proportionnel des décès causés par la phthisie a notablement augmenté depuis 60 ans. D'après les statistiques publiées par Trébuchet dans les Annales d'Hygiène publique et de Médecine légale, la

---

1) Pour l'Europe la moyenne est de 160 décès sur 1 000. Aux Iles Ioniennes elle est de 219; à Vienne de 208; à Bruxelles et à Glascow de 175; à Bordeaux de 162. Les villes suivantes au contraire sont au dessous de la moyenne. Saint-Pétersbourg ne compte par an que 151 décès de phthisie sur 1 000; Buda-Pest 154; Lyon 134; Milan 132. (Mahé. Article «géographie» du Dictionnaire Encyclopédique des sciences médicales, T. VIII, p. 348).

phthisie a fait à Paris, pendant la periode de trente années, comprise entre 1822 et 1853 1), 95 558 victimes sur un total de 879 113 décès et sur une population moyenne de 923 107 habitants. Cela ne fait que 109 phthisiques sur 1 000 décès. Ce chiffre est évidemment trop faible. Dans la colonne voisine, on trouve 50 153 décès portés au compte du catarrhe pulmonaire et parmi lesquels il doit se trouver bon nombre de phthisies méconnues ou déguisées 2); mais en admettant qu'il y en ait la moitié, ce qui est évidemment exagéré, cela ne nous donnerait encore que 137 phthisies sur 1 000 décès. Or, cette proportion est beaucoup plus élevée aujourd'hui. Le relevé que j'ai fait d'après le bulletin hebdomadaire de statistique municipale tenu avec le plus grand soin par Bertillon, donne, pour les cinq dernières années qui viennent de s'écouler, un total de 48 254 phthisiques, sur un total de 285 985 décès, soit 168 pour 1 000, et cela sans interprétation ni rectification d'aucune sorte 3). Je suis convaincu qu'il doit en être de même dans beaucoup d'autres villes et ce n'est pas seulement en Europe que les choses se passent ainsi. Depuis un demi-siècle, la phthisie dépeuple les archipels Polynésiens. Elle fait des ravages effrayants à Tahiti, aux Marquises, aux îles Gambier, aux Fidji, dans les Archipels des Amis, des nouvelles Hébrides, à la nouvelle Calédonie, en Australie, à la nouvelle Zélande. Dans ces beaux climats, la tuberculose pulmonaire revêt les allures d'une maladie aigue. En quelques mois, de jeunes sujets passent de l'état de santé le plus florissant à l'émaciation la plus complète. Des familles entières sont enlevées en une saison et, si les choses continuent, cette belle race ne tardera pas à disparaître.

En dehors de ces conditions de race et de climat, la phthisie est une maladie à évolution lente qui met de longues années à parcourir ses périodes et qui entraîne par conséquent bien des frais de traitement, bien des pertes de travail et, comme elle ne s'attaque guère qu'aux jeunes sujets, c'est une des maladies les plus dispendieuses du cadre nosologique. Je ne veux pas faire devant vous le compte de ce qu'elle coûte aux nations; je finirais par vous fatiguer par ces calculs monotones; je me bornerai donc à vous en indiquer le résultat. En suivant la marche que j'ai déjà indiquée et en prenant les

---

1) La statistique embrasse toutes les années comprises entre 1822 et 1853 inclus, moins les années 1824 et 1825, sur lesquelles Trébuchet n'a pas trouvé de renseignements.

2) Annales d'hygiène publique et de médecine légale 1e série, T. 46, p. 318.

3)

		Phthisiques		Décès		Population
1879 —	Phthisiques	8 518.	Décès	55 855.	Population	1 988 806
1880 —	»	8 924	»	57 466	»	»
1881 —	»	9 575	»	57 066	»	»
1882 —	»	10 433	»	58 475	»	2 239 928
1883 —	»	10 804	»	57 024	»	»
Totaux . . .	Phthisiques	48 254.	Décès	285 985		

mêmes bases pour mes évaluations, j'ai trouvé que la phthisie coûtait chaque
année à l'Europe plus de deux milliards et à la France une somme supérieure
à cent soixante millions 1).

N'y a-t-il aucun moyen d'amoindrir cet épouvantable tribut? C'est ce que
je vais examiner avec vous. Il y a vingt ans, je n'aurais pas même posé la
question. La phthisie était alors pour nous une énigme pathologique. Les
médecins la considéraient comme le produit d'une mauvaise hygiène, comme
la résultante de toutes les causes qui peuvent vicier la constitution et appau-
vrir l'organisme, comme une maladie de misère en un mot, et ils ne comprenaient pas comment, tandis que toutes les autres affections du même genre
avaient reculé devant la civilisation et le bien-être qu'elle a introduit partout,
celle-là n'eut pas fait comme les autres, et qu'elle continuât son œuvre
de destruction, sans que rien put l'entraver. Le mot de l'énigme commence
à se laisser entrevoir. Si la tuberculose progresse, au lieu de rétrograder, c'est
vraisemblablement parce qu'elle est transmissible, parce que cette propriété a
été méconnue jusque dans ces dernières années et qu'on n'a rien fait encore
pour empêcher sa propagation. La croyance à la contagion de la phthisie ne
se rencontrait guère que chez quelques peuples du midi; les médecins ne la
discutaient même pas, lorsque l'un d'eux mieux inspiré eut assez d'indépen-
dance d'esprit pour en appeler à l'expérimentation et assez de talent pour
transformer cette superstition populaire en une vérité scientifique.

Je n'ai pas à faire ici l'histoire de cette grande découverte; mais je dois
en faire ressortir toute l'importance au point de vue de l'hygiène et de l'avenir
de la tuberculose. Tout le monde sait d'ailleurs comment, en 1865, le docteur
Villemin a prouvé qu'elle était inoculable et comment, 17 ans plus tard, le
docteur Koch a découvert le bacille auquel elle doit sa transmissibilité 2).
Après avoir longtemps hésité, les médecins, sauf quelques rares exceptions,
sont tous aujourd'hui ralliés à cette doctrine dont la portée est immense au

---

1) L'Europe a 327 700 000 habitants, ce qui à 2 845 pour 1 000, donne par an
9 323 065 décès, dont 1 491 690 sont dûs à la phthisie, à raison de 160 phthisiques
pour 1 000 décès. En estimant a 1 500 la valeur de chacune de ces existences
jointe aux frais de traitement et d'invalidation qui sont considérables, on arrive
à un total de 2 237 535 000 f. Le même calcul pour la France donne 987 007
décès annuels (moyenne des 40 dernières années) 110 544 phthisiques et 165 816 000
francs.

2) Le premier mémoire de Villemin porte la date du 5 décembre 1865; la
découverte de Koch est du 24 mars 1882 Dans l'intervalle se placent les
travaux de Bouchard de Klebs, de Reistader, de Max-Schuller,
d'Ecklund, d'Aufrecht, de Baumgarten et de Toussaint. Ces derniers
avaient entrevu le bacille, Koch l'a découvert à l'aide d'un procédé particulier
de coloration perfectionné par Ehrlich; il a démontré sa specificité et prouvé qu'il
existait chez tous les tuberculeux (Hérard. Rapport à l'Académie de médecine.
Séance du 6 mai 1884. Bulletin de l'Académie, 2e série. T. XIII, p. 585.

point de vue de la prophylaxie de la phthisie pulmonaire. Dès l'instant où elle est transmissible, elle tombe, comme je l'ai dit plus haut, dans le domaine de l'hygiène; elle devient tributaire de la volonté humaine. Assurément nous n'avons pas sur elle autant de prise que sur les maladies à virulence extrême, comme les fièvres éruptives, et sa contagiosité est plus obscure. Pour s'implanter et se reproduire, le bacille a besoin de trouver le terrain préparé soit par l'hérédité, soit par l'épuisement de l'organisme, soit enfin par quelque circonstance fortuite qui lui a ouvert la porte, en détruisant sur un point des voies respiratoires, l'épithélium qui lui sert de barrière tant qu'il est intact; mais, quelque borné que soit le rôle de la contagion dans la propagation de la phthisie, c'est un point par lequel nous pouvons saisir cette maladie jusqu'ici inaccessible à notre action et qui sait d'ailleurs, ce que cette question nous réserve encore de surprises? Nous en connaissons aujourd'hui les deux termes et cela nous suffit pour agir. Jusqu'ici, on s'est borné à tâcher de modifier le terrain, de fortifier l'organisme, de le placer dans de meilleures conditions de vie et de climat, lorsque la position des familles le permettait; mais on n'a rien fait pour empêcher la transmission, parce qu'on n'y croyait pas. Aujourd'hui les phthisiques ne sont l'objet d'aucune mesure de précaution. L'époux malade continue a cohabiter avec l'époux indemne et les nombreux exemples de transmission qui s'observent par ce fait ne frappent les yeux de personne. Dans les pensionnats, dans les lycées, dans les couvents, partout où des jeunes gens sont réunis, on laisse les poitrinaires au milieu des autres, en classe, comme en recréation, au dortoir, comme à l'infirmerie. On ne les isole même pas dans les hôpitaux. A part quelques grandes villes qui ont, pour ce genre de maladie, des établissements spéciaux, les tuberculeux sont traités dans les mêmes salles que les autres malades et dans la plus dangereuse promiscuité. On ne prend aucune précaution contre les produits de leur expectoration qui constituent pourtant, on le sait aujourd'hui, l'agent le plus actif de la propagation de la maladie; on laisse une mère à poitrine suspecte nourrir son enfant et c'est à peine si on ausculte les nourrices mercenaires. Le lait des vaches atteintes de pommelière est consommé sans la moindre entrave; enfin, ce qui est à peine croyable, on met en vente la viande d'animaux dont les poumons ne forment plus qu'une masse de tubercules, dont les plèvres et les côtes sont elles mêmes envahies. On ne condamne que ceux qui sont parvenus au dernier terme de l'épuisement et cela arrive tard dans l'espèce bovine. L'imprudence est d'autant plus grande qu'à notre époque la viande de boeuf se mange saignante et que beaucoup de malades la mangent crue 1).

---

1) D'après le docteur Koch, le danger n'est pas aussi grand qu'on le pense. Le savant professeur de Berlin fait observer en effet que la viande ne peut produire que la tuberculose intestinale et que cette forme est très rare. L'intestin, dit-il, est un milieu moins favorable que le poumon pour la croissance des ba-

Tout cela se fait sans entraves, sans protestation, parce que les effets dee-astreux ne se produisent qu' à longue échéance et que la cause échappe à l'attention par la lenteur avec laquelle elle procède ; mais, aujourd'hui qu'elle est signalée, que tout le monde est en garde contre elle, je ne doute pas qu'on ne la constate beaucoup plus fréquemment. En attendant, le plus vulgaire bon sens fait un devoir de la prendre au sérieux. Il ne s'agit pas d'enfouir des millions dans le sol, pour construire des égouts et dessécher des marais. Il n'est pas question de mettre en jeu tout l'arsenal des lois préveutives. Il serait même fâcheux que l'hygiène montrât en cette circonstance un zèle intem-pestif. Je ne voudrais pas la voir entrer dans la voie que lui indiquait ré-cemment le docteur Loeffler dans son rapport au collège médical de Vienne, sur la prophylaxie de la tuberculose 1). Les mesures qu'il conseille sont tellement rigoureuses, qu'elles seraient repoussées par les familles et même par les médecins. L'hygiène doit agir surtout par persuasion. Il faut d'abord faire entrer dans l'esprit des populations cette notion nouvelle de la contagion de la phthisie et il faut le faire avec quelques ménagements ; car, à notre époque, l'opinion publique est extrêmement impressionnable. Il ne faudrait pas dépasser le but et semer l'épouvante dans les familles. Il serait déplorable d'éveiller d'inutiles soupçons, de faire considérer comme dangereux pour ceux qui les approchent, de pauvres jeunes gens un peu maigres, et toussant par-fois, de malheureuses jeunes filles éprouvant à l'époque de la puberté quelques manifestations suspectes du coté des voies respiratoires. Il faut rappeler d'abord que les phthisiques ne sont dangereux qu'à l'époque du ramollissement des tubercules et que c'est surtout aux produits de l'expectoration qu'on doit prendre garde. Il faut prendre, en un mot, le contrepied des imprudences précédemment énumérées : Veiller avec soin à ses alliances, traiter les poitri-naires dans des salles spéciales lorsqu'ils entrent à l'hôpital 2), les isoler dans les infirmeries et dans les dortoirs des lycées ; eloigner d'eux, surtout pendant la nuit, les jeunes sujets et plus particulièrement ceux qui sont disposés aux maladies de poitrine, leur imposer l'usage de crachoirs contenant une solution phéniquée au vingtième et désinfecter les linges et les vêtements souillés par les produits de leur expectoration 3). Interdire l'allaitement à toute personne

cilles. Son contenu est toujours en mouvement et sa secrétion détruit les bacilles. Il en est de même pour lui, de l'usage du lait provenant des vaches tuberculeuses. Il ne peut être dangereux que lorsque les mamelles elles-mêmes sont atteintes par la maladie. (Recueil des travaux de l'office sanitaire allemand, t. 2. — Revue d'hygiène 20 juin 1884. p. 506).

1) Voyez la gazette hebdomadaire de Paris, 23 mai 1884. No. 21, p. 351.

2) A l'hôpital de Berck sur mer on a vu des enfants qui n'étaient pas tuber-culeux à leur entrée, le devenir par contagion. (Union médicale. Samedi 25 août 1883).

3) Les bacilles sont détruits par les vapeurs d'acide sulfureux par l'ébullition, par la solution de sublimé au millième, par le gaz nitreux, etc. (Vallin, note sur les neutralisants du suc tuberculeux, lue à l'Académie de Médecine le 16 janvier 1883).

atteinte de tuberculose même commençante; faire bouiller le lait de vache avant de le consommer 1). Se montrer plus sévères dans les abattoirs pour les viandes de boeuf et de vache, et interdire la vente de celles qui proviennent d'animaux atteints de tuberculose, lorsque cette affection est généralisée et qu'elle s'etend à tous les viscères, lorsqu'elle a envahi, en grande quantité, les poumons et les plèvres ou le péritoine et le système ganglionnaire abdominal. Ce sont là les conclusions auxquelles s'est arrêté M. B o u l e y, dans un récent rapport au Comité consultatif d'hygiène 2) et on ne saurait qu' y applaudir, malgré les assertions rassurantes du docteur K o c h, de Berlin.

Cet ensemble de mesures qui n'ont rien de vexatoire, ni de dispendieux, me semble le maximum des exigences que l'hygiène peut imposer, aujourd'hui. Ne parvinssent-elles a préserver de la tuberculose qu'un petit nombre de sujets, que ce serait déjà chose considérable, parce que chaque phthisique engendre une famille et que c'est toute une lignée qu'on sauve en en préservant un. Ce résultat, d'abord minime, grandit de génération en génération; l'effet se poursuit, suivant la loi d'une progression géométrique et je suis convaincu, pour ma part, que, si l'on entrait résolument dans la voie que j'indique, il ne s'écoulerait pas un demi-siècle avant qu'on ne constate une diminution sérieuse dans le nombre des tuberculeux.

Là se borne ce que j'avais à dire au sujet de la prophylaxie des maladies contagieuses et j'aurais terminé cette revue, si je ne tenais à dire un mot d'une maladie qui n'appartient pas au même groupe, mais qui s'en rapproche par la facilité avec laquelle l'hygiène en a raison, lorsqu'elle peut y consacrer l'argent nécessaire. Cette maladie, dont on peut entreprendre la disparition à forfait, c'est la fièvre intermittente. Elle est aussi répandue que la phthisie, mais infiniment moins meurtrière. On la trouve sous toutes les latitudes, sauf dans les régions hyperboréennes où la rigueur du climat ne lui permet pas d'éclore; elle est d'autant plus fréquente et d'autant plus grave qu'on se rapproche davantage de l'équateur. Les pays civilisés s'en débarrassent peu à peu. Les grandes villes ne la connaissent presque plus. On n'en voit plus à Londres qui en était infectée au temps de Charles 1er, pas plus qu'à Paris, où elle était très fréquente sous les Valois et même sous Louis XIV.

---

1) Voyez les Recherches d'H i p p o l y t e M a r t i n sur la fréquence de la tuberculose consécutive à l'inoculation du lait vendu à Paris sous les portes cochères. (Revue de médecine, 10 février 1884, p. 50) — E. V a l l i n. La viande et le lait des animaux tuberculeux. (Revue d'Hygiène, 1884. T. VI, no. 4, p. 265 et L'inspection des viandes de boucherie. Revue d'Hygiène, T. V, no. 3, p. 181.

2) M. B o u l e y. Rapport sur la transmission de la tuberculose, par la viande de boucherie. (Recueil des travaux du Comité consultatif d'hygiène publique. XIIIième année, 1er fascicule, 1er trimestre, 1883).

Elle a reparu dans quelques pays, comme les marais Pontins, qui après avoir été assainis et bien cultivés sont retournés au marécage. Enfin il est de vastes contrées palustres qui, par leur étendue et leur éloignement, échappent encore à l'activité humaine. Mais qui peut répondre que les progrès de l'Industrie ne rendront pas un jour facile et même pratique, l'oeuvre de leur dessèchement? Au commencement du siècle, si quelqu'un était venu annoncer à l'Europe qu'avant cinquante ans, on passerait sous les Alpes et qu'on agiterait sérieusement la question de passer sous la Manche, il aurait été traité de visionnaire. En attendant, il reste encore en Europe, assez de marais à rendre à l'agriculture et de terrains à défricher pour que nous n'ayons pas besoin de porter nos efforts et nos capitaux dans ces régions lointaines. En France nous en avions, encore, en 1860, plus de 500 000 hectares 1). L'Italie en est couverte, sur toute sa côte occidentale, sans compter les rizières de la Lombardie. C'est encore en Europe la terre classique de la malaria.

Je ne poursuivrai pas cet examen géographique et je ne m'arrêterai pas à plaider la cause des défrichements dans ce beau pays conquis sur la mer par l'activité de ses habitants et qui, suivant l'heureuse expression du Docteur Vallin, nous offre l'image d'un vaste marais inoffensif, assaini, fertilisé par des travaux admirables et une vigilance continue 2). Je me bornerai à mettre en relief le côté de la question qui me concerne et à faire remarquer que, tandis que, pour les maladies que j'ai passées en revue jusqu'ici, les économies portent seulement sur les existences conservées, sur les frais de traitement et d'invalidation, il n'en est plus de même pour la fièvre intermittente. Ici, les avantages pécuniaires sont doubles. Les défrichements et les travaux de drainage, en même temps qu'ils substituent une population vigoureuse à quelques pauvres familles rongées par la malaria, remplacent des marais improductifs par des champs fertiles dont le rendement a bientôt couvert les frais de dessèchement. Ce double résultat dépasse souvent toutes les espérances. Les landes de Gascogne représentent, comme on le sait, une superficie de 800 000 hectares. Avant leur assainissement et leur mise en valeur, elles ne nourrissaient qu'une population misérable et devorée par la fièvre. Le taux moyen de la vie humaine n'y allait pas à 34 ans. Aujourd'hui le chiffre des naissances dépasse celui des décès, dans une proportion considérable et la durée de la vie moyenne s'élève à 39 ans. Par suite des travaux d'assainissement, il s'est développé dans le pays une richesse forestière telle, que les Landes dont on ne tirait aucun profit et qu'on ne cultivait pas,

---

1) Rapport adressé à l'empereur le 17 janvier 1860, par les ministres de l'intérieur, des financiers, de l'agriculture et du commerce. (Moniteur universel du 23 janvier 1860).

2) Vallin. Article marais du Dictionnaire Encyclopédique des sciences médicales 1871. T. 4, p. 678.

sont couvertes aujourd'hui, de forêts de pins et de chênes et représentent une valeur de 205 millions. L'oeuvre a été accomplie tout entière par les communes et leur a coûté 13 millions 1). Elles ont donc indépendamment de leur salubrité recouvrée, acquis un capital 15 fois plus fort que leurs déboursés. La même opération a été faite en Italie sur une plus petite échelle, lors du dessèchement du lac Fucino. Les fièvres y faisaient de grands ravages depuis le temps des Romains. Les travaux commencés, il y a 25 ans, sont terminés depuis 1877. Ils ont donné la santé aux pays et rendu à la culture des milliers d'hectare de terrain; mais il est véritablement bien inutile d'insister sur de pareils faits, dans le pays où ces travaux ont été poussés le plus loin et à quelques kilomètres des belles prairies qui ont remplacé le Zuid-Plas et la mer de Harlem.

Si je voulais épuiser mon sujet, je pourrais vous parler encore des économies que l'hygiène est en puissance de réaliser sur les maladies ordinaires et sur la mortalité effrayante qui frappe partout les enfants du premier âge; mais ce serait sortir des bornes que je me suis imposées et j'en ai dit assez pour la démonstration de la thèse que je suis venu soutenir devant vous. Je crois vous avoir prouvé l'exactitude des trois aphorismes par lesquels j'ai débuté et pour terminer cette conférence, il ne me reste plus qu'à aller au devant d'une objection que je pressens et à laquelle je veux répondre, avant de descendre de la tribune.

Parmi les personnes qui ont bien voulu m'écouter, celles qui sont étrangères à la médecine, se demandent peut-être où cette diminution des maladies et des décès conduira les nations. Si l'hygiène, pensent-elles, a un empire semblable sur la mort, si ses efforts accumulés pendant une série de générations arrivent a ramener les maladies les plus meurtrières à des proportions assez réduites pour qu'on ne compte plus avec elles, le genre humain jouira donc alors d'une santé perpétuelle; les hommes atteindront à une longévité phénoménale et les populations prendront un accroissement menaçant.

Il n'est que trop facile de rassurer les gens qui pourraient concevoir de pareilles alarmes. Si nous faisons reculer devant nous les maladies contagieuses, nous sommes gagnés de vitesse par des affections beaucoup moins meurtrières sans doute, mais qui atteignent les races dans leurs sources vives et dans leur fécondité. C'est l'anémie qu'on trouve maintenant au fond de toutes les constitutions et qui a sa source dans l'excès du confortable, dans la vie en serre chaude pour les uns, dans la misère, les privations, l'excès du travail pour les autres. Ce sont les névroses qui vont se multipliant depuis la névralgie. jusqu' à l'aliénation mentale, dans nos grands centres de population où

1) Chambrelent. De l'assainissement et de la mise en valeur des landes de Gascogne. Communication au Congrès international d'Hygiène de Paris. T. II, p. 224.

toutes les excitations sont poussées au summum, où la vie intellectuelle acquiert une intensité sans mesure. C'est l'alcoolisme qui va grandissant, c'est la morphiomanie qui commence à se répandre; ce sera demain d'autres maladies pour lesquelles il faudra trouver des noms. Contre ces produits pathologiques d'une civilisation avancée, c'est encore à l'hygiène qu'il faut faire appel; mais elle aura plus de peine à triompher de ces affections là que des autres, parce qu'on a plus facilement raison des microbes que des vices et des passions de l'humanité.

N'exagérons rien toutefois. Les maladies qui s'en vont sont bien plus meurtrières que celles qui viennent et l'application des mesures d'hygiène que j'ai indiquées aura pour effet certain d'élever le taux moyen de la vie humaine; mais est-ce à dire pour cela que le chiffre de la population augmentera d'une manière notable? En aucune façon. Cet accroissement est le résultat d'un rapport; c'est l'excédant des naissances sur les décès; or, qu'importe que le chiffre des décès s'abaisse si celui des naissances diminue dans une proportion plus forte encore et c'est à cela qu'il faut s'attendre.

La fécondité des peuples diminue avec leur degré de civilisation, ou pour être plus vrai, elle décroît partout où la propriété va se subdivisant de plus en plus, où le bien-être gagne peu à peu toutes les classes de la société. Pour développer cette pensée, il me faudrait greffer une seconde conférence sur la première et celle-ci a déjà trop duré. Je me bornerai à citer un exemple, mais il est frappant. Depuis un siècle en France le taux moyen de la vie humaine a augmenté d'un quart et l'accroissement annuel de la population a diminué de moitié 1). Quant à la longévité, on sait qu'elle n'est pas en cause. La durée de la vie moyenne doublât-elle, que cela ne donnerait pas un centenaire de plus.

Nous pouvons donc nous livrer en toute sécurité à notre oeuvre de destruction sur les maladies infectieuses; nous pouvons les combattre et les réduire à leur minimum de nocuité, sans avoir à craindre que nos vieillards désapprennent de mourir et que la vieille terre d'Europe ne puisse plus nourrir ses enfants. Les idées que je viens d'exposer devant vous ne sont pas celles d'un visionnaire rêvant pour l'humanité des destinées impossibles; elles sont basées sur des données scientifiques irrécusables et sur la logique implacable des faits. Il ne s'agit plus que de les répandre et de les faire accepter par les populations d'abord, puis par les gouvernements, par les conseils élus que les nations ont investis du droit de disposer de leurs deniers. Il faut arriver à les convaincre pour qu'ils consentent à faire à la santé publique les avances dont elle a besoin. Pour atteindre ce but, nous n'avons qu'une arme,

---

1) En 1879 la durée moyenne de la vie en France etait de 28 ans, elle est de 36 aujourd'hui. L'accroissement de la population était de 6,02 pour 1 000 habitants à la fin du XVIIIème siècle, il n'est plus que de 3,34 aujourd'hui.

c'est la persuasion. L'hygiène ne doit se montrer ni tyrannique ni intransigeante. Elle a dans la société le même rôle que le médecin dans la famille elle éclaire, elle persuade, elle n'impose pas; mais pour remplir son rôle de conseillère, elle a dans les mains, tous les leviers avec lesquels on soulève l'opinion publique. Pour faire entrer la persuasion dans les esprits, nous avons le livre et le journal; nous avons la tribune du législateur et la chaire de l'enseignement; nous avons les congrès qui se multiplient, les sociétés savantes qui s'organisent partout et nous vivons à une époque où ce qui se dit à un des bouts du monde, s'entend sur le champ à l'autre extrémité. Il faut user de tous ces moyens sans découragement et sans relâche. Il faut porter partout la bonne parole, il faut la crier sur les toits. Tout homme qui croit tenir une parcelle de la vérité est tenu d'ouvrir la main pour la répandre. C'est pour cela que je suis à cette tribune. Quant à la question d'argent, je viens de vous prouver que la transformation hygiénique des pays de l'Europe constituerait au point de vue financier, une opération des plus avantageuses; mais elle exige une première mise de fonds et la plupart des nations ont leurs finances obérées: leurs ressources budgétaires ne leur suffisent plus; de lourds emprunts les grèvent déjà et on comprend qu'elles répugnent à en contracter d'autres. Eh bien la source où elles doivent puiser les capitaux que leur assainissement exige, cette source est toute trouvée.

Depuis 20 ans l'Europe entretient sous les drapeaux près de trois millions d'hommes sans compter les réserves qui tripleraient ce chiffre. Pour faire face à ces armements prodigieux, elle dépense chaque année 2 903 000 000 de francs 1). Eh bien! que les grandes nations consentent à réduire un peu leurs dépenses militaires, à entretenir quelques régiments de moins, que le budget de la mort fasse l'aumône au budget de la vie et celui-ci le lui rendra au centuple le jour de la lutte, par le nombre et par la force de ses défenseurs.

Je ne voudrais pas qu'on se méprit à mes paroles. Je ne suis pas de ceux qui marchandent, quand il s'agit de la défense du pays. De même que la valeur intellectuelle et morale de l'homme dépasse de cent coudées cette valeur économique dont je vous entretiens depuis une heure, de même il y a dans la vie des nations des sentiments qui priment tous les intérêts. Quand l'honneur national le commande, quand la défense du territoire l'exige, elles doivent se montrer prodigues de leurs trésors, comme de la vie de leurs enfants. Il est même des circonstances où l'on comprend qu'elles

1)

Allemagne	465 million.	France	650 million.
Angleterre(armée d'Europe)	460 »	Italie	207 »
Autriche—Hongrie	282 »	Russie	713 »
Espagne (armée d'Europe)	126 »		
		Total	2903 million.

Voir les effectifs budgétaires des armées, page 83.

poussent cette prodigalité jusqu'à la folie. Lorsqu'une nation guerrière se sent vaincue, lorsque son sol est envahi, que tout espoir de résistance est perdu, on comprend qu'elle persiste à lutter encore pour ensevelir sous ses ruines la honte de sa défaite et pour la noyer dans les flots de son propre sang.

Mais ce sont là des éventualités, sur lesquelles il est malsain d'arrêter sa pensée. Elles ne sont plus de notre époque et le mieux serait de les oublier L'ère des grandes guerres touche à sa fin. Elle n'en ont plus pour un siècle. Lorsque les peuples sont maîtres de leurs destinées, ils ne tardent pas à reconnaître qu'ils sont tous solidaires les uns des autres, que leur intérêt, comme leur devoir, consiste à s'aimer et à s'unir, au lieu de se hair et de se combattre. Les guerres passeront comme ont passé les épidémies du moyen âge. Cette ère de paix, nous ne serons pas là pour la saluer, nos fils, nos petits-fils peut-être, ne la verront pas éclore, mais elle aura son heure et cette vision de l'avenir console un peu des tristesses du présent. C'est peut-être une dernière illusion que je caresse encore, mais celle-là je demande à la garder jusqu'à mon dernier jour.

––––––––––

Des applaudissements prolongés et unanimes témoignent à l'éminent orateur la reconnaissance de son auditoire qu'il a su captiver pendant une heure et demie par sa parole chaude et éloquente.

M. Brouardel, président d'honneur, y ajoute quelques paroles vivement senties.

La séance est levée.

Séance générale du 23 Août 1884.

M. de Beaufort, président, ouvre la séance.

Il dit, que M. le Dr. Marey vient d'avertir le Bureau, qu'il sera obligé d'assister Mardi 26 Août 1884 à une Séance de l'Académie de médecine, à Paris; M. Marey prie le Bureau d'avancer de deux heures sa conférence de Lundi 25 Août 1884. — Le président propose aux Membres du Congrès de se réunier ce Lundi à 1 heure du soir, au lieu de 3 heures; les séances des sections se règleront alors d'après ce changement de l'heure normale.

Le président annonce ensuite, qu'à son grand regret M. le Dr. Stephen Smith, de New-York, qui devrait faire dans la Séance générale du 25 Août une conférence sur le service sanitaire maritime des Etats-Unis de l'Amérique du Nord, est retenu à New-York par la maladie d'un membre de sa famille. M. Smith a envoyé le manuscrit de sa conférence. Le sujet de cette conférence — „les mesures quarantenaires" — étant discuté dans la 1re Section du Congrès, le président propose de renvoyer le manuscrit à cette Section, pour y être lu. — Adopté.

M. van Marken, directeur de la Fabrique Néerlandaise de levûre et d'alcool à Delft, a eu l'intention d'inviter MM. les membres du Congrès et leurs dames à visiter son Parc Agneta le Samedi soir, 23 Août. Mais un grand incendie vient de détruire une entreprise voisine dans laquelle il est intéressé. Sous l'impression de ce sinistre il doit renoncer avec regret à l'honneur de préparer une réception aux Membres du Congrès. Toutefois, MM. les Membres du Congrès, qui voudraient honorer la cité ouvrière du Parc Agneta de leur visite, pour se rendre compte des institutions fondées dans l'intérêt des ouvriers de la Fabrique, trouveront tous les jours un bon accueil chez M. van Marken, en s'adressant directement à son bureau dans la dite fabrique.

Le Secrétaire général lit les ordres du jour des Sections pour les séances du 25 Août. Ces ordres du jour sont aussi affichés et distribués.

M. de Beaufort invite M. le Dr. H. Eulenberg, de Berlin, à occuper le fauteuil de la présidence. — (Vifs applaudissements.)

M. le Dr. Eulenberg accepte, et donne la parole à M. le Dr. Hermann Cohn, de Breslau, qui parlera sur „la mesure du degré d'éclairage par la lumière diffuse du soleil".

Discours de M. Cohn, prononcé en allemand, résumé en français de temps en temps par M. le Dr. A. A. G. Guye, d'Amsterdam.

Hochgeehrte Herren!

Seit Jahrhunderten ist es bekannt, dass man eine Schrift dem Auge um so näher bringen muss, je mehr die Helligkeit abnimmt. Es ist daher gradezu räthselhaft, dass nicht längst beim Bau von Schulgebäuden auf Lage, Grösse und Zahl der Fenster die für das Auge so nöthige Rücksicht genommen wurde. Ob man in letzter Linie die Anstrengung der Accommodation oder der graden inneren Augenmuskeln als Ursache der sich entwickelnden Kurzsichtigkeit ansprechen will, bleibt sich für uns gleich; alle Autoren stimmen darin überein, dass Lesen und Schreiben bei schlechter Beleuchtung Myopie hervorrufen und vermehren kann.

Bei meinen Untersuchungen in Breslau vor 20 Jahren habe ich für jede der 133 untersuchten Klassen eine Helligkeits-Tabelle auf Grund folgender Fragen entworfen: „Wie viel Fenster liegen vom Lehrerbenden rechts, links, vorn, hinten? Wie viel östlich, westlich, nördlich, südlich? Wie hoch sind die Häuser gegenüber? Wie viel Schritt sind sie entfernt? Wie hoch und wie breit sind die Fenster? In welchem Stockwerk liegt das Zimmer? Wie ist die Farbe der Wände?" Ich musste mich mit diesen Feststellungen begnügen, da es leider damals noch kein Photometer gab, mit dem man die Tagesbeleuchtung in Graden etwa wie die Wärme bestimmen konnte. Hierbei 1) bemerkte ich, dass zur Vergleichung zweier Räume einstweilen das menschliche Auge das beste Photometer sei, da eine feine Schrift je nach der Helligkeit bis 1 oder nur bis $1/2$ Meter gelesen werden könne. Später hat H. v. Hoffmann 2) in Wiesbaden diesen Gedanken ins Praktische übertragen, indem er vorschlug, in jeder Klasse eine Tafel mit Snellen'schen Buchstaben aufzuhängen und den Unterricht schliessen zu lassen, sobald die Tagesbeleuchtung so weit gesunken, dass das gesunde Auge Snellen'sche Schrift N°. 6 nicht mehr in 6 Meter zu lesen vermag. Dieser Vorschlag ist sehr beherzigenswerth. Vor 2 Jahren hat das Gutachten der Strassburger Aerzte eine solche Beleuchtung eines jeden, auch des vom Fenster entferntesten Platzes, vorgeschlagen, dass eine feine Diamantschrift noch auf 30 Cent. bequem gelesen wird.

Bei frei liegenden Häusern hatte ich vor 20 Jahren gefunden, dass die Glasfläche zur Bodenfläche sich wie 1 : 5 mindestens verhalten müsse, wenn das Zimmer genügend hell sein solle. Diese Regel ist von der technischen Deputation in Berlin für die preussischen Schulen als Minimum acceptirt worden. Aber es ist selbstverständlich (und ich habe es damals in meiner Schrift ausdrücklich gesagt), dass die richtigste Lage, Zahl und Grösse der Fenster doch nicht für eine gute Beleuchtung genügen, wenn Bäume oder naheliegende hohe Häuser oder gar hohe Kirchen den Zimmern das Licht rauben.

Schon Zwez 3) glaubte, dass die Höhe des gegenüberliegenden Hauses nicht wesentlich schade, wenn sie von einem Fensterbrette des Schulzimmers gemessen und berechnet 20—25° nicht übersteigt. In Holland wurde im Jahre 1879 eine Königliche Commission für Schulbauten eingesetzt, welche sehr grosse und breite Fenster zur Linken des Schülers empfahl. In Frankreich hat eine im Jahre 1882 vom Minister eingesetzte Commission für Schulbauten betont, dass da das Licht, welches vom Himmel auf den Platz fiele, das Wesentlichste sei, jeder Schüler ein Stück Himmel sehen müsse, das mindestens 30 Cent. vom oberen Ende der Glasscheibe des oberen Fensters entspreche. (Das würde bei einem Platze der 6 Meter vom Fenster entfernt ist, und tiefer sind jetzt wohl kaum die Schulzimmer, ungefähr 3° entsprechen).

Javal 4) verlangt mit Recht, dass der Abstand der gegenüberliegenden Gebäude doppelt so gross sein soll, als die Höhe derselben. Förster 5)

1) H. Cohn. Die Augen von 10 060 Schulkindern. Leipzig 1867, pag. 102.
2) Klin. Monatsbl. f. Augenheilk., 1873, pag. 269.
3) Das Schulhaus und seine innere Einrichtung. Weimar, 1864.
4) Annales d'oculistique. Bd. 79—82.
5) Deutsche Vierteljahrschr. f. öffentl. Gesundheitspfl., 1884, Juliheft.

nennt den Winkel, den die Ebene des Schultisches mit der oberen Fenster-
kante einschliesst, den Einfallswinkel, und denjenigen, welchen die Dach-
kante des gegenüberliegenden Hauses und der obere Fensterrand mit dem
Schülerplatze bildet, den Oeffnungswinkel. Der erstere soll im Minimum
25°, der letztere 5° betragen. Alle diese Vorschläge betreffen nur den Eleva-
tionswinkel und Oeffnungswinkel im verticalen Sinne und lassen die Breite,
unter der das Licht einfällt, völlig unberücksichtigt. Dass dieselbe aber eine
sehr hohe Bedeutung für die Beleuchtung gleichfalls hat, liegt auf der Hand.

Das Bedürfniss eines Photometers für Tageslicht ist längst von
jedem Autor empfunden worden, um an Stelle allgemeiner subjectiver Schätz-
ung endlich die positive Zahl einführen zu können; allein die bisherigen
Methoden, sowohl die chemischen als die electrischen, waren nicht befriedi-
gend. Bertin-Sans 1) in Montpellier hat vor 2 Jahren ein Photometer für
Schulzimmer ähnlich dem Rumfordschen beschrieben. (Ein Licht entwirft von
einem Stabe einen Schatten auf einem Schirme; entfernt man die Kerze, so
wird der Schatten immer schwächer; endlich verschwindet er ganz. Je heller
das Zimmer, um so früher wird der Schatten unsichtbar.) Doch ist der
Erfinder nach brieflicher Mittheilung noch immer mit der Verbesserung seines
Apparates beschäftigt.

Mit grösster Freude begrüsste ich daher die im Jahre 1883 von Prof.
Leonhard Weber in Breslau veröffentlichte Beschreibung 2) eines neuen,
höchst geistreichen Photometers, den ich dem geehrten Congresse hier vorzu-
zeigen mir erlaube. Dieser treffliche Apparat gestattet uns, in wenigen Minuten
anzugeben wie viel Normalkerzen in 1 M. Entfernung von einem Blatt Papier
aufgestellt werden müssten, um dasselbe ebenso hell zu erleuchten, als es
momentan vom diffusen Tageslicht erleuchtet wird. Ich sah sofort ein, dass
mit Hilfe dieses Weber'schen Photometers eine neue Aëra auch in der
Frage der Schulbeleuchtung eintreten werde, und zu grösstem Danke bin ich
meinem verehrten Freunde und Collegen Prof. Weber verpflichtet dafür, dass
er bei der praktischen Verwendung seines Instrumentes in Schulen mich mit
seinem vortrefflichen Rath in liberalster Weise unterstützte. (Der Vortragende
schildert alsdann das Princip des Weber'schen Apparates und demonstrirt
ihn; er ist für 300 M. bei Schmidt und Häusch in Berlin zu beziehen.)

Ich habe, (fährt der Vortragende fort), nun seit 6 Monaten in 4 grösseren
Schulen Breslau's 70 Klassenzimmer mit dem Weber'schen Apparate geprüft
und zwar im Elisabet-Gymnasium (E) 18, im Magdalenen-Gymnasium

1) Annales d'hygiène. Bd. 7, pag. 46, u. 187.
2) Centralzeitung für Optik. 1883, No. 16 und 17; ferner Wiedemann's
Annalen der Physik, 1883, Bd. 20, p. 326. Vgl auch «Physiologische Aequivalenz
verschieden gefärbter Lichtquellen» von Leonhard Weber, in der electro-
technischen Zeitschr., 1884. April.

(M.) 20, im Johannes-Gymnasium (J.) 17 und in der kath. höheren Bürgerschule (B.) 15 Zimmer. Die beiden erstgenannten sehr alten, im Herzen der Stadt stehenden Anstalten wurden absichtlich gewählt, weil sie überaus finstere Zimmer enthalten, denen das Licht von den dicht davor befindlichen hohen Kirchen genommen wird; das Johanneum ist erst vor 13 Jahren in der Paradiesstrasse erbaut und enthält viele helle Klassen; die Bürgerschule steht seit 17 Jahren und kann in Bezug auf Tagesbeleuchtung gradezu musterhaft genannt werden.

Die Berechnungen auf Kerzen wurden nur für die rothe Quote des Tageslichtes angestellt; wahrscheinlich sind die Zahlen mit 3 zu multipliciren, um das gesammte weisse Tageslicht zu finden; doch ist dieser Punkt noch nicht ganz sicher gestellt. Es ist keinesfalls ein Fehler, alle für roth gefundenen Zahlen mit einander zu vergleichen, da die Farbenzusammensetzung des Tageslichts nach Weber nicht solchen Schwankungen unterworfen ist, die wesentlich auf das Endresultat einwirken.

Die Lichtmessungen wurden sämmtlich Vorm. 9—11 oder 11½ Uhr während des Unterrichts vorgenommen, und zwar in jeder Klasse an dem hellsten Schülerplatze (also etwa 1—1,25 M. vom Fenster) und am dunkelsten Schülerplatze, der 5—6 M. vom Fenster entfernt lag.

Die Messungen machte ich in jeder Klasse zweimal, einmal an einem möglichst hellen und einmal an einem möglichst gleichmässig trüben Vormittage. Unangenehm sind die Tage, an denen weisse Wolken mit blauem Himmel wechseln, da denn die Helligkeiten um 100 Kerzen und mehr in wenigen Augenblicken schwanken können.

Die mannigfachen Einzelnheiten in den 70 Klassen werde ich später veröffentlichen; hier nur zunächst folgende Grenzen der Helligkeit in Kerzen in den verschiedenen Klassen der 4 Anstalten:

Tab. I.

Schulen.	Hellster Platz		Dunkelster Platz	
	helle Tage.	dunkle Tage.	helle Tage.	dunkle Tage.
E.	61— 450	4,7— 235	1,7— 32	< 1—22
M.	82— 420	2,6— 182	1,8— 68	< 1—10
J.	189—1142	121—1050	7,9—133	3,4—69
B.	320—1410	79—555	21,6—160	4,6—38

Das Licht nimmt ausserordentlich schnell vom Fenster aus ab. Man glaube ja nicht, dass es etwa bei Oberlicht, wie ich selbst früher mit Dr. Gross in Ellwangen annahm, „keinen dunklen Winkel" gebe. In einer grossen

Weberei in Schweidnitz fand ich unter den schrägen Shedsdächern Plätze, deren Helligkeit (h) zwischen 190 und 510 Kerzen schwankte.

Man kann sich ein ungefähres Bild von der Finsterniss in einer Schule machen, durch Feststellung wie gross h an trüben Tagen am dunkelsten und hellsten Platze in den einzelnen Klassen ist.

Tab. II.

Schulen.		Trübe Tage				
		dunkelster Platz			hellster Platz	
	$h < 1$	$h = 1-10$	$h = 11-25$	$h = 2-100$	$h = 101-235$	$h = 249-1050$
E.	6 Klassen.	10	1	13	5	0
M.	7	12	0	12	6	0
J.	0	5	10	0	3	14
B.	0	3	9	2	8	3

Im Elisabet- und Magdalenen-Gymnasium giebt as also 13 Klassen, in denen eine Anzahl Schüler Vorm. 11 Uhr bei trüben Tagen bei weniger als 1 Kerze schreiben muss! Im den beiden andren Schulen kommt solche Finsterniss nicht vor.

Die Himmelshelligkeit (H.) wurde anfangs nicht direct gemessen; ich notirte nur, ob der Himmel gleichmässig bedeckt, ob helle Sonne, ob Cirrhi oder Cumuli, ob grössere weisse Wolken vorhanden waren; bei den letzten beiden Anstalten aber wurde unmittelbar nach der h des Platzes auch die H des Himmelstückes, welches grade den untersuchten Platz beleuchtete, photometrisch bestimmt. Auf Weber's Rath wurde der Bequemlichkeit wegen ein rechtwinkliges Prisma an das Ocular des Apparates angeschraubt, so dass man, wenn das Instrument nach dem Himmel gerichtet war, bequem nach unten blicken und einstellen konnte. H schwankte an den verschiedenen Tagen zwischen 305 und 11 430 Kerzen, an einem trüben Tage unter den Augen um 400 Kerzen. Natürlich wurde niemals auf einem Platze gemessen, auf den die Sonne selbst schien. Einmal gab der blaue Himmel 5151 und danebenstehende Wolken 4444 Kerzen, ein andermal der blaue Himmel 11 430 und die graue Mitte einer Wolke ganz in der Nähe 6714 Kerzen. Man messe also in Zukunft stets nur an ganz gleichmässig bedeckten und an ganz gleichmässig wolkenlosen Tagen, um grosse Schwankungen zu vermeiden.

. Von grossem Werthe schien mir auch die Bestimmung der Helligkeit gegenüberliegenden Häuser (H*g*). Dem Johannes-Gymnasium steht ein hellgelbes Haus gegenüber, das je nachdem es von der Sonne mehr oder weniger beleuchtet war, H*g* = 968—1866 zeigte, während H des Himmels zwischen 906—2005 schwankte.

Tab. III.

H : Hg
1018 : 968
1441 : 1866
1272 : 1668
906 : 968
1090 : 1818
2005 : 1212

Reducirt man die an einem Platze gefundene *h* auf einen Normalhimmel H von 1000 Kerzen, so erhält man *h*r, die reducirte *h*. Sie würde in den schlechtesten Plätzen des Johannes-Gymnasiums 2,1—27,1, an den besten 76—645 Kerzen betragen; in der Bürgerschule an den schlechtesten Plätzen 4,5-—19, an den besten 91—368 Kerzen.

Tab. IV.

	J.	B.
h. T.	67— 645	91—368
d. T.	2,1—27,1	4,5— 19

$h^r = 1\,000$

Will man vorläufig die Güte einer Klassenbeleuchtung bestimmen, so fragt man, wie viel Schüler von ihrem Platze aus den Himmel gar nicht sehen. Von den 2461 Schülern der genannten Anstalten sahen 459 überhaupt den Himmel nicht! Und zwar in E. 28% der Schüler (in 10 Klassen), in M. 24% der Schüler (in 9 Klassen), in J. 15% Schüler (in 8 Klassen) und in

Tab. V.

	Kein H.	Kl.
E.	28% Sch.	10
M.	24	9
J.	15	8
B.	0,9	1

der Bürgerschule nur 0,9% (in 1 Klasse). Eine Klasse, in der auch nur ein einziger Schüler kein Stückchen Himmel sieht, dürfte nicht geduldet werden!

Da, wie oben schon bemerkt, zur Beurtheilung der Güte eines Platzes nicht bloss die Höhe sondern auch die Breite des Einfalls- und Oeffnungswinkels von grossem Werthe ist, so ersuchte ich Herrn Prof. Leonhard Weber, mir eine Methode anzugeben, die ohne die Schwierigkeiten der Messung mit dem Spiegelsextanten uns gestatten würde, die Höhe und Breite des einfallenden Lichtes zu bestimmen. Auch diese Aufgabe löste Prof. Weber in geistreichster Weise, indem er den höchst einfachen und sinnreichen Raumwinkelmesser erfand, welcher in Kurzem in den September-Nummer der Zeitschrift für Instrumentenkunde von ihm beschrieben werden wird und den ich Ihnen, verehrte Herren, hier vorlege.

Mit Hilfe dieses Instruments — (der Vortragende demonstrirt es) — zeichnete ich in allen Klassen, an denselben Plätzen an denen ich das Licht gemessen, die Fenster im umgekehrten Bilde ab, notirte die Elevation $\llcorner \alpha$, zählte die gefundenen Quadrate ω, deren jeder einem Grade des Raumwinkels entspricht, reducirte nach einer von Weber demnächst zu erläuternden Formel $\omega - \alpha$ und erhielt so eine Zahl, welche den Raumwinkel $\llcorner \omega$ in Graden ausdrückt. Derselbe schwankte ungemein in den verschiedenen Plätzen.

Tab. VI.

	Helle Plätze		Dunkle Plätze		
$\llcorner$ ᴣ	$\vee$ 300°	$\wedge$ 300°	$\llcorner$ ᴣ = 0°	∥ 4—20°	∥ 21—109°
E.	11 Kl.	6	10	2	5
M.	12	8	10	6	3
J.	1	16	1	6	10
B.	0	13	0	3	10
Dorfschule.					$\llcorner \omega = 116°$

In den finsteren Gymnasien gab es also 20 Klassen, mit Plätzen, die einen Raumwinkel von 0° zeigten!

In einer Dorfschule in Maria-Höffsen bei Breslau, die auf freiem Felde stand und durch 4 Fenster Licht erhielt, war der Raumwinkel am finstersten Platze aber 116°, also noch grösser als in der besten Stadtklasse.

In einer guten Klasse dürfte nach meinen bisherigen Messungen der Raumwinkel am besten Platze nicht unter 500° und am schlechtesten Platze nicht unter 50° betragen!

Natürlich ist $\llcorner \omega$ grösser in den höheren Etagen, als in den unteren, am schlechtesten in den **Parterreklassen**. In das Parterre sollten daher nur die Aula, die Lehrerwohnungen, die Bibliothek, etc, aber nie ein Klassenzimmer kommen!

Auch die **Reflexe** vergrössern den Raumwinkel, natürlich nur wenn die Sonne scheint; ich fand ihn dadurch z. B. um 11—97° vergrössert.

Andrerseits wird er durch die Blätter der Bäume beschränkt, in einzelnen Klassen des Johanneums sogar um 24°.

Ich habe nun berechnet, wie sich $h : \llcorner \omega$ in den einzelnen Klassen verhält, d. h. die Beziehung der gefundenen Helligkeit des Platzes zu seinem Raumwinkel. Mit Uebergehung aller Details gebe ich folgende Tabelle:

Tab. VII.

$\llcorner \omega$	dunkle Tage.	helle Tage.
$= 0^0$	$h = \; <1—3,4$ in 20 Klassen	$h = 1,7— \; 8,5$
$< 20^0$	$h = \; <1—19;$ meist aber $= 2—5$	$h = 2,6—24,9$
$21— 40^0$	$h = \quad 3,3—3,5$	$h = 15— \quad 78$
$41— 60^0$	$h = \quad 12—19$	$h = 22— \quad 70$
$60—109^0$	$h = 10,7— 38$	$h = 29— 160$

Man sieht also, dass an Plätzen, die $\omega = 0^0$ haben, d. h. vom Himmel kein Licht erhalten, die Helligkeit, welche die Wände allein geben, nur $h < 1—3,4$ an dunklen, $h = 1,7$ — höchstens 8,5 Kerzen an hellen Tagen ergeben.

Da 10 Kerzen die geringste Beleuchtung an trüben Tagen sein müssen, so folgt schon hieraus, dass Plätze, die einen kleineren Raumwinkel als 50° haben, nicht zu dulden sind.

Die Fensterkreuze und die breiten Pfeiler zwischen den Fenstern nehmen sehr viel Licht, 35—50% und mehr. Man wird also in Zukunft nur sehr dünne eiserne Atelierfensterstäbe statt der breiten Fensterkreuze und schmale Pfeiler machen müssen und jede architectonische Verzierung der Fenster in Rücksicht auf bessere Beleuchtung hinterlassen müssen.

Auch das Anlaufen der Fenster und die Doppelfenster nehmen viel Licht; eine schmutzige Fensterscheibe setzte sogar einen Platz von 10,7 auf 9,2 Kerzen herab.

Natürlich muss beim Ankauf eines Platzes für eine Schule genügend berücksichtigt werden, dass niemals, früher oder später, ein Haus vorgebaut werde, das den Klassen das Licht nehmen würde.

Ueberaus wichtig und überraschend sind die Resultate meiner Photometrieën betreffs des **Lichtverlustes durch Rouleaux** gewesen. Wenn ein graues leinenes **Staubrouleau**, wie sie überall in unsren Schulen bestehen, herabgelassen wird, so gehen auf dem Platze 87—89% Licht verloren; dagegen bei **weissen Chiffonvorhängen**, die seitwärts zugezogen werden, nur 75—82%. Sehr empfehlenswerth sind die **verstellbaren Vorhänge**, von Weckmann in Hamburg, die nach Art der Jalousieën gearbeitet sind, die aber statt Holzleisten kleine Rahmen haben, die mit dünnem grauen oder gelblichen Stoff überzogen sind; man kann sie senkrecht, schräg und wagerecht stellen. Ich habe solche Vorhänge in dem Arbeitszimmer meiner Kinder angebracht und gefunden, dass bei hellem Sonnenschein in 2 Meter Entfernung vom Fenster der Platz von 510 Kerzen bei verticaler Stellung auf 49 Kerzen sank, also 91% Verlust gab, bei schräger Stellung auf 154 Kerzen (70% Verlust) und bei horizontaler Stellung nur auf 220 Kerzen fiel, d. h. nur 57% Verlust gab.

Tab. VIII.

h	Staub-Rouleaux.	Licht-verlust.
86	9,4	89%
1190	133	89%
160	20,9	87%
150	19,5	87%
	Holzläden	
450	9,6	98%
	Chiffon	
500	90	82%
21,6	5,5	75%
	Weckmann's Vorhänge	
510	vert. 49	91%
510	schräg. 154	70%
510	hor. 220	57%

Die **Farbe der Wände** ist gewiss von grösster Bedeutung; je schmutziger dieselben, desto weniger reflectiren sie Licht. Meist sind bei uns die **Sockel** in brauner Farbe 1,5—2 M. hoch gestrichen, die unnöthig Licht absorbiren. Auch aus dem Grunde der Reflexbeleuchtung ist es wünschenswerth,

dass die meist d u n k l e n U b e r r ö c k e , M ä n t e l u n d H ü t e der
Kinder nicht in den Klassen aufgehängt sondern iu Garderoben oder ver-
schliessbaren Corridoren aufbewahrt werden, ganz abgesehen davon, dass der
Aufenthalt in einem Raume, in dem 50—70 oft durchnässte oder bestaubte
Mäntel hängen, für die Gesundheit nicht nützlich ist. Ich behalte mir directe
Versuche über verschiedene Wandreflexe noch vor.

In N o r d zimmern fand ich caeteris paribus nur 2/3 Licht gegenüber den
S ü dzimmern, selbst an trüben Tagen.

In jeder Klasse wurde J a e g e r 'sche Schrift N°. 1 (ich ziehe sie S n e l l e n
N°. 0,5 nur vor, weil sie mehr Text enthält) von einem Schüler mit trefflicher
Sehschärfe am d u n k e l s t e n Platze gelesen und der Fernpunkt notirt. Es
existirten

1) im Magdal. . . 9 Klassen ⎫
2) im Johann. . . 0 „ ⎬ in denen daselbst J a e g e r 1 nur bis
3) in der Bürgersch. 0 „ ⎭ 15 resp. 25 Cent. gelesen wurde.

dagegen 1) 5 Klassen ⎫
2) 3 „ ⎬ in denen J a e g e r 1 bis 26 resp. 39 Cent.
3) 5 „ ⎭ gelesen wurde.

und 1) 1 Klasse ⎫
2) 7 „ ⎬ in denen J a e g e r 1 bis 40—50 Cent. gelesen wurde.
3) 5 „ ⎭

Alle Plätze auf denen J a e g e r 1 nicht bis 30 Cent. gelesen wird, sind
nach dem Strassburger Gutachten unbrauchbar. An diesen war die Helligkeit
auch stets unter 10 Kerzen; ich würde also 1 0 K e r z e n a l s d a s M i n i m u m
d e r B e l e u c h t u n g eines Schülerplatzes vorschlagen.

Ueber die Beziehung der Fensterfläche zur Glasfläche und über die Photo-
metrie des Gaslichtes werde ich später berichten.

Zum Schluss hier nur noch ein Wort über die Verbesserung des Tageslichtes
durch S p i e g e l. F ö r s t e r hat vor Kurzem vorgeschlagen, grosse P r i s m e n
vor die Fenster zu bringen, die das Himmelslicht tiefer in die Klassen
hineinleiten sollen. Ein praktischer Versuch ist noch nicht gemacht worden
und dürfte wohl an den Kosten so g r o s s e r Prismen scheitern. Dagegen
existirt in der Buchhandlung des Herrn v. K o r n in Breslau bereits die englische
Methode verstellbarer grosser S p i e g e l vor den Fenstern, die das Himmelslicht nach den tieferen Theilen des Zimmers werfen. Meine Messungen
ergaben 3 Meter vom Fenster ohne Spiegel 65 Kerzen, m i t S p i e g e l 130
Kerzen, 6 Meter vom Fenster ohne Spiegel 12, m i t S p i e g e l 20 Kerzen,
also fast Verdoppelung von h. Glasermeister K r ä n e r t in Breslau, Groschen-
gasse 13, liefert für ein Schulfenster einen in verschiedenen Winkeln ein-
zustellenden Spiegel für 40—45 Mark.

Besser freilich ist es, auf alle künstlichen Surrogate zu verzichten, die finsteren alten Schulhöhlen in Magazine zu verwandeln und unsren Kindern die opulentesten Lichtverhältnisse in rationell gebauten Schulen zu liefern; möchten die vorliegenden Untersuchungen, die ich mit Prof. Weber gemeinsam in Kurzem im Détail veröffentlichen werde, allerorten wiederholt und die gewonnenen Resultate nicht nur für den Neubau von Schulen uud Universitäten, sondern auch für Sammlungen, für Bureaux und Privathäuser, in welchen viele Arbeitsplätze nöthig sind, verwerthet werden! Das scheinen würdige Aufgaben für die Hygiene.

Applaudissements prolongés.

M. le Dr. Eulenberg, président d'honneur, remercie M. Cohn au nom de l'Assemblée.

La séance est levée. M. Cohn a l'obligeance de se mettre à la disposition de plusieurs des Membres présents qui désirent voir de plus près le photomètre de M. Weber.

Séance générale du 25 Août 1884.

M. le Dr. Blom Coster, vice-président, occupe le fauteuil de la présidence.

La séance est ouverte.

Son Excellence M. J. Heemskerk Azn., Ministre de l'Intérieur des Pays-Bas, Président d'honneur du Congrès, prononce le discours suivant.

MM.

Votre président a bien voulu m'accorder la parole pour quelques instants, parce que je tenais à vous exprimer mes regrets d'avoir manqué à mon poste à l'ouverture de votre 1re séance. Pour m'en excuser je puis plaider des raisons de santé et j'espère qu'elles me vaudront un acquittement ou du moins des circonstances atténuantes auprès d'une assemblée qui estime la santé à sa juste et haute valeur.

Heureusement la 1re séance a été ouverte, comme je m'y attendais, d'une manière digne et excellente par votre honorable président.

Puisque le congrès a déjà rempli la moitié de sa tâche, je ne puis plus vous souhaiter la bienvenue, mais j'ai surtout à vous dire que le Gouvernement du Roi se réjouit de ce que vous avez choisi cette ville pour y apporter et comparer le fruit de vos études.

J'espère que le séjour vous sera agréable; jadis un diplomate étranger appelait La Haye le plus beau village de l'Europe, mais depuis plusieurs années elle peut prétendre à être quelque chose de plus; au point de vue de la salubrité elle possède quelques avantages d'une grande ville, sans en avoir tous les inconvénients. Et chaque belle saison nous apporte des milliers d'étrangers qui viennent respirer sur notre plage la brise bienfaisante de la mer du Nord et se fortifier dans l'écume de ses vagues.

Ainsi que mes concitoyens, je suis très reconnaissant aux savants étrangers qui veulent bien nous apporter leurs lumières sur tant de difficiles problèmes, qui ont, par le temps qui court, un intérêt actuel et palpitant.

Autant de fois que quelqu'une de mes fonctions actuelles se rapporte à l'art de guérir ou aux mesures servant à prévenir des maladies, j'aborde ces matières avec un respect mêlé de crainte, car la simple erreur en ces cas peut devenir un fléau public. Ce qui est recommandé par de hautes autorités scientifiques avec de bonnes raisons, soulève ailleurs des objections graves. Et quand même on a la conviction qu'une mesure prophylactique est bonne en soi, la question surgit, si elle peut être appliquée par rapport à ce qui se passe ailleurs. Tel fait politique dans l'extrême Orient, tel fait antihygiénique aux lieux saints de l'Islam peut renverser des combinaisons qui paraissaient les meilleures.

Cependant, MM.! je crois qu'il faut espérer, qu'il faut avoir foi dans les bienfaits de votre science. Comme par le passé, l'humanité est et restera sujette à mille maux, comme toujours elle est condamnée sans exception à mourir, mais elle a de meilleures armes que par le passé, pour retarder au moins cette inévitable défaite.

Jadis en face des maladies épidémiques, qui moissonnent les hommes, on ne voyait qu'un terrible inconnu, l'incompréhensible. Un sombre fatalisme enveloppait les malades, les bienportants et les médecins. Lisez p. ex. dans Lucrèce la célèbre description de la peste d'Athènes.

„Pas d'intermittence dans le mal," dit le poète, „les corps gisaient à la place où la maladie les avait terrassés, les médecins murmuraient atteints d'une peur sombre" (mussabat tacito medicina timore). Cela du moins ne peut se dire de nos jours. La science n'a plus de ces peurs ignobles; elle va résolument étudier le mal dans son foyer, pour le combattre à l'aide d'une active et courageuse charité.

Il y a une trentaine d'années, le typhus, la gangrène sévissaient dans les hôpitaux, on croyait ces maux une suite inévitable de la guerre; une héroïne Anglaise montra comment s'y prendre pour soigner et sauver nombre de ces braves blessés; elle fit faire un pas immense à la thérapie, et une des suites de ses heureux efforts fut la bienfaisante convention de Genève et l'institution de la croix rouge. Combien les ravages de la petite vérole ont-ils diminué dans ce siècle par comparaison aux siècles précédents! Que de fois on a vu la mortalité d'une ville, d'une contrée diminuer sensiblement par l'amélioration de l'eau potable, par le dessèchement d'un marais, par un changement de niveau. Si les grandes pestilences des temps passés ont été remplacées par le non moins terrible choléra, n'avons-nous pas l'espoir qu'en l'étudiant dans son origine, dans son essence la plus profonde, la science parviendra à le combattre à main sûre? Dieu fasse que cet espoir ne soit pas déçu! J'espère MM! que vos travaux ici seront féconds en résultats, et si vous voulez bien remarquer ce qui se fait ici dans l'intérêt de la santé publique, je vous prie de ne pas nous épargner les critiques, qui peuvent nous être utiles et profitables.

Applaudissements très vifs et prolongés.

M. le secrétaire général fait connaître à l'Assemblée les ordres du jour des Sections pour les séances du lendemain.

Il rappelle l'invitation du „Cricket Bond Neerlandais" qui a mis à la disposition de MM. les Membres du Congrès des cartes d'introduction pour le concours national du „Bond" au Malieveld de La Haye, du 23 au 27 Août 1884.

M. le secrétaire général rappelle aussi l'invitation de l'administration de la Laiterie de La Haye à visiter cet établissement le lendemain, 26 Août; de 1 à 2½ heures du soir l'administration sera là pour donner à MM. les Membres du Congrès les renseignements qu'ils désirent.

Une autre invitation est reçue de M. le Directeur de l'Ecole Polytechnique de l'Etat à Delft. Les collections très intéressantes de cette institution pourront être visitées par MM. les Membres du Congrès, quand il leur plaira.

M. le Secrétaire général porte encore à la connaissance de l'Assemblée que Madame Bovell-Sturge, de Londres, M. Corfield, de Londres, et M. Emile Trélat, de Paris, feront une conférence dans la séance générale du lendemain, 26 Août 1884.

M. le président invite M. le Dr. W. H. Corfield, président d'honneur, à venir occuper le fauteuil de la présidence.

M. Corfield accepte et donne la parole à M. le Dr. Finkelnburg, de Bonn, qui fera en allemand une conférence sur „les applications pratiques des progrès récents de la doctrine des virus à l'hygiène publique."

Discours de M. Finkelnburg.

(Le manuscrit n'ayant pas été reçu en temps utile, par suite d'une grave maladie de M. Finkelnburg, le discours sera imprimé à la fin du Compte rendu des séances générales).

Le discours de M. Finkelnburg est très applaudi.

M. le Dr. Corfield, président d'honneur, remercie vivement le savant professeur de Bonn. Il donne ensuite la parole à M. le Dr. E. J. Marey, de Paris, qui fera une conférence sur „les forces utiles dans la locomotion."

Discours de M. Marey.

Messieurs.

Si l'on demandait à un ingénieur quelles sont les forces utiles dans une machine dont il connaîtrait parfaitement les organes et la fonction, il y répondrait sans doute aisément.

Mais cette question posée à un physiologiste est plus embarrassante, car le jeu des différents muscles, des leviers osseux et des articulations offre une complication extrême en raison de la grande variété des mouvements que les êtres vivants sont capables d'exécuter. Même en restreignant mon programme à la locomotion humaine et aux actes les plus usités de l'homme, il me semble encore bien étendu, car l'honneur de parler dans un congrès d'hygiénistes m'impose certaines obligations. Vous attendez sans doute de moi quelques applications pratiques, quelques indications sur les avantages hygiéniques de l'exercice musculaire, quelques notions sur la meilleure utilisation de nos forces dans les différents actes que nous avons à accomplir. Toutes ces questions se rattachent à l'hygiène et particulièrement à celle de l'ouvrier et du soldat. Je ferai mon possible pour que votre attente ne soit pas entièrement déçue.

En physiologie comme en mécanique, c'est l'introduction des mesures précises qui a réalisé les véritables progrès; à ce titre les frères Weber ont bien mérité de la science. Mais les moyens dont ils disposaient étaient insuffisants; un chronomètre pour mesurer la durée des actes les plus rapides, une mire pour estimer l'étendue des mouvements, c'était là des ressources très insuffisantes pour aborder l'une des questions les plus compliquées de la mécanique animale. C'est encore avec reconnaissance qu'il faut citer les recherches de Duchesne de Boulogne sur l'action des différents muscles dans la locomotion, recherches basées sur les résultats expérimentaux obtenus par l'électrisation individuelle de chacun de nos muscles.

Aujourd'hui la physiologie dispose de nombreux appareils et de méthodes délicates pour l'analyse des mouvements les plus compliqués. Et puisqu'on peut mesurer avec une précision parfaite les durées, les forces, les espaces parcourus, rien n'empêche plus de déterminer l'action des forces dans la machine animale et d'en mesurer le travail, ce qui est la seule notion véritablement utile à obtenir.

Les forces et le travail ont la même mesure en physiologie qu'en mécanique; un effort capable de soutenir un poids de dix kilogrammes sera mesuré par le poids même auquel il fait équilibre, et si notre action musculaire soulève ce poids · à un mètre de hauteur, nous aurons fait un travail égal à dix kilogrammètres.

Il est encore d'autres résistances qui, en physiologie comme en mécanique ordinaire, se rencontrent fréquemment, ce sont les résistances d'inertie, celles que les masses à mouvoir opposent aux forces qui tendent à les déplacer. Ces résistances se déduisent de la vitesse que la force imprime à chaque instant au corps mis en mouvement; et quand la force a fini d'agir, on a la mesure du travail accompli, si l'on connaît à la fois la masse du corps en mouvement et la vitesse que cette masse a acquise. La formule $1/_2$ MV^2 représente le travail dépensé dans cette condition.

On voit, par ce qui précède, que toute mesure du travail humain, toute recherche de sa meilleure utilisation supposent une connaissance exacte des efforts développés et des mouvements effectués dans chacun des actes que l'on considère. Et cela légitimera, j'espère, les expériences, un peu minutieuses peut-être, que je vais avoir l'honneur d'exposer devant vous.

Les actes de la locomotion sont trop rapides pour que l'oeil puisse les saisir dans toute leur complication; aussi ai-je depuis longtemps cherché à les étudier au moyen de la méthode graphique si précieuse quand il s'agit d'analyser les mouvements.

Le premier résultat que fournit cette méthode a été la détermination chronographique des appuis et levés des membres dans les différentes allures: la marche, la course, le saut, l'acte de monter ou de descendre un escalier. C'était une des mesures les plus simples et les plus faciles à obtenir. On adapte à la chaussure des appareils qui sont mis en communication avec un style traceur inscrivant sur un cylindre qui tourne d'un mouvement uniforme et avec une vitesse connue. Qu'elle se transmette par l'électricité ou par des tubes à air, la pression du pied sur le sol provoque la pression du style sur le cylindre; de cette façon, la durée de l'appui de chaque pied se mesure par la longueur de la ligne tracée par le style sur le cylindre. Les études entreprises par cette méthode ont établi ou confirmé les faits suivants:

1º. Dans la marche, le corps repose toujours sur le sol, par l'un des pieds ou par les deux pieds à la fois, mais n'est jamais suspendu en l'air.

2º. Dans la marche ascendante, quand on monte un escalier, quand on porte un fardeau, ou quand l'allure est très lente, on observe un instant de double appui des pieds. C'est-à-dire qu'un pied ne quitte le sol que lorsque l'autre est posé depuis un certain temps.

3º. Plus l'allure est rapide, plus la durée du double appui diminue. A la limite, le corps s'appuie alternativement sur un pied et sur l'autre.

4º. Dans les allures courues ou sautées, le corps est un instant suspendu en l'air entre deux appuis des pieds; la durée de cette suspension croît, en général, avec la vitesse de la course, mais certaines restrictions doivent être posées à cet égard.

Ces études sur les rhythmes des battues dans la locomotion humaine ont singulièrement facilité la détermination des allures des quadrupèdes et en particulier celles du cheval. Elles ont fait voir que toute allure quadrupède est formée de deux allures bipèdes concordant entre elles, ou se succédant à des intervalles plus ou moins longs.

J'ai donné à cet égard un tableau qui permet de saisir aisément la classification, autrefois très compliquée, des allures du cheval. 1)

Au point de vue de la mécanique animale, la notation des appuis et levés des pieds ne donne encore qu'un renseignement bien insuffisant: c'est la durée d'action des forces musculaires qui impriment au corps son mouvement de translation.

Une légère modification de cette méthode me permit d'obtenir, à chaque instant des appuis du pied, la valeur de la pression exercée sur le sol. La c h a u s s u r e d y n a m o g r a p h i q u e employée à cet usage porte une épaisse semelle de caoutchouc à l'intérieur de laquelle est creusée une cavité qui communique par un tube de caoutchouc avec l'intérieur d'un tambour à levier inscripteur. Suivant l'intensité de la pression du pied sur le sol, cette cavité, plus ou moins comprimée, diminue de volume et l'air qui en est expulsé, pénétrant dans le tambour à levier inscripteur, produit une déviation plus ou moins étendue de son levier.

De cette façon, les ordonnées de la courbe tracée expriment, à chaque instant, la valeur de la pression du pied sur le sol. Pour évaluer en poids les pressions que la courbe représente, il faut, bien entendu, faire une graduation de l'appareil dynamographique, c'est-à-dire charger la semelle de poids connus et mesurer pour chacun d'eux, la hauteur de l'élément correspondant de la courbe.

Quand le corps, porté sur un seul pied, reste immobile, la courbe s'élève à un certain niveau qui correspond au poids du corps, mais si l'on exécute, par la flexion et l'extension des jambes, des mouvements d'élévation et d'abaissement du tronc, la courbe éprouve des variations de hauteur, exprimant que la pression diminue quand le corps, obéissant partiellement à la pesanteur, est animé d'une vitesse descendante; tandis que la pression augmente quand, à l'action de la pesanteur sur le tronc, s'ajoute l'effort musculaire employé à le soulever.

L'expérience montre, ainsi qu'on pouvait le prévoir, que la pression du pied sur le sol est d'autant plus forte que le mouvement imprimé au corps est plus rapide. Les efforts impulsifs et les efforts résistants se traduisent de

---

1) Voir la M a c h i n e a n i m a l e p. 152.

la même manière. Ainsi, quand le corps qui s'abaisse depuis un certain temps est arrêté dans son mouvement par la contraction des muscles, la courbe dynamographique accuse un accroissement de pression semblable à celui qui correspondrait à une contraction impulsive des muscles.

Dans la marche ordinaire, le tracé dynamographique présente des inflexions faciles à expliquer d'après les considérations qui précédent: sa forme est la suivante:

Fig. 1. — Tracé Dynamographique d'un appui du pieds dans la marche.

La ligne tracée qui suivait pendant le levé du pied la ligne droite *o* correspondant à une pression nulle, s'élève brusquement et par saccades 1) jusqu' au point 2 au moment du posé du pied; puis elle tombe au niveau 3 qui correspond à peu près au poids du corps. La courbe remonte ensuite en 4, à son niveau le plus élevé, au moment où le pied presse le sol par sa partie antérieure à la fin de l'appui; enfin elle retombe à zéro, au moment où le pied quitte le sol. Il y a donc eu à deux instants une pression supérieure au poids du corps, ce qui correspond à deux efforts musculaires. Le premier maximum répond à l'appui du talon; à ce moment, les muscles résistent pour arrêter la vitesse descendante du corps qui tombe littéralement sur le pied qui se pose. Ce maximum accuse donc l'existence d'un travail résistant. Le second maximum 4 exprime un travail impulsif, il correspond à l'instant où l'action musculaire intervient pour imprimer au tronc une vitesse ascendante.

Dans ces derniers temps j'ai construit avec le concours de mon préparateur M. G. Demeny un dynamomètre fixe qui présente cet avantage, de signaler et d'inscrire deux sortes d'effort: ceux qui s'exercent perpendiculairement au sol, c'est-à-dire les indications que donne la chaussure dynamographique; et ceux qui s'exercent tangentiellement au plan du terrain, et dont l'existence apparaît clairement quand on marche sur la glace: le pied tend alors à glisser en avant au commencement de l'appui et en arrière à la fin de l'appui. Ces composantes horizontales, presque négligeables dans les allures très lentes, prennent au contraire une valeur très grande dans la marche rapide et surtout dans la course et le saut.

Le dynamomètre fixe est recouvert d'une planchette qui affleure au niveau du terrain sur lequel on marche. On ne peut saisir avec cet instrument que

---

1) La saccade du posé du pied tient aux contacts successifs du talon et de la plante du pied avec le sol.

les phases de l'appui d'un pied ; mais cette indication suffit dans l'analyse d'une allure régulière où les appuis de l'un ou de l'autre pied se reproduisent toujours dans des conditions semblables.

Quelle que soit la nature du dynamomètre qu'on emploie dans l'analyse des actes musculaires, l'instrument ne mesure que la valeur des efforts développés par les muscles, c'est-à-dire un des facteurs du travail effectué. L'autre facteur est le chemin parcouru par le centre de gravité du corps pendant chacune des phases de la pression mesurée.

C'est encore à la méthode graphique que j'ai demandé la solution de ce nouveau problème. Des appareils spéciaux recevaient l'indication des différents mouvements d'oscillations verticales du corps, les balancements du bassin et les appuis et levés des pieds pendant que le marcheur suivait une piste circulaire au centre de laquelle les appareils enregistreurs étaient placés. Mon élève et ami G. Carlet, actuellement professeur à la Faculté des sciences de Grenoble, a fait au moyen de ces appareils une étude très complète de la marche de l'homme. Ses expériences déjà vieilles de 15 ans n'ont pas été surpassées au point de vue de la précision des résultats. Cependant elles ne répondaient pas encore à toutes les exigences du problème: d'une part elles ne pouvaient guère s'appliquer qu'à une marche lente, puisqu'on devait suivre une piste circulaire de 3 mètres de rayon; d'autre part, elles ne renseignaient pas sur le détail, si important, des flexions et extensions alternatives des jambes, ni sur la trajectoire suivie par les différentes articulations des membres inférieurs.

Dans un récent travail le Docteur H. Vierordt 1) a cherché à combler quelques-unes de ces lacunes. Il couvrit d'une longue et large feuille de papier le terrain sur lequel devait s'effectuer la marche ou la course, puis, adaptant au pied du marcheur un crayon dont la pointe frottait constamment sur le papier, il obtint la projection sur un plan horizontal de la trajectoire du pied pendant la période de lever. Pour obtenir la projection dans un plan vertical des déplacements éprouvés par différents points du tronc et des membres, le même auteur adapte au point dont il veut connaître les mouvements un petit réservoir d'encre dont le contenu jaillit continuellement contre un mur recouvert de papier et au-devant duquel marche le sujet en expérience. Ces dispositions ingénieuses ne sont pas à l'abri de tout reproche au sujet de la fidélité des indications qu'elles fournissent; d'une part, le crayon dont le pied est muni, restant constamment en contact avec le sol par l'effet de l'allongement d'un ressort, on ne peut plus considérer la courbe tracée comme l'expression des mouvements réellement exécutés par le pied, toutefois ou peut dans certaines limites rectifier ces indications et corriger les causes d'imper-

---

1) H. Vierordt. *Das Gehen des Menschen in gesunden und kranken Zuständen*. Tubingen, 1881.

fection de la courbe tracée. Un point important ressort de ces premières expériences, c'est que le pied, à la fin de sa période de levé, est un peu projeté en avant et qu'il rétrograde avant de se poser sur le sol.

Les courbes obtenues par l'injection d'encre contre une paroi verticale sont passibles de reproches plus graves; en effet, l'inertie du liquide projeté l'empêche d'atteindre la paroi au point qui est situé juste en face de l'orifice de jaillissement; la courbe est donc nécessairement déformée et la déformation, cette fois, ne saurait être rectifiée puisque rien n'en fait connaître la cause, c'est-à-dire la vitesse du point dont la courbe est censée représenter la trajectoire.

Il est aujourd'hui une méthode qui comble tous les desiderata ci-dessus exposés, c'est l'emploi de la photographie instantanée avec certaines modifications qui répondent tout particulièrement à la question qui nous occupe. Vers l'année 1880, un riche Américain Mr. Stanford, frappé du désaccord qui régnait au sujet du mécanisme des allures du cheval, pensa que la photographie pouvait résoudre ces questions, en fixant l'image de l'animal dans chacune des attitudes qu'il présente à différents instants de ses allures. Monsieur Muybridge de San-François co se chargea de réaliser ces expériences qui lui acquirent une juste célébrité.

Monsieur Muybridge disposait une série d'appareils photographiques au-devant d'un écran blanc incliné et orienté de façon à réfléchir la lumière solaire dans la direction des appareils. Chacun de ceux-ci était muni d'un obturateur électro-magnétique susceptible de s'ouvrir pendant un temps très-court lorsque le courant de pile qui le tenait fermé était rompu. Les fils de chaque appareil étaient transversalement tendus au-devant de l'écran, sur le chemin que devait parcourir le cheval en expérience.

En rompant successivement chacun de ces fils, le cheval provoquait de lui-même l'ouverture des appareils photographiques dont chacun prenait une image de l'animal dans une attitude particulière. La série de ces attitudes permettait de déterminer les phases successives des mouvements correspondant à chaque allure du cheval.

C'était un travail fort long que de reconstituer ainsi les déplacements de chaque membre du cheval avec la translation du corps qui les accompagne, et malgré le soin que Mr. Muybridge avait pris, de tracer sur l'écran des lignes numérotées servant de points de repères, l'analyse du mouvement était encore difficile.

Après différents essais destinés à recueillir des images successives d'un animal en mouvement dans des conditions plus favorables, j'imaginai une disposition qui me satisfit complètement. C'est ce que je désignerai sous le nom de photographie sur champ noir.

On dirige l'appareil photographique sur un écran noir formé de velours tendu sur une muraille au fond d'un hangar obscur. Devant cet écran on fait passer un homme vêtu de blanc et pendant ce temps, un appareil rotatif

laisse passer la lumière d'une manière intermittente. A chaque admission de
la lumière une image se forme sur la plaque sensible, et chaque fois sur un
point différent de la plaque.

La théorie de cette méthode est facile à saisir. Un appareil photographique
pourrait être ouvert indéfiniment devant un écran noir sans que la plaque
soit impressionnée, puisqu'elle ne reçoit aucune lumière. A un moment donné,
faisons apparaître devant un point de cet écran un homme vêtu de blanc et
fortement éclairé ; une image se formera sur la glace. Fermons alors l'appareil
et plaçons encore l'homme devant l'écran, mais dans un autre endroit, une
autre image pourra être produite, mais sans se confondre avec la première,
car le déplacement de l'homme aura amené la nouvelle image en un endroit
de la plaque sur lequel la lumière n'a pas encore agi.

On peut multiplier indéfiniment ces photographies successives.

Le rôle de l'interrupteur rotatif est précisément de laisser au marcheur le
temps de changer de place entre deux photographies successives, et de faire
que ces images soient séparées les unes des autres par un intervalle exactement proportionnel au chemin parcouru par le marcheur entre deux admissions
successives de la lumière. Soit en $1/_{10}$ de seconde 1).

On obtient ainsi des séries d'images d'hommes ou d'animaux en mouvement
représentés dans les attitudes correspondantes à des intervalles de temps
connus.

Fig. 2. — Sauteur photographié dans ses attitudes successives ; l'intervalle de figures
est 1/10 de seconde, la durée de pose 1/500 de seconde.

La figure 2 représente un sauteur photographié dans ses
attitudes successives à des intervalles de $1/_{10}$ de seconde.

1) Voir pour la description des appareils et des images qu'ils donnent : La
Méthode graphique, 2ième édition, 1884.

Lorsqu'on prend sur la même plaque une série de photographies représentant les attitudes successives d'un animal, on cherche naturellement à multiplier ces images pour connaître le plus grand nombre possible de phases du mouvement. Mais, quand la translation de l'animal n'est pas rapide, la fréquence des images est bientôt limitée par leur superposition et par la confusion qui en résulte. Ainsi, un homme qui court, même avec une vitesse modérée, peut être photographié dix fois par seconde, sans que les images se confondent. Si, parfois, une jambe vient se peindre en un lieu où une autre jambe avait déjà laissé son empreinte, cette superposition n'altère point les images, les blancs deviennent seulement plus intenses aux endroits où la plaque a été deux fois impressionnée, de sorte que les contours des deux membres se distinguent encore aisément. Mais, quand l'homme marche lentement, les images présentent des superpositions si nombreuses qu'il en résulte une grande confusion.

C'est pour remédier à cet inconvénient que j'ai eu recours à la photographie partielle, c'est-à-dire que j'ai supprimé certaines parties de l'image pour que le reste fût plus facile à comprendre.

Comme, dans la méthode que j'emploie, les objets blancs et éclairés impressionnent seuls la plaque sensible, il suffit d'habiller de noir les parties du corps qu'on veut retrancher de l'image. Si un homme revêtu d'un costume mi-partie blanc et noir marche sur la piste en tournant du côté de l'appareil photographique la partie blanche de son vêtement, la droite par exemple, on le verra dans les images comme s'il était réduit à la moitié droite de son corps.

Ces images permettent de suivre dans leurs phases successives, d'une part le pivotement du membre inférieur autour du pied pendant le temps de l'appui, et d'autre part, pendant celui du levé, l'oscillation de ce même membre autour de l'articulation coxofémorale, en même temps que cette articulation se transporte en avant d'une manière continue.

Les photographies partielles sont utiles aussi dans l'analyse des mouvements rapides, parce qu'elles permettent de multiplier beaucoup le nombre des attitudes représentées.

Toutefois, comme l'image d'un membre présente encore une assez grande largeur, on ne peut multiplier beaucoup ces photographies partielles, sous peine de les confondre par superposition. J'ai donc cherché à diminuer la largeur des images, afin de les répéter à des intervalles extrêmement courts. Le moyen consiste à revêtir le marcheur d'un costume entièrement noir, sauf d'étroites bandes de métal brillant qui, appliquées le long de la jambe, de la cuisse et du bras, signalent assez exactement la direction des rayons osseux de ces membres.

Cette disposition permet de décupler aisément le nombre des images recueillies en un temps donné sur une même plaque : ainsi, au lieu de dix photographies par seconde, on en peut prendre 100. Pour cela, on ne change pas la vitesse de rotation du disque; mais, au lieu de le percer d'une seule fenêtre, on en fait dix semblabes et également réparties sur toute la circonférence. 1)

La figure 3 est faite d'après un des clichés projetés à la lanterne magique; les lignes ponctuées ont été transformées en traits pleins. Cette figure montre les phases successives d'un pas de course. Le membre inférieur gauche y est seul représenté: des lignes pleines correspondent à la cuisse, à la jambe et au pied; des points, aux articulations du pied, du genou et de la hanche.

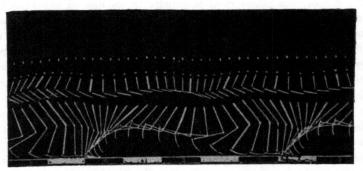

Fig. 3. — Course de l'homme, attitudes successives du membre inférieur gauche.
— Fréquence des images, 60 par seconde environ.

Cette figure exprime déjà assez clairement les alternatives de flexion et d'extension de la jambe sur la cuisse, les trajectoires onduleuses du pied, du genou et de la hanche, et pourtant le nombre des images n'excède pas 60 par seconde. Un disque obturateur percé de fenêtres plus nombreuses donnerait avec bien plus de perfection les déplacements angulaires de la jambe sur la cuisse et les trajectoires des trois articulations.

Plus on donne de finesse aux lignes qui expriment la direction des membres, plus on peut multiplier le nombre des images; mais, dans le cas présent, il est plus que suffisant d'avoir soixante fois par seconde l'indication des déplacements du marcheur.

On voit que, dans la méthode d'analyse photographique, les deux facteurs du mouvement, le temps et l'espace, ne peuvent pas être tous deux estimés d'une manière parfaite. La connaissance des positions que le corps a occupées dans l'espace suppose qu'on possède des images complètes et distinctes; or il faut, pour avoir de telles images, laisser un intervalle de temps assez long entre deux photographies successives. Veut-on, au contraire, porter à la perfection la notion du temps, on n'y peut arriver qu'en augmentant beaucoup

---

1) Il est souvent avantageux de donner a l'une des fenêtres un diamètre double de celui des autres; il en résulte une intensité plus grande de l'une des images, et cela facilite l'estimation des temps, en même temps que cela fournit des points de repères pour comparer les mouvements des membres inférieurs à ceux des membres supérieurs.

la fréquence des images, ce qui force à réduire chacune d'elles à certaines lignes. On concilie autant que possible ces deux exigences opposées en

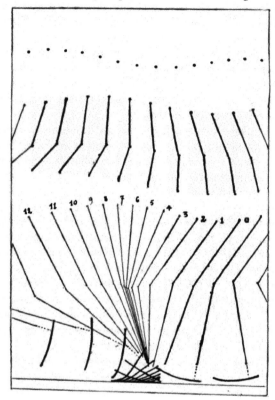

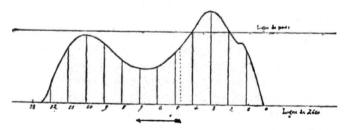

Fig. 4. — En haut, lignes chronophotographiques exprimant douze attitudes différentes du corps pendant l'appui du pied sur le sol. — En bas, courbe dynamographique de la pression du pied sur le sol exprimant la valeur de cette pression à douze instants également distants, dont chacun correspond à l'une des attitudes déterminées sur la photographie.

choisissant, pour les photographies partielles, les lignes et les points qui renseignent le mieux sur les attitudes successives du corps.

La chronophotographie résout le problème de la détermination des espaces parcourus en fonction du temps; elle donne pour chaque instant la vitesse dont la masse du corps est animée, soit dans le sens vertical, soit dans le sens horizontal. Et si l'on combine les indications de la photographie avec celles du dynamographe, on obtient la mesure du travail moteur ou du travail résistant effectué pendant la phase d'appui d'un pied à une allure quelconque. Il faut, pour cela, placer le dynamographe sur la piste et recueillir les photographies au moment où le coureur passe.

Soit figure 4 la photochronographie d'un pas de course avec les courbes des pressions normale et tangentielle au terrain pendant la phase d'appui de ce pas.

Nous trouvons dans cette double figure les éléments nécessaires pour construire les courbes graphiques des différentes quantités de travail positif ou négatif effectuées aux différentes phases de cet appui.

On constate d'abord que, sur la figure, la période d'appui du pied contient 12 images et comme celles-ci se produisent à des intervalles de $1/_{50}$ de seconde, la phase de l'appui a donc duré $12/_{50}$ de seconde. Sur ce premier point il doit y avoir accord entre les deux figures, la courbe dynamographique exprimant la durée de l'appui du pied. Cette courbe est même plus fidèle, au point de vue des durées d'appui, car elle donne des indications continues, tandis que les indications intermittentes de la photographie comportent une erreur possible dont la valeur décroît à mesure que le nombre des images augmente pour un temps donné. Dans le cas présent, la valeur moyenne de l'erreur probable serait de $1/_{50}$ de seconde; nous la négligerons.

Cela posé, mesurons les déplacements ascendants ou descendants d'un point du tronc, du grand trochanter 1) par exemple. Ces mouvements se mesurent entre deux images consécutives; ils correspondent au chemin que le point considéré a parcouru, suivant la verticale, en un cinquantième de seconde. Sur des photographies de petites dimensions la difficulté de déterminer avec précision le déplacement du point considéré donnerait à ces mesures une grande incertitude, aussi faut-il recourir à l'agrandissement des images, ce qui s'obtient aisément par les procédés ordinaires de la photographie.

On conçoit qu'avec ces deux sortes de mesures, celle des efforts successifs et celle du chemin parcouru à chacun de ces efforts, on puisse construire des courbes dont les aires exprimeront le travail positif ou le travail négatif correspondant à un acte quelconque.

Une opération analogue pourra être faite en relevant les accélérations positives dans le sens horizontal et les ralentissements, ou accélérations négatives, du centre de gravité du tronc aux différentes phases de la période d'appui du

---

1) On sait que le centre de gravité du corps change sans cesse pendant les mouvements; il faut donc se contenter d'une mesure approchée des déplacements de ce centre incessamment variable.

pied. Ces déterminations suffisent, à elles seules, pour mesurer le travail dépensé et les efforts développés entre deux instants consécutifs.

Les indications du dynamomètre qui mesure les efforts tangentiels au plan du terrain permettent de contrôler les mesures du travail tirées de la détermination des vitesses; en effet, les efforts sont proportionnels aux accélérations.

On devra donc trouver sur la photochronographie, des accélérations négatives et positives proportionnelles aux ordonnées des efforts tangentiels au sol, ordonnées considérées aux instants correspondants aux différents intervalles des images.

La photochronographie donne encore sur les mouvements de la jambe au levé, de précieuses indications, car elle représente à chaque instant la vitesse et l'attitude du membre; ce qui permet d'estimer les accélérations et les ralentissements du centre de gravité de ce membre.

L'oscillation de la jambe au levé a été considérée par les frères Weber comme un mouvement pendulaire, dans lequel, par conséquent, la pesanteur effectue tout le travail sans intervention des muscles. J'ai démontré par quelques expériences que ces vues des savants physiciens étaient inexactes et que la forme du mouvement de la jambe n'est point celle d'une oscillation pendulaire. Mr. Carlet est arrivé au même résultat. Enfin, le raisonnement suffit à prouver que la jambe, en admettant qu'elle puisse exécuter par la pesanteur seule une oscillation d'une certaine vitesse, ne saurait osciller avec une vitesse plus grande ou plus petite sans que l'action musculaire intervienne. Or, suivant le rhythme de la marche, l'oscillation de la jambe au levé doit s'accomplir en des temps très-variables. On peut, en effet, faire en marchant de 40 à 80 pas par minute. Si l'oscillation pendulaire de la jambe correspondait au chiffre de 50 pas; il est clair que l'action des muscles ne serait pas nécessaire pour cette marche lente; mais, pour les rhythmes plus rapides, les muscles devraient agir, et cela avec une énergie d'autant plus grande que le rhythme est plus accéléré.

L'expérience montre, en effet, que les muscles antagonistes se contractent tour à tour et avec énergie pour projeter la jambe ou pour la retenir, et même pour la ramener en arrière à la fin de son oscillation. Voilà deux dépenses de travail dont l'importance est considérable dans les allures rapides. Et notons que le travail dépensé par la fléchissure de la cuisse pour lancer la jambe en avant ne sera par restitué, à moins qu'on ne le considère comme emmagasiné dans les muscles antagonistes ou extenseurs de la cuisse qui sont fortement tendus à la fin de cette oscillation.

En somme, l'oscillation de la jambe au levé, loin d'être un acte automatique, exige au contraire une certaine dépense de travail; ce serait même, d'après Mr. Demeny, l'acte le plus laborieux dans la marche rapide. Nous verrons tout à l'heure que cette opinion s'appuie sur des résultats expérimentaux fort concluants.

En résumé, bien que les méthodes qui viennent d'être décrites soient trop nouvellement employées pour avoir pu donner les résultats qu'on est en droit d'en attendre, j'ai cru pouvoir les signaler et émettre l'espérance qu'elles contiennent la solution des importants problèmes relatifs à la locomotion humaine.

Toutes ces mesures de travail exigeront un grand nombre de documents graphiques et je ne saurais encore, d'après les éléments que je possède, hasarder une détermination précise. Il faudra, en effet, comparer les différentes allures et mesurer la dépense de travail correspondante à chacune d'elles, afin de connaître celle qui est le plus favorable dans une circonstance donnée, c'est-à-dire produit un même effort utile avec la moindre dépense de travail. Cette méthode qui consiste à rechercher le travail dépensé à l'un des appuis d'un pied et à multiplier ensuite la valeur obtenue par le nombre des pas effectués, exige une grande précision dans les mesures, car la moindre erreur commise se multiplie par le nombre des pas effectuées pendant un certain parcours.

J'ai essayé d'aborder l'étude des différentes allures par une méthode toute différente qui permit de contrôler les résultats obtenus par la photographie et par la dynamographie.

Il est un principe de physiologie qui se vérifie dans tous les actes musculaires habituels, c'est que chacun de nous acquiert par tâtonnements inconscients la manière d'exécuter les actes avec la moindre dépense de travail. Cela peut s'appliquer à la locomotion.

Imposez à un marcheur un rhythme déterminé et pressez graduellement ce rhythme; quand le nombre des pas arrivera à 75 ou 80, instinctivement le marcheur se mettra à courir. Non-seulement parce que cette allure lui donnera plus de vitesse, mais aussi parce qu'elle exigera moins de fatigue.

Or Mr. Demeny observe avec raison que dans la course à un certain rhythme, la durée d'oscillation de la jambe est plus grande que dans un pas de marche de même rhythme. En effet, l'essence de la course est de présenter des instants de suspension du corps entre deux appuis successifs. La durée de ces appuis étant elle-même beaucoup plus courte que dans la marche.

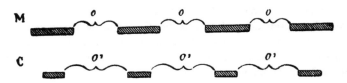

Fig. 5. — M, durée des appuis et des oscillations de la jambe dans la marche; o, correspond aux phases d'oscillation; C, durée des appuis et des oscillations dans une course du même rhythme.

Soit fig. 5 (ligne supérieure) la notation des appuis dans la marche pour un rhythme de 75 pas à la minute, la durée des oscillations de la jambe sera mesurée par les intervalles 0, 0, 0 qui séparent deux appuis consécutifs. Dans la course (ligne inférieure), la brièveté des appuis laisse une longueur plus grande aux durées d'oscillation 0′ 0′ 0′.

Ces déterminations de l'influence du rhythme sur la longueur du pas, la vitesse du parcours et la fatigue produite peuvent se faire en mesurant l'espace et le temps dans un long parcours et en divisant cette valeur par le nombre des pas. On obtient ainsi une valeur moyenne à l'abri des petites irrégularités qui pourraient se produire dans un pas de marche.

Pour ce genre d'études, j'ai recouru à un appareil dont j'ai donné la description il y a quelques années, l'odographe; mais, j'ai fait subir à cet instrument certaines modifications qui le rendent applicable à des mesures absolues d'espace en fonction du temps.

L'odographe se compose de deux pièces essentielles: d'un cylindre qui tourne avec une vitesse connue, et d'un style qui se déplace parallèlement à la génératrice de ce cylindre, d'une quantité proportionnelle au chemin parcouru.

Quand l'odographe est actionné par la roue d'une voiture, son style avance d'une quantité constante pour chaque tour de roue, c'est-à-dire pour des parcours égaux. Mais si l'on actionne le style par le pas d'un marcheur, le tracé obtenu exprime seulement le nombre des pas effectués en fonction du temps, et si le pas n'a point toujours une même longueur, on obtient des indications inexactes dans l'estimation du chemin parcouru. En effet, l'expérience démontre qu'il suffit d'une légère inclinaison du terrain pour changer la longueur du pas: celui-ci s'allonge dans les montées, et se raccourcit dans les descentes.

Pour avoir une inscription fidèle des espaces parcourus, il faudrait que l'odographe fût actionné à des fractions égales du chemin parcouru, à tous les mètres, à tous les 10 mètres ou à tous les 100 mètres par exemple. J'ai recouru à une disposition qui produit un déplacement d'un millimètre du style de l'odographe pour chaque parcours de 50 mètres; voici dans quelles conditions.

La Station créée à Paris pour les études de physiologie appliquée, renferme une piste circulaire et parfaitement plane de 500 mètres de circonférence. Cette piste est longée par un fil télégraphique soutenu par 10 poteaux écartés l'un de l'autre de 50 mètres. Les fils de ligne pénètrent dans l'intérieur du bâtiment où l'odographe est à poste fixe. Quand un courant traverse la ligne, un électro-aimant tient embrayé un rouage moteur qui, s'il était libre, ferait avancer le style traceur d'un millimètre suivant la génératrice du cylindre. Or, chacun des poteaux de la ligne télégraphique porte une baguette horizontalement placée en travers de la piste sur laquelle on marche. La moindre poussée détourne cette baguette de sa position et laisse le passage libre au marcheur, après quoi la baguette reprend d'elle-même sa position horizontale. Au moment où elle est diviée par le passage du marcheur, la baguette provoque la rupture du courant de la ligne; il en résulte un déclenchement du rouage de l'odographe dont le style avance d'un millimètre. Chaque fois que le marcheur a parcouru 50 mètres, il passe devant un nouveau poteau, en dévie la baguette et provoque une progression du style. Mais comme le cylindre tourne uniformément pendant que le style s'avance d'une manière saccadée, il résulte de ces mouvements composés une ligne dentelée dont chaque dentelure correspond à un parcours de 50 mètres. L'évaluation de l'espace parcouru en fonction du temps sera facile à obtenir en mesurant les chemins sur l'axe des ordonnées, c'est-à-dire en comptant le nombre des dentelures dont chacune exprime 50 mètres parcourus. Les temps se déduisent de la longueur de l'axe des abscisses sur laquelle la portion considérée de la courbe se projette verticalement. La vitesse du cylindre est réglée de façon que chaque minute corresponde à $1/2$ centimètre, soit 0^m 30 pour une heure.

D'après cela, si nous trouvons qu'en une heure il s'est produit 80 déplacements du style, nous en conclurons que la vitesse de marche était 50^m $\times$ 80 = 4000 mètres à l'heure. On obtient de la sorte une expression parfaitement exacte de la vitesse moyenne pendant les marches de longue haleine. Les accélérations, les arrêts, les ralentissements sont indiqués automatiquement et l'on peut, en recueillant les courbes odographiques de divers marcheurs, les comparer entre elles. D'autres fois, c'est le même marcheur qu'il convient de comparer à lui-même en le plaçant dans des conditions diverses de charge à porter, de vêtement, de chaussures, d'alimentation, de fatigue, de température, etc.

L'odographe combiné avec un autre dispositif se prête à mesurer la longueur du pas sous différentes influences.

Un pendule à longueur variable, pouvant battre de 40 à 120 fois par minute, sert à régler le rhythme de la marche. Ce pendule interrompt et ferme, tour à tour, le courant d'un timbre électrique placé au centre de la piste, de manière à être continuellement entendu par le marcheur.

On peut donc commander à volonté un rhythme de marche plus ou moins rapide et mesurer le temps que le marcheur met à parcourir 1000 mètres à des rhythmes lents ou accélérés.

De cette comparaison ressort un premier fait, c'est que si l'on part du rhythme 40 pas à la minute pour aller en augmentant la fréquence des pas de 5 en 5 par minute, dans une série d'expériences successives, on constate que le kilomètre est parcouru en des temps de plus en plus courts tant que l'accélération n'atteint pas 75 par minute; au delà de cette fréquence des pas, plus le rhythme s'accélère, plus il faut de temps pour parcourir un kilomètre. En même temps le marcheur accuse une fatigue excessive et a grand peine à s'empêcher de prendre le pas de course, qui pour un rhythme rapide est comme on l'a dit plus haut, beaucoup plus rapide et beaucoup moins fatigant que la marche.

Dans chacune des expériences précitées, il est aisé, d'après le tracé de l'odographe, de déterminer la longueur du pas moyen, puisque l'on connaît le rhythme de l'allure. En effet, supposons que la marche soit faite au rhythme de 65 doubles pas à la minute et que 1000 mètres aient été parcourus en 9 minutes 22 secondes. Le nombre des pas sera $\left(9 + \dfrac{22}{60}\right) \times 65 = \dfrac{3.6530}{60} = 609$ pas doubles. Or, si mille mètres correspondent à 609 doubles pas, chaque double pas sera de $1^m 67$, et le demi pas, ou intervalle de deux appuis successifs, sera de $0^m 83^c$ en chiffres ronds.

En opérant ainsi sur de longs parcours, et en déterminant la longueur du pas moyen, on constate que jusqu'à une certaine fréquence du rhythme, la loi des frères Weber se vérifie, c'est-à-dire que le pas s'allonge quand le rhythme s'accélère.

TABLEAU.

Nombre de secondes employées à parcourir 1536 mètres 1)	Rhythme ou nombre de doubles pas à la minute.	Nombre des pas dans 500 mètres.	Longueur des pas-double.
$20'30'' = 1230''$ . . .	60	1135 . . .	$1^m 35$
$18'40'' = 1120''$ . . .	65	1120 . . .	$1^m 37$
$16'27'' = 987''$ . . .	70	1062 . . .	$1^m 45$
$14'38'' = 878''$ . . .	75	1013 . . .	$1^m 52$
$13'52'' = 832''$ . . .	80	1024 . . .	$1^m 50$
$13' 3'' = 783''$ . . .	85	1109 . . .	$1^m 40$
$14' 1'' = 841''$ . . .	90	1164 . . .	$1^m 32$

Mais à un certain degré d'accélération du rhythme, le pas se raccourcit. Ainsi, à partir de 75 à la minute, le pas devenant de plus en plus court, sa brièveté fait plus que compenser son accroissement de fréquence et, en définitive, la vitesse diminue. La même méthode et les mêmes appareils permettent d'apprécier quelles sont les conditions qui favorisent ou qui gênent la marche. En commandant un rhythme constant au marcheur, tandis qu'on charge celui-ci de poids graduellement croissants, on voit le pas se raccourcir et l'on détermine à quelle limite de charge on doit s'arrêter pour ne point excéder la force d'un soldat.

En donnant au marcheur des chaussures différentes dont le talon, très bas dans les premières, soit, dans les autres, de hauteurs graduellement croissantes,

---

1) L'expérience a porté sur trois tours de piste; la longueur exacte de chaque tour est de 1512 mètres.

on voit que le pas se raccourcit à mesure que le talon est plus élevé et l'on en déduit que la chaussure du marcheur doit avoir le talon aussi bas que possible.

La longueur de la semelle n'est pas non plus indifférente. En effet, le pied touche le sol par le talon et le quitte par la pointe, il y a donc un déroulement du pied sur le sol et la longueur de cet espace couvert par le pied s'ajoute à l'enjambée proprement dite; cet effet, connu depuis longtemps, doit être étudié soigneusement pour fixer la longueur limite que doit avoir une chaussure afin de donner le plus de vitesse à la marche sans augmenter la fatigue.

Enfin, lorsqu'on soumet un homme à des exercices graduellement croissants, l'odographe est d'un précieux secours, car il montre que l'allure propre au marcheur gagne en vitesse, en même temps que le ralentissement qu'amène la fatigue se produit de plus en plus tard. C'est l'effet qu'on désigne sous le nom d'entraînement.

L'état nouveau dans lequel se trouve un homme accoutumé aux exercices musculaires ne porte pas seulement sur ses muscles locomoteurs. On assiste à une transformation graduelle de ses fonctions organiques, et en particulier, de la respiration et de la circulation.

Le coureur inexpérimenté s'essouffle facilement; mais, après quelque temps d'exercice, la respiration ne s'accélère plus par la course, elle devient seulement plus profonde. C'est donc par une augmentation de sa capacité thoracique que le coureur exercé satisfait au besoin d'une hématose plus active. Cette capacité thoracique peut excéder le double de celle qui existait avant l'entraînement; et, chose remarquable, le sujet qui a acquis cette respiration large et rare conserve ce type respiratoire même au repos; il a donc en tout temps une ventilation pulmonaire supérieure à celle des autres hommes.

Enfin, la circulation elle-même s'harmonise avec cette modification des mouvements respiratoires: les palpitations qui accompagnent l'essoufflement disparaissent peu à peu et la circulation après la course, bien que plus rapide qu'au repos, ne présente plus l'excessive accélération des mouvements du cœur qu'entraînent au début, tous les exercices violents.

Les déterminations que je viens d'indiquer et qu'on peut faire au moyen de l'odographe sont précieuses pour mesurer l'effet utile qu'on obtien tdans la marche quand on se place dans certaines conditions. Mais ce n'est point la mesure du travail effectué. Cette mesure ne peut résulter que de la connaissance parfaite des efforts exercés par le marcheur et des déplacements que ces efforts impriment au centre de gravité du corps.

Dans un acte périodiquement régulier comme la marche, chacun des pas reproduisant les mêmes efforts et les mêmes déplacements, il semble que la mesure du travail soit facile. On a même dit que cette mesure ressort de la simple connaissance du poids du corps et de la hauteur des oscillations verticales que le marcheur exécute à chaque pas. Or, si nous envisageons cette hypothèse, nous trouverons quelque embarras à mesurer le travail effectué.

En effet, dans une oscillation verticale, si le corps pèse 75 kilogrammes, et s'élève à 3 centimètres, il sera dépensé, pour cette élévation, un travail égal à 2$^{kilom.}$ 25 ; ce travail se renouvelant deux fois à chaque double pas, constituera une dépense totale de 225$^{kil.}$ au bout de cent doubles pas.

Mais, d'autre part, dans sa phase descendante, chacune des oscillations de la marche donnera naissance à un travail négatif de valeur égale au travail positif que représente la phase d'élévation.

Si donc on considérait avec certains auteurs que, pour arrêter le mouvement descendant du centre de gravité, les muscles font un travail résistant égal au travail impulsif qui en avait produit l'élévation, il faudrait doubler la valeur du travail effectué et admettre que pour 100 doubles pas il a été produit, tant en travail positif qu'en travail négatif, 450 kilogrammètres. Cette manière d'évaluer le travail semble justifiée par ce fait, que les actes intramusculaires sont les mêmes, soit qu'il faille soulever un fardeau, soit qu'il s'agisse d'en arrêter la chûte, et par cet autre fait, que la fatigue se produit indifféremment, qu'on fasse un travail impulsif ou un travail résistant.

Mais certaines expériences semblent démontrer que cette double dépense de travail n'existe pas réellement et que dans les oscillations alternatives exécutées par notre corps pendant la marche ou la course, une partie du travail dépensé par nos muscles dans la phase d'ascension est emmagasinée dans ces mêmes muscles pendant la phase de descente et sera restituée dans la phase d'ascension prochaine.

Les choses se passent comme dans le rebondissement d'un corps élastique sur un plan horizontal. Le corps tombant d'un lieu élevé rebondit à une hauteur moindre que celle du point de départ, mais si l'on imagine qu'à la fin de chaque rebondissement, il intervienne un léger effort impulsif pour achever d'élever le corps à sa hauteur primitive, on conçoit qu'une série indéfinie d'oscillations puisse être entretenue avec la seule dépense de travail nécessaire pour compenser ce que l'élasticité n'a pas restitué. Le travail dépensé à chaque pas se réduirait à un léger appoint si les muscles restituaient, pour l'élévation du corps, la presque totalité du travail qu'ils ont reçu dans chaque phase d'abaissement.

L'expérience suivante montre que cette restitution du travail existe réellement, mais qu'elle ne se produit pas toujours au même degré.

Effectuons un saut sur place avec toute la force dont nos muscles sont capables; nous élèverons le centre de gravité de notre corps à 0^m 60, par exemple. Quand nous retomberons sur nos pieds, nos muscles se fléchiront pour amortir la chûte, comme on dit, c'est-à-dire qu'ils résisteront en s'allongeant sous l'influence du travail qui leur est communiqué.

Nous nous trouverons alors dans une position accroupie quand notre corps aura achevé son abaissement. Effectuons un nouveau saut comme tout à l'heure, avec toute la force dont nos muscles sont capables, notre centre de gravité s'élèvera cette fois plus haut que dans le premier saut; il y aura donc eu restitution, au profit du second saut, d'une partie du travail dépensé dans le premier.

On a l'habitude de dire qu'un muscle allongé est capable d'effectuer plus de travail que s'il entre en action à partir de sa longueur moyenne. Cela est vrai, pour des raisons qu'il est presque inutile de développer; mais il y a quelque chose de particulier dans l'expérience précitée. En effet, si nous nous plaçons dans une position accroupie identique à celle dont nous sommes partis tout à l'heure pour le ressaut, nous ferons en vain le plus grand effort musculaire, nous n'arriverons pas à nous élever à la même hauteur que dans le ressaut.

En outre, si, après un premier saut, nous restons dans la position accroupie pendant quelques instants, nous perdons l'aptitude à ressauter à une grande hauteur; le travail emmagasiné a donc disparu, en partie ou en totalité. Cette disparition du travail disponible doit faire admettre comme extrêmement probable que ce travail était emmagasiné dans le muscle sous forme de chaleur. Supposons, en effet, que les éléments actifs du muscle aient été portés par leur allongement à une température supérieure à celle du sang, c'est-à-dire du milieu qui les environne, la circulation dans le muscle sera une cause nécessaire de refroidissement de l'organe, et cette chaleur manquera au moment où elle devrait se convertir en travail pour seconder l'action volontaire du muscle dans le second saut.

L'hypothèse de l'emmagasinement du travail sous forme de chaleur dans les muscles n'est, en définitive, que l'attribution à ces tissus vivants d'une propriété générale des corps élastiques. Un gaz comprimé s'échauffe et ne restituera par sa détente la quantité de travail qu'il a emmagasinée que si on ne lui laisse pas le temps de perdre la chaleur libre dégagée par la compression.

Certains corps possèdent à un degré extrême cette propriété de transformer la chaleur en travail et réciproquement.

Le caoutchouc non vulcanisé donne un exemple remarquable de cette transformation.

Prenons un fil de cette substance et soumettons-le à une traction qui le rende cinq ou six fois plus long, ce fil s'échauffe, comme on sait, au moment de l'allongement et se refroidit en revenant à la longueur primitive. Or, cette chaleur libre que nous constatons à la surface du caoutchouc allongé, c'est du travail emmagasiné sous une autre forme; elle est indispensable pour que le caoutchouc revienne sur lui-même et travaille de nouveau.

En effet, laissons au caoutchouc allongé le temps de se refroidir, ou mieux, afin d'aller plus vite, trempons dans l'eau froide ce fil étendu afin de lui enlever la chaleur libre, le fil sera pour ainsi dire figé en allongement et restera indéfiniment sous cette forme nouvelle si nous le maintenons dans un milieu à basse température. A un moment donné, rendons au caoutchouc la chaleur nécessaire, et nous verrons celle-ci se transformer en travail, le fil de caoutchouc se raccourcira en soulevant un certain poids.

En expérimentant sur les muscles de la grenouille, on peut constater qu'il se produit des effets analogues et qu'il s'y fait, tour à tour, des transformations de chaleur en travail et de travail en chaleur.

Plaçons une grenouille sur le myographe et après avoir détruit les centres nerveux et coupé le nerf sciatique, afin de supprimer les mouvements volontaires, exerçons une traction sur le levier au moyen d'un fil. Un obstacle disposé sur le myographe doit arrêter le levier à un point toujours le même et uniformiser ainsi l'extension du muscle dans les expériences successives.

Exerçons une première traction sur le muscle, et relâchons le fil aussitôt; le tracé du myographe montrera que le muscle est revenu complètement à sa longueur primitive. Répétons l'expérience en maintenant la traction pendant une dizaine de secondes; quand le muscle sera relâché il ne reprendra plus tout à fait sa longueur. Si la durée de traction est plus prolongée, le muscle reviendra moins encore à sa longueur primitive.

La supposition la plus vraisemblable est que, pendant l'allongement du muscle, le travail négatif effectué par cet organe a donné naissance à de la chaleur. Cette chaleur est indispensable à produire le retour du muscle à sa longueur première. Or, plus longtemps dure l'extension du muscle, plus cette chaleur se perd et plus le raccourcissement du membre est incomplet quand la traction cesse.

Cette supposition devient encore plus probable quand on voit le muscle longtemps allongé revenir peu à peu à sa longueur primitive si on le réchauffe graduellement, y revenir d'une manière soudaine si on lui fournit brusquement de la chaleur.

On pourrait multiplier les preuves à l'appui de cette théorie de la transformation de chaleur en travail dans le muscle et montrer que la forme même de la secousse musculaire prouve que le muscle est bien le siége d'une production intermittente et d'une déperdition continuelle de chaleur.

Assurément, il faudra beaucoup méditer sur ces faits et instituer bien des expériences avant d'avoir tous les éléments d'une théorie thermodynamique de l'action musculaire, mais dès maintenant, certains points semblent établis.

1o. Un acte musculaire commandé par la volonté produira du travail extérieur ou de la chaleur dans le muscle, suivant que l'effort développé sera ou non capable de surmonter la résistance. La production de chaleur semble amener la fatigue comme le ferait la production d'une certaine quantité de travail; elle constitue donc une consommation inutile d'activité musculaire, puisque le but qu'on se propose est d'effectuer un travail extérieur.

Comme conséquence, tout acte musculaire doit être réglé de manière à surmonter les résistances à vaincre, condition indispensable à son utilisation.

2°. Pendant toute la durée d'un acte musculaire, c'est-à-dire tant que le travail extérieur n'est pas effectué, il existe dans le muscle une certaine quantité de chaleur libre, chaleur que la circulation enlève et répand dans tout l'organisme d'où elle s'échappe peu à peu. Cette chaleur, si elle fut restée dans le muscle, eut été transformée en travail; elle disparaîtra en quantité d'autant plus grande que la circulation aura plus longtemps agi pour l'enlever. Par conséquent, un acte musculaire sera d'autant plus complètement utilisé sous forme de travail, que sa durée sera plus courte.

Soit un poids de 20 kilogs. à élever à 1^m de hauteur, on effectuera avec moins de dépense d'action musculaire les 20 kilog. mètres qui représentent ce travail en l'accomplissant un peu rapidement qu'en agissant d'une manière très lente. Ce principe trouverait de nombreuses applications dans la détermination du rhythme des différents actes musculaires: chacun a éprouvé combien il est fatigant de marcher plus lentement qu' à son allure accoutumée. Mais d'autre part, exécuter des mouvements trop rapides entraîne pour d'autres raisons une dépense exagérée de travail.

3$_0$. Il est certaines résistances qui croîssent plus vite que la vitesse imprimée aux corps déplacés: par exemple celles qu'on éprouve à faire mouvoir ces corps dans l'air ou dans l'eau. Ainsi, une hélice qu'on fait tourner dans l'air, un bateau qu'on hale sur un canal, présentent une certaine résistance pour une certaine vitesse; mais la résistance croîtra comme les nombres 4, 9, 16 etc., si la vitesse est double, triple ou quadruple. On conçoit que l'action intermittente des muscles soit défavorable à ce genre de travail, car si la force motrice, par exemple, n'agit que moitié du temps, il faudra, pour effectuer le même déplacement des mobiles sur lesquels elle agit, qu'elle leur imprime pendant sa phase d'action une vitesse double, afin de compenser les temps d'arrêt. Or cette vitesse double entraîne une dépense de travail quatre fois plus grande. J'ai montré ailleurs I) comment au moyen de certains artifices, la nature économise, en pareil cas, le travail intermittent des muscles en l'emmagasinant dans un tissu élastique, afin que ce travail soit restitué d'une manière plus continue, c'est-à-dire en imprimant au corps à mouvoir une vitesse moyenne entre les brusques déplacements et les arrêts complets. C'est ce qui arrive dans la circulation, où le coeur est secondé dans son travail intermittent par l'élasticité des artères qui uniformise le cours du sang.

Des artifices analogues peuvent avantageusement être employés pour la meilleure utilisation des forces musculaires de l'homme ou des animaux. J'ai obtenu une économie du travail moteur pouvant aller à 23°/₀ en substituant aux traits rigides qui relient le cheval à la voiture des traits extensibles jusqu' à un certain degré. Cet intermédiaire élastique amortit les chocs qui sont, comme on l'a prouvé, une cause de perte de travail; il emmagasine

1) La Machine animale.

une partie de l'effort musculaire, de façon à en accroître la durée et à transformer en un mouvement plus lent, mais continu, une série de déplacements plus ou moins saccadés et intermittents comme la force musculaire qui les engendre.

Cet effet est encore bien plus prononcé quand il s'agit de la traction d'un bateau. La pratique a conduit les mariniers à se servir pour cet usage de cordes très longues et très pesantes. Les chevaux marchent parfois à 100 mètres en avant du bateau et la traction en est d'autant plus facile. Cette disposition n'a pas seulement pour but de rendre moins oblique l'effort de traction et de le diriger sensiblement suivant l'axe du chemin à parcourir, elle produit une économie de travail moteur en diminuant la résistance à vaincre. On peut se convaincre du reste que rien n'est pénible comme de traîner un bateau avec une corde très courte surtout si on le remorque en conduisant soi-même un autre bateau par l'action intermittente des avirons. Mais si la corde est longue, le bateau à remorquer présente incomparablement moins de résistance. Voici ce qui se produit. Chaque effort musculaire a pour premier effet de tendre la corde qui, dans l'intervalle de deux efforts successifs, s'incurve par son propre poids. Mais en cédant à l'action de la pesanteur, la corde exerce une traction sur le bateau remorqué ; elle continue ainsi l'effort moteur dont elle avait emmagasiné une partie pour se tendre. De cette façon, la vitesse uniformisée du bateau est une moyenne entre des progressions rapides suivies de temps d'arrêt. Or, pour un parcours régulier d'un mètre à la seconde, il faut une somme de travail deux fois moindre que pour imprimer à ce bateau une vitesse double pendant une demi seconde suivie d'un temps d'arrêt absolu.

Des organes élastiques placés sur le trajet des traits agissent de la même façon ; ils sont seuls applicables dans la traction des voitures.

Les exemples que je viens de citer montrent que l'étude théorique de la locomotion conduit à des applications pratiques importantes, puisqu'il s'agit d'économiser le travail moteur. Cette économie, dans les machines industrielles, est déjà la préoccupation dominante des ingénieurs, mais elle est bien plus intéressante encore lorsqu'il s'agit d'épargner à l'homme la fatigue physique, l'une des causes les plus habituelles des maladies. A ce titre, les efforts des physiologistes concourent avec ceux des hygiénistes ; nous poursuivons tous le même but : l'amélioration du sort de l'humanité.

Des applaudissements vifs et prolongés et quelques paroles bien choisies du président d'honneur, M. Corfield, témoignent au sympathique conférencier combien l'Assemblée a été heureuse d'avoir eu l'honneur d'admirer une fois de plus son éloquence et son grand talent d'exposition.

La séance est levée.

Après la séance, les deux conférenciers se prêtent à répondre aux questions d'un grand nombre de leurs auditeurs. M. Finkelnburg démontre au moyen de deux excellents microscopes de Charles Zeiss, de Jena, le bacille en virgule du choléra asiatique. M. Marey offre l'occasion de voir de plus près les belles photographies dont il a parlé dans sa conférence; il explique aussi plus amplement son ingénieuse méthode de les faire.

Séance du Mardi, 26 Août 1884.

M. W. H. de Beaufort, président, ouvre la séance.

Il prie M.M. les Membres du Congrès qui ont apporté des travaux de leur pays pour être exposés dans la Salle de lecture, ou pour être distribués, d'adresser une liste de ces travaux au Secrétariat du Congrès. — M. le Dr. Emilio R. Coni, de Buenos-Ayres, a fait don à la Bibliothèque Royale Neerlandaise de toutes les publications de la République Argentine qui sont exposées dans la Salle de lecture du Congrès. Le Gouvernement lui sera sans doute très reconnaissant de ce magnifique cadeau.

L'ouverture de la séance du lendemain sera avancée d'une demi-heure, parce que le programme de la séance est très chargé. — L'ordre du jour des séances des Sections pour le 27 Août est lu et distribué.

M. Edwin Chadwick a envoyé au Secrétariat des copies de son mémoire sur le choléra asiatique adressé aux Inspecteurs sanitaires de la Grande Bretagne. Il a adressé au président du Congrès une lettre au sujet de la très intéressante question traitée dans la Séance générale du 22 Août 1884 par M. le Dr. Jules Rochard. — Sur la proposition du président l'Assemblée décide que cette lettre sera insérée au Compte rendu. — La lettre est ainsi conçue :

Park Cottage. East Sheen Mortlake. S. W. — Aug. 22. 1884.

My dear Sir.

I should be pleased if expression could be given to my regret, that from the pressure of years (now 84) and from want of the aid of a friend, who I expected might have accompanied me and given to me his care, I feel myself unable to attend the congress.

I wish it could be stated from me, that I have examined the expences of lost labour, of excessive sickness and premature mortality amongst the wage classes in England and Wales; they amount to upwards of twenty five millions annually; that these expences in our metropolis amount to more than three quarters of a million, annualy; that capitallised for thirty years, our usual term for the repayment of permanent works, they would amount to thirty millions, or greatly in excess of the primary works of prevention needed. I would urge upon the members of the congress: that if they would examine the expences of excessive sickness, premature mortality and lost labour in their respective states — which are for the most part more heavily death-rated than England is, — they would find that the expences are similar and greater, and that we may sink all about pain and misery and go in for improved administration simply and exclusively for the saving of money.

I am complaining that our own army sanitary organisation requires to be strengthened; but as it is, the saving in India by sanitation during the last decade as compared with the old death-rates and sickness-rates has been upwards of forty thousand of force and more than five million sterling in money. But Germany is in advance of us and of most others, in the application of sanitary science to the saving of force. It has got its death-rate reduced to 5 in a thousand whilst ours lays at 8, in a thousand; France at 10, Austria and Italy at 11. Germany for its million eight hundred of force, is by sanitation now saving about eighteen thousand lives a year, as against its older death-rates, or more than enough in two years to save all the loss she incurred during the franco-german war. But whilst there is this saving by sanitation in the army, there is none, to be yet perceived for the civil population, where the death-rate is heavier than ours, 27 per 1000 against 21. Now what we have to ask is, that the saving of life in the military service shall be effected as it may be for the civil population, by an increased and strengthened administrative organisation.

I have forwarded to your Secretary copies of my address on cholera to our sanitary Inspectors, to which I would solicit your attention, particularly to washing as a factor in incubation.

I have also sent copies of other papers to those interested in these topics.

With every wish for the success of your congress believe
me to be your devoted servant
Edwin Chadwick.

Le président invite M. le Dr. A. Corradi, de Pavie, à occuper le fauteuil de la présidence.

M. Corradi accepte et donne la parole à M. le Dr. W. H. Corfield, Professeur d'Hygiène au collège de l'Université de Londres, qui a choisi comme sujet de sa conférence: „la science ennemie de la maladie."

M. Corfield fait observer qu'il a préparé un discours populaire, pensant que les séances des Sections du Congrès étaient destinées à la discussion de questions techniques, et les séances générales à des conférences publiques.

134

„La science ennemie de la maladie."

Lors même que la science de l'hygiène ou la Science des causes des maladies ne soit qu'une science d'hier, l'art de prévenir la maladie dans le but du prolongement général de la vie a été pratiqué depuis les époques les plus reculées.

Les Egyptiens de l'antiquité étaient incontestablement une des races les plus remarquables qui aient jamais paru sur la terre. C'est de ce peuple que directement ou indirectement les nations de l'occident ont tiré les éléments de leur science de quelque nature qu'elle soit et heureusement nous possédons des connaissances fort exactes quant à l'étendue de leur savoir dans cet art de la prévention de la maladie. Des connaissances qui nous arrivent par les écrits de Moïse, le grand législateur des Juifs, qui était, comme on le sait, „savant dans toute la science des Egyptiens".

Les livres de Moïse se composent en grande partie, comme nous pouvons maintenant le voir, de règlements hygiéniques — formant donc un sommaire des connaissances qui avaient été acquises pendant des siècles d'étude et d'expérience par ce peuple remarquable, et qui furent rapportées par le législateur Juif non pas seulement pour le bien du peuple dont il formula la loi, mais aussi pour le bien de tous les peuples à toutes les époques.

Lorsque l'on se met en devoir d'examiner les coutumes hygiéniques des anciens Egyptiens comme elles se trouvent dans les livres de Moïse, on est stupéfié par leur savoir faire et par l'étendue de leurs connaissances. Les animaux par exemple étaient ou „propres" ou „malpropres", „clean" ou „unclean", selon que leur chair était saine ou malsaine comme nourriture. Il y a sans doute beaucoup de choses dans cette classification qui peuvent nous sembler bizarres et capricieuses, mais il y a pourtant une chose que la science moderne nous démontre comme étant parfaitement juste: j'entends la condamnation de la chair de porc comme nourriture humaine.

Même dans nos climats tempérés, le cochon se nourrit d'une façon malpropre, et sa chair est plus exposée à être infectée par des parasites, que celle des autres animaux domestiques qui servent de nourriture à l'homme; mais quiconque a vu et remarqué les habitudes des porcs dans les pays de l'Orient et du Midi, ne peut douter de la sagesse de cette coutume des anciens Egyptiens (selon les écrits de Moïse) de ne jamais faire servir la chair de porc à la nourriture humaine.

Songez à la défence de mariage entre proches parents et aux tables de degrés d'affinité formulées par Moïse. Les lois sur ce sujet ont été les guides pour tous les peuples civilisés jusqu'à nos jours et sont actuellement les règlements de toute communauté civilisée.

Ces sages lois avaient donc pour tendance l'empêchement du développement des maladies héréditaires par le seul moyen qui peut les empêcher de se développer. Pouvons nous croire qu'elles résultaient d'une heureuse chance ou qu'elles fussent développées par l'intelligence de quelque grand penseur de l'antiquité? Ne nous faut-il pas plutôt croire qu'elles résultaient de l'expérience de ce peuple éclairé, pendant des siècles; de ce peuple qui, comme je viens de le dire, a donné aux nations de l'Occident les germes de toute leur science.

Je pourrais vous citer plusieurs autres règlements salutaires qui sont formulés dans les mêmes volumes, mais c'est à peine nécessaire — sans nul doute vous devez vous en souvenir. Cependant, je ferai allusion à un fait de plus à cet égard: celui qui est de tous peut-être le plus remarquable — à savoir la coutume des anciens Egyptiens pour empêcher le développement d'une maladie contagieuse, la Lèpre: — et quoique il n'y ait nul doute que plusieurs maladies étaient réunies sous ce titre, on ne peut non plus douter que l'une de ces maladies de quelque nature qu'elle ait été, ne fût facilement transmissible d'une personne à une autre.

La Lèpre, comme nous la connaissons de nos jours, n'est pas une maladie contagieuse dans ce sens. — C'est une maladie héréditaire. Mais au moins une des maladies décrites par ces anciens écrivains était une fièvre contagieuse. On a cru que c'était la petite vérole, d'autres ont cru que c'était la rougeole, mais sa véritable nature nous importe peu. C'était éminemment une maladie contagieuse. Quels étaient donc les moyens que l'on employait pour empêcher son développement? En premier lieu l'Isolement, une précaution que nous autres dans l'Europe occidentale nous ne faisons que commencer à reconnaître comme la plus importante..

Et non pas seulement isolait-on les cas de maladie indubitables, mais on insistait aussi pour l'isolement des cas douteux, ce qui est une coutume hygiénique que nous n'adoptons plus que dans les cas de maladies contagieuses chez les animaux.

On conduisait le lépreux supposé chez le prêtre — remarquez que parmi tous les peuples de l'antiquité, comme parmi les sauvages de nos jours, le savoir de tout genre était concentré dans un seul individu. Le prêtre et le "medicine man" (le médecin), le guérisseur des âmes et le guérisseur des corps, ne faisaient qu'un.

On conduisait donc le lépreux douteux chez le prêtre: si le diagnostique démontrait indubitablement la lèpre, on isolait immédiatement la personne atteinte, mais si c'était un cas douteux, ou si l'on ne pouvait dire définitivement que ce n'était pas en effet la lèpre, on isolait toujours le malade.

Il était reconnu que la contagion de cette maladie pouvait se transmettre par les vêtements, et on faisait donc désinfecter les vêtements des malades; on les désinfectait par le meilleur moyen connu a cette époque — le meilleur moyen que nous connaissions maintenant — le meilleur moyen que l'on connaîtra jamais: on les brûlait. Il ne peut y avoir de moyen plus certain que celui-là pour détruire le poison des maladies contagieuses.

On prenait des précautions diverses dont je ne vous ferai pas le détail, après avoir isolé le malade, pour le purifier avant de lui permettre le contact des personnes en bonne santé. Mais je dois attirer votre attention sur les moyens prescrits, pour purifier la maison où avait vécu le malade; on devait faire gratter les murs et faire jeter la poussière dans un endroit désigné — „the unclean place" — l'endroit ou le lieu malpropre ou malsain. Les pierres où existait la peste — à savoir sans doute les pierres ou les parties des murs qui étaient souillés ou tachées, étaient arrachées et étaient jetées dans „l'endroit malpropre": on prenait d'autres pierres et d'autre mortier, et la maison était blanchie à neuf. Ces moyens de désinfection correspondent en quelque sorte aux moyens dont on se sert aujourd'hui en pareils cas, et qui consistent à arracher et à brûler la tapisserie des murs dans les maisons infectées — mais ils sont décidément plus complets. Quelquefois après que ces précautions avaient été prises, la maladie éclatait de nouveau dans la même maison et dans ce cas la maison était abattue et l'on jetait aux ordures ses pierres et son bois et tous ses débris. Ceci rappelle l'état des hôpitaux dans lesquels la gangrène et l'erysipèle sont invétérés au point qu' aucun nettoyage ne peut les purifier et que l'on a dû abattre jusqu'aux fondements

Ces règlements pour empêcher le développement des maladies contagieuses sont incontestablement si complets, qu'en faisant la seule exception de l'usage de puissants désinfectants chimiques — qui étaient inconnus aux anciens Egyptiens, — l'Hygiéniste le plus expérimenté de nos jours ne pourrait y faire la moindre amélioration.

La propreté, nous dit-on, s'approche de la piété (Cleanliness is next to Godliness) et il me faut signaler la prescription pour le nettoyage périodique des habitations. Cette coutume, plus peut-être que n'importe quelle autre, à contribué pendant le moyen-âge a l'immunité remarquable dont jouissaient les Juifs, de toutes les pestes qui ravageaient alors le monde.

Parmi les nations occidentales, celle qui dans le temps le plus court qui soit connu dans l'histoire du monde, passa par toutes les expériences et s'éleva de l'état sauvage jusqu'à la plus haute civilisation que l'histoire de l'humanité nous présente — je fais allusion, il va sans dire, aux anciens Grecs — cette nation nous a laissé des écrits qui ont été pour les âges suivants des guides non pas seulement pour les moyens de guérir, mais aussi pour les moyens de prévenir les maladies. — Homère raconte, qu' Esculape avait le pouvoir de rappeler les hommes à la vie, et qu'il l'a fait à un tel point que Pluton, craignant que son royaume ne fût dépeuplé, demanda l'intervention de Jupiter, qui tua le grand guérisseur par la foudre. Il devint un Dieu et son nom est donné à la postérité comme celui du Dieu de la guérison. Il est démontré, qu'il était le Dieu de la médecine hygiénique, comme il l'était de la médecine curative, puisque la déesse Hygieia était une de ses filles. Sans doute elle n'était pas la moins belle. Ses descendants étaient une race de prêtres-médecins que l'on appelait les Asclépiades.

Ceux-ci avaient fait serment de ne jamais révéler au vulgaire les mystères de leur profession — et le 17ième descendant en ligne directe d'Esculape, était le grand Hippocrate intitulé avec justice le Père de la médecine, et avec au moins autant de justice le père de l'hygiène en Europe. Dans sa description des règles qui doivent guider l'éducation de l'habile médecin, voici ce qu'il dit : „Lorsque pour étendre son savoir et son expérience, il se rendra dans les pays et dans les villes étrangères, conseillez-lui d'observer avec soin la situation de l'endroit, la poussière de l'air, les eaux que l'on boit, et la nourriture principale des habitants, en un mot toutes les causes qui peuvent occasionner le désordre dans l'économie animale; vous lui montrerez de même, par quels premiers signes on peut reconnaître les maladies, par quel régime elles peuvent être évitées et par quels remèdes on peut les guérir.

Hippocrate s'est occupé de l'importance de l'influence des climats sur la constitution de l'individu, de l'influence de l'âge dans le développement de la maladie, de l'importance du régime alimentaire dans l'état de santé, comme dans l'état malade — le traitement hygiénique était pour ainsi dire la spécialité de ce grand homme — le père de la médecine. La seule mention de ses traités est suffisante pour démontrer l'importance qu'il attachait aux moyens d'empêcher les maladies — mais je ne ferai mention que d'un seul : cet ouvrage d'Hippocrate si justement célèbre : Les Airs, les Eaux et les Endroits". Il serait impossible de trouver en nos jours un titre meilleur et plus précis pour une oeuvre d'hygiène.

Hippocrate était incontestablement le vrai fondateur de la médecine rationnelle, ou hygiénique, ou curative, mais dans l'école Alexandrienne — dont une des plus grandes lumières était Herophil qui divisait la médecine en trois classes : la diététique, ou comme nous le dirons : l'hygiène, la médecine et la chirurgie, en mettant l'hygiène, comme il la connaissait, à la première place, — on promulgait de nouvelles théories, et l'Empirisme soulevait la tête en opposition directe à l'étude rationnelle de la médecine. Le „Rationnalisme" soutenait que l'étude des phenomènes se produisant dans le corps et des effets des medicaments était nécessaire pour comprendre les phénomènes d'un corps malade. Les Empiriques soutenaient au contraire que de telles études n'étaient ni possibles, ni nécessaires, et jusqu'à ce jour ils ont des disciples. Dans l'école Romaine, Celsus „mirabilis in omnibus", l'habile observateur qui le premier a signalé les „idiosyncrasies", suivait la méthode d'Hippocrate et a légué son savoir aux siècles dans le magnifique ouvrage „de re Medica" que l'on étudie encore, et avec raison, dans nos écoles médicales; et le grand Galen de Pergame — qui devint plus tard médecin du Gymnase à Rome et dont les traités volumineux ont dominé le monde médical par une influence incontestée pendant 13 ou 14 siècles, à un tel point même qu'au milieu du seizième siècle le „Collège Royal de médecine" (Royal College of Physicians) de Londres insista sur une rétraction de la part d'un de ses membres

qui avait sur un certain point disputé l'autorité de Galen. — Le grand
Galen était aussi un digne disciple d'Hippocrate. Et s'il ne nous avait
rien donné d'autre, son nom aurait été perpétué à jamais par sa découverte
que toutes les personnes saines ne sont pas semblables quant à la prédisposition
à la maladie et qu'elles pourraient bien être classifiées selon leur tempérament.

Je ne dois pas seulement parler des écrits des anciens Romains — je dois
aussi mentionner les grands travaux qu'ils ont fait exécuter pour fournir
de l'eau pure à leurs villes et pour se débarrasser des eaux impures : je dois
le faire d'autant plus que j'ai eu des occasions d'étudier ces travaux dans
l'Italie méridionale, dans le midi de la France, et dans le nord de l'Afrique.

L'eau était amenée à Rome de fort loin au moyen d'Aqueducs, et il existe
heureusement une description très exacte de ces aqueducs et de tous les détails
qui les concernent, dans l'admirable ouvrage de Frontinus, l'inpecteur des
aqueducs. Ce petit ouvrage est en vérité un modèle de ce que doit être une
oeuvre de ce genre. En l'étudiant on peut facilement comprendre la méthode
employée pour fournir de l'eau à l'ancienne ville de Rome ou à une ville moderne
quelconque. A l'époque de Frontinus l'eau arrivait à Rome par neuf grands
aqueducs et il a été calculé que la quantité d'eau ainsi amenée dans la ville,
était équivalente à dix fois celle que reçoivent les habitants de Londres de nos jours
par tête. Quelques uns de ces aqueducs existent encore, ayant été réparés de temps
en temps par les différents gouvernements de Rome, et à l'heure qu'il est, par
le seul fait que les anciens Romains étaient si bien versés dans la pratique
du génie civil, Rome est la ville de l'Europe la mieux pourvue d'eau.

Un exemple plus remarquable encore d'habileté dans ce genre de travaux
se trouve dans les aqueducs de la ville de Lugudunum (Lyon), la capitale de
la Gaule méridionale. C'était une des villes favorisées des Empereurs Romains
qui avaient des palais sur le sommet de la colline sur laquelle elle se trouve
(Fourvières); l'empereur Claude — qui y était né — en était particulièrement
épris. Il était nécessaire de fournir de l'eau à ces palais ; dans ce but il fallait la
faire venir d'une grande hauteur et de fort loin et il fallait encore que les
aqueducs traversassent de larges et profondes vallées. Quelques ingénieurs
modernes qui n'ont fait que visiter quelques uns des aqueducs Romains, ont
affirmé que les ingénieurs Romains ignoraient les principes de l'hydraulique
— puisqu'ils ne s'étaient point servis de siphons renversés à Rome.

C'étaient des ingénieurs beaucoup trop habiles pour faire une chose aussi
sotte que de construire un siphon renversé de 50 ou 60 kilomètres de long,
alors qu'ils pouvaient si facilement soutenir le canal de l'aqueduc sur des arches.

Mais à Lugudunum où il fallait traverser de profondes vallées, l'eau était
conduite dans un réservoir d'un côté de la vallée, et ensuite au moyen de
sept, huit ou neuf tuyaux de plomb elle descendait la côte, traversait le cours
d'eau au fond de la vallée par un pont d'aqueduc et remontait la côte opposée
jusque dans un autre réservoir et de là l'aqueduc continuait.

Si j'avais le temps de faire une description des détails connus de cette construction, vous comprendriez que les ingénieurs Romains connaissaient parfaitement d'autres principes de la science hydraulique, que ce seul principe fondamental que l'eau trouve son propre niveau. Plusieurs autres villes de l'Italie et de la Gaule et de la côte septentrionale de l'Afrique étaient pourvues d'eau au moyen d'aqueducs: de la puissante Carthage, par exemple, on ne voit plus rien de nos jours que les grands réservoirs construits par les Romains, et les restes de l'Aqueduc gigantesque qui leur amenait l'eau. — Mais les Romains ne savaient pas seulement faire des travaux pour conduire l'eau, mais bien aussi des travaux de drainage. Le terrain qui entourait le Forum à Rome étant marécageux et malsain, Tarquinius Priscus décida qu'on le ferait drainer. Ce drainage se fit dans le Tibre au moyen d'une magnifique construction, en blocs de travertin recouverts d'une voûte. Ces blocs n'etaient point cimentés; ils étaient posés à sec (laid dry) de sorte que l'eau du sol pouvait passer dans ce grand conduit et ce dernier, comme je l'ai déjà fait remarquer, se déchargeait dans le Tibre — la rivière étant en effet l'endroit où doit s'écouler le surplus des eaux du sol.

Mais bientôt les Romains découvrirent que ce grand écouloir était un endroit très commode pour l'écoulement de toutes sortes d'immondices; de sorte qu'il fut converti en un égout, la „Cloaca Maxima", laquelle jusqu'à nos jours ne draine non pas seulement les terrains qui entourent le Forum, mais décharge dans la rivière les immondices d'une grande partie de Rome. C'est un prototype de ce qui est arrivé de nos propres jours.

Les écouloirs perméables qui ont été construits pour emporter le surplus des eaux du sol, ainsi que l'eau de la surface, et qui se déchargent convenablement dans la rivière, ont été convertis en égouts — usage pour lequel ils n'ont point été construits et pour lequel ils ne sont point conforme, de sorte que les immondices des égouts se déchargent dans les rivières et l'eau en devient contaminé.

Cet état de choses continue de mal en pis et le seul remède c'est de se servir de ces écouloirs pour l'assèchement du sol seulement, leur but original, et de faire emporter les immondices de la population par des égouts séparés qui n'ont aucune union avec les rivières, dans des endroits convenables ou ces matières peuvent être purifiées d'une manière satisfaisante.

Nous arrivons au moyen-âge. Pendant sa durée le savoir ne fut pas seulement retardé, mais fut presque éteint. Les oeuvres d'Hippocrate, de Celsus, de Galen et même celles de Moïse étaient écrites dans des langues que le peuple ne pouvait comprendre et de plus étaient soigneusement cachées par ceux qui auraient dû les interpréter. L'ignorance et la superstition prévalaient dans toute l'Europe et les seules écoles où le savoir se trouvait conservé et jusqu'à un certain point avancé, c'étaient les écoles Arabes de Bagdad, de

Cordova et de Dschondisabour. Dans ces endroits heureusement on pouvait étudier des traductions des oeuvres d'Hippocrate et de Galen. Le seul endroit dans l'Europe chrétienne qui offrait une exception partielle à l'assombrissement général, c'était l'école de Salerne où prévalait un mélange de superstition et de Science et d'où émanait le bizarre traité dont on a publié tant d'éditions, le „Regimen Sanitatis Salerni".

Ce fut le résultat de cette éclipse presque totale du savoir hygiénique, que le moyen-âge fut non seulement l'âge de l'ignorance et de la superstition, mais aussi l'époque de la maladie: des pestes comme le monde n'en avait jamais vues avant et n'en a jamais vues depuis — ont plus que décimé les populations et ont prouvé incontestablement que l'ignorance est l'amie de la maladie. Pendant ce temps Hippocrate, Galen et Celsus furent oubliés, et les oeuvres de Moïse, contenues pourtant dans un livre qui était sensé être le guide de la vie Chrétienne, — puis qu'ils étaient cachés dans une langue incomprise par le peuple —, étaient aussi complètement inconnues et délaissées que l'étaient les oeuvres d'Hippocrate et de Galen. La malpropreté était suprême, les villes étaient construites en rues étroites, les maisons n'étaient jamais nettoyées. Sur les planchers les couches de saleté s'accumulaient sous les roseaux que l'on y entassait; on jetait des ordures de toute espèce dans les rues dont le nettoyage était inconnu. Peut-on donc s'étonner que la terrible „mort noire" („Black Death") se montra au 14e siècle et passa sur toute l'Europe? En Angleterre elle tua les neuf-dixièmes des habitants; un dixième seulement resta donc pour nous en donner l'histoire; et quoique nous puissions être disposés à considérer ceci comme jusqu'à un certain point exagéré, nous n'avons qu'à jeter les yeux sur le nombre d'habitants de tués dans les villes, dont nous connaissons approximativement la population à cette époque, pour comprendre que l'exagération, s'il y en a, n'est pas très grande. La „mort noire" du 14e siècle a reparu dans les siècles suivants, et était toujours rattachée à l'ordure et à la malpropreté. La dernière fois qu'elle se montra à Londres, ce fut dans l'année 1665. Elle y tua de 70 000 à 80 000 personnes. C'est depuis cet évènement que l'on commença un enrégistrement systématique des morts. Je dois vous signaler que c'est l'année suivante — c'est-à-dire en 1666 — qu' eut lieu le grand incendie de Londres, par lequel 70 sur 97 paroisses furent ravagées et 13000 de ses habitations infectes furent complètement détruites. La ville fut presque entièrement reconstruite et la peste ne s'y est plus jamais remontrée.

Mais la Peste ne fut pas la seule maladie qui se faisait craindre pendant la moyen-âge. La „Maladie Suante" („the Sweating Sickness"), une maladie terrible, dont nous possédons une description exacte dans l'oeuvre du Dr. John Caius — une maladie qui attaquait surtout les Anglais — avait pendant un temps une étendue et un développement formidables. Le Typhus ou „La fièvre des Prisons" („Jail-fever"), le Scorbut, La Dysentérie, La

Petite Vérole, la Scarlatine, le Choléra, etc., régnaient toutes, et par le fait que leurs causes étaient inconnues, sont restées jusqu'à nos jours.

Les époques de l'ignorance étaient donc les époques de la maladie, et les maladies que nous avons vaincues, nous les avons vaincues en nous remettant dans la voie d'Hippocrate, en observant la nature, en étudiant les causes des maladies et généralement en cherchant le savoir et la vérité. Ce nouveau mouvement commença au 17e siècle, qui vit l'Anatomie étudiée scientifiquement et avancée par les travaux de Vésalius, Eustachius, Fallopius, Harvey, Malpighi, Glisson, Sylvius, Willis et d'autres encore, dont les noms ont été perpétués d'une manière parfaitement digne en les appliquant à diverses parties du corps humain. La Chimie dont le flambeau allumé en Egypte et entretenu par les Alchymistes Arabes prend place parmi les sciences et donne de l'exactitude à l'étude des phénomènes vitaux, choses dont nous voyons tous les jours de plus en plus l'importance. La Physiologie — étude de la vie saine — et la Pathologie — étude de la vie malade — furent peu à peu élevées au rang de sciences, de sorte que l'hygiène, l'étude des causes des maladies — des manières par lesquelles nous passons de l'état physiologique ou sain à l'état pathologique ou malade — devient possible comme Science et n'est plus seulement l'art par lequel on empêche les maladies, mais la science qui nous enseigne à étudier leur causes.

Quels résultats en a-t-on obtenu?

A-t-on pu par une connaissance plus étendue des causes des maladies empêcher leur développement, prolonger la vie humaine, diminuer la mortalité chez les populations des pays civilisés?

Q'est devenu le Scorbut, cette maladie qui décimait nos armées et nos marines, qui existait à un tel point parmi les marins qu'aucun bâtiment ne pouvait tenir la mer pendant plus de quelques mois sans réparer continuellement les pertes qui se faisaient à cause de ce mal terrible? Grâce à la simple observation, faite par le Capitaine Cook et non pas seulement par lui, mais aussi par d'autres officiers distingués, que des légumes en quantité suffisante devaient former une partie nécessaire de la nourriture de l'homme, cette maladie a été exterminée — pour ne reparaître seulement que lorsque les Capitaines de vaisseau faisant des expéditions ardues dans des pays lointains et sous des climats inhospitaliers, donnaient du Rhum à leurs hommes au lieu de jus de Limon.

Pendant le siècle dernier, pendant l'avant-dernier, le typhus était une maladie qui existait à un degré terrible dans les grandes villes. Il existait surtout dans les institutions publiques et les prisons en étaient tellement infectées qu'il était connu parmi le peuple sous le nom de „fièvre des prisons" (Jail fever). C'était une maladie tellement virulente, qu'il arriva plus d'une fois en Angleterre que les prisonniers que l'on amenait dans les cours de justice toujours encombrés de monde, infectaient les personnes qui s'y trouvaient, les membres du Jury, et même les Juges, et que l'on était obligé de faire fermer la cour. Grâce à la connaissance du fait qui fut d'abord démontré d'une manière pratique par le philanthrope John Howard, que cette maladie se montre seulement dans les endroits encombrés de monde, il nous est maintenant possible, en abolissant ces encombrements, d'ecraser la maladie, et le typhus est maintenant à peu près une maladie du passé — car non seulement est-ce une maladie appartenant essentiellement aux endroits où il y a un excès de monde, mais quoique extrêmement contagieux, il ne peut se communiquer dans les endroits où la foule n'existe pas, quoiqu'il y soit introduit. Bien des fois j'ai vu des cas de cette maladie introduits dans des habitations où l'encombrement n'existait pas, mais, dans aucun cas, dans de telles circonstances ai-je vu d'autres personnes atteintes du mal.

La fièvre typhoïde ("Enteric fever") jusqu'en 1840 était confondu avec le typhus — et il était par conséquent impossible de prendre les mesures nécessaires pour empêcher son développement.

A l'heure qu'il est, cependant, on sait que ces deux maladies sont parfaitement distinctes et que les circonstances qui favorisent le développement de la typhoïde diffèrent entièrement de celles qui favorisent le développement du typhus : tandis que le poison du Typhus est communiqué d'une personne à une autre, par l'intermédiaire de l'air respiré, on sait que celui de la typhoïde est communiqué par la nourriture ou par la boisson et ne l'est qu'exceptionnellement par l'intermédiaire de l'air. Les recherches très nombreuses qui ont été faites pendant les dernières années à l'égard du développement de la typhoïde ont démontré que le poison qui est rejeté par le canal intestinal d'une personne atteinte de la maladie arrive directement dans les eaux des puits à travers le sol qui les entoure ; ou bien ce poison se trouvant porté dans les égouts est communiqué à l'eau par l'air qui s'élève jusque dans les citernes par les tuyaux d'écoulement qui sont en communication avec les égouts ; et nous pouvons donc maintenant empêcher le développement de cette maladie en supprimant toute communication possible entre l'eau de boisson et les égouts d'une maison, et en insistant pour l'enlèvement immédiat de toute ordure excrémentitielle hors de toute habitation. Il a été clairement démontré, que lorsque dans les villes on a, par n'importe quelles moyens, fait accélérer l'enlèvement des matières excrémentitielles du voisinage des habitations, la mortalité dûe à la Typhoïde a été diminuée.

De très hautes autorités ont promulgué la théorie que le poison de cette maladie est engendré dans les accumulations d'ordures excrémentitielles, et on l'a même intitulée Fièvre Pythogénique ou "Fièvre d'ordure". Il est démontré que cette idée est erronée par le fait que la maison ou la ville en question peut être pendant un nombre d'années quelconques dans un état favorable pour la propagation du poison de cette maladie, sans qu'un seul cas de la maladie n'y paraisse. Mais de l'autre côté, si un cas de cette maladie est introduit de l'extérieur dans cette maison ou dans cette ville, la maladie se développera et s'étendra comme un incendie, ce qui démontre bien que les conditions favorables à sa propagation sont présentes. La Diarrhée est une maladie qui est produite en buvant de l'eau contaminée par des matières excrémentitielles, mais la Typhoïde n'est pas ainsi produite, à moins que le poison dérivé d'un cas précédent de la maladie ne soit présent. Quoique cette maladie soit parmi les fièvres transmissibles celle qui a été le plus récemment identifiée, l'on connaît à l'heure qu'il est les conditions qui favorisent son développement, avec tant d'exactitude que l'on peut la prévenir plus sûrement qu'aucune autre maladie de son espèce — avec la seule exception peut-être du Typhus.

Incontestablement, la plus terrible des fièvres transmissibles c'est La petite Vérole, une maladie qui s'étend et se développe sans aucune condition spéciale semblable à celles qui appartiennent au Typhus ou à la Typhoïde, mais qui semble indifférente à toutes les conditions externes, qui attaque le riche et le pauvre, les jeunes et les vieux, les gens propres et les gens malpropres — une maladie qui pendant les siècles précédents tuait un cinquième de ceux qu'elle atteignait, et dans la forme la plus mauvaise la moitié — qui a été la cause de la moitié au trois quarts des cas de cécité en Europe — qui dans de certaines années a causé la moitié des morts d'enfants au dessous de 5 ans, qui défigurait ceux qu'elle n'aveuglissait ou ne tuait pas, à un tel degré, que — à très peu près — toute la population était marquée, et que toute femme qui n'était pas ainsi marquée, était une beauté — une maladie enfin qui existait tellement universellement, qu'il ne valait pas la peine d'attendre qu'on en soit atteint, mais qu'il valait mieux être inoculé par son poison et en avoir fini une fois pour toutes. Le fait que la coutume de l'inoculation, née dans les Pays Orientaux et introduite en Europe pendant le siècle dernier, devint tellement universelle parmi toutes les classes sociales jusqu'aux familles Royales, est un fait dont on ne se souvient pas suffisamment de nos jours. C'est un fait qui démontre que cette maladie était tellement universelle qu'il valait mieux être inoculé par le poison tout de suite et prendre la maladie dans la forme modérée qui se produisait ainsi, que de courir le risque, qui arrivait presqu' à la certitude, de la prendre dans sa forme plus sévère à quelque autre époque. La magnifique découverte de la vaccination, par laquelle le virus atténué par le passage dans le corps d'un autre animal est introduit dans le sujet humain et produit une maladie adoucie qui ne retient qu'une seule des propriétés de la maladie originale, c'est à dire de la petite vérole — la propriété de protéger l'individu contre une nouvelle attaque de petite vérole, — la vaccination, dis-je, a donné à tout le monde le moyen de se protéger contre cette maladie affreuse, et cette maladie loin d'être, comme elle l'a été, la plus terrible de toutes les fièvres transmissibles, tue un plus petit nombre de personnes qu'aucune de ces maladies, avec la seule exception peut-être de la Diphthérie ; et dans les pays où l'on ne pratique pas seulement la vaccination des enfants, mais aussi la révaccination des adultes, cette maladie a été presqu' entièrement extirpée. Il est inutile d'occuper votre temps en vous signalant les faits statistiques qui prouvent ce point — ils vous sont parfaitement connus. A l'égard de ceux qui maintiennent qu'il n'a pas été démontré que la vaccination est capable d'empêcher la petite vérole, et même qui vont jusqu'à l'affirmation que la vaccination augmente cette maladie, je me bornerai tout simplement à dire que ce sont ou bien des personnes qui ignorent complètement les faits, ou bien des personnes qui sont entièrement incapables d'apprécier la force d'un argument inductif. Il faut toujours se souvenir qu'à l'heure qu'il est, il y a énormément de gens qui quoiqu'ils aient reçu une bonne éducation à d'autres égards, n'ont point reçu une véritable éducation scientifique ; ils peuvent saisir les procédés de déduction, mais leurs esprits sont complètement incapables d'apprécier la puissance de la méthode inductive, et pour cette raison il faut malheureusement les laisser dans leur ignorance ; mais ceci ne doit pas nous empêcher d'user de tous nos efforts pour mettre la vérité devant les yeux du public. La méthode de prévention des maladies contagieuses par l'inoculation d'un virus atténué n'a point réussi pour aucune autre maladie humaine, et il nous est permis d'espérer qu'en tous cas il existe peu d'autres maladies assez universellement distribuées pour qu'il soit désirable de faire l'application d'aucune méthode pareille ; mais par les recherches remarquables du grand chimiste Français M. Pasteur, l'application de ces méthodes de prévention à plusieurs maladies transmissibles parmi les animaux inférieurs semble pouvoir donner les résultats les plus heureux.

Les maladies produites dans les pays marécageux sont la cause d'une affreuse mortalité dans toutes les parties du monde ; à peu près les deux tiers des morts parmi les Européens dans les pays des tropiques sont produits par ces maladies. Il est connu que ces maladies peuvent être extirpées par le drainage et la culture de ces contrées et que les conditions favorables à leur propagation peuvent être produites par la négligence de ces opérations. L'exemple le plus remarquable de ce fait se trouve peut-être dans le cas de la grande plaine de Catane, au sud du mont Etna en Sicile. Dans l'antiquité cette plaine était l'exemple de tout ce qui peut être fertile et florissant — c'était là que selon le poète Cérès enseignait l'agriculture à l'homme et que le blé poussait à l'état sauvage. Qu'est-elle maintenant, cette plaine ? et qu'a-t-elle été pendant les siècles ? Par la négligence du drainage et de la culture, elle est maintenant un des marais les plus pestilentiels du midi de l'Europe, fournissant aux Hôpitaux des villes d'alentour les cas les plus invétérés des résultats terribles, produits par les maladies des marais. Le revers de la médaille peut être étudié dans la plupart des pays Européens et surtout en Italie. Partout où l'on fait le drainage et la culture du sol, les fièvres marécageuses disparaissent de sorte que, encore pour les maladies de cette nature le savoir nous permet de les vaincre.

Chez les enfants il n'existe point de maladie plus terrible par ses effets et demandant une attention plus sérieuse de la part des hygiénistes que le Rachitisme.

Quelles sont donc les causes de cette maladie? Je répondrai à la question en citant quelques mots mémorables de Sir Wm. Jenner dans son discours comme président de la Société Epidémiologique de Londres.

„Je placerai la première parmi les maladies qui sont susceptibles de prévention, celle, dont la mortalité — à Londres du moins — est si grande, qu' incontestablement le degré de mortalité chez les enfants au-dessous de deux ans en est beaucoup augmenté. J'entends le Rachitisme, la maladie Anglaise comme on l'appelait autrefois. — Il n'y a pas un seul enfant qui devrait mourir par le rachitisme seul; une mort par les conséquences de cette maladie devrait être extrêmement rare, et cependant la mortalité causée par le rachitisme et par les maladies qui n'existeraient pas sans le rachitisme pré-existant, et par les maladies qui seraient d'importance médiocre, la co-existence du rachitisme à part, est énorme. Les causes du Rachitisme, ce sont la pauvreté du sang de la mère, les erreurs de nourriture, c'est-à-dire l'erreur de donner à l'enfant de la nourriture qui ne convient pas à ses besoins et à sa digestion, et comme causes subsidiaires la lumière insuffisante et l'air impur produits par le surcroît de personnes dans les chambres à coucher: — la pauvreté — la pauvreté inévitable, joue souvent un grand rôle dans la production de cette maladie."

„A en juger par ma propre expérience — (continue-t-il) —, je pense que le rachitisme existant à un tel degré qu'il mène indirectement à la mort, serait comparativement rare, si les pauvres savaient comment un jeune enfant doit être nourri, — si les pauvres savaient la nécessité qui existe pour que l'enfant prenne de la nourriture qui soit convenable à son âge. La législation peut quelque chose ici, car elle peut rendre compulsoire l'enseignement des lois pratiques de l'hygiène dans toutes les écoles soutenues dans un degré quelconque par l'argent public. L'étendu du savoir pratique c'est le grand remède de prévention pour le rachitisme."

Maintenant, il faut que je vous signale un fait qui vous intéressera. Messieurs les lords du Conseil de l'Enseignement, du „Science and Art Department" à Londres, ont décidé que l'Hygiène serait un des sujets d'enseignement dans toutes les écoles de ce „Department" dans le pays, et ils ont nommé un comité pour en faire le „Syllabus"; ce comité se composait de M. le Prof. Huxley, représentant la Physiologie, M. le Capitaine Abney représentant le Génie civil, et moi, représentant l'enseignement de l'Hygiène. Le „Syllabus" fut préparé, et au mois de juin dernier le premier examen a eu lieu en même temps et avec les mêmes questions dans ces écoles situées dans toutes les parties du pays; on m'a fait l'honneur de me nommer examinateur en chef, et deux mille deux cents candidats se sont

présentés pour ce premier examen. On s'est aperçu qu'il était nécessaire
d'instruire les instituteurs; on a donc fait venir à Londres une quarantaine
des meilleurs instituteurs de ces écoles, des „instituteurs choisis", comme
on les appelle, des hommes qui avaient déjà l'habitude d'enseigner la physiologie élémentaire; on a payé leurs frais pendant trois semaines. Je leur ai
fait un cours spécial, qui consistait en une leçon par jour, plus le travail de
laboratoire pendant le reste de la journée, soit dans mon laboratoire, soit dans
celui de M. le Prof. Huxley, qu'il a bien voulu me prêter dans ce but.

Vous voyez donc, Messieurs, que l'enseignement de l'Hygiène se fera maintenant partout dans ces écoles du „Science and Art Department" en Angleterre,
et avant peu je suis certain que l'on considèrera l'enseignement des principes
de l'hygiène comme une partie nécessaire de toute éducation libérale.

Si le temps me le permettait, il me serait possible de signaler d'autres faits
pour démontrer jusqu'à quel point notre savoir augmenté nous a permis de
combattre la maladie, mais il y a une chose qu'il ne me faut pas omettre.
Que peut-on dire à l'égard de la grande peste endémique de nos climats, une
maladie qui est la cause de presque la moitié autant de morts que toutes les
maladies zymotiques ensemble? Je fais allusion à la phthisie. Que sait-on défini-
vement des causes qui favorisent son développement? Il y a longtemps que l'on
sait qu'elle est héréditaire, qu'elle se développe surtout dans les habitations
humides et surchargées de monde, et dans les endroits où il y a beaucoup
de poussière de quelque nature qu'elle soit dans l'atmosphère, mais ce n'est
que tout récemment que l'on sait par les recherches indépendantes du Dr. Geo.
Buchanan en Angleterre et du Dr. Bowditch aux Etats-Unis que le degré
de mortalité de la phthisie a diminué d'une manière remarquable par la
diminution du niveau de l'eau du sol qui se trouve sous les habitations. Dans
toutes les villes où ceci s'est fait, soit accidentellement pendant la construction
d'égouts pour l'enlèvement des immondices, soit exprès pour le drainage du sol
— le degré de mortalité de la Phthisie a été diminué — et dans un cas
particulier en Angleterre a été diminué jusqu'à 50 pour cent des morts, de sorte
qu'encore par ce savoir acquis on a pu lutter avec beaucoup de succès contre
une de nos plus terribles maladies.

Espérons qu'il y a de bonnes raisons pour croire que la découverte par le
Dr. Koch de l'organisme qui se trouve associé avec cette maladie, pourra
amener avant peu à l'application de quelque nouvelle et heureuse méthode
pour en empêcher le développement.

J'ai signalé comme quoi pour certaines maladies importantes nos connaissances
des procédés par lesquels elles se développent nous ont permis de diminuer
la mortalité dont elles sont la cause, mais peut-on démontrer que comme
conséquence de ces belles découvertes, et comme conséquence de l'application
plus générale de la science hygiénique, le degré général de mortalité de la
population est diminué, et la durée moyenne de la vie augmentée? Si dans la

statistique vitale il y a une chose qui soit plus certaine qu'aucune autre, c'est que les degrés moyens de la mortalité ont été diminué pendant notre siècle dans tous les pays où les connaissances sanitaires ont été appliquées. Je ne prendrai qu'un seul exemple: celui que je connais le mieux, celui de Londres. Par une étude de la proportion des naissances ainsi que de la proportion des morts dans cette ville, je conclus que la durée moyenne de la vie à Londres a augmenté pendant les cinq dernières années (pour ne pas aller plus loin en arrière) de 34,24 jusqu' à 37,88 et que dans un des districts les plus centraux et les plus sains de la grande métropole, le district pour lequel j'ai l'honneur d'être l'officier sanitaire, la durée moyenne de la vie a augmenté pendant les dernières neuf années de 46,67 jusqu'à 55,09, et la moyenne des moyennes annuelles pendant ces neuf années n'a pas été moindre que 50,74 années; ce district, avec une population de 91 000 âmes au milieu d'une ville d'environ cinq millions d'habitants, n'a qu'une mortalité de 16 à 17 par mille, par an.

Tels donc ont été les résultats de l'application de la Science à l'extirpation de la maladie et à la prolongation de la vie. Que pouvons nous faire de plus? En cherchant diligemment les causes de la maladie, et en adoptant tous les moyens qui nous sont possibles pour combattre ces causes, en se reposant sur le vrai savoir et non pas sur les règlements empiriques, en suivant les préceptes d'Hippocrate, en étant rationaliste en hygiène et non pas empirique; plus nous saurons, mieux nous pourrons lutter avec la maladie et la mort, et plus nous comprendrons la grande vérité que la Science est ennemie de la Maladie.

Le discours de M. Corfield est vivement applaudi.

La parole est donnée à M. Emile Trélat, de Paris, qui a choisi comme sujet de sa conférence: „le régime de la température de la maison, et de l'air qu'on y respire."

(Le manuscrit n'ayant pas été reçu en temps utile au Secrétariat, le discours sera imprimé plus tard.)

La conférence de M. Trélat est très applaudie.

La parole est donnée à Madame le Dr. Emilie Bovell-Sturge, de Nice et de Londres, qui parlera des divers modes adoptés en Angleterre pour élever les enfants que la misère laisse aux seuls soins de l'Etat.

Mesdames et Messieurs.

Il existe en Angleterre 400 000 enfants au-dessous de l'âge de seize ans, qui n'ont d'autres ressources que les dons de la charité ou les secours de l'Etat 1). Les institutions charitables, orphelinats et autres, prennent à leur charge plusieurs milliers de ces malheureux. Il y en a encore plusieurs milliers qui reçoivent les secours de l'État à la maison — les parents étant malades ou infirmes, ou seuls à soutenir la famille.

Exclusion faite de tous ceux dont je viens de parler, il reste en moyenne chaque année 60 800 enfants sans famille ni foyer, que l'État doit élever à sa seule charge, et dont il est seul responsable. Ce sont des orphelins, des enfants illégitimes, des enfants abandonnés, des enfants de criminels ou d'idiots. Un très grand nombre d'entre eux ont passé leurs premières années au milieu de la misère, du vice et de la honte.

Leur conformation physique et l'expression de leur physionomie ne révèlent que trop souvent leur origine, et nous avertissent qu'ils ont hérité de leurs parents des tendances physiques et morales, qui exigent les soins les plus assidus et les plus judicieux si l'on veut que ces malheureux êtres puissent prendre plus tard une position respectable et utile dans la société.

On est frappé de la fréquence parmi ces enfants de toutes les manifestations de la scrofule, maladies des yeux, maladies de la peau, de la tête. A la campagne on en trouve un certain nombre de sains et bien portants; mais ils forment une très petite minorité dans cette grande multitude. Chez la plupart l'intelligence est très bornée, et ils sont souvent pervers et soupçonneux. Ils arrivent donc dans les écoles de l'État dans de mauvaises conditions et avec les prédispositions morales et physiques les plus fâcheuses.

En Angleterre il y a actuellement quatre méthodes en usage pour l'éducation des enfants dont nous parlons. La méthode la plus ancienne est de les réunir dans des grandes écoles (dont quelques-unes contiennent plusieurs centaines d'enfants) où ils sont complètement séparés du monde extérieur, où la vie ressemble à une vie de prison, et où chaque enfant échange son nom contre un numéro. Rien n'y rappelle la famille, ses soucis et ses joies; pas même les vacances, car ces enfants restent toujours à l'école; ils n'ont pas d'autre foyer.

Ces écoles ont été tout d'abord (et un assez grand nombre le sont encore) dans la même enceinte et sous la même direction que les maisons de refuge connues sous le nom de Workhouses, où l'on reçoit les pauvres sans ouvrage, les infirmes, les mendiants, les criminels sortant de prison.

Les enfants ont parfois des parents qu'ils visitent dans ces maisons; et ils peuvent avoir ainsi communication avec d'autres habitants temporaires ou permanents de la maison.

Autrefois on choisissait souvent quelqu'un de là pour surveiller les enfants hors des classes. L'influence d'un pareil milieu a toujours été déplorable à tout point de vue. Il est évidemment de première nécessité d'éloigner de ces

---

1) Discours de M. Whiltaker, North West district conférence, série n°. 5, 1883.

enfants tout ce qui peut leur rappeler leurs antécédents afin de pouvoir les guider dans une voie nouvelle et difficile. Mais, la communication avec le Workhouse tend, au contraire, à perpétuer le souvenir et l'influence de leur passé.

Ce défaut radical avec ses conséquences a amené l'adoption de ce que j'appellerai la deuxième méthode d'éducation pour les enfants qui nous occupent.

Les enfants étant réunis, soit dans l'enceinte du Workhouse, soit dans des maisons appropriées en dehors, on les envoie tous les jours aux écoles communales, où ils se trouvent dans les mêmes classes avec d'autres enfants pauvres, mais vivant dans les conditions ordinaires de la vie de famille. Évidemment cette association avec d'autres enfants doit aider à relever ces infortunés dans leur propre estime, et à leur faire sentir qu'une vie semblable à celle de leurs compagnons deviendra possible pour eux plus tard.

Passé l'âge de douze ans, un certain nombre d'heures par jour sont employées à apprendre un travail manuel. Les garçons apprennent à faire des nattes, les filles apprennent la couture. Les enfants des deux sexes aident à entretenir les chambres, les couloirs et les cours. Dans les écoles à la campagne, les garçons sont employés au jardin; à un certain nombre d'entr'eux on apprend la musique, de sorte qu'ils forment un petit orchestre, et jouent sur le tambour, la flûte et d'autres instruments pendant la marche.

Je résume ici une partie du rapport (de 1882) de M. Mozley, inspecteur des écoles de l'État dans la division du Nord, division qui contient plusieurs grandes villes manufacturières. Le nombre des enfants de l'État dans les écoles est de 7969. Sur ce nombre 2895 sont ou trop jeunes ou trop ignorants pour se présenter à l'examen élémentaire de l'inspecteur. Il s'est présenté donc 5074 élèves au-dessous de l'âge de sept ans. On a reçu comme passables pour la lecture à haute voix 4565;

Pour l'écriture et l'orthographe 3813;

Pour l'arithmétique 3757.

Les élèves se présentent en six classes à l'examen. M. Mozley dit qu'il n'admet comme compétent dans les trois classes supérieures aucun enfant reconnu absolument ignorant du sens de ce qu'il lit. Il ajoute: „S'il y a un certain progrès depuis l'année dernière au point de vue du mécanisme de l'éducation chez les enfants de nos divisions, leur intelligence en général laisse beaucoup à désirer. Cette question me préoccupe depuis longtemps, et deux réflexions se présentent à ce propos:

1o. Le travail manuel qu'on fait faire aux enfants est souvent très grossier, et ne peut leur inspirer le moindre plaisir. Par exemple, on donne aux filles des étoffes à coudre si épaisses qu'elles ont de la peine à y faire passer l'aiguille. De plus, on impose aux enfants trop de travail manuel, aux filles comme aux garçons. Le travail manuel a une grande valeur, mais il doit se faire en juste proportion.

2°. L'intelligeuce générale des enfants de cette classe dépendra toujours en grande partie de l'influence personnelle des maîtres et des maîtresses. Or, dans certaines écoles les maîtres passent tout leur temps avec les enfants du matin jusqu'au soir; dans d'autres ils sont absolument libres, hors des heures de classes. Dans le premier cas les maîtres n'ont pas le loisir nécessaire pour récréer leur esprit et se préparer aux fatigues du lendemain; tandis que dans le deuxième cas le maître n'est pas suffisamment en relation avec les élèves pour acquérir une influence solide sur leurs esprits.

Je dois ajouter que le résultat de l'examen des élèves dans 60 des écoles de la divison du Nord, qui sont entièrement en dehors de l'enceinte du Workhouse, a été bien supérieur au résultat de l'examen dans toutes les écoles prises ensemble que nous venons de voir. Dans les 60 écoles se sont présentés 821 élèves; ont passé pour la lecture 700; pour l'écriture 721; pour l'arithmétique 686.

Un certain nombre des garçons sont reçus avant l'âge de 17 ans dans l'école pour les jeunes matelots sur le navire Exmouth à Portsmouth. Le tableau suivant fait d'après les archives du navire nous renseigne sur leur sort:

TRAINING-SHIP „EXMOUTH"

Grays. Essex., le 31 déc. 1882.

De 1876 à 1882 (période de sept ans). — Garçons admis: 1941.

Entrés dans la marine royale	328
— — marchande	634
Entrés dans l'armée comme musiciens	150
Ont pris des places diverses (trois d'entre eux sont entrés dans la marine plus tard)	6
Retournés dans leurs paroisses pour diverses raisons	242
Fugitifs (dont trois ont été retrouvés)	10
Morts	8
	1378
Restent sur le navire	563
	1941

A l'âge de 16 ans les enfants des deux sexes quittent l'école pour aller gagner leur vie comme apprentis, soldats, domestiques, couturières. Quant à leur avenir, le petit tableau suivant nous en donne une idée. Il a été publié par les gardiens municipaux des écoles industrielles de Kukdale, ville manufacturière dans le Nord de l'Angleterre.

Sortis des écoles pendant les trois années qui
finissent le 31 avril 1880.

	Filles.	Garçons.
Rapports satisfaisants	50	101
Perdus de vue	8	32
Entrés chez des amis	9	11
Rentrés à l'Ecole.	3	//
Dans l'hôpital.	//	1
Morts	1	//
De mauvaise conduite	2	//
	73	145

L'émigration offre depuis quelques années un avenir pour un certain nombre de ces enfants. Mlle Rye, personne aussi pratique que charitable, consacre son temps presque tout entier à cette question. Elle a fait le voyage au Canada plusieurs fois, d'abord pour assurer des places aux enfants qu'elle voulait amener dans le pays, plus tard pour les y conduire et les placer elle-même comme domestiques, comme apprentis ou dans les fermes.

Heureusement il se trouve en Angleterre un grand nombre de personnes charitables qui s'intéressent à l'avenir des enfants de l'État. Dans divers endroits quelques dames ont formé une petite Société dans le but de visiter fréquemment les jeunes employés des deux sexes, afin de les encourager dans leurs nouvelles occupations et de leur servir d'amis à une période critique de leur vie.

Depuis plusieurs années, afin d'éviter les inconvénients du système d'agglomération de plusieurs centaines d'enfants dans un vaste local, les autorités municipales de certaines paroisses 1) ont fait bâtir à la campagne des maisons séparées pouvant contenir chacune environ 50 enfants. Chaque maison est sous la direction d'un maître et d'une maîtresse mari et femme qu'on appelle p è r e e t m è r e d e l a m a i s o n. Ils sont choisis pour leurs qualités personnelles et doivent jouer le rôle de parents auprès de cette nombreuse famille. L'école est dans un bâtiment séparé, et elle est commune aux enfants de toutes les maisons. Le maître et la maîtresse de l'école n'ont aucune responsabilité en dehors des classes. Chaque maison a son jardin que les enfants apprennent à travailler. Ce système (le troisième sur ma liste) s'appelle celui des C o t t a g e h o m e s ou maisons de famille.

Il présente beaucoup d'avantages. Il est beaucoup plus favorable à la santé des enfants; car il permet la surveillance journalière nécessaire pour pouvoir arrêter dès le début les maladies des yeux, de la peau ou de la tête, qui

---

1) Des écoles de Chelsea et Kensington à Londres, par exemple.

ne sont jamais absentes dans les grandes écoles. Sa bonne influence morale est d'ailleurs incontestable. Les relations intimes et affectueuses avec le père et la mère de la maison — (et avec leurs enfants lorsqu'ils en ont) — mille petits intérêts communs dans la maison et dans le jardin — les promenades sous la conduite des parents — tout tend à éveiller chez ces enfants sans famille le sentiment du foyer, le désir de bien faire, l'intérêt intelligent dans la vie, dont l'absence chez la plupart des enfants élevés dans les grandes écoles décourage fortement ceux qui s'en occupent. Les lettres qu'écrivent les élèves des Cottage homes après les avoir quittés aux parents de la maison, leur ardeur à revenir les voir, attestent l'heureuse influence du milieu où ils ont été élevés.

Il me reste à parler de la quatrième méthode: celle des pensionnaires.

Il y a quatorze ans, Mlle Preusser, de Windermere, dans le Nord, et d'autres dames charitables ont eu l'idée de placer chez des personnes de bonne réputation de la classe ouvrière qui n'avaient pas d'enfants (ou peut-être un enfant unique), un ou deux enfants sans famille comme pensionnaires.

Les parents adoptifs s'engagent à traiter l'enfant pensionnaire absolument comme s'il était à eux. Il va tous les jours à l'école communale, puis revient chez ses parents adoptifs, où il se trouve dans les conditions naturelles de la vie de famille. Ce système a eu beaucoup de succès à la campagne. Les relations entre les parents et les enfants sont en général excellentes; une affection reciproque naît rapidement, et même après avoir quitté le foyer pour aller gagner leur vie, ils y retournent lorsqu'ils sont en congé, comme s'ils étaient véritablement les enfants de la famille.

Il est évident qu'un système pareil nécessite un certain nombre de précautions. Le local government Board (qui représente l'Etat) a autorisé les dames qui avaient imaginé ce système à en faire l'expérience, mais sous certaines conditions 1), qui permettaient d'assurer la compétence des personnes qui entreprennent de placer les enfants, et l'honorabilité des familles où ils sont reçus. Un inspecteur officiel fait des visites périodiques aux enfants pensionnaires, et présente après un rapport au local government Board. Les dames qui placent les enfants s'engagent à les visiter souvent, à des jours non fixés et à s'assurer de leur bien-être.

La dépense pour chaque pensionnaire varie selon la localité et selon les frais du médecin. J'ai déjà dit que presque tous les enfants qui viennent des villes ont une santé déplorable. Je puis ajouter ici que comme règle générale leur santé s'améliore beaucoup à la campagne.

Les frais pour chaque enfant sont en moyenne de 250 fr., à 350 francs par an: tandis que dans les grandes écoles de Londres et d'autres villes, ils se montent à 650 francs.

---

1) Loi sur les enfants pensionnaires, novembre 1870.

Il existe actuellement dans diverses parties du pays 80 comites de dames qui s'occupent de placer et de surveiller les enfants pensionnaires. Malheureusement le système des grandes écoles s'est trouvé en lutte avec la nouvelle idée. Les gardiens des pauvres (conseillers municipaux) ont pensé qu'ils avaient dépensé beaucoup d'argent et de peine pour bâtir ces écoles, et ils ont refusé de se prêter à aucun changement. De sorte que dans beaucoup d'endroits où les comités sont prêts à placer des enfants, on ne leur en envoie guère.

Un fait frappant à propos de la mortalité dans les grandes écoles des pauvres trouve ici sa place. En Irlande cette mortalité était arrivée à un tel point avant l'année 1862 qu'il y a eu 100 pour 100 de morts. En 1862 on édicta la loi sur les enfants pensionnaires pour l'Irlande, et le gardien des pauvres à la ville de Cork en profita pour envoyer aussitôt en pension tous les enfants qu'il dirigeait. Sur 824 enfants, dont il disposa ainsi, 32 seulement sont morts pendant les 21 ans qui ont suivi l'adoption du système de pensionnaires.

Mlle Florence Hill, si bien connue pour ses efforts et ses succès à propos des habitations ouvrières à Londres, dit dans un petit mémoire daté de décembre 1883:

„L'expérience démontre de plus en plus les difficultés morales et physiques créées par le système qui réunit ensemble des centaines d'enfants sous un même toit. Les maladies de la peau et les maladies des yeux sont toujours là. La marche lourde, l'absence d'animation, la petite stature, et la physionomie peu intelligente chez les enfants dans les grandes écoles, montrent bien que le moral n'est pas supérieur au physique. Quant à l'éducation industrielle, les filles apprendraient plus vite si on les mettait avec une bonne mère adoptive qu'elles auraient du plaisir à aider dans les soins du ménage; tandis qu'à l'école les devoirs du nettoyage et de la couture ne sont pour elles que des tâches désagréables et détestées."

Mais, parmi tous les avantages du système des enfants pensionnaires le plus grand peut-être est celui-ci: il assure à l'enfaut des amis pour la vie dans une famille honorable des classes laborieuses. Et l'enfant adopté se sent si véritablement un enfant de la famille que plus tard, lorsqu'il est capable de gagner sa vie, il se fait un devoir d'aider ses parents adoptifs s'ils se trouvent dans la nécessité.

Nous sommes là en présence d'un des plus grands problèmes de nos temps.

Pouvons-nous, avec les connaissances que nous possédons, avec l'expérience déjà acquise, poser quelques principes pour nous guider dans l'avenir? Je le crois. Je laisse de côté les questions de détail, celles-là doivent différer dans chaque pays, presque dans chaque localité. Mais il me semble que notre véritable but devrait être de placer les enfants sans famille dans les conditions où la nature les aurait placés, si les hommes de leur côté n'avaient pas tant travaillé dans le sens opposé.

Que nous offre-t-elle, la nature, pour nos enfants? Quels sont ses dons? Le soleil, le grand air, la vie des champs, la joie du libre mouvement; — l'éducation de l'esprit et du cœur par les relations avec les animaux, les oiseaux, les plantes; — et comme couronnement du tout, les relations de famille.

L'éducation par les livres marchera pas à pas avec cette éducation saine du corps et de l'esprit dont je viens d'esquisser les traits devant vous; et plus tard viendra l'éducation industrielle.

Lorsque les circonstances empêchent d'élever les enfants à la campagne, au lieu de les enfermer entre quatre murs — sans autre terrain de récréation qu'une cour pavée — il faudrait les laisser aller tous les jours à l'école communale, où ils se trouvent avec d'autres enfants. Ils verront peut-être en chemin des arbres, un jardin, un panier de fleurs porté par une vendeuse — joies totalement inconnues à des milliers d'enfants à Londres en ce moment.

Il faudrait planter les cours des enfants avec des arbres, et leur permettre d'avoir, et leur apprendre à soigner des oiseaux. En un mot, il faudrait autant que possible se conformer aux lois de la nature, et profiter de tout ce qu'elle nous offre pour humaniser et élever ces enfants malheureux qui plus que les autres ont besoin de toutes nos ressources.

Je pense que nous pouvons tirer les conclusions suivantes de la considération des faits que je viens de vous présenter:

1°. Les enfants sans famille ont besoin de soins particuliers à cause de leur physique généralement inférieur, de la faiblesse du sens moral chez eux et de leur prédisposition héréditaire au vice.

2°. Le système de réunir ces enfants en grand nombre dans des écoles à part, de les priver de toutes relations avec d'autres enfants et avec le monde, en dehors des quatre murs de l'école, est absolument contraire aux lois de la nature et de l'humanité.

Les effets désastreux de ce système se manifestent: 1) par la présence continuelle dans ces écoles des maladies de la peau, des yeux, et de la tête; 2) par la lenteur d'intelligence des enfants, par leur indifférence envers tout ce qui se passe autour d'eux; par leur apathie morale et, plus tard, par l'absence de tout pouvoir d'initiative qui les caractérise.

3°. La vie de famille étant la vie naturelle pour tout enfant, il faudrait autant que possible chercher à la remplacer pour les enfants de l'Etat en leur créant une famille adoptive. Les rapports sur les maisons de famille (Cottage homes) et ceux sur les enfants pensionnaires (Boarded-out pauper children) à la campagne nous démontrent: 1) que les résultats de ce système sur la santé, l'intelligence et le moral des enfants sont excellents; 2) que le système des pensionnaires, au lieu d'être plus coûteux que celui des grandes écoles, nécessite actuellement moins de dépense en proportion pour chaque enfant.

4°. Les enfants de l'Etat, lorsqu'ils vont à l'âge de 16 ans dans le monde pour gagner leur vie, ont besoin pendant les premières années d'une certaine surveillance amicale: 1) à cause des prédispositions héréditaires qui existent chez un grand nombre d'entre eux; 2) à cause des relations qu'ils peuvent avoir avec des parents criminels ou vagabonds.

Cette surveillance ne peut être exercée officiellement. Elle doit toujours dépendre de la bonne volonté de personnes vénérables voulant bien s'intéresser à ces enfants et les aider par leur sympathie et leurs conseils pendant une période critique de la vie.

5⁰. L'État et les individus, en faisant des efforts pour la bonne éducation des enfants sans famille, non seulement remplissent un grand devoir humanitaire, mais, en rendant possible une vie honnête à des milliers d'êtres qui semblaient prédestinés au vice, ils contribuent puissamment au bien-être de la société en général et de la nation tout entière.

Mme Bovell-Sturge reçoit les hommages très sympathiques de son auditoire.

Le président d'honneur adresse des remerciements vivement sentis aux trois conférenciers.

La séance est levée.

Séance du Mercredi, 27 Août 1884.

M. W. H. de Beaufort, président, ouvre la séance et donne la parole à M. le Dr. Alphonse Corradi, de Pavie, qui a choisi comme sujet de sa conférence „des ébauches de législation sanitaire”.

Mesdames et Messieurs.

On a dit avec justesse, que la douleur est la sentinelle de la vie; et de même que le spirituel chanoîne de la ville que nous avons tantôt visitée, de cette Rotterdam qui nous a présenté la vie Hollandaise sous un aspect nouveau et toujours sympathique, de même qu' Erasme de Rotterdam a fait l'éloge de la folie, on a célébré les avantages de la douleur. Et vraiment, quand on ne peut davantage, il est sage de faire bonne mine à mauvais jeu. Toute impression désagréable qui nous vient du dehors, qui de la périphérie chemine aux centres nerveux, donne l'éveil à une réaction, à un mouvement reflexe, qui remettent en équilibre les organes et les fonctions troublées. Même dans le sommeil, quand tout paraît sans mouvement et sans vie, il y a quelque chose qui ne dort pas en nous et qui dans sa vie inconsciente veille à notre conservation; il y a une tendance conservative, une hygiène naturelle, automatique. Malheureusement la maladie n'entre pas toujours par la douleur, ni le malaise n'en est pas toujours la sonnette; même elle peut pénétrer avec les plus agréables impressions. On attrappe la fièvre avec la fraîcheur du soir, sur le vert gazon des bocages qui nous soulage des chaleurs étouffantes du midi; et le poison le plus subtil peut s'insinuer par les mets les plus savoureux, par l'eau la plus limpide. Tout cela doit avoir de la valeur pour ceux qui croient que l'enseignement de l'hygiène est absolument inutile, qui voient dans chaque règle une pédanterie insuffisante ou vexatoire, comme si la santé pouvait se remettre de ses troubles tout simplement d'elle même, comme ces jouets d'enfants qu'on a beau tâcher de renverser et qui reprennent leur position par l'effet de la loi de la gravité.

Si donc on ne peut pas se passer d'une hygiène individuelle, d'autant plus s'impose la nécessité de régler la vie des populations. Lors même que chaque individu viverait de manière à contenter le plus rigoureux des hygiénistes, un règlement de police sanitaire serait néanmoins indispensable. Toute aggré-gation porte en soi des besoins, des exigences qu'on ne trouve pas dans la vie individuelle. Si le nombre a en soi-même une puissance, il comporte en même temps des dangers. Même dans la peuplade la plus chétive, faut-il avoir la préoccupation de sauvegarder les intérêts de la masse sous le rapport de la santé. Les pratiques religieuses sont des pratiques sanitaires; l'ancien de la tribu en est en même temps le chef et le prêtre, parce que l'homme primitif n'obéit qu'à la force, et d'autant plus si cette force lui apparaît comme sur-naturelle. Comme la foudre tombe du ciel, la maladie vient d'en haut; c'est toujours la colère des dieux qu'il faut apaiser, et on l'apaise en égorgeant des victimes. Mais les feux sacrés qui élèvent leurs flammes au ciel, n'expient pas seulement des péchés; en dévorant des entrailles, ils ôtent aussi des causes d'infection. Le soufre qu'on brûle aux pieds des autels, dans l'intérieur des maisons, détruit les souillures sous l'apparence des purifications. Les embaume-ments des Egyptiens, les ablutions des Hindous, le tombou des Tahitiens, la défense de quelques viandes, de quelques boissons chez maints peuples sont des prescriptions hygiéniques dont le législateur assure le respect par l'entre-mise de la religion. C'est elle qui plus tard, dans le moyen-âge, entretenait l'usage des bains, et qui de la propreté du corps faisait une purification de l'âme. Une saine nourriture devenait le couronnement des dévotions que les pèlerins allaient accomplir aux sanctuaires pour guérir des tristes effets de l'ergot de seigle et des grains avariés, les seuls qu'on pouvait avoir pendant les affreuses famines de ces temps là!

Mais la civilisation marche et l'hygiène s'impose d'elle même; pas à pas elle secoue la tutèle qui la retenait. Une législation se dessine, se développe. Mais ce développement est très lent, et il est bien loin d'être accompli dans toutes ses parties; même de ce que hier on pouvait croire assuré et parfait, les nouveaux besoins, les nouveaux rapports nous montrent les imperfections, les défauts.

Il m'est impossible de traiter cette thèse dans toute son ampleur; le temps est compté et je ne dois pas abuser de votre bienveillance. Je ne m'arrêterai que sur deux seuls points: et le premier sera celui de l'assistance publique.

La misère est la mère féconde, malheureusement trop féconde des maladies morales et physiques; la soulager et mieux la prévenir, c'est faire de l'hygiène, c'est diminuer la somme de ces maladies dont nous pouvons nous délivrer ou que nous pouvons restreindre au moins dans les limites ordinaires de la morbidité et de la mortalité; et de l'autre côté assainir les lieux, fortifier les corps, c'est donner de la vigueur morale.

Les xénodoches, les nosocomes, les hospices pour les enfants trouvés, pour les pélerins créaient de nouveaux rapports dans la société. On peut trouver dans l'Inde les traces de ces institutions; les Romains avaient aussi des infirmeries; mais sans aucun doute elles n'ont pris cet élan qui est arrivé jusqu'à nous que seulement par le souffle de la charité, ce qui est d'autant plus merveilleux avec le contraste des guerres sanglantes, des moeurs farouches, au milieu desquelles elles surgissaient. Ces hôpitaux et ces hospices étaient des institutions privées, attachées aux églises, aux couvents, mais bien des fois tout-à-fait indépendantes, administrées par des confréries, par des laiques. Ce n'est que plus tard qu'elles devinrent une dépendance de l'état, un organe de la bienfaisance publique. C'est dans le XIII siècle que s'éleva à Rome le grand hôpital du Saint-Esprit pour tous les malades, de quelque nation, de quelque religion qu'ils fussent; et il est certain que la charité, comme la science, doit être universelle.

Nos ancêtres nous ont laissé des exemples merveilleux de cette charité. On peut dire qu'il n'y a pas de malheur auquel ils n'aient pensé. Ils on élevé des monuments qui témoignent hautement de leur magnificence, et de leur piété. Les hôpitaux étaient des édifices où l'architecte déployait tout son talent dans la somptuosité de l'escalier, dans la hardiesse des voûtes; la peinture et la sculpture donnaient tout l'éclat de leurs décorations; et pourtant dans ces palais de la misère les malades étaient entassés, l'air corrompu et la mort planait au milieu de cette charité impuissante dans son faste. Le bienfait qu'on recueillait d'une part, se perdait de l'autre; la charité, ne se souciant que du soulagement du moment, ouvrait la porte à l'imprévoyance, à la fainéantise, et avec l'aumône mal placée abaissait le caractère moral au lieu de le relever.

Qu'est-ce donc qui manquait à la bienfaisance du passé? Il lui manquait l'aide de la science, celle de l'hygiène surtout. Les oeuvres charitables ne peuvent être confiées aux élans des émotions: elles ne peuvent se borner à soulager l'infortune ou à corriger le vice; elles doivent tâcher de prévenir les maux physiques et moraux. Mais pour pouvoir arriver à ce but, elles doivent avant tout connaître les causes de ces malheurs, comment ils se développent et s'entrelacent; les liens entre le corps et l'esprit sont si étroits que l'éducation morale ne peut se séparer de l'éducation physique. Comme les maux s'enchaînent, l'assistance et la bienfaisance publique doivent accorder leurs oeuvres de façon que ce soit comme un réseau qu'on va tendre sur la grande mer du malheur; pas une corde ne doit se rompre; pas un chaînon ne doit manquer. Les oeuvres qui ont presque fait leur temps, doivent se plier aux exigences de la société actuelle; ces modifications ou ces transformations ne sont pas des atteintes à la volonté des pieux testateurs; ce sont le complément de leurs intentions bienfaisantes.

En un mot, il ne nous faut pas une pitié peureuse ou bigotte, ni une philanthropie sentimentale; il nous faut une charité qui sache comprendre et mesurer tout ce que la société moderne veut d'elle, qui sache satisfaire à ses nouveaux devoirs. Mais ce regard pénétrant, cette force, ne peuvent lui être donnés que par la science, laquelle ne glace jamais le coeur; tout au contraire sous son souffle tout puissant les sentiments s'élèvent, et du dévouement ils s'élèvent jusqu'à l'héroisme.

Mais cette science, cette aide, où la trouver? Qu'est-ce qu'il faut partout? Le premier échelon d'une forte organisation sanitaire doit avoir sa base dans la commune, pour s'élever jusqu'à l'état en passant par les divers degrés des divisions administratives.

Dans le grand débâcle de l'empire romain, une institution sanitaire de la plus haute importance fut sauvée, et à travers la nuit des siècles les plus sombres arriva jusqu'à nous. Je veux parler des médecins des pauvres, des médecins salariés par les communes. Nous trouvons en effet ces contrats dans le treizième siècle; même les petites villes avaient à leur charge le médecin et le chirurgien, desquels on élevait le traitement en temps de peste et d'épidémie.

Mais ce médecin ne doit pas être seulement un guérisseur; il doit être un hygiéniste: ses études doivent le mettre en mesure de pouvoir satisfaire à sa nouvelle mission de p r é v e n i r les causes des maladies. C'est à lui, quand une maladie infectieuse éclate, de savoir s'emparer des premiers cas et d'étouffer le mal dans sa racine même.

Et voici que nous sommes arrivés au second point de ma thèse.

La contagion: mot sombre, et plus sombre encore dans un de ses effets: la peur, qui éteint tout sentiment affectueux et paralyse tout dévouement. C'est de la peste de 1348 que la plume de Boccaccio a rendu célèbre, que commença l'étude de la terrible maladie et des mesures pour s'en préserver et pour la combattre. Les invasions qui la précédaient n'ont laissé d'autres souvenirs que ceux de leurs ravages. Des navires infectés partant de l'Egypte entraient dans le port de Messina; le fléau, comme la foudre, s'abattait sur l'île malheureuse, et l'Italie entière en peu de mois en était envahie jusque sur les montagnes du Tyrol. Des ports de Pise et de Gênes, la maladie passait en Provence, franchissait les Alpes et toute l'Europe devait payer sa dette, lourde dette, jusque dans les terres les plus reculées. Elle sévissait de deux à trois mois dans tout lieu où elle pénétrait, et en trois années sa course funeste sembla être accomplie. Mais tout foyer n'était pas éteint: une quinzaine d'années après elle reparut encore, mais cette fois au lieu de s'élever vers le nord de l'Europe, elle descendit. Elle reprit de nouveau en 1375, en 1383, et à la fin de ce siècle malheureux. Cependant ses nouvelles apparitions n'égalèrent pas la première, qui resta la grande mortalité, la peste noire. Et d'où venait la différence? La maladie avait-elle mitigé sa nature, ou la colère des cieux s'était-elle apaisée? Non; les hommes qui étaient sortis de la terrible étreinte n'étaient pas meilleurs que ceux qui avaient succombé; les historiens parmi les conséquences de ce grand fléau déplorent la corruption des moeurs. En effet, les guerres continuaient; les rois se disputaient les couronnes, les papes le trirègne, et les factions ensanglantaient les villes, qu'elles s'appellassent guelphes ou guibelines. La maladie n'avait pas non plus diminué sa férocité: sur trois attaqués deux mourraient; heureux si du nombre il ne succombait que la moitié. Mais la maladie n'avait plus la force de s'étendre comme auparavant; sa diffusibilité avait diminué. Et grâce à quoi? Grâce aux mesures qu'on avait prises. La grande peste trouvait les peuples désarmés, les épidémies successives trouvèrent dans leur marche des entraves. Le souverain le plus puissant alors en Italie, le Visconti de Milan, fut celui qui mieux que les autres sut opposer des fortes barrières, et ses états furent les moins éprouvés. Alors surgit le système des quarantaines, l'institution des Lazarets qui aujourd'hui encore, quand ils sont bien entretenus, sont nos remparts. On n'admettait pas dans les villes les provenances des lieux suspects, ou bien on ne les admettait qu'après une quarantaine de plusieurs jours. Et une fois que la maladie était entrée, les malades étaient transportés hors de l'enceinte dans des baraques. Le système des quarantaines, de l'isolement, des désinfections, était tout coordonné: une triste expérience l'avait suggéré, la doctrine des plus célèbres médecins lui donnait le sceau de son autorité. Venise, qui à cause de ses possessions et de son grand commerce avec le Levant, avait le plus vif intérêt à se garder, fut celle qui eut le meilleur règlement quarantenaire, au point que les autres nations le prirent pour modèle, même cette Hollande, dont nous goûtons aujourd'hui l'hospitalité. Les ministres et les consuls Vénitiens qui résidaient dans presque toutes les villes de quelque importance, informaient le Sénat de tout ce qui arrivait; ils n'étaient pas seulement des agents diplomatiques, mais aussi des agents sanitaires. La république de Venise a été maintes fois dans ces temps la seule barrière contre l'invasion de la peste; la police qu'elle faisait pour son compte était le salut de l'Europe. Mais si la défence du côté de la mer lui fut longtemps possible, elle ne put empêcher que la peste ne descendit des Alpes en 1576, et en 1630.

C'est une chose bien différente que les quarantaines maritimes et les quarantaines terrestres, c'est-à-dire la défense en un seul lieu ou sur quelques points, et la défense le long d'une frontière très étendue. Aujourd'hui même qu'on en a tenté l'essai on en a vu malheureusement, si non l'impossibilité absolue, du moins la grande difficulté. D'ailleurs en 1630 la peste venait à la suite des armées allemandes qui allaient siéger Mantoue et trouvaient les populations affaiblies par la famine et le typhus qui avaient régné l'année précédente. Ce fut alors et dans ces conditions toutes défavorables qu'on fit le grand et dernier essai d'une quarantaine dans l'intérieur de grandes villes, telles que Milan, Venise et Florence. On bâtit des lazarets tout exprès, on obligea les habitants à rester enfermés dans leurs maisons plusieurs semaines, et néanmoins la mortalité fut épouvantable. Venise en resta si affaiblie, qu'elle ne put résister aux assauts que lui livrait dans la Morée son ancienne ennemie, la Turquie. Ce fut aussi alors qu'éclata, — non pour la première fois, car on la retrouve déjà dans les grandes épidémies d'Athènes, de Rome et du moyen-âge, — mais dans sa plus grande intensité, cette espèce de délire qui faisait croire que des scélérats semaient la peste avec des poudres et des onguents. On en arrivait à croire qu'on les voyait agir. Manzoni a raconté tout cela dans un des plus navrants épisodes de son livre immortel. Ces mesures de rigueur ne pouvaient aboutir, parce qu'on détruisait d'une part ce qu'on faisait de l'autre. Toute réunion était défendue et toutefois les processions se succédaient. La nécessité des services publics comportait des contacts, que de nulle manière on ne pouvait éviter.

Cependant il y a deux mémorables exemples de peste anéantie sur place. A la fin du XVII siècle la maladie importée des côtes de la Dalmatie éclata dans la Pouille. On cerna la province toute entière d'un triple cordon militaire et le reste du Royaume de Naples fut sauvé. De même ce fut en 1814 pour Noja, petite ville sur les bords de l'Adriatique. On ne se borna pas à défendre les lieux sains, mais pour mieux les mettre à l'abri on alla à la rencontre du mal, comme si aujourd'hui on empêchait la sortie des navires en mettant le blocus aux ports des pays infectés du choléra, ou d'autres maladies contagieuses. On fit quelque chose de pareil de nos jours quand la peste apparût à Astrakan et mit en émoi toute l'Europe. Le mal fut éteint sur place, et le feu en détruisit les germes. Mais on peut brûler des hameaux et quelques villages, est-ce que cela serait possible d'une ville? La lèpre qui semblait peser sur le moyen-âge comme une malédiction, a fini par disparaître presque tout-à-fait; et elle n'existe plus que dans quelques lieux à l'état endémique très borné. Dans cette disparition ont concouru sans doute les progrès de la civilisation, l'hygiène améliorée des populations, de la même manière que nous voyons toute épidémie sévir avec plus de force dans les lieux sales, où l'air est confiné, où règne la misère.

La putridité du milieu, quand même elle n'est pas la cause de la maladie, en favorise le développement. On peut empêcher une graine de germer en rendant stérile le terrain où elle va tomber; et l'immunité des lieux et des personnes vis-à-vis de certaines maladies n'est qu'une stérilisation. Le peuple savait cela, quand pour se garantir de la peste, qui venait d'éclater dans une localité, il allait se réfugier là où la maladie avait déjà exercé ses ravages. Ce qu'on a cru être une loi du choléra et une découverte de nos jours, était une notion tout-à-fait populaire dans le XIV et XV siècle.

L'histoire donc nous apprend ce que l'expérience du présent nous met sous les yeux: les deux séries de faits vont d'accord et s'entreaident, pour nous montrer l'utilité des quarantaines et tout en même temps les conditions et les limites dans lesquelles il est possible d'en obtenir une préservation efficace.

Enfin qu'est-ce qui a fait défaut à la législation sanitaire des siècles passés?

L'hygiène de l'école salernitaine était ce que pouvait être la physiologie et la pathologie de ces temps-là; celle de nos jours aura tout l'avantage que donnent les progrès des sciences médicales et physiques, l'observation et l'expérimentation que nous appelons à notre aide. Le courant des idées va nous amener aux anciennes doctrines ontologiques; gardons-nous de tomber dans les mêmes défauts! Sans doute la meilleure défence contre la contagion c'est de l'éloigner, contre les parasites c'est de les tuer. Mais est-ce que le corps humaine ne peut lutter contre eux? La lutte ou une résistance est possible; si c'était autrement, personne ne sortirait d'une épidémie. L'hygiène en assainissant les lieux, en fortifiant les organismes, donne cette résistance et l'immunité. Ce serait une faute de croire que la propreté, la bonne chère et la bonne humeur suffisent pour nous sauvegarder des maladies contagieuses; ce serait une autre faute de croire que devant la contagion il n'y a qu'à fuir. Non; il reste toujours le champ libre au dévouement pour ses pieux et courageux exploits; il suffit que la prudence prenne la place de la témérité, qui, aussitôt battue, aurait la peur, l'épouvante, à son arrière-garde.

Mais cela ne suffit pas encore. Afin que la préservation contre les maladies pandémiques, ou contre toute autre maladie qui menace la société, soit vraiment efficace, il faut une défense commune, il faut cette alliance internationale que des savants confrères ont dans ce même congrès recommandée et qui malheureusement jusqu'ici nous a fait défaut. Mieux encore que la défense vaudrait l'agression: le général qui attaque, a meilleure chance de vaincre. Nous avons vu que cette agression est possible, qu'on l'a même essayée avec avantage il y a déjà presque deux siècles.

Je serais heureux, Mesdames et Messieurs, si cette course que nous avons faite dans les champs de l'histoire de l'hygiène vous a raffermi dans la conviction que la science que nous représentons ici est d'autant plus bienfaisante qu'elle est moins solitaire, c'est-à-dire quand elle embrasse toute la vie humaine dans ses manifestations et la suit pas à pas dans ses besoins. Mais

11

les leçons de savants resteront sans écho, si la population n'ouvre les oreilles; l'hygiène ne sera vraiment utile que si elle n'entre dans le domaine public; il faut une propagande active et continuelle : dans cette espèce de campagne ou de croisade pour vaincre les préjugés et pour semer la bonne graine, tout homme de coeur doit nous venir à l'aide.

Les nations doivent s'allier pour se défendre contre un ennemi qui n'a pas de drapeau: c'est une guerre à outrance qu'on doit faire. Cela nous coûtera des sacrifices, et surtout la restriction momentanée de la liberté individuelle, mais la science en aiguisant ses armes nous rendra moins pénible ce sacrifice. En attendant, comme tout peuple civilisé s'est armé contre les pirates, et la piraterie a disparu, souhaitons que l'alliance de nos gouvernements nous assure contre l'envahissement de maladies, qui sont une menace continuelle à notre bonheur, à notre santé, à notre vie, une entrave au progrès de l'humanité.

Le discours de M. Corradi est vivement applaudi.

La parole est donnée à M. le Dr. J. Crocq, de Bruxelles, qui parlera „des eaux potables".

Mesdames et Messieurs.

Dans son traité de l'air, des eaux et des lieux, Hippocrate insiste longuement sur les qualités des eaux potables, qui selon lui devront être claires, légères, dépourvues d'odeur et de saveur, chaudes en hiver et fraiches en été. Il repousse celles qui sont troubles, stagnantes, crues, dures, saumâtres, celles qui proviennent de la fonte des neiges et des glaces. Il regarde l'eau de pluie comme légère et excellente, mais elle se corrompt vîte par la présence de corps étrangers, et il recommande de la faire bouillir pour éviter cette corruption. Il proclame la puissante influence de l'eau sur la constitution, le tempérament et la génèse des maladies.

L'observation et l'expérience des siècles n'ont fait que confirmer les propositions énoncées par le père de la médecine. L'eau, et l'eau de bonne qualité distribuée en abondance, est la condition la plus essentielle de la salubrité, l'élément le plus important de l'hygiène.

Sans eau, la vie s'éteint; avec une eau insuffisante ou de mauvaise qualité, elle périclite; l'eau constitue la cause et le véhicule de propagation de nombreuses maladies. Des statistiques ont établi qu'une bonne distribution d'eau amenait une diminution notable de la mortalité.

Les anciens avaient parfaitement compris l'importance de cette question. Nous admirons encore aujourd'hui ces aqueducs par lesquels les Romains amenaient dans leurs villes des masses d'eau de bonne qualité, et surtout ceux si nombreux qui alimentaient sur une large échelle la capitale de leur empire.

Toutefois, ces traditions s'étaient perdues dans les ténèbres du moyen-âge, et il faut arriver à l'époque moderne pour voir de nouveau appréciée à sa juste valeur la question capitale de l'eau potable. Cette étude offre ceci de particulier, que son importance grandit d'autant plus qu'on l'approfondit davantage, et qu'elle finit par s'imposer en quelque sorte comme une question sociale de premier ordre à l'attention des autorités.

Je me fais ici un devoir de rappeler, Messieurs, que votre pays, qui a si souvent donné au monde l'exemple du progrès, est l'un de ceux où la question de l'eau potable a le plus appelé l'attention. A l'occasion du choléra de 1866, votre Roi a ordonné une série de recherches, qui devaient aboutir à une connaissance complète des eaux qu'offre le territoire de la Néerlande.

Dans cette étude sur l'eau potable, les points que nous aurons à examiner successivement sont les suivants:

1°. la composition chimique de l'eau; 2°. ses caractères physiques; 3°. ses propriétés physiologiques; 4°. son origine; 5°. les moyens par lesquels on peut la faire parvenir de son point de départ au lieu de son utilisation; enfin 6°. sa quantité. Je vais jeter un coup d'oeil sur ces différents points de vue, afin de bien établir les bases sur lesquelles doit reposer une bonne distribution d'eau.

Au point de vue physiologique, l'eau remplit dans l'organisme un double rôle. Introduite dans les voies digestives, elle doit tenir en suspension les matières alimentaires, de façon à assurer la facilité de leurs mouvements; elle doit ensuite prendre part à l'action dissolvante et transformatrice des sucs digestifs. Pénétrant dans l'appareil de la circulation, elle donne au sang la liquidité suffisante pour le rendre apte à circuler facilement et à se prêter aux phénomènes de transsudation qui président à l'accomplissement des échanges nutritifs. Elle sert également de véhicule pour entraîner au dehors les produits de sécrétion, et surtout ceux de la sécrétion excrémentitielle. L'eau, par sa composition chimique, doit être apte à remplir ce double rôle. L'eau absolument pure ne l'est déjà pas; elle n'est absorbée que lentement, n'exerce qu'une action incomplète sur les substances alimentaires, et ne provoque pas la sécrétion du suc gastrique. Aussi est-elle lourde et crue. Telles sont les eaux de glace et de neige. Pour ne pas présenter ces défauts, elle doit tenir en dissolution des substances gazeuses, qui sont l'acide carbonique et l'oxygène.

Elle s'en charge facilement, car elle les absorbe avec avidité; aussi l'eau de pluie qui a traversé l'atmosphère, en est-elle saturée. L'eau de pluie, comme Hippocrate l'avait parfaitement constaté, est une eau potable de premier ordre. Tous les auteurs la reconnaissent comme telle, et des villes entières, Venise par exemple, l'utilisent en cette qualité. Seulement, en traversant l'atmosphère, et en roulant sur les toits et dans les gouttières, elle se charge de poussières organiques, qui la salissent et la rendent facilement altérable; d'où le précepte de la bouillir, établi par le père de la médecine.

Ces défauts, et aussi l'irrégularité de sa production, et son insuffisance dans bien des localités et dans certaines saisons, ne permettent pas de recourir exclusivement à elle.

L'eau de pluie est presque de l'eau distillée, doit donc aussi être une eau potable de bonne qualité, dès qu'elle est suffisamment aérée; et l'usage qu'on en fait à bord des vaisseaux l'a pleinement démontré.

La plupart des eaux utilisées comme boissons n'offrent pas ce degré de pureté. Elles renferment en plus ou moins grande quantité des substances solides, organiques, ou inorganiques, dissoutes ou seulement suspendues, qui altèrent leur pureté chimique ou physique.

Occupons-nous d'abord de celles qui sont dissoutes, parce que généralement nos sens ne nous en révèlent pas la présence, et parce que c'est à elles surtout que les eaux potables doivent leurs qualités bienfaisantes ou nuisibles.

L'eau est d'autant meilleure qu'elle contient moins de ces substances, qu'elle se rapproche davantage de l'eau de pluie. Le congrès d'hygiène tenu à Bruxelles en 1852 a fixé à $\frac{5}{10000}$ la quantité de ces principes au delà de laquelle une eau ne peut plus être regardée comme bonne, et cette proposition a été généralement acceptée.

Toutefois, toutes ces substances n'occupent pas le même rang au point de vue de l'action qu'elles exercent sur l'organisme, et les auteurs ont recherché avec soin les effets qu'elles produisent. On peut les diviser en deux catégories: celles dont on peut tolérer la présence en certaines proportions, et celles qui rendent l'eau mauvaise, même quand elles s'y trouvent en très minime quantité. Les premières sont le carbonate de chaux, le carbonate de soude et le chlorure de sodium. Le carbonate de chaux, maintenu dissous à la faveur de l'acide carbonique, peut même y être contenu en assez forte proportion. Le congrès d'hygiène de 1852 a fixé à $\frac{1}{10000}$ la dose à laquelle il ne présente aucun inconvénient. Une eau qui en contient davantage peut encore être tolérée, mais elle précipite le savon d'autant plus que la proportion en est plus grande, et avec plus de $\frac{1}{10000}$ elle ne cuit déjà plus les legumes secs. Contrairement à ce qu'avancent beaucoup d'auteurs, une eau peut donc ne pas dissoudre le savon, ne pas cuire les légumes secs, et cependant être encore une bonne eau potable. Je dis une bonne eau potable, mais je ne dis pas une eau potable de première qualité, car elle paraîtra lourde à certains estomacs. Une semblable eau, contenant un excès de carbonate de chaux, peut être tolérée, mais elle ne doit pas être recherchée. Elle doit l'être d'autant moins qu'elle ne vaut rien pour l'industrie, qu'elle est mauvaise pour les usages domestiques, et qu'elle augmente beaucoup les dépenses ménagères, rien que par le savon qu'elle précipite en quantité considérable.

Le sulfate de chaux, le chlorure de calcium, les sels de magnesium et de potassium, les azotates, rendent les eaux absolument insalubres. Le premier surtout est nuisible, même en fort minime proportion, et les eaux de la Seine et de l'Ourcq, employées à Paris, lui doivent leurs mauvaises qualités.

Plus nuisibles encore sont les matières organiques, qui déjà à la dose de $\frac{1}{15000}$ doivent faire rejeter une eau comme impropre à la consommation. Elles ne sont toutefois pas toutes également nuisibles, et à cet égard on peut en établir trois catégories. Celles de la première favorisent le développement des infusoires et des algues vertes, qui dégagent de l'oxygène; elles ne sont pas directement nuisibles. Toutefois elles le deviennent facilement lorsque la décomposition s'empare de ces matières; elles ne sont donc inoffensives qu'à condition d'être consommées de suite; elles ne sont pas susceptibles de conservation.

Les secondes sont constituées par des matières en décomposition; elles absorbent de l'oxygène et sont éminemment défavorables. C'est à elles que se rapporte le passage suivant de Hallé:

„Les eaux potables ne doivent point contenir de matières animales ou „végétales corrompues; ainsi on ne doit pas les puiser dans les étangs et les „marais. Ces eaux, lors même qu'elles ne récèlent que des quantités inappré-„ciables de substances organiques en putréfaction, et de produits gazeux de „leur décomposition, ne sont jamais saines, et leurs effets nuisibles se mani-„festent à la longue; c'est ainsi qu'elles amènent peu à peu la débilitation „des forces gastriques, la décoloration des tissus rouges, les fièvres intermit-„tentes, les engorgements des viscères abdominaux, l'asthénie générale".

La troisième catégorie de matières organiques est encore pire: ce sont des substances, composés chimiques ou microbes, susceptibles d'engendrer directement dans l'organisme des maladies déterminées, telles que le choléra, le typhus, la fièvre typhoïde, la diphthérie, etc.

L'examen microscopique approfondi sera fort utile pour déceler la présence des proto-organismes, et pour faire distinguer les matières organiques inoffensives des nuisibles; toutefois les premières ne sont inoffensives que primitivement; l'eau qui les renferme se corrompt facilement, et alors ces matières passent de la première de ces sous-divisions à la seconde, c'est-à-dire que d'indifférentes elles deviennent offensives.

Il résulte de ces considérations que, pour être irréprochable, une eau ne doit pas renfermer du tout de matières organiques, et que celle qui en contient même de fort minimes quantités devient par cela seul impropre à l'alimentation.

Les azotates et les sels ammoniacaux en petite proportion n'exercent sur l'organisme aucune action nuisible. Cependant il faut rejeter absolument toutes les eaux qui en contiennent, parce que ces sels proviennent constamment de l'altération des matières organiques, et indiquent positivement la présence de celles-ci.

Un dernier point auquel ou n'a pas accordé généralement une attention suffisante, c'est la présence dans l'eau de poisons inorganiques, dont elle se charge dans son parcours. Certaines de ces substances sont empruntées aux couches qu'elle traverse dans les entrailles de la terre, où elle peut dissoudre du cuivre, du plomb ou de l'arsenic. En voulez-vous un exemple?

L'eau minérale arsénicale de Court St. Etienne près Bruxelles a été découverte par hasard. Servant d'eau potable à un hospice de vieillards, elle les a rendus malades, et même elle en a tué plusieurs. Ce fait a porté à en faire l'analyse, et on y a découvert une forte proportion d'arsenic.

D'autres substances toxiques sont introduites dans l'eau par les conduites qu'elle doit traverser. Ce sont principalement le gaz d'éclairage et les sels de plomb et de zinc.

L'analyse chimique de l'eau constitue un point capital de son étude, et on ne saurait trop encourager et multiplier ces recherches. L'analyse microscopique ne doit pas non plus être négligée. Cependant ces précieux moyens d'investigation ne suffisent pas toujours pour déterminer la valeur d'une eau. Les propriétés physiques appréciables par nos sens sont également essentielles.

L'eau doit être claire, limpide, fraîche, sans odeur et sans saveur. Souvent l'odorat et le goût y décèlent plus sûrement que l'analyse chimique la présence de substances organiques nuisibles.

Il faut encore joindre à toutes ces données les qualités physiologiques de l'eau, déterminées par l'observation de ses effets sur l'organisme des animaux et de l'homme. Telle eau pourra paraître convenable d'après ses propriétés physiques et chimiques, et cependant l'étude de ses effets physiologiques lui sera défavorable. J'ai déjà cité l'eau de Court St. Etienne, dans laquelle l'action physiologique a conduit à découvrir la présence de l'arsenic.

Voici comment s'exprime à ce sujet Michel Lévy:

„Il pourra arriver qu'une eau qui ne révèle aucun signe d'altération appré„ciable exerce une influence défavorable sur la santé publique; d'autre part, „l'influence d'une minime quantité d'ammoniaque dans une eau potable „ne sera pour le médecin qu'un indice sans valeur positive, si elle ne donne „pas lieu à des troubles appréciables et corrélatifs dans l'état hygiénique des „populations. Nous avons entendu au sein du conseil de salubrité de Paris, „notre éminent collègue Boussingault formuler lui-même ces réserves, et „invoquer l'observation des médecins comme le contrôle le plus décisif des „données chimiques de l'hydrologie. Le complément de l'exploration hygiénique „des eaux considérées comme boisson, se trouve dans l'observation des personnes „et même des animaux qui en font usage. Il faut examiner si l'action des „eaux ne porte aucune atteinte à l'ensemble de leur constitution, si elle ne „détermine en particulier le trouble d'aucune fonction, et en premier lieu de „la fonction digestive, si elle entre dans l'étiologie des maladies endémiques. „Pour l'eau comme pour l'air, l'organisation est un réactif plus délicat et „plus sûr que la couleur d'un précipité; l'observation des modifications qu'elle „éprouve, combinée avec les données immédiates que fournit l'épreuve des „sens, suffira le plus souvent au médecin pour apprécier la nature des eaux „usitées dans la vie commune des hommes, bien qu'il convienne toujours d'en „apprécier la composition par voie d'analyse".

Telles sont les multiples qualités que doit posséder l'eau potable. Cette eau, où pourra-t-on la rencontrer? Après l'eau pluviale, dont j'ai indiqué tantôt les qualités et les défauts, nous rencontrons celle que nous fournit presque partout le sol, quand on le creuse à une certaine profondeur. L'eau des puits, qui n'est que l'eau pluviale filtrée à travers les couches superficielles de la terre, est généralement bonne, et les habitants de la campagne et des petites villes s'en servent avantageusement. Mais elle est facilement corrompue par le voisinage des lieux d'aisance, des puisards, des fosses à fumier et à purin, des cimetières, en un mot, de tous les dépôts de substances organiques en décomposition. Le sol des grandes villes est constamment imprégné de ces substances, provenant des immondices qu'on y jette, des égouts, des tuyaux conducteurs du gaz; aussi remarque-t-on que les eaux s'y altèrent progressivement, d'autant plus que la population y devient plus nombreuse et plus dense, et elles offrent alors des chlorures, des nitrates, de l'ammoniaque, des substances organiques, et même de l'hydrogène sulfuré. C'est ainsi que la ville de Bruxelles avait autrefois un grand nombre de puits fournissant une eau de bonne qualité, tandis qu' aujourd'hui presque toutes ces eaux sont corrompues et impropres à l'alimentation.

Delà la nécessité pour les villes de s'approvisionner d'eau potable amenée du dehors, nécessité motivée aussi en général par l'insuffisance de la quantité.

Pour pourvoir à cet approvisionnement, on a eu recours aux sources, aux puits artésiens, au drainage et à l'établissement de galeries filtrantes, aux lacs et aux rivières.

On a longuement discuté la question de savoir de ces diverses origines de l'eau laquelle méritait la préférence. Généralement le public aime mieux l'eau de source, parce que, émergeant du sein de la terre, on se la figure plus pure que toute autre. Elle ne contient en effet que peu ou pas de matières organiques, et d'habitude elle est limpide et fraîche; mais souvent elle renferme des substances minérales, trop abondantes ou nuisibles, qu'on doit y rechercher par l'analyse chimique. Ces substances sont en rapport avec les terrains desquels elle provient; celles des terrains granitiques et schisteux sont les plus pures et les meilleures, et doivent être préférées à toutes les autres.

Les eaux des puits artésiens, provenant de nappes aquifères qui s'étendent au loin dans les profondeurs du sol, sont passibles des mêmes considérations que celles des sources, sauf que leur température est d'autant plus élevée qu'ils sont plus profonds.

Les galeries filtrantes établies à une profondeur convenable recueillent l'eau du sol. La composition de leur produit sera donc en rapport avec la nature de celui-ci. Les sols meubles et perméables qui en permettent l'établissement, appartiennent le plus souvent aux terrains tertiaires et crétacés; ils sont souvent calcaires, et alors les eaux sont surchargées de carbonate de chaux, comme celles de la ville de Bruxelles, et quelquefois elles contiennent de notables proportions de sulfate de la même base. Cependant, si elles sont empruntées à des terrains sablonneux purs, comme les dunes de la mer, elles pourront être très pures et de bonne qualité; telles sont celles de la ville de La Haye. Leur seul défaut alors est de varier en quantité avec les circonstances atmosphériques, et de diminuer parfois beaucoup par les temps de sécheresse.

Les eaux des marais et les étangs sont généralement mauvaises à cause des matières organiques souvent en voie de décomposition qu'elles récèlent.

Il n'en est pas de même des eaux des lacs, qui la plupart du temps sont pures, fraîches et de bonne qualité, semblables aux meilleures eaux de source, surtout quand ces lacs se trouvent dans des pays de montagnes constituées par des roches granitiques ou schisteuses. Le mouvement auquel sont constamment soumises ces grandes masses d'eau entretient leur aération, et les poissons, les crustacés qui les habitent, les plantes qui croissent sur leurs bords, leur enlèvent au fur et à mesure les principes organiques, pour les utiliser et les livrer finalement à une combustion complète. Les eaux du lac Katrin en Ecosse, qui alimentent la ville de Glasgow, sont depuis longtemps célèbres par leur pureté et leurs bonnes qualités.

Les eaux des rivières et des fleuves ont été très diversement appréciées. Les uns les mettent au dessus de toutes les autres, comme plus aérées et même chargées de matières minérales; les autres les regardent comme moins pures et moins fraîches, et leur assignent un rang inférieur, les tolérant seulement en cas de nécessité et à condition de les filtrer.

Les uns et les autres ont raison; c'est-à-dire que, posée dans ces termes absolus, la question est insoluble, et qu'elle doit être examinée spécialement pour chaque cas particulier. Comme il y a de bonnes et de mauvaises eaux de source, il y a de bonnes et de mauvaises eaux de rivière. Il est vrai qu'en général elles sont plus aérées et moins chargées de matières minérales dissoutes que les eaux de source, mais à côté de ces attributs, elles peuvent en présenter d'autres d'après lesquels on peut les repartir en deux catégories bien distinctes.

Les unes sont habituellement ou fréquemment troubles, peu agréables au goût et même à l'odorat, chargées de matières organiques souvent en voie de décomposition; certaines contiennent du sulfate de chaux; tendant à se mettre en équilibre de température avec le milieu ambiant, elles sont chaudes en été. Telles sont les eaux de la Tamise, de la Seine, de la Meuse, du Rhône, de l'Escaut, et de toutes les rivières qui coulent sur des terrains meubles ou argileux, ou qui traversent des marais, des contrées populeuses ou cultivées, des villes d'une certaine importance. Les déjections des hommes et des animaux, les détritus enlevés au sol par les eaux pluviales, les déchets des ménages, le savon, les résidus de l'industrie, les altèrent, et souvent les effets de cette pollution se font sentir à une grande distance. Elles peuvent charrier des substances délétères et même des germes propagateurs de maladies contagieuses. Ces eaux-là ne sont nullement recommandables, et la filtration, procédé qui offre de notables inconvénients, n'est pas toujours un garant certain de leur inocuité.

La seconde catégorie comprend les eaux des rivières qui coulent sur un fond rocailleux, constitué par des terrains granitiques ou primaires, dans des contrées peu habitées et peu cultivées, qui ne traversent pas d'agglomérations, et qui ne reçoivent pas d'eaux industrielles. Celles-là sont claires, limpides, fraîches, inodores, insipides, renfermant peu de matières minérales, et pas ou une quantité m i n i m a de matières organiques. Elles valent les meilleures eaux de source; ce sont en réalité des eaux de source qui ont coulé pendant un certain temps à la surface d'un sol incapable de les altérer et de leur faire perdre leurs bonnes qualités.

Que faut-il conclure de ces considérations? C'est que, pour l'alimentation des villes, on ne peut utiliser l'eau qui imprègne leur sol, mais qu'il faut aller la chercher au loin. Où faut-il aller et à quelle eau faut-il s'adresser? Comme dans une foule d'autres circonstances, il est impossible de le déterminer a p r i o r i, d'après des vues théoriques; la pratique est avant tout opportuniste, parce qu'elle doit surtout tenir compte des conditions dans lesquelles on se trouve. Toute eau quelconque est bonne, quelle que soit sa provenance, dès qu'elle réunit les propriétés physiques, chimiques et physiologiques que j'ai indiquées. Ces propriétés se rencontrent le plus souvent dans les eaux des sources, des lacs et des rivières appartenant à la seconde des catégories que j'ai établies. Après elles, on les trouvera surtout dans les eaux fournies par les galeries filtrantes et par les puits artésiens. C'est seulement à défaut d'eaux convenables appartenant à ces catégories qu'on pourra recourir à celles des rivières de la première catégorie, en ayant toujours soin de les filtrer.

Une considération qu'il ne faut pas non plus perdre de vue, c'est que, pour donner de l'eau aux villes, on ne doit pas en priver les habitants des localités auxquelles on l'emprunte: cette conduits serait peu humanitaire, et pourrait exposer les administrateurs à des réclamations onéreuses. Ce n'est que l'eau non employée ou superflue à laquelle on doit s'adresser, si l'on veut éviter tout reproche et toute difficulté.

Une eau convenable, ou la plus convenable possible, étant trouvée, il s'agit de l'amener aux consommateurs. Ceci est beaucoup plus du ressort de l'ingénieur que de celui de l'hygiéniste. Cependant ce dernier a aussi son mot à y dire, car il faut que dans son trajet elle garde ses bonnes qualités, et qu'elle soit amenée dans des conditions favorables. Il faut autant que possible qu'elle puisse être distribuée jusqu'aux étages supérieurs des maisons. On peut toujours atteindre ce but à l'aide de machines; mais il vaut beaucoup mieux ne pas devoir y recourir, au point de vue de l'économie d'abord, et ensuite à celui de la régularité du service, en utilisant la différence de niveau entre le point de départ et le point d'arrivée.

Il ne faut pas oublier que les tuyaux de conduite qui les amènent peuvent les altérer. On ne peut pas faire entrer dans leur composition d'autres métaux que le fer, et surtout jamais de plomb, de zinc, ni de cuivre.

Les rivières qui coulent dans des pays de montagnes charrient généralement des eaux excellentes; mais elles présentent souvent le défaut d'avoir un débit qui varie beaucoup selon les saisons, étant tantôt à peine suffisant, tandis qu'à d'autres époques il devient excessif. On a trouvé le moyen d'obvier à cet inconvénient au moyen de barrages d'une grande solidité, qui, établis dans des gorges, à des endroits convenables, retiennent les eaux et transforment une partie de la vallée en un véritable lac. De pareils réservoirs ont été établis à New-York, sur la rivière le Croten, et en Belgique, près de Verviers, sur la Gileppe. Ce dernier ouvrage d'art, que tous vous pouvez facilement visiter, Messieurs, est une oeuvre qui fait le plus grand honneur aux ingénieurs belges qui l'ont conçu et exécuté. Il a pu ainsi être constaté expérimentalement que les eaux emmagasinées par ce procédé gardent parfaitement leur pureté et leur fraîcheur, et qu'elles partagent toutes les qualités des eaux des lacs naturels.

Je vous ai exposé, Mesdames et Messieurs, quelles doivent être les qualités de l'eau potable, où on peut la prendre et comment on peut l'amener à destination. Pour terminer cette étude, il me reste à déterminer un point essentiel: la quantité de cette eau qu'il faut fournir aux consommateurs.

Elle doit servir non pas seulement à l'alimentation et aux usages domestiques, mais encore aux soins de propreté, aux bains, aux usages industriels, à l'arrosage des rues. Pour satisfaire à toutes ces exigences, il faut par jour au moins 150 à 200 litres par habitant, ce qui fait 150 à 200 mètres cubes par 1000 habitants, de 15 000 à 20 000 mètres cubes par 100 000 habitants, et de 150 000 à 200 000 pour un million. Telle est la proportion qui doit être admise comme minimum. Les anciens Romains allaient bien au delà. Leur capitale, si richement dotée d'aqueducs, en recevait au delà d'un mètre cube par tête. New-York en donne au delà de 500 litres, Marseille plus de 400, et Glasgow au delà de 200. Comme il peut être parfois difficile de se procurer de telles masses d'eau réalisant les conditions on a imaginé dans ces cas d'établir deux distributions, dont l'une dispense une eau de qualité inférieure destinée aux usages industriels et à l'arrosage. En cas de nécessité, cette disposition est applicable; mais il faut tâcher de l'éviter, parce que les frais qu'elle occasionne sont plus élevés, et parce qu'il peut devenir difficile de bien limiter et de bien régler l'emploi de ces deux distributions.

Faut-il faire payer l'eau potable aux citoyens? Il faut en encourager l'usage le plus possible; la propreté est une des premières conditions d'une bonne hygiène, et l'eau est le premier agent de la propreté. L'utilité des bains ne peut être contestée; les anciens l'avaient parfaitement reconnue et l'appréciaient à sa juste valeur. L'eau doit être accessible aux pauvres aussi bien qu'aux riches; il faut donc la distribuer gratuitement ou ne la faire payer que fort peu, le moins possible, par exemple quelques centimes par mètre cube. Les fontaines et les abreuvoirs publics sont une nécessité, pour qu'en tout cas elle soit accessible même aux plus pauvres, et pour que les animaux aussi ne soient pas exclus de son usage.

Messieurs, j'aime à dire du bien de mon pays et à le vanter quand il le mérite, et je me félicite d'en trouver l'occasion. Mais je sais aussi dire la vérité sur son compte quand elle ne lui est pas favorable. Je crois devoir le faire d'autant plus que ce n'est pas en la cachant qu'on provoque les améliorations, mais au contraire en faisant ressortir les défectuosités de ce qui existe.

Vous ne serez donc pas surpris si je vous dis que la distribution d'eau de la ville de Bruxelles ne répond pas aux conditions que j'ai posées dans ce travail. Nos eaux, provenant en partie de la captation de sources, en partie de galeries filtrantes, sont trop riches en sels calcaires qu'elles déposent facilement, devenant alors troubles et chargeant les parois des vases qui les renferment; elles contiennent au delà de $\frac{2}{10000}$ de carbonate de chaux, et un peu de sulfate. Leur quantité est insuffisante, ne s'élevant qu'à 66 litres par jour et par habitant. Elles coûtent trop cher, 27 francs par 600 hectolitres, soit 45 centimes par mètre cube; il est vrai qu'il existe un tarif réduit pour la classe ouvrière et pour les établissements industriels. Aussi depuis longtemps déjà les autorités se sont occupées des moyens d'améliorer notre distribution, et plusieurs projets ont été mis en avant. Parmi eux, il en est un qui répond à toutes les conditions indiquées dans mon travail; il est dû à mon honorable collègue, M. le capitaine Dusart, membre du conseil supérieur d'hygiène publique de Belgique, et il a été adopté par le conseil du Brabant. Il consiste à aller chercher dans les Ardennes l'eau de la rivière l'Ourthe, qui est très abondante, d'une remarquable pureté, provenant de terrains schisteux, de l'emmagasiner au moyen d'un barrage établi entre les montagnes dans un lac artificiel, et de l'amener à Bruxelles par des conduites convenables. Vous me demanderez sans doute pourquoi on n'a pas exécuté ce projet? C'est parce qu'il aurait coûté trop cher. Cet argument n'a toutefois qu'une valeur accessoire quand il s'agit de l'eau potable; celle-ci constitue la première nécessité de la vie, la condition la plus essentielle d'une bonne hygiène, et les sacrifices qu'on fait pour la chercher ne sont jamais trop lourds. Mais hélas! Comme l'a si bien dit notre savant collègue M. Rochard, on ne regarde pas aux millions quand il s'agit de monuments, de promenades, d'embellissements; on lésine quand il s'agit du plus grand des intérêts des populations, de leur santé. C'est pour qu'à l'avenir il n'en soit plus ainsi qu'il importe de populariser les notions qui concernent l'hygiène publique, et de bien faire comprendre aux populations et aux administrations l'importance majeure et prépondérante des objets qui s'y rattachent.

Dans chaque pays, on devrait étudier avec soin l'hydrographie au point de vue de la quantité et de la qualité de toutes les eaux potables qu'on y rencontre; on devrait par des analyses répétées établir leur composition et les variations qu'elles peuvent éprouver. On rendrait par là un immense service à l'hygiène publique.

Je termine en appelant sur ce point l'attention des gouvernements et des autorités en général; car fournir aux populations une eau de bonne qualité et en quantité suffisante constitue l'un des problèmes sociaux les plus importants.

Applaudissements prolongés.

M. le président remercie MM. les conférenciers, et invite M. le Dr. G. Haltenhoff, de Genève, à vouloir bien présenter le Rapport du Jury nommé pour l'adjudication du prix pour le concours sur les causes et les moyens préventifs de la cécité.

M. Haltenhoff lit le rapport suivant.

Messieurs.

Au nom du Jury international nommé il y a deux ans par le Congrès d'Hygiène de Genève, je viens vous rendre compte du résultat du concours institué par la Société anglaise pour la Prévention de la Cécité et pour l'Amélioration du sort des Aveugles, pour un prix de 2000 frs. à adjuger au meilleur mémoire sur les Causes de la cécité et les moyens pratiques de la prévenir.

Permettez-moi d'abord de vous rappeler les termes du programme du concours adopté d'un commun accord par les donateurs du prix et par l'assemblée générale du IVe Congrès International d'Hygiène et de démographie :

1. Étude des causes de la cécité :

a. Causes héréditaires. Maladies des parents, mariages consanguins, etc.

b. Maladies oculaires de l'enfance. Ophthalmies diverses.

c. Période d'école et d'apprentissage, myopie progressive, etc.

d. Maladies générales. Diathèses, fièvres diverses, intoxications, etc.

e. Influences professionnelles. Blessures et accidents. Ophthalmie sympathique.

f. Influences sociales et climatériques. Ophthalmies contagieuses. Encombrement. Logements insalubres. Éclairage défectueux, etc.

g. Absence de traitement ou traitement défectueux des affections oculaires.

2. Étudier pour chacune de ces catégories de causes les moyens de prévention les plus pratiques :

a. Législatifs.

b. Hygiéniques et professionnels.

c. Éducatifs.

d. Médicaux et philanthropiques.

Les mémoires manuscrits et inédits pouvaient être écrits en allemand anglais, français ou italien et devaient être adressés au Secrétaire du Jury avant le 31 Mars 1884. Le programme et les conditions du Concours, rédigés dans les quatre langues et accompagnés d'une circulaire furent envoyés aux principaux journaux médicaux et scientifiques du globe et reçurent par ce moyen la plus grande publicité possible.

Le Jury international chargé d'examiner et de juger les mémoires des concurrents, était composé des membres suivants :

Allemagne: M. le Dr. Berlin, professeur d'ophthalmologie, à Stuttgart. M. le Dr. H. Cohn, professeur d'ophthalmologie, à Breslau.

Angleterre; M. le Dr. M. Roth, secrétaire et trésorier de la Society for the Prevention of Blindness. M. le Dr. Streatfield, professeur d'ophthalmologie, à Londres.

France: M. le Dr. Coursserant, médecin oculiste, à Paris. M. le Dr. Fieuzal, médecin de l'hospice des Quinze-Vingts, à Paris. M. le Dr. Layet, professeur d'hygiène, à Bordeaux.

Italie: M. le Dr. Reymond, professeur d'ophthalmologie, à Turin. M. le Dr. Sormani, professeur d'hygiène, à Pavie.

Pays-Bas: M. le Dr. Snellen, professeur d'ophthalmologie, à Utrecht.

Suisse: M. le Dr. Dufour, médecin l'hôpital ophthalmique, à Lausanne. M. le Dr. Haltenhoff, privat-docent d'ophthalmologie, à Genève. Ce dernier a fonctionné comme secrétaire du Jury.

Peu de temps après le Congrès de Genève et avant ces publications, la Société de l'Oeuvre internationale pour l'Amélioration du sort des Aveugles — Société ayant son siége à Paris, — manifesta le désir de s'associer à l'Oeuvre philanthropique de la Société fondée et dirigée à Londres par M. le Dr. Roth et nous offrit de décerner de son côté un 2ème prix de 1000 francs et une 3ème récompense consistant en une médaille de vermeil avec diplome, aux mémoires qui lui seraient désignés à cet effet par le Jury du concours.

J'ai, Messieurs, la satisfaction de pouvoir vous annoncer que le concours que vous avez pris sous votre patronage a pleinement réussi. Le Jury a reçu sept travaux la plupart considérables, à savoir: quatre en allemand, deux en anglais et un en français. Après avoir circulé pendant plusieurs mois entre les membres du Jury habitant les divers pays, ces sept mémoires ont été réunis en mains de votre Secrétaire Général M. le prof. van Overbeek de Meijer, et déposés dans une des salles du Binnenhof, où les membres du Jury venus à ce Congrès ont pu de nouveau les consulter à loisir et échanger leurs idées et leurs impressions sur la valeur comparative des travaux concurrents. Vous les voyez ici réunis sur la table de la Présidence, où vous pourrer les examiner à votre tour.

Par suite de diverses circonstances, plusieurs de MM. les Jurés n'ont pu se rendre à La Haye; la plupart de ces membres absents du Jury ont envoyé par écrit leur opinion sur les mémoires soumis à leur appréciation.

Le Jury a été à peu près unanime pour accorder le prix de 2000 frs. de la „Society for the prevention of blindness", au mémoire allemand portant la devise „Viribus Unitis". Ce mémoire de 545 pages manu-scrites en deux volumes, ayant pour titre: „Die Ursachen und die Ver-hütung der Blindheit" est une oeuvre originale de grand mérite et répond mieux et plus complètement que les autres travaux concurrents aux diverses questions du programme.

Joignant à l'expérience personnelle du clinicien la connaissance complète de la littérature spéciale du sujet, l'auteur en a embrassé toutes les faces avec une compétence, une exactitude, une largeur et une supériorité de vues qui ont frappé tous les membres du Jury. Ayant toujours present à l'esprit le but pratique et philanthropique du concours, et prenant comme point de départ une définition de la cécité basée sur l'état de dépendance sociale et économique de l'aveugle, l'auteur du mémoire „Viribus unitis" a su être complet et scientifique tout en évitant des détails statistiques superflus, des considé-rations de pathologie ou de thérapeutique plus ou moins en dehors du sujet. Son travail présente un ensemble bien coordonné, dont chaque chapître peut aussi être consulté isolément avec fruit. Partout la place la plus large est donnée à l'étude des mesures prophylactiques, propres à diminuer le nombre des aveugles incurables. Aussi le Jury croit-il devoir exprimer le désir que ce remarquable ouvrage soit bientôt publié et, si possible, traduit en d'autres langues, soit par les soins de la Société anglaise pour la prévention de la cécité, soit de toute autre manière.

Votre Jury a décidé de placer en seconde ligne le mémoire allemand portant comme devise les mots de Schiller: „Wie viel bleiben doch unsere Thaten unsereu Hoffnungen schuldig", etc., et de le désigner à la „Société de l'Oeuvre internationale pour l'amélioration du sort des aveugles" comme méritant le prix de 1000 frs. promis par cette Société. C'est également un travail très consciencieux dont les différentes parties se conforment fidèle-ment au plan tracé dans le programme du concours. Il se distingue surtout par des recherches statistiques très-étendues, parfois exposées, il est vrai, avec un luxe de chiffres un peu exagéré. Bien qu'il ne laisse pas de présenter quelques lacunes dans l'exposé des mesures prophylactiques, ce mémoire, assez complet au point de vue des causes de la cécité, constitue un travail méritoire que le Jury sera heureux de voir récompenser.

Il restait enfin à désigner un troisième travail digne d'obtenir la médaille avec diplome de la Société de Paris. Le Jury n'a pas hésité à donner cette place honorable au mémoire anglais portant en tête les mots de Byron tirés de Childe Harold: „What is writ is writ, would it were worthier." Ce manuscrit de 578 pages en deux volumes, orné de 53 planches et dessins, la plupart coloriés, est un travail extrêmement remarquable et d'une lecture fort attachante, surtout pour le spécialiste. Il étudie principalement la pathologie des causes de cécité et donne de nombreux exemples des différentes catégories de cas, choisis dans un vaste champ d'observation clinique. Malheureusement l'auteur se laisse souvent entrainer dans la discussion de questions ophthalmologiques très speciales, soit anatomo-pathologiques, soit thérapeutiques. S'il est souvent sorti des limites du cadre nécessairement tracé pour ce concours, il n'a pas toujours su y rentrer au moment opportun. Aussi ce beau travail présente-t-il, soit dans l'étiologie et la statistique, soit dans l'étude des mesures prophylactiques, des lacunes nombreuses et importantes, qui l'empêchent d'occuper le premier rang, auquel pouvait lui donner droit le mérite scientifique incontestable de son auteur.

Ce mémoire est accompagné d'un petit précis populaire sur l'hygiène des yeux et les premiers soins à leur donneur en cas de maladies et d'accidents. C'est une brochure intitulée „The eyes and how to treat them, a pennyworth of knowledge for the working man", et destinée, dans l'idée de l'auteur, à être répandue dans toutes les classes laborieuses, les plus exposées à la cécité pour tant de motifs, dont un des plus évidents est précisément leur ignorance. Le Jury a apprécié à sa juste valeur l'excellence de cette proposition, sans toutefois approuver complètement la manière dont l'auteur l'a réalisée. Apprendre au peuple, par des publications courtes et élémentaires, à connaître et à éviter les dangers qui menacent le plus précieux de nos sens et le plus indispensable de nos instruments de travail, n'est-ce pas un des buts auxquels nous devons tendre et que cherche précisément à atteindre la Société anglaise pour la prévention de la cécité?

Messieurs, je n'ai pas à vous parler des autres mémoires que le Jury a eus à examiner, dont plusieurs certainement ne sont pas sans mérite, dont quelques-uns même sont d'une lecture attrayante ou instructive. Leurs auteurs, dont les noms resteront ignorés, auront la satisfaction d'être entrés vaillamment en lice pour une lutte honorable et louable entre toutes, la lutte de la science et de la charité contre un des plus grands maux qui puissent affliger l'être humain. Si tous ne pouvaient aspirer à l'honneur d'une récompense, tous ont coopéré, dans la mesure de leurs forces, a l'oeuvre si utile, si belle, si philanthropique, qui est le but de ce concours. Dans les luttes pacifiques de ce genre, s'il peut y avoir des vainqueurs, il n'y a pas, à vrai dire, de vaincus.

Je ne terminerai pas ce rapport sans dire quelques mots d'un travail sur les causes et la prophylaxie de la cécité publié au moment même de l'ouverture de ce concours par M. le Dr. Magnus, professeur d'ophthalmologie à l'Université de Breslau. Le Jury a vivement regretté que l'époque et les conditions du concours n'aient pas permis à cet excellent ouvrage d'entrer en lice avec les auteurs concurrents. M. Magnus a été le premier écrivain qui ait traité et compris la question de la cécité dans l'esprit même qui a inspiré ce concours. Il s'est livré à des recherches considérables sur les causes de la cécité, et les données auxquelles il est arrivé ont été fort utiles à la plupart des concurrents, qui le citent fréquemment dans leurs mémoires. Plusieurs font de ce livre un éloge auquel nous nous associons de tout coeur.

Il me reste, Messieurs, à remercier M. le Secrétaire Général du Comité d'organisation du Congrès de La Haye de l'aide obligeante qu'il a prêtée au Jury du Concours, et à souhaiter que les résultats de ce concours contribuent à attirer l'attention des peuples et des gouvernements sur l'importante question de la cécité et à faire prendre partout les mesures prophylactiques propres à réduire le nombre des malheureux aveugles à un minimum inévitable.

Les mémoires non couronnés, ainsi que les enveloppes cachetées contenant les noms de leurs auteurs, sont tenus dès à présent à la disposition de ceux-ci, et restent provisoirement déposés au Secrétariat Général du Congrès. Il en sera de même pour le mémoire allemand „Wie viel bleiben doch", etc., et pour le mémoire anglais: „What is writ", etc., dont les auteurs devront s'adresser directement à la „Société de l'Oeuvre internationale pour l'amélioration du sort des aveugles" (Président: M. Lavanchy Clarke, 30 Rue Vernier, les Ternes, Paris) pour obtenir les récompenses de cette société.

Je prie maintenant M. le Président du Congrès de vouloir bien ouvrir l'enveloppe intitulée „Viribus unitis" et proclamer le nom du lauréat.

Sur l'invitation de M. Haltenhoff, le président, M. de Beaufort, ouvre l'enveloppe cachetée portant la devise „viribus unitis". Cette enveloppe contient un papier qui nomme comme auteur du mémoire M. le Dr. Ernest Fuchs, professeur d'ophthalmologie à l'Université de Liége.

Vifs applaudissements. L'assemblée décide qu'une dépêche télégrafique fera connaître à M· Fuchs la décision du Jury quelle ratifie. Les deux autres mémoires couronnés et les quatre mémoires non couronnés seront confiés aux soins du Secrétaire général.

Le président, M. de Beaufort, remercie le Jury et son rapporteur, M. Haltenhoff.

Il porte à la connaissance de l'Assemblée que divers votes lui ont été transmis par quelques sections, dans l'intention de les faire approuver en séance générale. Cette approbation ne pourrait être donnée sans déroger à l'article

15 du **Règlement** général du Congrès. L'Assemblée devra donc se prononcer préalablement sur ce point.

Plusieurs Membres s'opposent à la simple approbation de voeux émis dans quelque Section du Congrès. Ces voeux, en effet, résument la pensée des Membres de cette section, mais pour obtenir la sanction de la séance générale, ils devraient être discutés de nouveau. Or, le temps nécessaire à cette discussion manque complètement. Quelle valeur peuvent avoir des votes en Séance générale, alors qu'il est impossible de défendre et de justifier les voeux proposés par quelque Section?

D'autres Membres pensent que les voeux proposés à l'adoption, peuvent être soumis à l'approbation de l'assemblée générale, sans qu'ils soient discutés.

L'assemblée décide, par assis et levé, qu'il sera dérogé à l'article 15 du Règlement général du Congrès, et que les voeux seront mis aux voix, sans discussion.

Le Secrétaire général lit alors les voeux suivants qui ont été déposés au Bureau :

Voeux déposés par la 1re Section :

1º. La réunion d'une nouvelle conférence sanitaire internationale.

2º. La création d'une commission internationale permanente scientifique des épidémies.

3º. La création d'un code pénal international, et plus particulièrement une loi pénale internationale applicable aux contraventions sanitaires.

Voeux déposés par la 2e Section :

1º. La nomination d'une Commission d'enquête au sujet de la question par quelles mesures nationales et internationales on pourra combattre l'influence fâcheuse des chiffons infectés, sur la propagation des maladies contagieuses. Cette Commission d'hygiénistes se mettra en rapport avec différents représentants des intérêts de l'industrie des chiffons, donnera son rapport au prochain Congrès d'hygiène et en attendant, le plus tôt possible publiera les résultats de ses recherches.

Le Bureau de la 2e Section propose de nommer membres de cette commission: MM. W. H. Corfield, de Londres, F. C. M. Finkelnburg, de Bonn, J. Th. Mouton, de La Haye, W. P. Ruysch, de Maastricht (actuellement à La Haye), et E. Vallin, de Paris.

2º. La nomination d'une Commission pour étudier l'influence du déboisement ou reboisement, sur la santé publique.

Le Bureau de la 2e Section propose de nommer membres de cette Commission: MM. A. Schwappach, de Giessen, J. Soyka, de Prague, et Tomasi Crudeli, de Rome.

3º. Le cinquième Congrès international d'hygiène, confirmant les voeux des précédents Congrès internationaux, exprime de nouveau le voeu que tous les Gouvernements, rendant hommage aux principes de liberté, et se conformant aux lois de l'hygiène, fassent disparaître les obstacles législatifs qui, dans certains pays, s'opposent à la crémation facultative des cadavres.

Incidemment il attire l'attention des Gouvernements sur l'avantage de la Crémation en cas de grave épidémie.

Voeu déposé par M. le Dr. Henri Liouville, de Paris;

Le 5me Congrès reprenant le voeu émis par les Congrès de Bruxelles, de Paris, de Turin et de Genève, concernant la création dans chaque pays, d'une organisation centralisant les différents services d'Hygiène et de Salubrité publiques, insiste sur l'urgence qu'il y a, dans l'intérêt général, à recommander aux Gouvernements qui n'auraient pas encore eccompli cette Réforme, réclamée par tous les hygiénistes, d'en hâter l'exécution.

Tout ces voeux sont adoptés par acclamation.

Voeu déposé par M. le Dr. Dutrieux-Bey, d'Alexandrie.

La nécessité d'un accord international pour empêcher l'importation des liqueurs alcooliques dans l'Afrique centrale.

Cette proposition est rejetée par la majorité des voix, après une courte discussion.

Le président, M. de Beaufort, propose ensuite de déterminer le siège du prochain Congrès international d'hygiène et de démographie.

M. le Comte de Suzor, de St. Pétersbourg, propose de choisir la ville de Vienne. Cette proposition étant vivement appuyée, M. le Dr. J. Soyka, de Prague, dit que la municipalité de Vienne, avertie que cette proposition serait faite, lui a envoyé la dépêche télégraphique suivante:

„Bitte dem Praesidium des internationalen hygienischen Congresses mitzutheilen, dass die Stadt Wien erfreut sein wird denselben im Jahre 1886 in ihren Mauern zu begrüssen. — Steudel, Bürgermeister-Stellvertreter.

Le président, M. de Beaufort, résume le contenu d'une lettre en date du 22 Août 1884, de M. Joseph Körösi de Budapest, qui propose de choisir cette ville comme le siège du futur Congrès. On a eu l'idée, au Congrès de Genève, de se réunir pour le 5e Congrès, à Budapest; mais M. Körösi n'avait pas prévu cette éventualité, et il n'était pas préparé à répondre à la proposition. A présent, il a consulté les personnes compétentes, et il est en mesure d'assurer que le Congrès d'hygiène et de démographie sera reçu non seulement officiellement par la municipalité, mais recevra aussi l'hospitalité des habitants de la ville; il ne doûte pas non plus d'un accueil officiel du Congrès par le Gouvernement du pays.

Après discussion l'Assemblée, quoique très sensible à la proposition de Budapest, se décide à l'unanimité pour la réunion du futur Congrès à Vienne, laissant aux organisateurs du 6ᵉ Congrès le soin de juger de l'opportunité de faire une excursion à Budapest.

Le président, M. de Beaufort, est invité à porter cette décision par une dépêche télégraphique à la connaissance de la municipalité de la Ville de Vienne.

M. le Comte de Suzor, de Saint-Pétersbourg, remercie sincèrement le Gouvernement des Pays-Bas, la municipalité de la Ville de La Haye et son sympathique bourgmestre, le Comité d'organisation, le Comité de réception et le Bureau du Congrès, spécialement le président d'honneur, M. J. Heemskerk Az, le président M. W. H. de Beaufort, les deux vice-présidents, M.M. Blom Coster et van Tienhoven, M. le comte van Bylandt, le secrétaire général M. van Overbeek de Meijer, MM. les secrétaires, et MM. les membres des Bureaux des Sections du Congrès, des soins qu'ils ont pris pour faire réussir cette réunion internationale.

M. le Dr. Mathias Roth, de Londres, remercie MM. les membres du Jury et particulièrement le rapporteur du Jury, M. Haltenhoff, au nom de la Société anglaise pour la prévention de la cécité, de la peine qu'ils ont bien voulu se donner en examinant minutieusement les sept manuscrits présentés pour le concours.

Applaudissements.

Le président, M. de Beaufort, prononce le discours suivant:

Messieurs.

Nous sommes arrivés au terme de nos travaux. Permettez-moi avant de nous séparer, de vous remercier tous, pour ce qui a été fait par chacun de vous pour faire réussir notre congrès. J'aime à croire que le congrès de La Haye marque dans les annales de l'hygiène et de la démographie et j'espère que Mess. les hygiénistes et les démographes qui y ont assisté, en gardent un bon souvenir.

Personnellement et au nom du Bureau, j'ai à vous remercier de l'appui que vous nous avez accordé et qui nous a été indispensable pour bien remplir notre tâche.

Sur le chemin de la science, qui doit aboutir un jour à l'idéal que nous a fait entrevoir l'honorable M. Rochard dans son brillant discours de la semaine précédente, les Congrès sont comme des étapes. Ils sont les anneaux d'une chaîne qui se prolongera aussi longtemps qu'il y aura des maux à combattre. En présence de cette continuité de votre oeuvre, nous ne dirons pas adieu en nous séparant, mais à revoir.

A revoir donc, Messieurs, à revoir, à Vienne!

FÊTES ET EXCURSIONS.

Le Jeudi 21 Août 1884, à 9 heures du soir, MM. les Membres du Congrès ont été reçu solennellement par le Conseil Municipal de la Ville de La Haye, au Palais des Arts et Sciences.

Le Vendredi 22 Août, à 7 heures du soir, le Jardin d'acclimatation a réuni un grand nombre des Membres du Congrès au Concert de la musique militaire des Grenadiers et Chasseurs, tandis que MM. les Délégués des Gouvernements, des Villes, des Académies et des Sociétés savantes assistaient avec leurs Dames à une Soirée offerte par le président et les vice-présidents du Comité d'organisation du Congrès, à l'Hôtel du Vieux-Doelen, et illustrée par la présence de plusieurs Ministres, des membres du corps diplomatique, etc., etc. Les invités ont été reçus par: Madame Fock, Madame la comtesse van Bylandt, Madame Patijn et Mademoiselle Patijn.

Le Samedi 23 Août, à 7 heures du soir, MM. les Membres du Congrès et leurs Dames, ont été invités à un Concert au Pavillon du Cercle littéraire, au Bois de La Haye.

Le Dimanche 24 Août, à 8 heures et demie du matin, un train spécial offert par l'administration du Chemin de fer Rhéno-Neerlandais a conduit MM. les Membres du Congrès et leurs Dames à Rotterdam, où leur avait été préparé une réception solennelle par le Conseil Municipal de la Ville et par la Section „Rotterdam" de la Société médicale Neerlandaise. A 10 heures du matin on s'est embarqué pour aller voir les usines, les ports, les docks, les écluses, etc., de l'Etablissement „Feyenoord", de l'autre côté de la Meuse. Vers midi un bateau à vapeur a transporté les convives au pont du Moerdyk, et à 4 heures et demie du soir le train spécial les attendait de nouveau à la gare du Chemin de fer rhénau, pour le retour à La Haye. — La soirée a été passée soit au Bois de La Haye, soit à Schéveningue.

Le Lundi 25 Août, un diner a été offert à MM. les Délégués, par le président et les vice-présidents du Comité d'organisation du Congrès, à l'Hôtel de l'Enrope. Tous les Membres du Congrès avaient été invités par les Comités d'organisation et de réception, à une Soirée au Kursaal du Grand Hôtel des Bains à Schéveningue.

Le Mardi 26 Août, MM. les Membres du Congrès et leurs Dames se sont rendus en très grand nombre à une Soirée offerte par M. le Comte C. J. E. van Bylandt et Madame la Comtesse, à leur Campagne d'Arendsdorp, chaussée de Wassenaar. Le parc immense illuminé aux lampions et à la lumière électrique, et par un grand feu d'artifice, a réuni ce soir-là un très grand nombre de personnages politiques et de membres de l'aristocratie de La Haye. Le plancher préparé pour la danse n'a pu servir, malheureusement, à cause du mauvais temps.

Le Mercredi 27 Août, la plupart des Membres du Congrès se sont réunis à un Banquet d'adieu, à l'Hôtel du Vieux-Doelen.

SÉANCES DES SECTIONS.

PREMIÈRE SECTION.

HYGIÈNE GÉNÉRALE ET INTERNATIONALE.

Prophylaxie des maladies infectieuses et contagieuses; etc.

Séance du Vendredi 22 Août 1884.

Présidence de M. le docteur L. J. Egeling.

La séance est ouverte à neuf heures et un quart.

M. le Président souhaite la bienvenue aux membres de la section et leur propose de nommer le bureau définitif. L'assemblée confirme le bureau provisoire.

M. le Président propose de nommer Présidents d'Honneur de la Section MM. le Professeur Brouardel, Dr. F. Caro, Dr. E. Coni, le Professeur A. Corradi, le Professeur J. Crocq, le Professeur A. Proust, le Professeur C. Reclam et le Docteur Zoéros-Bey.

M. le Président attire l'attention des membres sur l'article 14 du Règlement.

„*Tous les travaux lus, et toutes les communications faites au Congrès, seront immédiatement remis par écrit aux Secrétaires; de même chaque orateur qui prendra part à la discussion, déposera aussitôt après un résumé de son discours au bureau"*

M. le Président fait communication que M. Merens d'Amsterdam a mis à la disposition des membres quelques centaines de bouteilles d'Eau minérale, dite »Eau de Minerve".

A l'ordre est la première question du programme :

Le rapport de la Commission chargée d'examiner les propositions de M. le prof. Van den Corput, de Bruxelles, au sujet de la fondation d'une Ligue médicale internationale ayant pour but de s'instruire mutuellement du développement épidémique des maladies infectieuses et d'instituer les mesures les plus propres à en prévenir ou à en limiter l'extension. — Cette Commission a été nommée dans une Séance générale du premier Congrès international des Médecins des Colonies, à Amsterdam, en Septembre 1883. Elle se compose de MM. Van den Corput, de Bruxelles, Le Roy de Méricourt, de Paris, de Chaumont et Lewis, de Netley (Southampton), da Silva Amado, de Lisbonne.

Le rapporteur M. van den Corput n'ayant pu assister au Congrès, a envoyé au secrétaire général la lettre suivante, dont M. le Président donne lecture :

Bruxelles, 12 Août 1884.

Monsieur et très honoré Confrère.

Je regrette que des circonstances indépendantes de ma volonté ne me permettent pas de me rendre au Congrès d'hygiène du 21—27 Août prochain, à la Haye. Je le regrette d'autant plus vivement que les intéressantes questions qui y seront débattues et les personnalités marquantes qui doivent s'y rencontrer y étaient pour moi de puissants sujets d'attraction.

D'une autre part, quelque grand qu'eût été mon désir de répondre au programme concernant la 2me question de la 1re Section, il ne m'a pas été possible de terminer le rapport sur la proposition dont je suis l'auteur, proposition dont l'exécution pratique ne me paraît pas près de pouvoir être résolue, à en juger par l'opinion de Collègues compétens.

Espérant rassembler les élémens nécessaires à l'élucidation de la question, je m'étais individuellement adressé, il y a quelques mois, à chacun des membres qui avaient été désignés pour faire partie de la Commission chargée du rapport sur cet objet, en leur proposant une sorte de questionnaire destiné à connaitre leurs avis, afin de concerter préalablement les principes fondamentaux à adopter.

Malheureusement, soit manque de temps, soit que les élémens leur eussent fait défaut; ou parce qu'ils préféraient réserver leur opinion pour la discussion générale, la plupart se sont abstenus de répondre.

Un seul, des plus compétens, à qui je me plais à rendre ici publiquement hommage, l'honorable médecin en chef de la marine française, M. le Dr. Le Roy de Méricourt, a bien voulu, dans une lettre spéciale, exposer ses idées sur quelques-unes des points de détail que soulève cette délicate question.

J'attendais pour un débat ultérieur les renseignements que j'espérais obtenir de mes autres Collègues et ceux que je comptais réclamer du Gouvernement Belge, mais le silence des uns et les changements ministériels survenus récemment en Belgique ont forcément retardé l'exécution de ce projet.

Depuis lors a surgi une note de M. Belval, de Bruxelles, qui, considérant l'idée d'une Ligue sanitaire internationale comme ayant été prévue par certaines conclusions du Congrès de Bruxelles de 1875, croit la question complètement vidée et le problème par conséquent résolu. Partisan absolu de l'organisation exclusive par les divers gouvernements d'un système international de renseignements sur la morbidité dans les différens pays du globe, il considère toute discussion ultérieure comme inutile et revendique en faveur des conclusions dont il est l'auteur tout le bénéfice de ma proposition.

C'est en vue de répondre à ce que ces assertions me paraissent avoir de trop exclusif, que j'ai cru devoir rappeler le fait que, déjà dès 1866, j'avais inauguré un pareil système de renseignements mensuels sur la marche des épidémies dans les différens pays du globe et que je me suis, d'autre part, permis de citer quelques passages de la lettre que m'écrivait il y a peu de temps notre honorable collègue M. Le Roy de Méricourt. Cette lettre nous montre les difficultés que doit rencontrer l'organisation pratique de ces renseignements officiels, même avec le concours des gouvernements, concours dont je considère cependant l'intervention comme indispensable.

J'ai l'honneur de joindre à ma lettre quelques tirés à part du travail en question de M. Belval, et de la réponse que j'y ai faite.

Peut-être l'assemblée y trouvera-t-elle quelques élémens utiles à la discussion, si toutefois celle-ci doit avoir lieu dans cette session.

Pour ma part, je considère une organisation mixte comme la seule possible.

Veuillez, Monsieur et très honoré Confrère, agréer l'assurance de ma considération très distinguée:

Dr. van den Corput.

Comme il n'y a donc point de rapport, M. le Président propose de remettre cette question au suivant Congrès.

M. Proust, — regrettant l'absence de M. van den Corput et de son rapport, — demande à la section de mettre en discussion une question tout-à-fait actuelle: les moyens à employer pour empêcher l'invasion du choléra en Europe.

M. Crocq, — demande au contraire qu'on discute la question de M. van den Corput.

M. Rochard, — ne voit pas pourquoi on ne discuterait pas le choléra.

La proposition de M. Proust est mise aux voix et adoptée.

La discussion est donc ouverte sur: les moyens à employer pour empêcher l'invasion du choléra en Europe.

M. Crocq. — La proposition mise en avant par M. van den Corput préconise la fondation d'une ligue internationale ayant pour but un système mutuel d'informations relatives au développement des maladies épidémiques, et d'institution de mesures propres à en prévenir ou à en limiter l'extension.

Cette ligue aurait pour base la liberté. La liberté peut certainement de grandes choses; elle jouit d'une force considérable, et elle a réalisé dans le monde beaucoup de bien. Mais elle n'est pas applicable à tout; si elle a ses qualités, elle a aussi ses défauts qu'il ne faut pas se dissimuler. On fait partie de la ligne, ou on n'en fait pas partie, à volonté; tel pays, telle contrée y seront très largement représentés; tel autre pays, telle autre contrée le seront peu ou pas du tout, et peut-être justement ceux qui devraient l'être le plus. Les membres de cette ligue travailleront plus ou moins, ou pas du tout, ou dans des directions différentes, de façon qu'il y aura là des lacunes, des divergences, qui feront disparaître toute idée d'ensemble. Qui dit liberté, dit précisément divergence, variabilité, défaut d'unité. Et qui dit liberté, dit également défaut d'obligation et défaut de sanction, chose que l'autorité seule, quelles que soient sa nature et son origine, est seule capable d'établir.

Il ne me paraît pas, d'après cela, que l'organisation d'une ligue basée sur la liberté puisse atteindre le but. Un autre principe est précisément celui de l'autorité comportant la marche unitaire, l'obligation et la sanction, ayant son but et la puissance de le réaliser.

Il est bien facile de baser une semblable organisation sur celle des institutions hygiéniques établies actuellement chez les nations civilisées, ou au moins chez la plupart d'entre elles.

Afin de vous donner une idée de semblable institution, je vais prendre pour point de départ les institutions de mon pays, que naturellement je connais le mieux. Nous avons un conseil supérieur d'hygiène publique placé sous l'autorité du ministre de l'Intérieur. Sous ce conseil fonctionne dans chaque province du royaume une commission médicale provinciale, conseil provincial d'hygiène publique; ces commissions sont soumises au contrôle du conseil supérieur, auquel elles adressent annuellement un rapport sur leurs travaux. Au dessous de ces commisssions provinciales fonctionnent des commissions médicales locales, conseils locaux d'hygiène, instituées dans toutes les localités dans lesquelles elles sont possibles. Pour les parties du pays où elles ne le sont pas, les commissions médicales provinciales ont des correspondants, nommés par le gouvernement, et chargés de les informer de tout ce qui se passe jusque dans les derniers villages.

Nous avons ainsi une organisation qui met le gouvernement à même d'être informé de tout ce qui se passe au point de vue de la santé publique dans toutes les parties du pays. Les autres nations civilisées ont des institutions analogues, avec des modifications en rapport avec leur législation et leur génie propre. Or, supposez que les autorités sanitaires supérieures de tous les pays soient en correspondance ensemble, soit directement, soit par l'intermédiaire des gouvernements, et vous aurez réalisé un système complet d'informations hygiéniques internationales; chaque gouvernement saura de suite quand dans un pays voisin se déclarera une maladie épidémique transmissible ou épizootique, car celles-ci doivent également ne pas être perdues de vue; il saura dès lors qu'il doit s'en préserver par des mesures convenables. Par ce système, il sera facile aussi aux différentes nations de prendre de commun accord des mesures de préservation marquées du sceau de l'unité, chose qui manque actuellement; vous voyez par exemple tel pays prendre contre le choléra des mesures draconiennes que je regarde comme aussi inutiles que vexatoires, tandis que tel autre est beaucoup plus large et même en prend à peine. Cet accord pourrait être établi par une commission internationale composée de délégués des conseils supérieurs d'hygiène ou des autorités supérieures, quelles qu'elles soient, et qui se réunirait chaque fois que cela pourrait être utile. On arriverait ainsi peut-être non seulement à prendre des mesures contre l'extension des maladies épidémiques, mais encore contre leur production, en les attaquant dans les foyers même qui leur donnent naissance.

Ainsi, le typhus exanthématique surgit quelque part, ou bien la variole; sans doute il faut chercher à empêcher leur extension, mais il faut aussi et avant tout rechercher les causes hygiéniques et leur production et les combattre. On peut arriver dans cette direction à de grands résultats. Autrefois l'Egypte était le point de départ de la peste; aujourd'hui celle-ci n'y éclate plus, par suite des perfectionnements qu'on y a apportés à l'hygiène, tout insuffisants qu'ils soient encore. Pourquoi, puisque nous avons aujourd'hui surtout en vue le choléra, ne le ferait-on pas disparaître dans ses foyers de production, dans l'Inde ou partout ailleurs? On pourrait ainsi arriver à anéantir, dans leurs foyers mêmes, ces fléaux qui jettent la consternation dans les populations.

M. Proust. — Cette question — la création d'une commission permanente internationale des épidémies — a déjà occupé les esprits à différentes époques. Elle a été évoquée à la conférence de Vienne, sur le désir exprimé par le comte Andrassy, et elle a été traitée également à la conférence de Washington.

Il y a deux façons de comprendre cette création: ou bien donner à la commission un pouvoir exécutif, ce qui serait presque irréalisable au point de vue politique, — ou bien la considérer seulement, ce qui est plus pratique, comme une commission scientifique qui aurait pour principale tâche l'étude du choléra et des autres maladies exotiques au point de vue de l'étiologie et de la prophylaxie. Elle rédigera un programme comprenant les recherches devant être entreprises d'une manière uniforme sur l'étiologie et la prophylaxie des maladies épidémiques. En outre un système d'avertissements provenant des diverses autorités sanitaires des différents pays mettra à des intervalles réguliers la commission au courant de l'état sanitaire de chacun des pays participants.

Il y aurait au centre de la commission un bureau permanent chargé de centraliser tous les documents et de les communiquer à la commission qui serait composée de délégués des différentes puissances de l'Europe.

La commission donnerait des missions dans les diverses contrées de l'Orient et de l'Extrême Orient; ces missions seraient ou permanentes, comme pour les médecins sanitaires envoyés en Orient, ou bien des missions temporaires.

Je citerai d'ailleurs comme exemples le programme de recherches qui a été conseillé à la Conférence de Vienne et qui porte sur les conditions telluriques de différents pays, la propagation du choléra sur diverses lignes très fréquentées de navigation, sur la durée de l'incubation du choléra, etc.

M. Crocq. — Ma manière de voir concorde parfaitement avec celle de l'honorable M. Proust, sauf cependant quelques légères différences. Ainsi la commission internationale proposée par lui ne fonctionnerait que de temps en temps, à l'occasion de grandes épidémies; je voudrais au contraire que cette commission, ou bien du moins les rapports des autorités hygiéniques entre elles, fussent permanents. De cette façon seulement nous pourrons réaliser complètement la donnée de notre programme, consistant à obtenir des informations régulières relativement à l'explosion et à la marche des épidémies, et à rendre possibles des mesures destinées à les prévenir.

Quant à celles-ci, il ne peut pas s'agir d'entraver en rien la liberté des gouvernements, en leur imposant des mesures, auxquelles d'ailleurs ils ne se soumettraient pas. Il ne peut être procédé que par voie de conseils, qu'ils seraient libres d'utiliser conformément à leurs institutions ou à leurs intérêts, mais que généralement cependant ils adopteraient, parce qu'ils seraient convaincus de leur valeur et de leur utilité.

M. Felix. — Ce que demande M. van den Corput existe déjà jusqu'à un certain degré; le bulletin de statistique internationale de M. le docteur Janssens, de Bruxelles, et du „Kaiserliches Gesundheitsamt" de Berlin, informent régulièrement les gouvernements sur les différentes épidémies qui sont signalées dans les grandes villes. Ce qu'il nous faut, est une autorité centrale, une commission internationale, qui doit indiquer aux différents gouvernements les mesures à prendre pour empêcher la propagation des maladies épidémiques. Ce conseil ne doit pas avoir un pouvoir éxécutif; les gouvernements accepteront plus facilement une autorité consultative.

L'institution de ce conseil doit être basée sur un traité international. Le Congrès a demandé déjà dans ses sessions de Paris, Turin et Genève, la création d'une pareille autorité internationale, mais sans succès, parceque la proposition respective du congrès n'a pas été communiquée aux gouvernements dans un mode correct, par le gouvernement du siége du congrès. Réparons cette faute, prions le Gouvernement Neerlandais de se faire notre intermédiaire dans cette question.

M. Alglave, — expose les difficultés que rencontreraient dans la législation intérieure de chaque Etat une commission, composée des délégués des gouvernements. Il préfèrerait un Institut d'hygiène internationale, à l'instar de l'Institut de droit international. Les gouvernements écouteront les hygiénistes de cet Institut et finiront par accepter leurs décisions.

M. Jules Rochard. — Ce que vient de nous dire M. Crocq ne fait que confirmer ce que nous savions déjà de l'excellente organisation de l'hygiène en Belgique, Nous sommes même persuadés qu'il fonctionne à merveille; mais nous avons surtout en vue les relations internationales. Dans cet ordre d'idées les informations ne suffisent pas; il faut des mesures et pour que ces mesures soient efficaces il faut qu'elles soient générales et consenties par tous les peuples. Pour cela, une commission permanente serait insuffisante. Si elle n'était investie que de pouvoirs scientifiques, ses décisions platoniques ne seraient pas écoutées par les puissances intéressées; et si elles avaient des pouvoirs législatifs, elles deviendraient une véritable tyrannie, qu'aucune nation ne supporterait, ne tâcherait d'établir chez elle. Il me semble que ce que nous devons désirer c'est l'établissement d'une conférence internationale dans laquelle tous les gouvernements seraient repésentés et qui aurait pour mission de rédiger un Code Sanitaire international, qui deviendrait la loi commune et qui donnerait aux mesures sanitaires l'unité qui leur a manqué jusqu'ici.

M. Corradi. — J'appuie la propositon de M. Rochard. Elle ne ferait que mettre en exécution un projet du gouvernement italien qui, il y a déjà plus d'un an, a invité les divers gouvernements à nommer des délégués pour codifier tout ce qui peut intéresser la prophylaxie internationale pour ce qui regarde les maladies infectieuses et contagieuses. Notre congrès devrait par son voeu faciliter la réalisation de la motion et du projet.

M. Crocq. — Messieurs, nous avons écouté avec le plus grand intérêt la discussion qui vient de se produire sur l'origine du choléra. Toutefois, ce débat est relatif à un point tout spécial auquel nous ne pouvons pas nous arrêter indéfiniment, et je ne vois même pas à quelle issue il pourrait aboutir. C'est pourquoi je prends la parole, afin de reporter la discussion sur un terrain plus solide et plus pratique.

Le choléra, qu'il ait ou non toujours pris son origine dans l'Inde, est contagieux; il est transmissible; je ne pense pas que personne ici songe à contester ce fait. — Mais la contagion n'existe pas seule. Il faut encore pour produire l'épidémie un autre élément, trop négligé aujourd'hui sous l'influence des doctrines médicales régnantes; c'est ce que les anciens ont appelé la constitution médicale, le génie épidémique. Voulez-vous la preuve de cet élément? Ce sont les épidémies avortées. Il y a des localités où le choléra est importé; il y frappe 5, 10, 20 personnes, puis il disparaît; dans d'autres au contraire il exerce des ravages, terribles. Lyon, Wurzburg, et une foule d'autres localités que l'étude de l'histoire de chaque épidémie révèlerait, sont des exemples de ce que j'avance ici.

Mais enfin, le choléra n'en est pas moins transmissible et susceptible d'importation. On peut donc, on doit chercher à empêcher celle-ci, et l'ensemble des mesures propres à atteindre ce but, je l'appellerai mesures quarantenaires. Que doivent être ces mesures? Disons d'abord qu'elles doivent être en rapport avec nos notions scientifiques, qui nous montrent le principe propagateur du choléra comme uniquement attaché aux déjections des malades. Disons encore que, dans notre Europe, nous devons proscrire toute quarantaine de terre comme inutile, vexatoire et même nuisible. Remarquez bien que je ne proscris pas même d'une manière absolue toute quarantaine de terre, car il faut toujours se diriger d'après les circonstances dans lesquelles on se trouve, et celles-ci peuvent les rendre parfaitement acceptables. Supposez par exemple des pays séparés par des déserts que l'on ne puisse traverser que par une ou par quelques routes faciles à surveiller, comme cela se rencontre en Russie, en Arabie, en Afrique; là on pourra songer à installer fructueusement des quarantaines de terre. Il en serait de même si le choléra était importé dans une localité isolée, petite ville ou village, facile à circonscrire, à isoler et à surveiller. Lorsqu'il s'agit de la mer au contraire, les quarantaines sont parfaitement rationnelles, parce que là les points d'invasion sont faciles à déterminer et à tenir en vue. Bien entendu que les mesures à prendre dans ces cas doivent toujours être basées sur ce qui est réellement utile, et ne pas dégénérer en exagérations qui ne sont que vexatoires. Tels sont les principes généraux sur lesquels le système quarantenaire doit être établi.

M. Alglave — rappelle qu'il ya déjà des conventions internationales sur le terrain de la médecine, la convention de Genève par exemple. Mais qui doit prendre l'initiative? les médecins, ou les gouvernements? Les conférences sanitaires internationales de Constantinople et de Vienne avaient été convoquées par les gouvernements. La conférence de Genève, qui nous a donné la Société de la Croix Rouge et les conventions internationales, était due à l'initiative particulière.

M. Proust. — Je crois résumer les idées qui se dégagent de cette discussion, en proposant au Congrès d'émettre les trois voeux suivants:

1°. réunion d'une nouvelle conférence sanitaire internationale. — Je ne spécifie pas le nom de la ville qui doit être le siége de cette réunion; cela dépend des gouvernements. Nous hygiénistes, nous proposons la réunion de la Conférence, et nous ne voulons pas aborder le côté politique.

2°. la création d'une commission internationale permanente scientifique des épidémies.

3o. Un Code pénal international, et plus particulièrement une loi pénale internationale applicable aux contraventions sanitaires.

M. Zoéros Bey. — Avant de dire quelques mots sur la question qui fait l'objet de ce débat, permettez-moi, Messieurs, de protester contre une phrase qui à échappé à l'un des honorables préopinants, lequel a dit que les nations ou les Etats d'Orient sont sous la tutelle de l'Europe. Messieurs, je ne saurais accepter ce language au moins pour ce qui regarde la Turquie. Mon honorable collègue me fera donc la grâce, n'est-ce pas? de retirer cette phrase. Car la Turquie n'est sous la tutelle de personne.

Arrivons maintenant à la question en elle-même. Messieurs, la proposition de M. Rochard paraît être, et elle est effectivement la plus logique. Mais je me permets d'exprimer des doutes sur les résultats des travaux de l'institution dont la création est proposée par notre éminent collègue. On a beau discuter et arrêter des mesures internationales de prophylaxie contre les épidémies, on a beau établir des codes et des lois, ces mesures ne pourront jamais être mises en vigueur d'une manière complète, exacte et franche, tant qu'il y aura des nations pour lesquelles les intérêts commerciaux priment tous les autres intérêts, pour lesquelles les intérêts commerciaux ont plus de prix que la vie humaine.

M. Rochard. — Je partage de tout-point l'avis de M. Crocq. Rien ne peut être définitif dans les institutions qui ont pour base le champ mobile de la science. Il y a 40 ans, si nous avions fait partie d'une conférence internationale, nous aurions tous voté la suppression des quarantaines. Personne alors ne croyait à la contagion des maladies, que la doctrine physiologique avait condamnée. Aujourd'hui, peut-être penchons nous un peu trop du côté opposé. Il faudra donc évidemment révider de temps en temps le code sanitaire international.

Je répondrai à M. Alglave, que la comparaison qu'il a faite, n'est peut-être pas complètement juste. La convention de Genève est sortie du champ de bataille de Solférino, d'un généreux mouvement qui a fait battre le coeur de l'Europe toute entière. Elle ne froissait aucun intérêt; elle répondait à tous les sentiments. Les mesures sanitaires au contraire froissent de grands intérêts, et il est à craindre que les nations ne les respectent pas toujours, le moment venu, à moins qu'elles ne les aient acceptées dans les temps calmes. Les épidémies favorisent les émotions populaires et il est à craindre que les nations affolées ne s'y conforment pas, à moins qu'on ne mette sous les yeux de leurs gouvernements des engagements positifs, contractés antérieurement.

M. Alglave, — est loin d'avoir voulu dire quelque chose qui puisse être désagréable à M. Zoéros-Bey, ou à la Turquie; il explique ce qu'il a voulu dire.

M. Henrot. — Depuis le commencement de cette discussion les différents orateurs se sont occupés des divers moyens d'action que les hygiénistes pouvaient exercer sur les gouvernements: il y a pour cela deux moyens: ou imposer aux différents gouvernements les résolutions de la commission internationale; ou fixer dans le congrès d'une façon aussi précise que possible la valeur de chacun des moyens à opposer à la propagation des maladies contagieuses.

M. Henrot pense que le congrès devrait tout d'abord étudier la valeur absolue des quarantaines maritimes et surtout des quarantaines terrestres:

Une fois que l'opinion scientifique débattue dans ce congrès international serait bien fixée, que la lumière en un mot serait faite sur ces points importants, les gouvernements, poussés par le mouvement scientifique de leur pays, se trouveraient dans l'obligation morale de les appliquer.

M. Brouardel. — M. Henrot vient de soulever une question de méthode.

Je crois qu'il y a lieu d'abord de savoir à quelles autorités nous devons adresser nos voeux.

Nous sommes d'accord sur un premier point. Il y a lieu d'émettre le voeu qu'il y ait une réunion d'une conférence internationale.

Nous le sommes également sur un second : créer une commission internationale d'information; c'est elle, il me semble, qui doit réunir les renseignements sur les épidémies. C'est elle qui devrait préparer ce code sanitaire, et devrait avoir un organe libre avec un mode de rattachement à trouver avec les gouvernements.

Quant aux pénalités, elles ne pourraient être indiquées que par la conférence internationale.

C'est là la hiérarchie naturelle des questions sur lesquelles nous devons voter.

M. Dewalque, — votera toute proposition relative à la réunion d'une conférence internationale, d'une commission internationale, ou de toute réunion de délégués des gouvernements, parce que l'intervention des gouvernements est actuellement indispensable; mais il le fera sans enthousiasme, parce que les gouvernements ne manqueront pas de donner des instructions précises à leurs délégués qui ne seront donc pas des savants libres et qui ne pourront se mettre d'accord. Mais tout cela nous éloigne beaucoup de la proposition de M. van den Corput „au sujet de la fondation d'une Ligue médicale internationale".

L'orateur a plus de confiance dans la liberté que dans l'autorité; ainsi il ne partage pas l'admiration de M. Crocq pour l'organisation officielle belge.

L'institut sanitaire préconisé par M. Alglave rentre dans cette idée. M. van den Corput aurait sans doute proposé de faire appel aux sociétés médicales, aux conseils d'hygiène, à tous les savants compétents : ces corps ou ces personnes sont parfaitement aptes à discuter des questions d'épidémiologie, p. ex. les questions, 1, 2 et dernière lues par M. Proust.

Les orateurs que nous venons d'entendre, se divisent pour ainsi dire en deux groupes : les uns proposent des mesures exactement formulées pour prévenir la propagation des maladies épidémiques; — les autres émettent le doute de voir l'application de ces mesures par les divers gouvernements et comme exemple ont cité l'Angleterre qui n'a pas actuellement pris de mesures préventives pour le choléra. Je pense que le doute n'est pas fondé et l'exemple n'est pas juste.

L'Angleterre a fait dans le siècle actuel de si grandes améliorations dans ses villes pour en assurer la salubrité, que tout naturellement elle se trouve dans des conditions tout-à-fait exceptionnelles et n'a pas à craindre la propagation des épidémies au même degré que les peuples et pays qui sont seulement à la veille d'imiter l'Angleterre dans les immenses travaux d'assainissement qui nous servent d'exemple. Voilà la raison toute naturelle qui doit nous expliquer pourquoi le gouvernement anglais n'a point jusqu'à présent pris de mesures extraordinaires.

Quant au doute exprimé, je me permettrai pour le refuter de ne vous rappeler qu'un fait.

Il y a quelques années seulement l'Europe a été mise en émoi par les craintes de voir pénétrer la peste qui s'était spontanément déclarée dans la province d'Astrakhan; presque tous les gouvernements envoyèrent des délégués en Russie pour indiques les mesures préventives qu'ils jugèrent nécessaire d'appliquer pour isoler l'épidémie. Eh bien, le Gouvernement Russe se fit un devoir, — sans reculer devant aucune dépense, ni devant les intérêts de son commerce et de la liberté individuelle de ses sujets, — d'appliquer, outre les mesures prises de son chef, les mesures indiquées par les délégués. Le Général L o r i s M e l i k o f f fut investi par l'Empereur de pouvoirs nécessaires — l'épidémie fut arrêtée à sa racine et l'Europe préservée du fléau. Ce fait dont personne, je pense, ne pourra contester la vérité, doit convaincre le Congrès que tout Gouvernement prendra les mesures que lui indiqueront non seulement les intérêts de la santé de ses sujets, mais aussi ceux de l'humanité.

Voilà pourquoi, Messieurs, je propose d'accepter les propositions dans la forme rédigée par M. P r o u s t et d'avoir pleine confiance que les voeux exprimés aujourd'hui par le congrès, seront réalisés.

La proposition de M. P r o u s t, que la section émettra les trois voeux suivants, savoir:

1o. la réunion d'une nouvelle conférence sanitaire internationale;

2o. la création d'une commission internationale permanente scientifique des épidémies;

3o. la création d'un code pénal international, et plus particulièrement d'une loi pénale internationale applicable aux contraventions sanitaires;

est mise aux voix, et les trois voeux sont acceptés un à un.

Ensuite la proposition de M. le prof. F é l i x: que la section émette le voeu que le gouvernement Neerlandais se fasse notre interprête, et appuie ces conclusions, est également adoptée.

La séance est levée à onze heures du matin.

Séance du Samedi, 23 Août 1884.

La séance est ouverte à 9 heures du matin.

M. le Président propose de nommer encore Présidents d'honneur: M. J u l e s R o c h a r d dont il n'avait pas remarqué la présence hier, à l'ouverture de la séance, et M. le Professeur Finkelnburg, de Bonn, qui vient d'arriver. — Approuvé.

Le Président fait les communications suivantes:

1o. M. le Prof. Stokvis, d'Amsterdam, a promis une communication sur le rôle des microbes dans la production des maladies infectieuses.

2o. M. Dutrieux-Bey désire faire une communication sous le titre: „Examen de la valeur prophylactique des quarantaines".

3o. M. Raymondaud, de Limoges, a annoncé une communication au nom de M. Périsson: „de la propagation des maladies contagieuses par les vases employés aux usages alimentaires".

4o. M. Durand-Claye traitera de la fièvre typhoïde à Paris en 1882.

Plusieurs membres lui ayant exprimé le désir de changer l'ordre du jour et d'entendre en premier lieu la communication de M. Dutrieux, pour en finir avec la question du choléra, le Président prie M. Dutrieux de bien vouloir faire aujourd'hui sa communication. — Il invite M. Finkelnburg à présider à la séance d'aujourd'hui. — M. Finkelnburg remplace le président.

La parole est à M. Dutrieux-Bey qui lit une communication, intitulée: „Examen de la valeur prophylactique des quarantaines d'après les notions acquises sur l'origine du choléra épidémique à Damiette, Toulon et Marseille." Son but est, de démontrer que le choléra n'est pas importé, que le choléra a été précédé d'une constitution prémonitoire, et qu'il faut abolir les quarantaines, comme inutiles.

(M. Dutrieux ayant publié son discours immédiatement après le Congrès, sous le titre: le Choléra et les Quarantaines, Bruxelles, Weissenbruch, 1884, nous renvoyons le lecteur à cette brochure).

M. Proust. — M. Dutrieux, voulant renverser les opinions généralement acceptées, doit nous donner la démonstration de ses idées par des faits sérieux. Avant de montrer qu'il n'a rien prouvé, je commencerai par relever les erreurs nombreuses qu'il a commises. Je ne le ferai pas pour toutes; je signalerai les plus importantes.

M. Dutrieux s'imagine que la conférence de Vienne a dit, qu'il n'y a rien à faire pour empêcher le choléra de pénétrer par la mer Caspienne; or c'est tout-à-fait le contraire. Elle n'a été unanime que sur ce point et elle a prescrit les quarantaines sur les points d'irruption du choléra en Europe, c'est-à-dire sur la mer Rouge et sur la mer Caspienne.

Les deux idées dominantes de M. Dutrieux sont: le choléra n'est pas importé, et le choléra est précédé d'une constitution prémonitoire. Or M. Dutrieux n'a donné aucun argument, et voulant renverser ce qui existe, il n'a pas donné un fait sérieux prouvant sa manière de voir.

M. Dutrieux prétend avoir fait à Toulon et à Marseille une enquête sérieuse sur le choléra. Eh bien, nous aussi, MM. Rochard, Brouardel et moi, nous y avons été, plus longtemps même que M. Dutrieux. Mais notre enquête différait beaucoup de la sienne. Qu'est-ce qu'il a fait? Il a visité les hôpitaux pour dépouiller les feuilles d'observations, afin d'en extraire tous les cas de cholérine, d'entérite, de catarrhe intestinal, etc., pour prouver que le choléra existait longtemps avant son apparition en Juin. Nous avons interrogé tous les médecins et ils nous ont déclaré, qu'il n'y avait pas eu de cholérines prémonitoires avant le début de l'épidémie.

M. Dutrieux — repond: que son enquête dans les hôpitaux n'a pas été superficielle du tout; qu'il a passé trois jours à Toulon. Cette enquête lui a donné les preuves de l'existence d'une série de cas de choléra à Toulon à partir du 17 Janvier 1884. Personne d'ailleurs n'a dit encore, comment on distingue le choléra nostras du choléra asiatique.

M. Brouardel. — Je laisse de côté tout ce qui est relatif à la production du choléra en Egypte. Je me borne à dire, que Messieurs Rochard, Proust et moi certifions après enquête à Toulon, qu'il n'y avait pas avant le 13 Juin de diarrhée prémonitoire. Nous avons en séance générale sous la présidence du maire, interrogé tous les médecins de Toulon. Tous ont répondu de même.

M. Dutrieux nous reproche de ne pas lui avoir donné les caractères différentiels du choléra nostras et asiatique. Mais pour ne pas faire de logomachie supprimons les épithètes, et disons ce qui est vrai. Les épidémiologistes, Sydenham en tête, n'ont-ils pas décrit des épidémies qui ne sortaient pas des villes où elles étaient nées? Aujourd'hui, est-ce ainsi que se propage le choléra de Toulon? La ville voisine sert de réactif à celle qui a été prise.

La question pour moi est celle-ci: Acceptez-vous que les épidémies de choléra qui nous frappent, nous viennent du dehors? Si oui, faut-il se protéger? S'il faut se protéger, comment y arriver?

Telles sont les questions à discuter.

M. Zoéros-Bey. — Je ne veux pas aborder la question spéciale: les épidémies cholériques qui ont éclaté l'année passée en Egypte, et cette année au midi de la France. Je ne ferai qu'exposer mon opinion et l'opinion de l'immense majorité de mes confrères de Constantinople, sur la question de l'importation du choléra en général.

J'ai pu étudier de près les différentes épidémies cholériques qui ont ravagé

Constantinople depuis la guerre de Crimée. Eh bien; toutes les fois que le choléra s'est manifesté à Constantinople ou dans quelque autre localité de la Turquie, on a toujours constaté et prouvé que le germe de la maladie avait été importé du dehors. Les faits sont tellement démontrés, les preuves en sont tellement patentes et concluantes, qu'il n'est permis d'avoir aucun doute sur ce chapître. Ces faits, qui sont très nombreux et auxquels viennent s'ajouter les exemples de la Grèce et de Crète, m'ont amené à me former sur cette question de l'importation une conviction que rien ne peut ébranler. Pour moi, toutes les fois qu'on voit éclater dans une localité une épidémie cholérique, on doit être sûr que la maladie a été importée du dehors. Il n'y a pas à sortir de là. Les preuves de l'importation sont innombrables, mais il n'y a encore aucune preuve sérieuse d'une manifestation spontanée d'une épidémie cholérique".

L'orateur décrit en quelques mots les épidémies qui se sont manifestées à Constantinople ou dans ses faubourgs, durant la guerre de Crimée, puis en 1865 et en 1866. Il cite ensuite un fait qu'il considère comme très intéressant et très concluant. C'est le cas d'un hôpital militaire de Constantinople, celui de Mal Tepé où plus de deux ans après la grande et terrible épidémie de 1865, on vit éclater un beau jour plusieurs cas de choléra dans une seule salle de l'établissement. Ces cas, tous foudroyants et mortels, emportèrent dans quelques heures quelques uns des malades couchés dans cette salle et quelques uns des infirmiers qui les soignaient. Pourtant aucun cas de choléra n'avait été observé à cette époque ni à Constantinople, ni dans aucune autre ville de la Turquie. Les partisants de la génération spontanée du choléra (il y en avait encore alors à Constantinople) criaient déjà: Victoire! quand l'enquête et une enquête sévère vint prouver que la salle dans laquelle ces cas de choléra venaient de se manifester, avait été une salle de cholériques durant l'épidémie de 1865; qu'elle avait été laissée fermée durant longtemps; qu'on avait fini ensuite par y mettre des malades après l'avoir désinfectée; mais que quelques jours avant la manifestation des cas dont il s'agit, en voulant restaurer quelques parcelles du plancher on avait ouvert ce plancher et on avait remué le sol. L'explosion du choléra se manifesta immédiatement après cette opération. Il paraît donc, ou plutôt il est évident, que ce sol contenait des détritus impregnés des déjections des cholériques qui avaient séjourné dans cette salle deux ans avant. Ces germes tant qu'ils restaient enfouis dans le sol, ne donnaient lieu à aucune émana- tion et partant à aucun accident; mais dès qu'ils ont été remués et mis au jour, ils déterminèrent immédiatement l'explosion dont il s'agit. Des mesures sérieuses et promptes sont prises immédiatement et le mal est étouffé.

M. Zoéros-Bey conclut en terminant, qu'on doit à chaque manifestation d'une épidémie cholérique en chercher la provenance. Il faut, dit-il, toujours et sans jamais s'en écarter, appliquer la fameuse maxime d'un magistrat français: Cherchez la femme! Cherchez l'importation! Cherchez-la bien et vous la trouverez toujours. Si dans quelques cas rares et spéciaux, on ne l'a pas trouvée, c'est qu'on ne l'a pas bien cherchée, ou bien qu'on n'a pas voulu la trouver."

M. Proust et M. Dutrieux — défendent de nouveau leurs opinions. M. Proust relève que M. Dutrieux a fixé son opinion, qui est absolument contraire aux déclarations de tous les médecins de Toulon, sur une enquête hâtive. M. Dutrieux déclare de nouveau qu'il n'accepte aucune autorité, qu'il demande des faits.

Il persiste à nier l'efficacité des quarantaines.

M. Crocq — fait remarquer, que quand on admet la transmissibilité du choléra, qui est évidente, il importe de se garantir par des mesures sanitaires. Telles sont les quarantaines; elles sont nécessaires. Il en convient que les quarantaines de terre sont impossibles dans les pays très peuplés; cependant autre part elles peuvent être très utiles, comme on l'a vu, il y a quelques années, pour la peste, dans les steppes de la Russie.

M. Rochard — croit que la grande majorité des médecins de l'Europe admet la transmissibilité du choléra, constatée par des faits innombrables. Il est temps, selon lui, de conclure, et en résumant la discussion il propose la résolution suivante:

La section estime, qu'il y a lieu de persévérer dans le système des quarantaines en les améliorant dans leur fonctionnement.

Cette proposition est mise aux voix et adoptée à la presque unanimité. Deux voix, de M. Dutrieux et de M. Adolphe Smith de Londres, se déclarent contre. M. Smith, expliquant son vôte, ne conteste nullement la transmissibilité du choléra, mais seulement l'utilité des quarantaines maritimes.

M. Dutrieux propose de substituer au système des quarantaines actuelles celui de l'inspection médicale rigoureuse et de la désinfection sérieuse dans les divers ports pour les arrivages de pays infectés, ou supposés tels, par les maladies transmissibles: la peste, la fièvre jaune, le choléra, le typhus, la fièvre typhoïde, la variole, etc., — d'une manière générale, toutes les maladies de nature à compromettre la santé publique. Il préconise également l'application d'un code sanitaire international. Pour éviter toute confusion dans la signification du mot quarantaine, il propose de le remplacer par les mots de „contrôle sanitaire".

L'heure trop avancée ne permettait plus la discussion de cette proposition, la troisième section devant se réunir dans la même salle. La proposition de

M. Dutrieux n'est donc pas mise aux voix. M. Dutrieux demande de constater dans le procès-verbal, que sa proposition n'est pas mise au vôte.

Le Président déclare la séance levée.

Séance de Lundi 25 Août 1884.

M. le Président donne communication d'une lettre qu'il a reçue de M. le Docteur Dutrieux-Bey.

Elle est ainsi conçue:

Monsieur le Président!

Pour éviter tout malentendu, j'ai l'honneur de vous formuler à nouveau la *proposition* que j'ai déposée aujourd'hui à la fin de la séance de la 1ère Section, moins comme contre-proposition, que comme *amendement* et comme *développement* de la proposition de l'honorable M. Rochard.

Il a été convenu du reste que ma proposition serait examinée dans la séance de lundi:

La voici:

„M. le Dr. Dutrieux propose de substituer au système des quarantaines actuelles celui de l'inspection médicale rigoureuse et de la désinfection sérieuse dans les divers ports pour les arrivages de pays infectés ou supposés l'être par les maladies transmissibles, telles que la peste, la fièvre jaune, le choléra, le typhus, la fièvre typhoïde, la variole, etc., et, d'une manière générale, toutes les maladies de nature à compromettre la santé publique, et ce par l'application d'un code sanitaire international.

Pour éviter toute confusion dans la signification du mot quarantaine, il propose de le remplacer par les mots de „contrôle sanitaire".

Pour prévenir toute équivoque, je dois ajouter, M. le Président, que c'est en mon nom personnel, et nullement comme délégué d'aucun gouvernement, que j'ai l'honneur de faire cette proposition que je vous prie de vouloir bien présenter, dans les termes sus-mentionnés, à l'appréciation de la 1ère Section à l'ouverture de la séance de lundi.

Veuillez agréer, monsieur le Président, l'assurance de ma respectueuse considération.

Dr. Dutrieux.

La Haye, Samedi 23/8/'84.

A. M. le Dr. Egeling, etc.

La Section décide que cette proposition de M. Dutrieux sera discutée simultanément avec la 4e question de l'ordre du jour d'aujourd'hui: la communication de M. Raymondaud sur un projet d'organisation d'une Société universelle de défense contre les grandes épidémies.

Le Président prie M. Rochard de bien vouloir présider à la séance d'aujourd'hui.

M. Rochard accepte et se place au fauteuil présidentiel.

La parole est a M. Alphonse Corradi pour sa communication sur les résultats de l'enquête sur la transmissibilité de la phthisie pulmonaire.

M. Corradi s'exprime en ces termes:

Messieurs!

Le programme de là séance d'aujourd'hui étant très chargé, je ferai de mon mieux pour m'acquitter le plus tôt possible.

Ceux d'entre vous, Messieurs, qui ont assisté au Congrès de Genève se rappelleront que j'y posais hardiment la question de la contagion de la phthisie pulmonaire; car, malgré les remarquables expériences de M. Villemin et les découvertes de M. Koch, que je regrette de ne pas voir ici pour leur faire mes compliments, les cliniciens étaient peu disposés à admettre cette opinion. Mais dans ces deux années l'idée a fait beaucoup de chemin, et c'est avec plaisir que j'ai entendu dans la première séance générale M. Rochard appuyer de son autorité les conclusions auxquelles j'étais parvenu dans mon rapport.

Ce n'est pas la première fois qu'on a essayé une étude collective de la phthisie pulmonaire. Le docteur Double l'avait proposée dès le commencement de ce siècle en 1805, et il aurait voulu que les Sociétés médicales se fussent mises d'accord pour joindre les expériences aux observations et éclairer ce sujet important. Louis dans ses mémorables *Recherches sur la phthisie* publiées en 1843, insistait pour cette association. C'était une vraie *croisade* qu'on devait conduire contre le plus cruel ennemi du genre humain, comme il appelait la phthisie, à fin de trouver les moyens de le combattre avec succès. Malgré l'autorité du proposant, l'association pour l'étude de la phthisie ne se formait pas; et seulement 21 ans après, la Société suisse des Sciences Naturelles se proposa de rechercher combien la maladie était répandue en Suisse. C'était surtout une étude de géographie médicale pour déterminer l'influence des altitudes sur le développement de la phthisie pulmonaire. L'Institut des Sciences de Venise mit au concours le thème „quelles étaient les causes de la diffusion de la phthisie et quelles étaient les mesures les plus propres à y opposer." Mon mémoire qui eut l'honneur d'être couronné, fut publié en 1867. L'année suivante j'engageais l'Institut Lombard à faire une enquête sur l'étendue de la phthisie pulmonaire en Italie et en rechercher les causes. Malheureusement la Commission qui devait réaliser ce projet, ne put accomplir sa tâche, ayant perdu deux de ses membres qui s'eu seraient occupés plus spécialement. Dernièrement la Société Médicale de Berlin, le „Verein für innere Mediciu", nommait une Commission pour étudier collectivement tout ce qui regarde la phthisie dans ses causes comme dans sou traitement. Enfin la Société Royale Italienne d'Hygiène, dont j'ai l'honneur d'être le Président, a fait pour son compte une enquête, en se bornant cependant à l'étiologie et à la prophylaxie. Et justement parce que c'était une enquête étiologique, il ne fallait omettre aucune des influences qui se relient aux causes de la maladie. C'est pour cela que nous nous sommes occupés du m i l i e u ; et en effet on ne pouvait se passer de considérer les influences locales dès que la statistique nous a montré que dans l'Italie Supérieure et Centrale les morts par phthisie arrivent à la proportion de 32 sur 1000, tandis que dans les provinces Méridionales ils descendent à celle de 12.

C'est pourquoi nos questions comprenaient :

1º. le lieu de séjour du malade,

2º. les conditions du malade,

3º. l'hérédité,

4º. la contagion.

A ces questions générales on en avait ajouté deux autres particulières pour savoir s'il y a dans la phthisie un h a b i t u s ou constitution particuliers, et si l'expérience avait appris quelques mesures capables d'empêcher ou d'entraver la maladie.

Je vais vous exposer les résultats de cette enquête, en me bornant seulement à ce qui a trait à la contagion. L'enquête est encore ouverte, mais nous avons déjà reçu, jusqu'à la moitié de juillet, 680 réponses qui se décomposent de cette manière :

réponses favorables à la contagion 59.

      "   qui nient la contagion 124.

      "   "   admettent d'autre causes (et surtout l'hérédité) 497.

La contagion pourtant ne tiendrait que la proportion de 8,6 : 100 des cas, tandis que 91,4 fois : 100 la phthisie se formait sous l'influence d'autres causes. Les cinquante neuf cas de la contagion seraient arrivés de cette manière :

la contagion serait passée du mari à la femme 18 fois,

      "   de la femme au mari 10 f.,

                entre parents 19 f.

      "   en soignant des malades 7 f.

      "   en conséquence de l'habitation et du lit 5 f.

Ce nombre de 59 aurait pu être accru, si je n'avais omis toutes les réponses qui n'étaient pas absolument affirmatives pour la contagion, et les autres qui admettaient cette influence conjointement à d'autres telles que l'hérédité.

Le mariage nous apparaît comme la condition la plus favorable à la transmission de la maladie; mais pour que cette transmission ait lieu, il faut que le concours de plusieurs conditions se présente. Ces conditions sont dans le malade et hors de lui: la faiblesse et toutes les causes qui diminuent la résistance organique rendent plus facile le fait de la contagion. C'en est de même de la cohabitation prolongée. L'influence de la résistance organique est démontrée aussi par des expériences sur les animaux. Ainsi MM. Celli et Guarnieri dans le laboratoire d'anatomie pathologique de Rome ont vu que dans les mêmes conditions l'inhalation de la poussière des crachats des phthisiques ne produisait pas toujours la tuberculose pulmonaire, mais seulement dans la proportion de 2 sur 7. Et même dans les cohabitations plusieurs circonstances doivent concourir pour que la contagion arrive. C'est à ce propos qu'ont une grande importance les 124 cas où la contagion n'a pas eu lieu, malgré que conjoints et parents presque dans la même proportion (64; 60) aient séjourné encore ensemble pendant des mois et des années.

Nous n'avons pas eu de réponses qui d'une manière péremptoire nous démontrent, que la transmission peut se faire par le moyen des vêtements, des hardes, etc. De même pas une réponse, que le lait et les viandes des animaux phthisiques peuvent donner lieu à la maladie. Il est vrai que les expériences de M. Baumgarten surtout ont démontré qu'il suffit d'une petite quantité de *bacilli* suspendus dans le lait pour communiquer à des lapins la tuberculose. Mais d'ailleurs l'anatomie pathologique nous apprend que la tuberculose intestinale primitive est relativement rare vis-à-vis de la tuberculose pulmonaire.

Ces résultats vous donnent les raisons des six premières conclusions de mon rapport. Ces conclusions sont strictement déduites de ce que l'enquête nous a donné, et je crois que celles qui sont négatives ne sont que provisoires, parce que lorsque les médecins et le public seront mieux persuadés qu'ils ne le sont aujourd'hui de la possibilité de la contagion, maintes fois on trouvera cette cause où auparavant on ne voyait qu'une origine spontanée ou de toute autre espèce.

Quand je dis, que les mesures prophylactiques doivent avoir égard à la cohabitation, je veux comprendre tous les dangers qui dans cette condition peuvent se réaliser. Ce n'est pas l'haleine qui est la cause directe de la transmission; mais (comme semblent démontrer les expériences de Sormani) c'est ce qui s'élève des crachats, secs ou humides, qui transmet la maladie. De là la conséquence que la nécessité s'impose de nous mettre à l'abri de l'inhalation de la poussière des crachats et de tout ce qui peut en contenir suspendus les *bacilli*.

La phthisie pulmonaire est une maladie si répandue et la question de la contagion nous présente encore tant de points obscurs ou douteux, que je crois nécessaire d'en continuer l'étude sur la plus vaste échelle pour arriver surtout à déterminer dans quelles conditions la transmission se réalise. C'est pourquoi je vous prie, Messieurs, d'accueillir surtout ma dernière conclusion.

Conclusions.

1. La contagion de la phthisie pulmonaire est possible;

2. Pour que cela arrive certaines conditions doivent se présenter; la cohabitation prolongée en est la principale;

8. La faiblesse et toutes les causes qui diminuent la résistance organique rendent plus facile le fait de la contagion;

4. La possibilité de la transmission moyennant les vêtements, les hardes etc. n'est pas encore suffisamment démontrée;

5. Il reste aussi douteux si le lait et les viandes des animaux phthisiques peuvent donner lieu à la transmission de la maladie, surtout après la cuisson et autres préparations culinaires;

6. Les mesures prophylactiques ne peuvent, jusq'à présent, avoir égard qu'à la cohabitation dans les conditions sus-indiquées;

7. L'enquête sur cette question devrait être continuée dans les divers pays et à l'aide d'un formulaire uniforme.

M. Vallin. — Quoique en général d'accord avec M. Corradi, M. Vallin croit qu'on ne doit pas trop exagérer, pour ne pas trop effrayer le public. Il cite l'enquête intéressante en Angleterre en 1883, qui a prouvé à l'évidence la transmissibilité de la tuberculose, quoique le danger soit moindre que pour la variole, la scarlatine, etc. Il y aura lieu surtout de prendre des précautions quand la langue, la bouche, le larynx, etc. offrent des affections tuberculeuses. M. Vallin rélève que se sont surtout les crachats des phthisiques qui sont dangereux. La mesure hygiénique la plus importante est donc de désinfecter les crachats, d'empêcher que la poussière des crachats desséchés ne se disperse dans l'atmosphère. Mais cela n'est pas facile. Il faut que les phthisiques crachent autant que possible dans des crachoirs contenant quelque poudre absorbante ou quelque matière désinfectante; ils devront surtout éviter de déposer leurs crachats sur le sol, où ceux-ci se dessèchent. Les mouchoirs dans lesquels ont craché les tuberculeux, sont dangereux; il faudrait les mettre dans de l'eau bouillante avant de les envoyer au blanchissage. Il y aurait lieu de prendre des mesures protectrices dans les habitations communes, les hôtels, les casernes, les hôpitaux, les ateliers, et surtout dans les stations de bains et les stations d'hiver fréquentées par les phthisiques ou par ceux qui sont menacés de phthisie.

M. Vallin passe en revue quelques mesures qui seraient recommandables, mais qu'il sera difficile d'imposer. Il est donc désirable que le public soit éclairé autant que possible, sur le danger émanant des crachats, et sur le danger de la cohabitation avec les phthisiques et les précautions à prendre.

La vaccination avec du vaccin provenant d'un enfant tuberculeux peut transmettre la maladie. Mais il faut être en garde contre l'exagération.

L'orateur désirerait qu'une enquête fût faite dans tous les pays, pour déterminer les conditions, dans lesquelles la transmission de la tuberculose a lieu. Il s'associe au voeu émis par M. Corradi. En attendant on pourrait répandre dans le public quelques conseils sur les précautions à prendre.

M. le Président invite M. Vallin à formuler des propositions en ce sens.

M. Jorissenne. — Messieurs, j'ai demandé la parole, non pour me mettre en désaccord avec les honorables collègues qui viennent d'affirmer la contagiosité de la tuberculose, mais pour appuyer leur manière de voir. Je retrancherais même certaines restrictions que M. Corradi fait à l'égard du lait. En admettant que la tuberculose pulmonaire est plus fréquente, que l'entérite tuberculeuse et que le lait ne peut être incriminé, quand il s'agit d'expliquer les cas où la maladie n'a pas pris naissance dans les intestins d'abord, il reste fidèle aux données de l'expérimentation ; je l'admets volontiers. Mais il se place exclusivement, et sans y penser, je crois, au point de vue de l'homme adulte. Pour juger l'influence du lait, c'est surtout l'enfant qu'il faut étudier ; or les entérites tuberculeuses sont plus fréquentes, au premier âge, que les affections pulmonaires ; la localisation a lieu ici par la voie directe d'introduction ; je crois donc que l'objection de M. Corradi tombe d'elle-même.

Eh bien, messieurs, je trouve dangereux de rassurer outre mesure le public sur l'influence du lait, quand il provient de bêtes dout la santé est douteuse ; l'allaitement maternel est plus rare que jamais dans nos grandes villes et il est souvent remplacé par l'alimentation au biberon. Il faut qu'on attache plus d'importance qu'on ne le fait, à savoir si les vaches laitières sont ou ne sont pas tuberculeuses. Elle le sont fréquemment. Si croire que le lait d'une vache tuberculeuse peut donner la tuberculose est même une simple hypothèse, et moi, je ne le crois pas, je pense néanmoins qu'il faut conseiller au public de ne pas en user.

Pourquoi d'ailleurs le lait d'une bête tuberculeuse vaudrait-il mieux que celui d'une femme tuberculeuse ou prédisposée à la tuberculose? Et quel est le médecin qui ne supprime pas immédiatement l'allaitement par une mère dans ces conditions?

La première qualité d'une nourrice, c'est de ne pas présenter le cachet tuberculeux.

Voilà ce que je désirais dire pour renforcer encore l'opinion des deux orateurs que vous venons d'entendre.

Je me proposais toutefois d'intervenir particulièrement dans le débat pour attirer votre attention, Messieurs, sur l'état des hôpitaux et sur la nécessité de les désinfecter fréquemment. Je sais combien la chose est difficile. Nos maisons hospitalières sont de vastes casernes, composées de vastes pièces où l'on accumule dans une promiscuité désolante les malades de toute sorte.

Quelques maladies sont généralement confinées dans des locaux séparés, comme la variole, la syphilis, les affections nerveuses et mentales; les autres sont confondues. Le spectacle des misères d'autrui s'ajoute aux peines que chaque alité subit lui-même; il voit souffrir, il entend gémir, il assiste à l'agonie et à la mort de ses voisins; ses peines morales et ses dégoûts dépassent quelquefois ses propres douleurs. Ce sont là bien des défectuosités; il faut en ajouter une autre: on ne peut guère désinfecter ces grandes salles.

A ces types d'hôpitaux, l'avenir, sans doute, substituera des édifices plus salubres; ils ressembleront davantage aux monastères où chaque cénobite occupe une cellule à part; ces cellules s'ouvriront sur un même corridor où circulera le veilleur, les internes de service, etc. Au départ du malade, ou dans le cours de sa maladie, il sera aisé de désinfecter la chambre; rien absolument ne s'y opposera. Tout nous gêne, au contraire, dans l'état actuel: la grandeur des salles, la multiplicité des lits, la difficulté d'en déplacer un grand nombre, une foule enfin d'inconvénients variables avec la configuration des locaux.

Il faut pourtant essayer de désinfecter. Si l'on n'a pas à côté des salles occupées, une salle vide qui puisse à un moment donné recevoir les malades de l'une d'elles, ou si l'on n'a pas, au même étage, des salles assez vastes et assez peu remplies pour que l'on puisse en mettre une hors de service en réunissant les malades dans les autres, il sera possible d'arriver à un résultat analogue en divisant chaque salle par une cloison mobile ou fixe. Les malades seront rassemblés lors de la désinfection, dans l'une des fractions.

La présence des tuberculeux dans les hôpitaux, est une grande cause d'insalubrité. Les tuberculeux ne s'y guérissent pas; ils peuvent en sortir par caprice, ils ne les quittent point à l'état de santé; ils y restent ordinairement fort longtemps; ils y trouvent d'autres tuberculeux et travaillent avec ceux-ci à contaminer la salle qu'ils occupent.

Que fait-on pour pallier ces funestes défauts? En général, on ne fait rien. Je connais peu d'hôpitaux que l'on désinfecte régulièrement, périodiquement. Nous devons demander, Messieurs, que cela soit fait.

Les lits, les murailles et les plafonds doivent être peints de manière à pouvoir être désinfectés. On emploiera pour eux la vapeur d'eau surchauffée les solutions de chlorure de chaux, les solutions de sublimé (M. Vallin vient de nous dire que celui-ci n'a pas d'action sur les germes de la tuberculose; cela m'étonne; mais je m'incline jusqu'à preuve du contraire). L'effet ne sera pas complet, dira-t-on peut-être; je crois qu'il sera déjà excellent, et faute d'avoir un moyen parfait, je ne suis pas porté à me croiser les bras sans rien faire.

L'atmosphère sera chargée d'anhydride sulfureux, puis une ventilation active achèvera son épuration.

Le reste sera passé à l'eau bouillante.

Voilà, à grands traits, ce qu'exige une salle encombrée de malades, tuberculeux et autres. Il faut aussi empêcher autant que possible l'infection des salles. M. Vallin a proposé plusieurs changements dans l'aménagement des hôtels qui pourraient s'appliquer aux hôpitaux. Je n'y reviens pas. J'insiste sur un point, c'est la nécessité de faire cracher dans un récipient clos et contenant un liquide désinfectant. J'emploie journellement, Messieurs, la solution de permanganate de potasse à 15 pour mille environ et je m'en trouve fort bien. Les chambres des phthisiques qui consentent à ne plus user de mouchoirs (on n'obtient pas toujours cela d'eux; ils sont, parfois si faibles, si découragés qu'ils crachent sur n'importe quoi) et qui usent de la solution indiquée, sont peu nauséabondes ou ne le sont pas. Certes la sueur et l'haleine dégagent une odeur assez intense; mais je me suis convaincu par expérience que les crachats l'accentuent extrêmement. J'ajouterai enfin que je n'ai plus eu de cas de contagion (sauf en cas de cohabitation) depuis que je prescris ces crachoirs.

Je me joins donc, en somme, à mes honorables collègues pour demander que tout ce qui peut propager la tuberculose soit supprimé, combattu avec la dernière rigueur.

M. Teissier — appuie les propositions et les précautions préventives de M. Vallin, mais il demande en même temps qu'on les fasse précéder de quelques formules très nettes, tendant à éclairer le public déjà terrorisé, sur les conditions et les limites de la contagion de la tuberculose. — La phthisie est contagieuse, cela est incontestable; mais elle l'est dans des conditions particulières et restreintes, et différentes de celles qui règlent la diffusion des grandes maladies infectieuses, la variole ou la diphthérie, par exemple. Les faits de contagion avérés et dégagés de toute cause d'erreur sont relativement rares, par rapport au grand nombre des tuberculeux. Il est indéniable que l'hérédité joue encore le rôle le plus important, dans la propagation de la phthisie pulmonaire. Les dernières expériences de H. Martin et de Landouzy expliquent bien la possibilité de cette influence héréditaire. Pour la tuberculose, plus que pour toute autre maladie infectieuse, l'aphorisme de Trousseau est vrai: „il faut dans toute maladie considérer la graine et le terrain". Le terrain ici me paraît le facteur le plus important.

Donc avant tout, ce qui importe bien, c'est de déterminer exactement les conditions et les limites dans lesquelles la transmissibilité de la phthisie pulmonaire peut s'opérer. C'est dans ce sens, que l'enquête réclamée par M. Corradi doit spécialement être dirigée.

M. Corradi. — Je regrette de ne pas avoir eu connaissance de l'enquête qu'on a faite en Angleterre et de ses résultats. Mais cela ne change point du tout la question. M. Vallin qui au congrès de Genève était à l'arrière-garde, m'a maintenant devancé. Je crains qu'en demandant trop, on ne finisse par n'obtenir rien. Ce serait une erreur que de laisser croire que la phthisie est contagieuse autant qne la variole, et que les phthisiques doivent être fuis comme des lépreux. Les mesures que M. Vallin vient de proposer sont sans doute utiles, même au point de vue de l'hygiène générale; mais si le véhicule de la contagion sont les crachats, je ne vois pas le motif d'envoyer à l'étuve les matelas sur lesquels un phthisique a couché, même dans les hôtels. On ne va assurément pas cracher sur les matelas. Même la défense des viandes et du lait des bêtes phthisiques doit être recommandée comme celle de toute autre viande ou produit d'animaux malades, même si les preuves péremptoires de transmission directe de la maladie à l'homme dûssent manquer.

Pour ce qui a trait à l'enquête, l'important c'est de la continuer, et de la continuer largement dans les divers pays. Un questionnaire uniforme ne fera qu'aider le travail et le dépouillement; on aura de même des réponses qui seront mieux comparables entre elles et dont le contrôle sera plus facile. Mais si on veut laisser l'enquête libre dans les divers pays, je n'insiste pas sur ce point.

M. Jorissenne — demande que M. Teissier précise. Il parle de contagiosité et d'hérédité; admettre l'une semble exclure l'autre. M. Teissier pense-t-il que la tuberculose se transmette de toutes pièces par hérédité, ou seulement qu'un état de prédisposition puisse se transmettre?

M. Teissier répond que l'hérédité est complète.

M. Jorissenne ajoute: c'est ce que je voulais vous faire dire.

M. le Président résume le débat et invite M. Vallin à formuler ses conclusions ou ses conseils pour le public. Il appuie le voeu d'une enquête dans tous les pays de l'Europe, d'après un questionnaire, qui serait arrêté par le congrès.

La proposition d'une enquête est adoptée à l'unanimité.

La Section nomme une commission de cinq membres: MM. Corradi, Vallin, Teissier, Jorissenne, Emmerich, pour préparer un questionnaire sur la question de la contagiosité de la tuberculose, qui sera répandu dans tous les pays.

M. le Professeur Jos. Fodor, de Buda-Pest, qui traiterait la 2e question du programme: „l'utilité et la nécessité de la création de chaires d'hygiène et de laboratoires ou d'instituts d'hygiène à toutes les universités," ayant été empêché de se rendre à la Haye, avait envoyé son discours, écrit en Allemand.

M. Emmerich, de Munich, auquel le président avait remis le manuscrit, a la complaisance d'en lire les parties principales et les conclusions.

Les deux conclusions principales sont traduites en Français, dans les termes suivants:

1°. Le congrès adressera aux gouvernements, aux universités et aux écoles de médecine un mémoire, dans lequel il recommandera avec empressement la création de chaires d'hygiène et l'étude de cette science;

2₀. Le congrès nommera un comité permanent, qui suivra attentivement l'enseignement de l'hygiène dans tous les pays, et qui fera un rapport aux congrès futurs sur les progrès sur ce terrain.

Nous insérons ici le discours de M. Fodor:

Die wissenschaftliche Pflege und der fachmässige Unterricht der Hygiene.

Ein unvergängliches Verdienst in den Augen der Menschheit haben jene ausgezeichneten Gelehrten, welche die moderne Hygiene begründet haben. Sie begnügten sich nicht mit den Speculationen der alten medizinischen Polizei, welche vom Tische der Physiologie, Pathologie, Chemie die Brosamen zusammenlas, sondern sie betraten das Gebiet der Beobachtung und der selbständigen Forschung. Alsbald fanden sie im Bereiche der Natur eine ganze Menge neuer und wichtiger Dinge. Ihre Entdeckungen und Ideen machten rasch die Runde um die ganze gebildete Welt.

Sie pflanzten in den Garten der Wissenschaften einen jungen Setzling, welcher Wurzel fasste und binnen Kürzem zu einem hinreichend schönen Baume emporwuchs.

Für die Entwicklung dieser edlen Pflanze muss Sorge getragen werden; ihre Wurzeln müssen gesichert werden. Die Wurzeln der Hygiene sind meiner Auffassung nach die wissenschaftliche Forschung und der Fachunterricht. Die Mittel der Forschung und des Unterrichts, Lehrstühle und Laboratorien, müssen der Hygiene verschafft werden.

Viele lieben es zu sagen, dass die Hygiene nichts anderes als angewandte Physiologie, als die Application der Pathologie, der Aetiologie sei; dass die Hygiene mit einem Worte die von anderen Zweigen der Wissenschaft fertig dargereichten Kenntnisse einfach anwende und deshalb weder ein eigenes Forschungsgebiet, noch eine Methode und Mittel zur wissenschaftlichen Forschung besitze. Demzufolge, so sagen sie, verdient sie auch nicht die wissenschaftliche Pflege, die Universitäts-Lehrstühle und die Laboratorien.

Wer so spricht, kennt einfach die Aufgabe der modernen Hygiene nicht und noch weniger ihre schon jezt Achtung verdienenden wissenschaftlichen Forschungen, ihre in Entwicklung begriffene Methodik, und einem Dinge, das er nicht kennt, spricht er — in einer des Naturforschers kaum würdigen Weise — die Existenz ab.

Die Hygiene hat entschieden ihr eigenes naturwissenschaftliches Forschungsgebiet, ebenso wie welche andere biologische Wissenschaft immer, und sie hat dieselbe induktive Forschungsmethode, deren sich jene rühmen können. Illustiren wir dies durch einige Beispiele:

Wessen Aufgabe ist es, wo nicht die der Hygiene, die chemische Beschaffenheit, den physikalischen Zustand und den miscroscopischen Gehalt der Athmosphäre, sowie die Aenderungen derselben zu untersuchen, und zu erforschen, welche ihre Wirkung auf den menschlichen Organismus ist, welchen Einfluss sie auf die Entwicklung der Krankheiten, auf die Epidemien und Endemien haben. Und die Hygiene vollführt solche Forschungen; sie stellt sich zu denselben die wissenschaftlichen Mittel und Methoden selbst her. Ausser ihr beschäftigt sich kein anderes wissenschaftliches Fach mit der Erschliessung jener Naturerscheinungen, forscht kein anderer Wissenszweig nach dem Zusammenhange zwischen jenen Naturkräften und der Entwicklung der Krankheiten.

Wessen Aufgabe ist es, wo nicht die der Hygiene, den Boden, auf den wir uns mit unseren Wohnungen niederlassen, in das Bereich ihrir Forschung zu ziehen; den Einfluss desselben auf die physische Entwicklung des Menschen und das ganze Heer der Krankheiten zu studiren? Wer soll die Ursachen erforschen, denen zufolge die an einem Orte errichtete menschliche Niederlassung fortwährend mit Epidemien kämpft und das Feld des Todes ist, während der andere Ort immun ist, als wäre er mit Weihwasser besprengt gegen die bösen Geister, die Epidemien? Und die Hygiene macht auch in dieser Richtung Forschungen; wenigstens hat sie dieselben begonnen; ausser ihr fühlt sich kein anderes Wissensfach zu jenen Forschungen berufen.

Wessen Aufgabe wäre es sonst: wo nicht die der Hygiene, den Einfluss der Wohnungsverhältnisse auf die Gesundheit der Bevölkerung, — die Naturkräfte, welche die Wohnung gesund oder im Gegentheile ungesund machen, zu studiren. Die Physiologie wäre mit ihren, auf die nächsten Ausscheidungen und den Stoffwechsel des einzelnen Menschen bezüglichen Untersuchungen vielleicht nie zu jener Kenntniss der sanitären Eigenschaften — z. B. der Ventilation — der Wohnungen gelangt, zu welcher einige geniale Ideen und Versuche des Hygienikers, eines Pettenkofer, die Hygiene erhoben hat. Der Mensch steht in seiner Wohnung hochwichtigen Naturfaktoren gegenüber, deren Einflus die Hygiene zu ermitteln hat.

Die Faktoren der öffentlichen Reinlichkeit und ihren Einfluss auf die Gesundheit der Bevölkerung prüft abermals die Hygiene. Sie prüft die sanitären Eigenschaften der Kanalisirung und anderer auf die Reinlichkeit Bezug habenden Einrichtungen; ihre Rolle der Luft, dem Boden, dem Wasser, sowie der Verbreitung der Krankheiten gegenüber.

Die Verdauung, Ausnützung und Ausscheidung der Nahrungsmittel und Getränke studirt die Physiologie. Welch unendliches Forschungsgebiet lässt sie jedoch auch hier der Hygiene! Die Frage der Massen- und Volks-ernährung ist Aufgabe der Hygiene; ebenso gehört die Ernährung als Ursache und Quelle der Krankheiten und Epidemien in ihren Forschungsbereich.

Weder die Physiologie, noch die Pathologie betrachtet es — und kann es betrachten — als ihre Aufgabe, die sanitären Eigenschaften des Trinkwassers, das Verhältniss desselben zu den Volkskrankheiten zu erforschen; ebenso wenig studiren sie die Frage der Wasserversorgung und das Verhältniss dieser zur öffentlichen Reinlichkeit und Sanität. Die Hygiene steht auch hier den funda-mentalsten Naturkräften und Faktoren gegenüber, deren Untersuchung sie — und ausser ihr keine Disciplin — unternommen hat und in deren Klärung sie auch schon Erfolge errungen hat.

Um nicht überaus langwierig zu sein, will ich nur kurz andeuten, dass der Einfluss der Schule, der Werkstätte, des Industrie-Etablissements, des Militärdienstes u. s. w. auf den Beschäftigten, den Menschen, wieder von der Hygiene studirt wird und zur Erforschung jener, aus den socialen Verhältnissen des Menschen resultirenden, kardinalen Sanitätsfaktoren ausser ihr kein Wissenszweig Beruf hat und auch nicht — wie sie — zur Forschung geeignete, entwickelte Methoden besitzt.

Oder sehen wir die inficirenden Volkskrankheiten, die Epide-mien. Diesen gegenüber dominirt die Aufgabe und Wirksamkeit der Hygiene — als Wissenschaft und Beschützerin der Menschheit — über alle anderen Wis-sensfächer. Die Therapie ist den Epidemien gegenüber sozusagen unvermögend; die Pathologie — in dem Sinne, dass sie den Sitz und den Stoff der epidemischen Krankheit *im* Körper erforscht und erklärt — ist ungenügend. Das Beispiel spricht klar. Besehen wir uns den Anthrax (Milzbrand.) Diese Krankheit ist vom pathologischen Gesichtspunkte gut erforscht. Die Pathologie hat in den Anthraxbacillen Stoff und Ursache der Krankheit ermittelt. Ist aber diese Pathologie des Anthrax zur Bekämpfung der Krankheit genü-gend? Erschöpft sie die Aufgabe der naturwissenschaftlichen Forschung jener epidemischen Krankheit gegenüber? Beiweitem nicht. Eine so grosse naturwis-senschaftliche Errungenschaft die Kenntniss der Anthraxbacillen auch ist, so war sie doch nicht im Stande, von der Natur die Erkennung dessen zu erzwingen, wie die Epidemie bekämpft oder ihr vorgebeugt werden kann; ferner sagt die Pathologie nicht, welche Naturkräfte es z. B. verursachen, dass die Bacillen an einem Orte eine Endemie aufrechthalten, während sie anderswo blos zu einer sporadischen Erkrankung führen.

Und ebenso verhält es sich der Tuberkulose, der Cholera und vielen anderen Krankheiten gegenüber, betreffs welcher die Wissenschaft bisher nur vom pathologischen Gesichtspunkte die Geheimnisse der Natur — mehr minder — zu enthüllen vermocht hat. Die Pathologie vollendet nicht unsere Kenntnisse von der Krankheit und bietet keine Mittel und Wege zur Bekämpfung der

Epidemie. Bei den epidemischen Krankheiten harrt der Hygiene die wichtigste wissenschaftliche und praktische Aufgabe: die Erforschung der auf die Entwicklung und Verbreitung jener Krankheiten Einfluss besitzenden, ausserhalb des menschlichen Organismus befindlichen Naturkräfte, und das Studium der zur Verhütung oder Beschränkung der Krankheit dienenden Vorkehrungen. Die Hygiene untersucht, was den pathologischen Stoff der Krankheit liefert, was für eine Naturkraft denselben ausserhalb des Menschen erhält und ihn an einem Orte und zu einer Zeit gefährlich gestaltet und an einem anderen Orte und zu einer anderen Zeit mildert. Die Hygiene erforscht das Verhalten, den Widerstand der Bevölkerung der Epidemie gegenüber und die bedingenden Ursachen jenes Verhaltens. Die Hygiene forscht nach den Mitteln, durch welche man den Epidemien widerstehen, ihre Gefahr verringern kann. Es ist dies eine erhabene Forschung sowohl vom Gesichtspunkte der Wissenschaft, als von dem des Gemeinwohlseins, zu welcher die Hygiene von der Natur selbst bestimmt ist, da ausser ihr kein anderes Fach der Wissenschaften dazu so sehr den Beruf und die geeignete Forschungs-Methodik besitzt.

Es wäre ein Leichtes, die Argumentation in der begonnenen Richtung bis zum Ueberdrusse fortzusetzen. Ich glaube jedoch, es ist auch schon aus dem Gesagten klar genug, das die Hygiene auf dem Gebiete der Erforschung der Geheimnisse der Natur eine selbständige Aufgabe und einen selbständigen Wirkungskreis hat, in welchem keine andere Wissenschaft sie ersetzen kann. Wir fragen indessen, welche materiellen Mittel werden der Hygiene diesen grossen Aufgaben ihrer Naturforschung gegenüber zur Verfügung gestellt?.

Sehr geringe! Solche, wie sie der Physiologie, Pathologie und anderen experimentellen Wissenszweigen vor einem halben oder ganzen Jahrhundert geboten wurden. Während heute jede Universität bestrebt ist, jenen Wissenszweigen — der Grossartigkeit ihrer Aufgabe entsprechend — Anstalten, Hilfsmittel zu schaffen, Gelehrte zu erziehen, wodurch in neuerer Zeit selbst die noch in der Wiege gelegenen Fächern alsbald zu Riesen herangewachsen sind: ist die Hygiene noch überall eine stiefmütterlich behandelte Wissenschaft. Sie würde wahrlich erdrückt durch erstarkte, sie geringschätzende verwandte Wissenschaften, wenn der nüchterne Verstand und das fühlende humane Herz, die ganze gebildete Welt, sie nicht verherrlichen, unterstützen würden.

Die Hygiene kann mit Recht fordern, dass man ihr die Mittel biete, damit sie ihrer wissenschaftlichen und zugleich das Gemeinwohl fördernden Aufgabe entsprechen könne. Hiezu gehören Lehrstühle und Laboratorien, sowie Gelehrte und Schüler.

Wie stiefmütterlich in dieser Hinsicht die Hygiene behandelt wird, können wir Alle bezeugen! England hat kein Universitäts-Laboratorium für Hygiene; das hygienische Laboratorium der Schule zu Netley ist nicht so sehr zu wissenschaftlichem Zwecke, als zur Einübung der Militärärzte berufen. In seinen übrigen ärztlichen Schulen wird die wissenschaftliche Pflege und der Unterricht der Hygiene anderen Fächern gegenüber ganz in den Hintergrund gedrängt. In Frankreich kenne ich gleichfalls kein gehörig instruirtes hygienisches Laboratorium. Das grossartige Paris, dem so sehr daran gelegen ist, das Musterbild der Welt im Schönen, in der Civilisation zu sein, welches die Mutter der Wissenschaft sein will, hat kein noch so bescheidenes Institut für die wissenschaftliche Pflege der Hygiene. In Deutschland haben mehrere Universitäten einen Lehrstuhl für Hygiene; ein ihrer würdiges Laboratorium aber befindet sich nur in München, am Silze der Forschungsthätigkeit Pettenkofer's. Welche bescheidene Filialanstalt ist die Leipziger, welche ein Gelehrter vom Schlage Hofmann's leitet! Berlin und Strassburg, diese Universitäts-Riesen, haben kein hygienisches Institut! Das „Reichsgesundheitsamt" ist nämlich keine Universitätsanstalt. Sein ursprünglicher Zweck war auch nicht die wissenschaftliche hygienische Forschung, und mit dem fachmässigen Unterricht der Hygiene befasst es sich auch heute ,nicht. An den Universitäten Osterreichs wurden neuestens mehrere hygienische Lehrstühle errichtet; in welch' beklagenswerther Bescheidenheit vegetirt aber z. B. auch das Wiener Institut neben den reichlich dotirten verwandten wissenschaftlichen Anstalten!

Die hygienischen Anstalten anderer Staaten kenne ich nicht persönlich. Mögen sie selbst sprechen, meine Kollegen von der Hygiene aus Italien, Spanien, Holland, u s. w.: wo bieten die Universitäten oder die Staaten der hygienischen Forschung und dem hygienischen Unterricht befriedigende Unterstützung?

Ich will nur noch der zweier Universitäten Ungarns gedenken. In Budapest wurde schon im Jahre 1874 (nach der Cholera) ein Lehrstuhl der Hygiene errichtet; das Studium der Hygiene wurde für jeden Mediziner obligatorisch gemacht, infolge dessen z. B. im letzten Sommersemester 196 ordentliche Mediziner für diese Vorträge eingetragen waren. Ueber welch' bescheidene Mittel zur Forschung und zur Praxis verfügt jedoch die Anstalt! Man kann dies ermessen, wenn man weiss, dass sie jährlich blos 600 fl. ausgeben darf und das für ihre gesammte Einrichtung und ihre Instrumente blos 3000 fl. sur Verfügung standen. — An der Klausenburger Universität wurde im vorigen jahre ein Lehrstuhl für Hygiene errichtet, vorläufig jedoch gleichfalls mit ungenügender materieller Unterstützung.

Uud mit solchen Anstalten und materiellen Mitteln soll die Hygiene das Gebiet der wissenschaftlichen Forschung betreten und für das Wohl der Menschheit gegen die Geheimnisse der Natur kämpfen? Kann bei solcher Unterstützung erwartet werden, dass die Wissenschaft der Hygiene Wurzel fasse, zahlreiche Sprossen treibe und reichlich Früchte trage? Ist der Hygieniker nicht gezwungen, in Ermangelung der Mittel zur Forschung, zu der weit wohlfeileren und leichteren Phrase seine Zuflucht zu nehmen? Auf solche Weise vermag die Hygiene nicht einmal die wichtigsten Fragen induktiv zu lösen. Sie kann eine auf exakter Untersuchung beruhende Antwort nicht einmal auf solche Fragen geben, welche das Wohlsein oder das Vermögen ganzer Nationen allernächst interessiren. Nehmen wir nur ein Beispiel: für das Geld, welches man auf Desinfektion ausgegeben, ehe die Hygiene in exakter Weise hätte feststellen können, was ünd wie desinfizirt werden muss, hätte man viele und prächtige hygienische Institute errichten können! Man gibt Millionen auf die Desinfektion aus, und die Hygiene kann noch heute nicht nachweisen, ob dieselbe in der That auch nur im Mindesten von Nutzen ist, da sie nicht in der Lage ist, gehörig und gründlich die natürlichen Eigenschaften und die Resultate der Desinfektion zu erforschen: ist das ein einer klugen und vernünftigen Gesellschaft, der heutigen Civilisation würdiger Zustand?

Und die Hygiene hat an den Anstalten und wissenschaftlichen Hilfsmitteln, welche man heute anderen Zweigen der Wissenschaft bereits gewährt, eigentlich nicht einmal genug. Denn die Aufgabe und das Gebiet der hygienischen Forschung sind viel umfassender, sie erheischen mehr und kostspieligere Arbeit, als die meisten anderartigen wissenschaftlichen Forschungen, selbst die Polarexpeditionen und Venusbeobachtungen mitgerechnet. Die hygienischen Expeditionen Koch's und der Mitarbeiter Pasteur's nach Egypten und Indien können Fingerzeige sein dafür, in welcher Richtung und in welcher Ausdehnung die hygienischen Forschungen sich mit der Zeit entwickeln werden.

Aber auch die im engeren Sinne genommene Laboratoriums-Forschung ist auf dem Gebiete der Hygiene gewöhnlich überaus ausgedehnt, mühsam und kostspielig. Es sei mir gestattet, diesbezüglich ein bescheidenes Beispiel aus dem Arbeitskreise meines Laboratoriums anzuführen. Ich wünschte den Einfluss der Verunreinigung des Bodens auf die Gesundheit der Wohnungen zu untersuchen. Ich suchte aus den amtlichen Todtenbeschau-Protokollen die in den einzelnen Häusern, durch 15 Jahre, infolge der Infektionskrankheiten vorgekommenen Todesfälle zusammen, um zu erkennen, welche die gesunden und welche die epidemischen Häuser sind. Dann mussten wir Apparate konstruiren, mit welchen wir den Boden der zu untersuchenden Häuser anbohren konnten; Methoden erproben zur zweckmässigen chemischen Ermittelung der Verunreinigung des Bodens; mit mehreren hundert Hauseigenthümern unterhandeln, damit sie ihre Höfe aufreissen, anbohren lassen; mehrere hundert Bodenanbohrungen durchführen lassen; an den herausgenommenen Bodenproben viele tausende chemische Analysen vornehmen; dann auf Grund dieser Analysen die Verunreinigung des Bodens, die Zersetzungsvorgänge des Bodenschmutzes mit dem epidemiologischen Verhältnisse des betreffenden Hauses vergleichen: dies war der Gegenstand jener einen Untersuchung, mit deren Vollführung ich mich mit mehreren Mitarbeitern Jahre hindurch abgab und die ich -— wegen ihrer Kostspieligkeit — ohne die Unterstützung der Akademie auch nicht hätte beendigen können. Und diese Arbeit ist noch immer nur in sehr beschränktem Masse durchgeführt worden, im Vergleiche zu dem, wie sie bei entsprechenderer Unterstützung — sicherlich zum Nutzen der Wissenschaft und des Sanitätswesens — hätte vollzogen werden können.

Gut eingerichtete und reichlich dotirte Laboratorien sind zur Entwickelung der Hygiene erforderlich. Solange die Hygiene das Stiefkind der Universitäten ist, solange die Gesellschaft nicht zur wissenschaftlichen Entwicklung der Hygiene mehr, viel opfert: solange können auch die der Hygiene würdigen, das Gemeinwohl so nahe angebenden Forschungen nicht gehörig vollzogen werden, solange leidet der Genius der Menschheit: die Wissenschaft, und der Wohlhäter der Menschheit: die öffentliche Sanität.

Viele werfen der Hygiene vor, dass sie noch nicht wissenschaftlich entwickelt ist und dass ihr deshalb der gleichberechtigte Universitäts-Lehrstuhl und die Anstalt nicht gebührt. Dass die Hygiene erst am Beginne ihrer wissenschaftlichen Entwickeluug steht — wer wollte das läugnen? Eben deshalb aber müssen der Hygiene Opfer gebracht werden, damit sie je' eher erstarke. Die Physiologie, die Anatomie und andere Wissenszweige haben hunderte wissenschaftliche Stätten, wo ein ganzes Heer von Gelehrten Hand in Hand, einander unterstützend, ergänzend, arbeitet. Dies hat ihr Fach dazu erhoben, was es ist. Und die Hygiene? Wo finden die zahlreichen und wichtigen Abschnitte und Fragen derselben eine Anstalt und einen Forscher? Wenn auch hier und dort ein eifriger Apostel dieser Lehre arbeitet, verschwindet seine Lust und sein Muth, weil er sich selbst überlassen ist. Er hat kein Gesellschafter in der Arbeit, die seine Ideen aufgreifen und weiter entwickeln, durch ihre Kritik klären und feststellen würden, was die Wahrheit sei. Die ein-zwei Forscher gelangen zu wenigen Resultaten; ein-zwei Bienen, wenn sie noch so fleissig sind, füllen den Korb nicht; ein ganzer Schwarm gehört dazu: ein Schwarm von wissenschaftlichen Anstalten und Gelehrten. Man kann auch gegen mich einwenden: wenn man auch hygienische Anstalten aufstellen würde. woher nähme man zu denselben die gebildeten Fachmänner, die hygienischen Forscher? Es ist wahr, dass es solcher fachtüchtiger Hygieniker, die der Leitung eines solchen wissenschaftlichen Instituts würdig wären, nur wenige gibt. Ursache hiervon ist aber eben der Umstand, dass man an unseren Universitäten so stiefmütterlich für die wissenschaftliche Entwicklung der Hygiene sorgt. Wo sollen sich die Hygieniker ausbilden, wenn zu ihrer Ausbildung die entsprechenden Fachinstitute fehlen? Und wer soll sich in der hygienischen Wissenschaft ausbilden, wenn er keine Aussicht hat, dass ihm dereinst die Mittel zur Verfügung stehen werden, in seinem Fache weiterarbeiten zu können und dass er daneben von seinem Fache auch sein Auskommen haben wird? Wir sehen genug wackere Männer, mit Begeisterung im Herzen für die Hygiene und mit hoher wissenschaftlicher Bildung im Geiste, die gezwungen sind, die Hygiene zu verlassen und ein anderes Gebiet zu betreten, weil die Stätten der ärztlichen Wissenschaften, die Universitäten, und weil die Gesellschaft, für deren Wohl sie kämpfen, ihnen nicht Schaufel und Haue in die Hand geben, damit sie das gesegnete, aber brachliegende Feld der Hygiene bebauen. Gebet die Werkzeuge zur Thätigkeit und die Mittel zum Auskommen, ruft hygienische Lehstühle und Anstalten ins Leben, und Ihr werdet bald keinen Grund haben, der Hygiene vorzuwerfen, sie habe keine gründlich gebildeten Forscher, Fachmänner.

Ich lege sehr grosses Gewicht darauf, was ich in dem Gesagten wiederholt betont habe: dass nämlich die Anstalten der Hygiene vor Allem Universitäts-Anstalten seien. Dies hat zwei wichtige Gründe. Zur Pflege der Hygiene als Wissenschaft bieten nämlich die Universitäten den sichersten Ort, in welchen auch die verwandten Wisschenschaften das beste Nest finden. In einer solchen Gemeinsamkeit entwickelt sich die Wissenschaft am vorheilhaftesten, da die verwandten Wissenszweige in fortwährender Berührung mit einander sind. Ferner ist es von Wichtigkeit, dass die Hygiene an den Universitäten gepflegt und entwickelt werde: weil sie dort auch unterrichtet werden kann, was vom Gesichtspunkte der Erziehung von Fachgelehrten und der Einübung der Aerzte im Interesse des Gemeinwohlseins überaus nothwendig ist.

Manche unterschätzen den Unterricht der Hygiene an den Universitäten, in dem Glauben, dass die allgemeine ärztliche Erziehung jedem Arzte soviele Kenntnisse bietet, als er auf dem Gebiete seiner praktischen Wirksamkeit bedarf. Diese Auffassung war damals zu entschuldigen, als die ganze Hygiene auf ein wenig Physiologie und auf der Spekulation des nüchternen Verstandes beruhte, und als Mensch und Gesellschaft sich wenig um die Gesundheit kümmerten. Heute ist es ein Unsinn Derartiges zu behaupten. Die Hygiene besitzt heute schon einen ausgedehnten Wissenskreis, den der Arzt sich bei anderen Fächern nicht aneignen kann, und dessen er schon vermöge seiner, auf Bildung Anspruch erhebenden Stellung bedarf; noch mehr aber deshalb, weil die Gesellschaft ihn in sanitären Dingen als Fachmann betrachtet und sein Patient und seine Umgebung auch in seiner täglichen praktischen Beschäftigung fortwährend an seine hygienische Fachkenntniss appellirt. Unsere g. Collegen, die praktischen Aerzte mögen es offen gestehen, ob sie nicht ihren Patienten von Tag zu Tag häufiger in sanitären Dingen Rath zu ertheilen haben? Der Kranke und dessen Familie wollen fortwährend seinen Rath hören, bald betreffs der sanitären Eigenschaften der Wohnung, betreffs der Heizung, der Ventilation, der Kanäle; bald hinsichtlich seines Gewerbes und seiner Beschäftigung, der Schule seiner Kinder; dann betreffs der Nahrungsmittel, der Getränke, des Trinkwassers; in Angelegenheit des Schutzes gegen epidemische Krankheiten, der Desinfektion u. s. w. Der Arzt gibt fast ebenso oft hygienische Rathschläge, wie er Recepte schreibt und nicht selten ist selbst für die Genesung des Patienten der hygienische Rath wichtiger, als das Recept. Auf jene hygienischen Fragen kann aber nur der mit gründlicher Kenntniss, ohne Erröthen, Antwort ertheilen, der sich die hygienischen Fachkenntnisse erworben hat.

Der hygienische Unterricht hat in der Erziehung des Arztes eine überaus wichtige Aufgabe. Auf diesen Unterricht müssen wir immer grösseres Gewicht legen. Die Universitäten können sich der Aufnahme und Unterstützung des Unterrichts, sowie überhaupt der wissenschaftlichen Pflege der Hygiene nicht verschliessen, wenn sie sich nicht die Anklage des XIX Jahrhunderts zuziehen wollen: dass sie die hygienischen Kenntnisse nicht zu entwickeln und zu verbreiten bestrebt siud, weil sie kein Einsehen für die wichtige natur- wissenschaftliche Bedeutung dieses Faches und kein Gefühl für die staatliche, nationale und menschliche Bedeutung der öffentlichen Sanität haben.

All' das, was ich hier in nuce zu sagen die Ehre hatte, ist durchaus nicht neu. Ich weiss, dass in jedem Lande und in jeder Sprache bereits eifrige Hygieniker für die wissenschaftliche Pflege und den Unterricht der Hygiene ein- getreten sind. So schon früher und wiederholt Pettenkofer in Deutschland, dann in neuerer Zeit Martin in Frankreich, G. Smith in Amerika, und noch viele Andere. Ihre Fürsprache hat jedoch noch immer keinerlei oder nur ein halbes Resultat gehabt.

Derjenige jedoch, der betreffs der wissenschaftlichen und humanen Bedeutung der Pflege und des Unterrichts der Hygiene im Reinen ist, darf nicht ermüden, verzagen. Immer wieder von Neuem muss die bessere Ueberzeugung zum Ausdrucke gebracht werden.

Hiezu ist bezonders die Körperschaft berufen, die mich anzuhören geruht hat; die es am besten weiss, wie hehr und wichtig die Aufgabe der Hygiene ist und mit welch' geringfügigen und untergeordneten Mitteln die wenigen Pfleger dieses Faches zu kämpfen haben. Auch die gegenwärtige Zeit ist dazu geeignet, dass wir das Wort von Neuem erheben. Das Wohlsein, der Handel ganz Europas erzitterte soeben auf die Nachricht von der Cholera. Die ganze gebildete Welt warf besorgte Blicke auf die Hygiene, ob sie im Stande sein wird, Europa vor jener hässlichen Seuche zu schützen. Und ganz Europa, die Gelehrten sowohl wie die Laien, konnten zich überzeugen, dass die Hygiene beiweitem nicht so entwickelt ist, um betreffs der natürlichen Eigenschaften jener Seuche, sowie des Schutzes gegen dieselbe ein gründliches und beruhi- gendes Gutachten und Rath zu geben. Die in den Tagesblättern in riesiger Anzahl erschienenen ärztlichen Artikel aber konnten Jedermann davon überzeugen, wie sehr nothwendig es ist, dass in deu Grundkenntnissen der Hygiene alle Aerzte gehörig bewandert seien.

Diese Gelegenheit muss im Interesse der Hygiene ergriffen werden; auf ein Resultat können wir jetzt am ehesten rechnen, denn wir haben erfahren,

dass die Epidemien die wirksamsten Bahnbrecher des Fort-
schrittes der Hygiene waren.

In Anbetracht all' des Angeführten bin ich so frei zu beantragen, der
Kongress möge sein aufklärendes und warnendes Wort erheben: er möge
eine Denkschrift an die Universitäten, ärztlichen Schulen,
sowie an die Staatsregierungen richten, in welcher er, unter
Darlegung der wissenschaftlichen Aufgabe und der praktischen Nützlichkeit
der Hygiene, urgire, dass an den Universitäten durch Errich-
tung und gehörige Dotirung entsprechender Lehrstühle die
wissenschaftliche Pflege und der fachmännische Unterricht
der Hygiene gefördert werde. Und damit dieser Schritt des Kongresses
kein vergänglicher Versuch sei, beantrage ich, dass der Kongress die
Frage der wissenschaftlichen Pflege und des Unterrichts der
Hygiene zum Gegenstande seiner ständigen Aufmerksamkeit
machen möge; er ernenne von Versammlung zu Versammlung eine Kom-
mission, welche von dem Zustande und dem Fortschritte auf einem Gebiete
der Hygiene dem Kongress Bericht erstatten soll. Durch diese Verfügungen
hoffe ich das wissenschaftliche Aufblühen der Hygiene erreichen zu können,
jener Wissenschaft, deren jeder Gedanke und jedes Wort die Sicherung des
irdischen Heiles des menschlichen Geschlechts bezweckt!

. Le rapport de M. Fodor est vivement applaudi.

M. le Comte de Suzor. — Je demande la permission de compléter les
voeux proposés par M. Fodor.

Je partage tout-à-fait en principe ces voeux; je pense seulement qu'il est
absolument nécessaire de ne pas limiter l'enseignement de l'hygiène aux
Universités et Ecoles de médecine, mais d'en demander également l'enseignement dans les Ecoles techniques supérieures, comme cela est déjà fait dans
beaucoup de villes d'Allemagne et d'Angleterre.

Pour propager les idées d'hygiène et appliquer ses lois, il faut les faire
connaître aux personnes qui sont appelées à exécuter les grands travaux d'assainissement reconnus d'utilité publique. Il faut que l'ingénieur,
l'architecte, le constructeur sache bien qu'en donnant telle ou telle autre
disposition à l'hôpital, la caserne, l'école ou tout autre lieu habité, il contribue
à augmenter ou à diminuer la morbidité et la mortalité. Voilà pourquoi je
propose que le congrès émette le voeu que l'enseignement de l'hygiène soit
introduit dans toutes les Universités et les Ecoles supérieures.

Quant à la seconde proposition je pense que pour arriver à un résultat
pratique, il serait utile de former aujourd'hui une commission de personnes
voulant se charger (chacune dans son pays) de recueillir tous les renseignements sur l'enseignement de l'hygiène dans les divers établissements, sur les

programmes et sur le progrès de cet enseigement, afin de faire au prochain congrès un rapport succinct sur ce sujet.

M. Blasius. — Ich unterstütze den Vorschlag des Herrn Grafen **von Suzor**, auch für die polytechnischen Hochschulen Lehrstühle und Laboratorien für Hygiene zu errichten, da gerade an diesen Hochschulen die Lehrer der Hygiene Gelegenheit haben, sich mit den Lehrern der Architectur, Technik, Wasserbaukunst etc. über diejenigen Fragen zu verständigen, die jetzt für die Hygiene der Städte so wichtig sind, wie z. B. die Canalisation, die Wegschaffung der Excremente, die Gesetzgebung über Wohnungen etc., und mit diesen Technikern gemeinschaftliche Arbeiten zum Nutzen der Gesundheitspflege machen können.

M. Rochard — propose la rédaction suivante de la première partie de la proposition qui est en discussion:

„le Congrès émet le voeu que l'étude et l'enseignement de l'hygiène soient „encouragés partout et que des chaires et des laboratoires d'hygiène soient „créés dans toutes les universités et dans toutes les écoles supérieures."

La rédaction de M. **Rochard** est adoptée.

La 2e partie de la proposition est adoptée de même.

L'assemblée décide que la lettre suivante, envoyée au Bureau de la Section par M. J. **Sormani**, professeur d'hygiène à l'Université de Pavie, sera insérée au Compte rendu du Congrès.

Note sur les Neutralisants du Virus Tuberculenx, par
J. **Sormani**, Prof. d'Hygiène à Pavie.

Il n'est pas sans intérêt d'étudier les moyens de neutraliser le virus tuberculeux, soit au dehors, soit au dedans de l'organisme, comme contribution à la prophylaxie de la tuberculose.

Les études dont je rend compte au Congrès, sont les résultats des expériences conduites dans le Laboratoire d'Hygiène de l'Université de Pavie. Plusieurs de ces expériences ont été faites avec le concours du Dr. **Brugnatelli**.

Les expériences ont été toujours faites sur les cobayes, animaux qui se prêtent le mieux à ces études.

La substance tuberculeuse a été toujours du crachat d'individus phthisiques, préalablement reconnu farci de bacilles de **Koch** par la méthode de **Ehrlich-Weigert**.

Pendant les années 1883—84 plus que 150 cobayes ont été inoculés avec du crachat traité de différentes manières, toujours dans le but d'essayer lesquels des procédés chimiques, physiques ou physiologiques neutralisent ou non la virulence du bacille de la tuberculose.

Je ne citerai ici que les résultats sommaires auxquels nous sommes parvenus.

1. Le bacille de la tuberculose, règle générale, a une tenacité remarquable, qui n'est pas détruite, ni par le dessèchement, ni par la putréfaction, ni par l'exposition à l'oxygène, ni par l'action de plusieurs des désinfectants ordinaires.

2. La température de 100 dégrés, ne tue le bacille qu'après quelques minutes (cinq) d'ébullition.

3. La digestion artificielle des crachats démontre que la forme organique du bacille est parmi les dernières à s'effacer de la morphologie des éléments exposés à l'action du suc gastrique et de l'acide clorhydrique. Il faut une digestion bien active, comme celle des carnassiers, pour détruire ce bacille.

4. L'homme bienportant et ayant la digestion gastrique en conditions physiologiques, détruit le bacille dans son estomac. Mais le catarrhe gastrique ou l'âge du nourisson, ou toute maladie qui trouble la digestion stomacale, laisse passer facilement dans le tube intestinal des bacilles dont la virulence persiste. Ce sont ces bacilles qui peuvent s'inoculer sur la muqueuse entérique, et produire, ou les ulcérations intestinales, ou les adénomes mésenthériques, ou la périproctite, avec conséquence de fistule anale.

5. Le bacille de la tuberculose se conserve pendant plus d'une année avec sa forme, lorsqu'il est mêlé à l'eau. Il est probable, quoique pas encore démontré, qu'il conserve aussi sa virulence. De telle sorte l'eau potable peut devenir source d'infection tuberculeuse.

6. Il est probable que la virulence des linges contaminées par le virus tuberculeux ne se conserve pas plus que 4 à 6 mois.

7. L'alcool mêlé aux crachats n'en détruit point la virulence; en effet les alcoolistes sont bien souvent tuberculeux.

8. Le bisulfate de chinine, l'huile de foie de morue, l'hélénine, l'ozone, l'eau oxygénée, la résorcine, remèdes qui sont employés ou conseillés contre la tuberculose, n'ont aucune action sur la virulence du bacille.

9. De même n'y exercent presque aucune action le benzoate de soude, le salycilate de soude, le sulphatum zinci carbolicnm, l'aluminium, le jodure d'argent, le bornéole, la monobrom-naphthaline, le bromure de camphre.

10. Ont demontré une action nuisible au bacille, mais non complète, du moins aux doses dans lesquelles ils ont été employés: l'eau de chlore, l'eau de brome, le jode, le jodure d'étilène, le bromure d'étyle, le jodure de propyle, la naphthaline, l'hydrogène sulphuré, les chlorures d'or et de platine, le jodophorme, l'essence de Wintergreen.

11. Une action plus décisive sur la neutralisation du virus tuberculeux

a été démontrée par les substances suivantes: le créosote, la trémentine, le camphre, l'eucalyptol, l'acide phénique, le chlorure de palladium, les naphthols α et β, et le bichlorure de mercure.

12. Parmi ces substances il y en a qui peuvent servir à la désinfection des produits tuberculeux en dehors de l'organisme, comme la solution pheniquée au 5 %, ou la solution de sublimé au millième; et il y en a de ceux qui peuvent être indiqués comme moyens de neutralisation du virus tuberculeux dans l'organisme même; p. ex. le camphre, le créosote, la trémentine, l'eucalyptol, les naphthols.

13. L'haleine des tuberculeux, contrairement aux assertions émises par quelques auteurs, ne contient pas de bacille; elle n'est pas virulente, sauf le cas de l'émission de quelques petits crachats avec les quintes de toux. Il n'y a donc pas la nécessité d'une désinfection directe de l'atmosphère où vivent les tuberculeux.

14. Mais il faut obtenir des tuberculeux qu'ils ne crachent que dans des vases à cela destinés, ou dans leurs mouchoirs. Les uns et les autres doivent toujours être désinfectés par 24 heures de mouillage dans l'eau phéniquée au 5 % et à température élevée, pour favoriser l'action de l'acide sur les bacilles.

15. Il est bien probable que les inhalations d'air comprimée, mêlée aux émanations des substances qui tuent le bacille, comme l'essence de thérébentine, le camphre, le créosote, ou l'eucalyptol, donnent aux poumons une résistance contre la pullulation du bacille tuberculeux, et que cela équivaut, surtout pour les individus prédisposés, à une nouvelle espèce de vaccination contre la tuberculose.

16. J'émets le voeu que ces expériences et ces idées puissent nous conduire à quelques résultats pratiques, soit dans la prophylaxie, soit dans la thérapeutique de la tuberculose.

Pavie, 15 Août 1884.   Sormani.

Séance du Mardi, 26 Août 1884.

La Séance est ouverte à 9 heures et un quart.

M. le président, — après avoir communiqué à la Section que le programme de la 1e Section étant un peu trop chargé, la 5e question du programme, sur les chiffons infectés, comme danger national et international, sera traitée par M. Ruysch dans la 2e Section, — invite M. Alphonse Corradi à prendre le fauteuil de la présidence.

M. Corradi accepte.

M. Rochard demande la parole pour lire les conclusions d'un discours que M. le professeur Albrecht de Berne aurait lu, s'il n'avait dû quitter brusquement le congrès, rappelé chez lui. Ces conclusions, ayant trait aux rapports entre la tuberculose et la scrofule au point de vue de l'hygiène individuelle, sont celles-ci :

1. La tuberculose est une maladie infectieuse par excellence, ainsi que vous l'a dit M. le Dr. Rochard dans son remarquable discours.

2. Le germe caractéristique en est le bacille.

3. Ce germe, le bacille de la tuberculose, se trouve également dans un grand nombre d'hyperplasies scrofuleuses.

4. La scrofule est par conséquent une forme déguisée de la tuberculose et elle exige les mêmes précautions que celle-ci.

5. On doit refuser comme suspecte la vaccination de bras à bras, si on constate sur l'enfant vaccinifère le moindre symptôme de scrofule.

6 Les mères et les nourrices, qui portent des traces d'ancienne scrofule, ne devraient jamais être autorisées à allaiter.

7. Les parents, qui ont eu des accidents syphilitiques, devraient être avertis par les médecins de famille, que la syphilis produit la scrofule dans la progéniture et que la scrofule est la soeur de la tuberculose.

8. Les enfants, même légèrement atteints de la scrofule, devraient être surveillés sans cesse.

Le temps ne permettant point de lire le mémoire en entier, la Section décide que ce mémoire sera inséré dans le Compte rendu.

(Voyez plus loin, à la fin du Compte rendu de la Séance).

Le président donne lecture du questionnaire par rapport à la transmissibilité de la tuberculose, que la commission nommée dans la séance d'hier à rédigée.

1. Age Sexe Profession?

2. Le malade était-il prédisposé par ses antécédents héréditaires, par sa santé générale, par des maladies de poitrine récentes, par des mauvaises conditions hygiéniques?

3. La maladie a-t-elle été transmise du mari à la femme?

4. Depuis quand était tombé malade le conjoint, qui a communiqué la maladie?

5. Au bout de combien de temps de vie en commun l'autre conjoint est-il devenu infecté?

6. La contagion s'est-elle faite par d'autres personnes (pensionnaire, nourrisson, etc.), séjournant dans la maison?

7. Quelles conditions ont favorisé la contagion (dormir dans le même lit, dans la même chambre, etc.)?

8. Quelle est l'influence des casernes, des collèges, des prisons, des dortoirs, des hôpitaux, des manicomes, de tout hospice en un mot?

9. La transmission s'est-elle faite d'autre manière, c'est-à-dire:

a. par le moyen de l'habitation, des habits, des lits?

b. par le moyen des aliments (lait et viandes de bêtes phthisiques, allaitement par des nourrices phthisiques)?

10. L'expérience a-t-elle demontré quelque mesure efficace pour empêcher la transmission de la maladie?

Observations particulières, éclaircissements.

Ce questionnaire est approuvé. Des exemplaires en seront envoyés aux Sociétés savantes et d'hygiène.

La parole est au professeur Vallin, conformément au voeu exprimé hier, pour formuler quelques renseignements et conseils pour le public, relatifs à la phthisie pulmonaire.

M. Vallin propose la rédaction suivante:

Il est aujourd'hui démontré que la phthisie pulmonaire peut, dans certains cas, se transmettre des malades aux individus bien portants. Bien que les chances de transmission soient restreintes, la prudence rend nécessaires certaines mesures de préservation.

Il ne faut jamais partager la chambre et le lit d'un tuberculeux. La chambre d'un phthisique doit être constamment aérée et ventilée.

Le danger réside surtout dans les crachats, qui ne doivent jamais être projetés sur le sol ni sur des linges, où en se desséchant ils dégagent des poussières suspectes.

La chambre, les literies et les vêtements ayant servi aux phthisiques doivent toujours être désinfectés. La vapeur à 100 degrés et le lavage à l'eau bouillante sont les meilleurs moyens de désinfection.

Les convalescents de maladies de poitrine, les sujets faibles et épuisés doivent surtout éviter le contact prolongé avec les phthisiques.

Ces thèses donnent lieu à quelques remarques.

M. Rochard — fait observer qu'il n'y est pas parlé de la viande, du lait d'animaux tuberculeux, etc., et trouve qu'il est trop général de parler toujours de tuberculose; mieux vaudrait dire phthisie. Il appuie le voeu d'une enquête dans tous les pays de l'Europe, faite par 130000 médecins.

M. Félix — croit qu'on devrait ajouter un paragraphe concernant le danger que les enfants phthisiques font courir à leurs camarades dans les écoles et les lycées.

M. Teissier — craint beaucoup de terroriser le public, toujours enclin à exagérer, dans un sens comme dans l'autre. Le danger n'est pas excessif, quoiqu'il soit réel.

M. Verstraeten — appuie l'observation de M. Félix. Il faut agir par la persuasion bien plutôt que par la loi.

M. Zoéros-Bey — est d'accord que la tuberculose n'est pas rare chez les enfants; mais il craint de jeter le trouble dans les familles.

M. Vallin — répond que dans les „Conseils" il n'est pas entré dans les détails, il n'a que généralisé: il ne 'sagit pas de réglementation. Pour faire droit à la remarque de M. Rochard il ajoute au premier conseil les mots arrivé à un terme avancé de consomption.

M. Smith — préconise la chaleur sèche pour la désinfection.

M. Félix. — Il faut en finir une fois avec l'air sec!

Les conclusions, proposées par M. Vallin, sont mises aux voeux et adoptées.

Le parole est à M. le Dr. van Tienhoven, médecin-principal de l'hôpital communal de La Haye, pour traiter la 4e question du programme:
Quelles mesures au point de vue de l'hygiène doivent accompagner le traitement médical du premier cas de maladie contagieuse épidémique qui se manifeste dans un centre de population?

Messieurs.

Les maladies contagieuses peuvent être comparées à un incendie, et dès qu'un seul cas de ces maladies se déclare dans un endroit populeux, ce cas est pareil à celui d'une maison, entourée d'autres habitations, qui prend feu et menace son entourage.

Quand la flamme a éclaté, la tâche du service des incendies est double: d'abord étouffer l'incendie dans la maison atteinte; y sauver ce que le feu a épargné et en second lieu protéger les maisons avoisinantes.

Et de même nature est la tâche de ceux, qui se vouent à empêcher l'extension des maladies contagieuses.

Cette tâche s'étend directement à toute la population, qui, exposée à la contagion, n'en a pas encore été atteinte.

Elle est du ressort de l'hygiène publique, confiée aux autorités locales ou à celles de l'Etat.

Mon dessein n'est pas d'attirer votre attention sur cette partie du sujet.

Ce que j'ai à vous dire a rapport à la maison qui est le foyer de l'incendie à éteindre.

Et cette pensée transportée dans le domaine, qui nous occupe, nous conduit au premier cas d'une maladie contagieuse dans un centre de population, et nous amène à préciser les mesures, destinées à empêcher l'extension de la maladie, afin qu'elles ne la propagent pas au lieu de l'étouffer.

Il faut bien prendre garde, que ces mesures ne soient pas de l'huile jetée sur le feu, mais de l'eau en abondance et bien employée.

La pratique surtout réclame des indications exactes, sur ce qui doit être fait au point de vue hygiénique, dans le traitement de la personne qui, la première, a introduit la contagion au milieu de plusieurs autres auxquelles elle peut se communiquer.

Du médecin qui soigne le malade, on peut exiger le meilleur et le plus efficace traitement.

Je veux tâcher d'exposer mon opinion, ma conviction, sur ce que peut et doit faire le médecin dans ce cas.

Ce sera la réponse à la question déposée dans la thèse que je vous ai adressée.

Dès qu'un premier cas douteux de maladie contagieuse s'est déclaré, c'est en général chez le médecin, que se fera entendre en premier lieu la cloche d'alarme.

La tâche de celui-ci, le cas de maladie contagieuse étant constaté, sera: tout d'abord d'isoler le malade de son entourage et de se charger lui-même de cette tâche.

De préférence il devra transporter le malade dans l'établissement destiné à l'isolement des contagieux et cela dans sa voiture, ou dans une autre, qui sera ensuite mise en quarantaine près du Lazaret.

Ce Lazaret sera construit de la manière la plus simple. Il devra être en bois et pourvu dans sa partie supérieure d'un réservoir d'eau, pouvant être alimenté extérieurement d'eau potable ou d'eau de pluie. Sauf dans les lieux où des conduites d'eau amèneront l'eau nécessaire.

Dans la baraque il y aura un lit de bois avec la literie pour le malade.

Là se trouvera aussi une semblable couche pour l'infirmier.

En général tout le contenu ordinaire de la baraque doit être en matériaux faciles à détruire dans l'intérieur ou tout près de la baraque, sans nuire immédiatement, ou plus tard, à l'entourage.

Des expériences conscientieuses dans ce genre ont montré, que les soi-disants moyens de désinfection, acide carbolique, acide sulfureux, etc,, ne réalisent pas d'une manière satisfaisante les conditions qui viennent d'être mentionnées.

Dans ces expériences, l'effet exigé de ces désinfectants c'est la destruction non seulement des bacilles, mais aussi de leurs spores.

Il est préférable dans la pratique journalière, d'avoir recours dans ce but à l'air chauffé ou à de la vapeur d'eau, dont le degré de chaleur ne descend pas trop promptement au dessous de sa température primitive.

L'air chauffé sera destiné à éloigner et à désinfecter dans des conduits l'air vicié et exhalé par le malade.

Ensuite le feu et la vapeur d'eau à température constante serviront à désinfecter toutes les autres déjections du malade et ce qui a été en contact avec lui ! — Des expériences faites sur ce point ont prouvé, que l'air chauffé à 140° détruit toute action des bacilles et de leurs spores, qui perdent aussi leur activité dans la vapeur d'eau à une température maintenue à 100°.

Pour tirer partie d'une manière pratique de ces principes importants, il a été construit près de la Baraque de l'Hôpital communal de cette ville, une chaudière en cuivre, qui peut résoudre le double problème spécifié ci-dessus.

Dans le feu destiné à chauffer la chaudière pourront être brulées les substances solides infectées, telles que: excréments, matières expectorées ou vomies etc., ou tout ce qui a été extérieurement en contact avec le malade, p. e. le linge et autres vêtements.

En outre la vaisselle, qui doit être en bois et qui aura servi au malade, ainsi qu'à son infirmier.

Cette vaisselle et les autres objets nécessaires seront introduits dans la baraque par un tourniquet, dont le côté menacé à l'intérieur sera traversé par un courant de vapeur à température constante.

Les eaux ayant servi au malade, bains, toilette, lavage, .etc., passeront par la chaudière à vapeur et y seront rendues inoffensives.

Dans ce qui précède se trouve indiquée sommairement la voie, par laquelle sera enlevée toute action nuisible aux substances matérielles, provenant du malade ou ayant été en contact avec lui.

Il faut de plus tenir compte de l'élément vivant (médecin ou infirmier), chargé de soigner le malade.

L'expérience a montré l'impossibilité de trouver une seule et unique personne, qui se consacre nuit et jour, sans interruption, aux soins d'un malade conta- gieux jusqu'à la fin du traitement.

J'ai aussi la conviction, que l'on ne peut pas laisser à des infirmiers la -

besogne de rendre complètement inoffensif au moyen des appareils décrits, tout ce qui a été en contact avec le malade.

A ce double point de vue je suis persuadé, qu'on peut lever ces difficultés, si le médecin lui-même se charge de cette tâche.

Il prendra donc avec lui les médicaments nécessaires et s'ils ne sont pas suffisants, il pourra faire lire les ordonnances au pharmacien par la fenêtre.

Un autre avantage de cette mesure sera, que le médecin retenu à ce poste, ne visitera aucun autre malade à qui il pourrait communiquer la contagion.

Ma ferme résolution est, dès qu'une maladie contagieuse se déclarera ici par un premier cas, de demander un remplaçant dans mon poste actuel et de prendre la place d'infirmier du malade contagieux, pour lui appliquer toutes les mesures mentionnées avec l'énergie et les soins qu'elles exigent.

Je crois, que le médecin seul peut entreprendre et mener à bonne fin, la lutte contre les myriades de bacilles et de leurs spores, par l'emploi des armes que lui fournissent la science et l'expérience.

L'isolement devra durer jusqu'à ce que le malade soit rétabli tout-à-fait, ce qu'il faudra constater d'après les phénomènes vitaux qu'il manifestera.

On peut faire bien des objections de différente nature et élever bien des doutes au sujet de la valeur du critère, qui devra servir à constater le rétablissement du malade.

La principale voie à suivre, pour pouvoir affirmer le rétablissement, c'est l'observation des symptômes vitaux, qui émanent du malade et devront être appréciés par le médecin, de même manière que les symptômes morbides ont servi au début à constater le cas de maladie contagieuse.

J'ajouterai encore, que, en vue de la possibilité, que le malade déclaré rétabli puisse encore communiquer la contagion, il est désirable que le médecin observe non seulement la même logique, mais la même prudence, qu'au début du traitement.

Une autre cause de cessation c'est la mort du malade. Dans ce triste cas, le cadavre ne nuira pas, s'il est soumis aux règles, détaillées plus haut, pour rendre inoffensives les substances matérielles, contaminées ou rejetées par le malade et émanées de lui.

Alors on exposera à des températures élevées ce qui dans le cadavre reste en vie à une température ordinaire et peut, en se développant, nuire à autrui.

Et en exprimant cette opinion, qui résulte nécessairement de ce qui précède, que le cadavre du premier cas d'une maladie contagieuse doit être incinéré, ce n'est vraiment pas pour faire de la propagande en faveur de la crémation, mais j'y suis porté par le désir sincère et sérieux d'anéantir avec le mort, tout ce qui pourrait propager la contagion parmi les vivants.

Enfin, lorsque la baraque cessera d'être utile au malade, elle doit être brûlée avec son contenu et avec la voiture mise en quarantaine, par le médecin, après que la durée de l'isolement de ce dernier aura prouvé, que la pério——— d'incubation de la maladie en question s'est écoulée pour lui sans conséquenc——— nuisibles.

J'ai la ferme conviction, que ces conséquences ne se produiront pas, gr———c à l'application des mesures que j'ai eu l'honneur de vous exposer.

L'exposition de ce procédé n'est pas superflue dans le pays, où la loi co——— tre les maladies contagieuses prescrit l'entente entre différentes autorités de l'é——— at, lorsqu'une des maladies infectieuses, désignées par la loi, menace la sant——— et la vie des citoyens.

Cette loi prescrit ensuite, il est vrai, l'isolement des malades contag———ur et la désinfection.

Mais en quel sens doit se faire cette entente, de quelle manière l'isolem——— —en doit s'effectuer, quelles précautions nécessaires doivent être prises pend———ant la durée de cette opération, c'est-ce que la loi ne dit pas.

Du reste, lorsque la loi fut votée, le dernier mot, concernant les meille———urs moyens de désinfection, n'avait pas encore été dit.

J'ai tenu encore à faire l'exposition de ce procédé dans la ville, où la munificence de la municipalité m'a mis à même de donner une forme prati———ue aux idées que je vous ai développées.

Il ne me reste plus qu'un désir à exprimer. Messieurs, c'est que v———us vouliez bien visiter le Lazaret de l'hôpital de cette ville, et examiner l'appar———il, destiné à détruire les germes d'un premier cas de maladie contagieuse.

Applaudissements prolongés.

M. Vallin — demande quelles sont les maladies auxquelles on v———ut appliquer ces mesures, du reste scientifiquement parfaitement rationnelles. Il ne voit que le choléra, qui nécessiterait ces mesures rigoureuses.

M. Lunier — fait la même question et demande si l'orateur veut vraim———nt isoler le médecin, et si on enlèvera de force le premier malade à sa fami———le.

M. Rochard — fait remarquer que pour un cas de variole par exemp———e, la séquestration du médecin devrait durer six semaines, jusqu'à la fin de la désquamation. Et que ferait-on du deuxième cas, du troisième? Quand i——— y aura un certain nombre de malades, la majorité des médecins sera enferm———e!

M. Dutrieux-Bey — dit qu'il est très difficile de connaître le premier c——— as.

M. Verstraeten — demande si le système de M. van Tienhove——— a déjà été mis en pratique; il croit qu'il serait désirable de remettre la quest———on à un prochain congrès.

M. Lunier — fait remarquer que le système implique l'obligation ———es

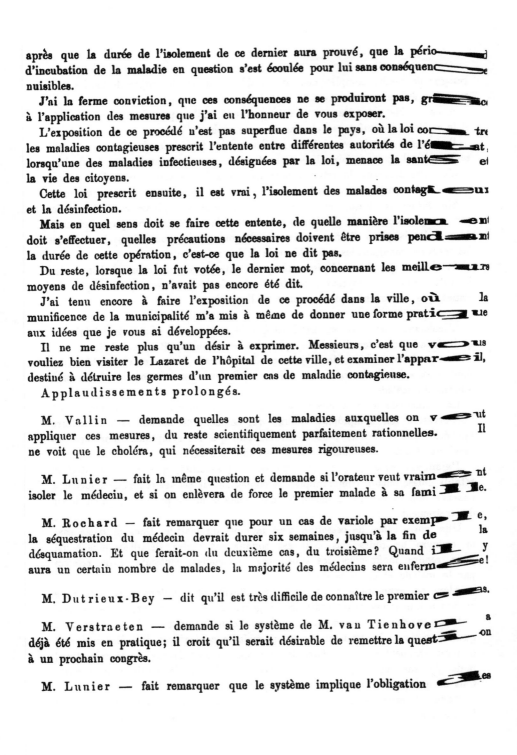

médecins de déclarer à l'autorité tous les cas de maladie contagieuse, ce qui serait contraire au secret professionnel.

M. van Tienhoven — rappelle que non seulement en Hollande, mais dans plusieurs autres pays, la déclaration des cas de maladie contagieuse est obligatoire. Du reste c'est surtout le choléra qu'il avait en vue. La mesure qu'il recommande est rigoureuse, sans doute. Mais qui veut la fin, veut les moyens.

M. Rochard — revient sur le secret professionnel, auquel en France on tient beaucoup. La position du médecin deviendrait intolérable, s'il était forcé de dénoncer ses malades.

M. Egeling — fait observer qu'en Hollande la déclaration de plusieurs maladies contagieuses est obligatoire depuis 1865, sans que la position du médecin en ait souffert.

M. Alglave (docteur en droit) — pense que la loi devrait dispenser du secret professionnel en cas de choléra.

La parole est donnée à M. le professeur Stokvis d'Amsterdam, pour la communication d'une théorie sur le rôle des microbes dans la production des maladies infectieuses.

M. Stokvis:

Messieurs!

Je viens soumettre à votre jugement éclairé quelques idées ayant rapport à la pathogénie des maladies infectieuses, que j'ai énoncées dernièrement à l'ouverture de la séance annuelle de l'Association médicale Neerlandaise. Vous serez d'avis avec moi, Messieurs, que le courant d'idées qui envahit la médecine actuelle, qui entraîne tous les esprits avec une force et un enthousiasme dont les découvertes admirables des Pasteur et des Koch rendent parfaitement compte, tend de plus en plus à nous faire accepter les microbes comme les causes essentielles des maladies infectieuses. Fermons pour un moment les discussions sur l'exactitude de ce point de vue, admettons-le sans réserve, admettons pour un moment comme un fait conquis à la science, que chaque maladie infectieuse reconnaisse pour cause l'invasion d'un microbe spécifique dans l'organisme animal, et abordons franchement le côté pathogénique du problème. Essayons en d'autres termes de définir le rôle des microbes dans la production des maladies infectieuses, à nous rendre compte des processus, par lesquels ces êtres infiniment petits sont à même de produire le complexus morbide charactéristique de ces maladies?

N'allez pas dire que cette question ne touche l'hygiène que de très loin. Cette science éminemment pratique prend son bien, où elle le trouve. Elle émet ses racines sur tous les terrains de la médecine scientifique; la chimie physio-logique, l'étiologie, la physiologie ne cessent de lui offrir des sèves, et elle ne saurait être indifférente à ce qui lui provient du terrain de la pathogénèse. Quant aux maladies infectieuses elle sait d'avance, que son but final : préserver l'humanité de ces maladies meurtrières, ne pourra être atteint sans qu'elle ait envisagé le problème de toutes les faces. Elle peut espérer à peine, qu'il lui sera possible d'anéantir à jamais tous les microbes infectieux du monde, d'empêcher pour toujours leur invasion dans l'organisme humain. C'est pour cela, qu'elle suit avec le plus grand intérêt ces recherches admirables, qui tendent à rendre l'organisme réfractaire à l'action des microbes par la vaccination des virus atténués. Mais l'espérance n'est pas vaine, que dans cette direction encore d'autres voies lui pourront être ouvertes. Qui dira, ce qu'une étude approfondie et expérimentale de l'immunité pourra révéler encore? Qui n'a suivi avec le plus grand intérêt ces recherches, dont Brunton vient de doter la science, et par lesquelles il semble être démontré, que l'organisme peut aussi être rendu réfractaire à l'action des poisons fixes, non organisés?

'C'est à cause de tout cela, que je n'ai pas hésité à traiter un des côtés pathogénétiques du problème au Ve Congrès d'hygiène.

Laissez-moi vous avertir encore, qu'en essayant de définir le rôle des microbes dans la production des maladies infectieuses, je ne m'occuperai que du point de vue biologique et chimique. L'action mécanique des microbes, par laquelle ils vont se nicher dans les petits vaisseaux sanguins, et par laquelle ils provoquent des embolies, en obstruant le libre parcours du sang dans des parties plus ou moins grandes des organes, passera tout-à-fait inaperçue. Je la négligerai avec intention, parce que ces embolies, importantes en elles mêmes, importantes surtout au point de vue anatomo-pathologique, ne consti-tuent pas une partie essentielle du complexus morbide de ces maladies, et par-ce que allant parler du rôle des microbes dans la production des maladies infectieuses, j'ai en vue ces maladies, telles qu'elles se présentent à l'observa-tion du clinicien et du nosologiste.

Laissez-moi maintenant, en abordant mon sujet, vous mentionner en premier lieu une opinion, ou disons une hypothèse, qui n'a pas failli à trouver des partisans. C'est l'hypothèse de l'appauvrissement de l'organisme malade par la vie exubérante des micro-organismes. Selon elle les microbes, en s'im-plantant dans l'organisme, joueraient le rôle d'un conquérant étranger et barbare. Ils vivraient aux frais de l'organisme qu'ils tendent à conquérir, ils arracheraient au protoplasme vivant les substances nutritives sans lesquelles celui-là ne peut subsister, et ils les emploieraient pour leurs propres besoins. Ce serait donc un combat mortel entre les éléments protoplasmatiques et les envahisseurs étrangers, une lutte pour l'existence, „un struggle for life". Des médecins conscientieux ne se rallient pas facilement à cette opinion. Ils conviendront que l'organisme vivant devra périr inévitablement, du moment que les microbes se seront emparés de toutes les substances nutritives; ils admettront que la guérison des maladies infectieuses pourra être considerée comme le résultat final de la résistance du protoplasme vivant, en d'autres termes comme la preuve de la ténacité, avec laquelle celui-là refuse aux microbes leurs moyens de subsistance; ils ne voudront pas nier que dans ces conditions, les microbes, ne trouvant pas de quoi se nourrir, doivent périr à leur tour et sont expulsés sans peine de l'organisme dans lequel ils avaient fait invasion. Mais ils nieront avec toute la conviction d'une expérience fondée, que le complexus morbide des maladies infectieuses soit d'accord avec cette manière de voir. S'il est question ici d'un „ceci tuera cela" si c'est le géant qui est vaincu dans cette lutte à outrance, ce n'est pas parce que le nain l'a fait mourir de faim. En un mot, et pour parler tout simplement: dans le complexus morbide des maladies infectieuses ce ne sont pas les symptômes d'un appauvrissement aigu ou chronique, d'une inanition lente ou rapide qui priment. Les maladies infectieuses portent au contraire une tout autre empreinte.

Elles portent l'empreinte de l'empoisonnement, de l'intoxication, comme le peuple — cet observateur fin et naïf — l'a déjà entrevu depuis des siècles; et cette intoxication, accompagnée presque toujours de fièvre, frappe dans les différentes maladies infectieuses des organes différents et des groupes d'organes spéciaux, ce qui fait que chaque maladie infectieuse a son caractère propre. Si les maladies infectieuses étaient causées par l'inanition de l'organisme, elles présenteraient nécessairement entre elles une grande uniformité. Nous savons au contraire, qu'elles sont multiformes; nous savons que chaque maladie infectieuse est une maladie „sui generis", se distinguant des autres par une succession des symptômes, par un complexus morbide, qui lui sont propres.

On ne pourra jamais expliquer cette multiplicité par l'inanition de l'organisme infecté. Et quoique l'on puisse comprendre sans peine la durée différente de l'incubation dans les différentes maladies infectieuses comme l'effet des conditions différentes, dont relèvent l'évolution complète et la multiplication des microbes spéciaux dans l'organisme animal, la diversité elle-même du complexus morbide de ces maladies ne pourra jamais être comprise, quand on ne considère que les besoins de vivre et la multiplication énorme des micro-organismes différents. Il faut au contraire, qu'en pénétrant dans l'organisme, qu'en s'y multipliant avec une vitesse incroyable, ils soient à même d'après leur nature différente d'effectuer des intoxications différentes. Il faut en un mot, qu'ils soient à même de produire des poisons différents peu connus jusqu'ici, mais des poisons définis, qui, étant portés avec le sang vers les organes et possédant des affinités chimiques différentes, détermineront un trouble fonctionnel dans tous ces organes, dont ils troubleront la composition chimique du protoplasme.

A ce point de vue je veux fixer votre attention en premier lieu sur des substances chimiques ou des alcaloïdes toxiques qui, quoique nous ne les connaissions pas exactement, doivent être considérés comme les produits des micro-organismes. Le physiologiste Danois P a n u m, le président illustre du dernier congrès médical international, a démontré, il y a déjà plusieurs années, avec un zèle incomparable et avec une justesse de vue qui rend ses recherches classiques, que les substances putrides doivent contenir un poison fixe, qui n'est pas organisé. Il a prouvé, que ni l'ébullition prolongée, ni des opérations chimiques diverses qui anéantissent à jamais la vie des microbes, sont à même de leur enlever leurs propriétés toxiques.

Ai-je besoin de vous rappeler en outre les belles recherches de B e r g m a n n, de Z u e l z e r, de S o n n e s c h e i n, qui nous ont fait connaître la sepsine, et les investigations laborieuses et nombreuses dont le Prof. S e l m i donna le signal, et qui ont été répétées et étendues avec un si grand succès dans ces dernières années? C'est à ces recherches, que nous devons la connaissance des ptomaïnes, substances crystallisables, se formant dans les cadavres et dans l'organisme vivant par la putréfaction, rappelant dans leur constitution chimique ces substances, dont l'huile animale de D i p p e l contient une si grande quantité, appartenant au groupe des combinaisons chimiques du benzol avec le nitrogène, ressemblant à la nicotine, pour la plupart liquides et ne contenant pas d'oxygène, et douées de propriétés toxiques intensives incontestables. Sans nous arrêter à d'autres substances chimiques qui pourront être le produit des micro-organismes, nous pourrions admettre à la rigueur autant de ptomaïnes, qu'il y a de microbes différents infectants. Chaque bactérie produirait alors sa ptomaïne spéciale; le bacillus anthracis la ptomaïne du charbon virulent; le bacillus-comma la ptomaïne du choléra, etc.; et le processus morbide spécifique du charbon, du choléra, relèverait alors des ptomaïnes spécifiques.

A première vue, cette hypothèse semble entraînante et attrayante à la fois. L'action fermentative des micro-organismes est indubitable. Leur propriété de décomposer l'albumine en des combinaisons chimiques plus simples, ne saurait être contestée. Quoi de plus naturel alors que d'admettre, qu'en décomposant l'albumine, ils donnent naissance à des substances toxiques, étrangères à l'organisme, ou qui du moins ne se trouvent jamais à l'état normal dans le sang? Mais en y regardant de plus près, une objection grave se présente à l'esprit. L'action physiologique des ptomaïnes, en tant que nous la connaissons, ne s'agrée nullement avec le complexus morbide des maladies infectieuses. Ce sont pour la plupart des poisons tétanisants, comme on pourrait le prévoir d'après leur constitution chimique; ils ne diffèrent dans leur action physiologique que sous des rapports insignifiants. Leur action, presque uniforme, et ne se rapportant qu'au système nerveux, ne s'accorde pas avec la grande diversité des troubles fonctionnels, observés dans les différentes maladies infectieuses.

Qu'il me soit permis, Messieurs, de placer à côté de cette hypothèse un autre point de vue.

Veuillez remarquer, que je ne parle pas d'un point de vue opposé. Car pour dire toute ma pensée, je ne crois pas, que dans la production des maladies infectieuses les microbes agissent toujours d'une manière unique et simple, et ce serait faire acte d'un exclusivisme peu scientifique, que de vouloir poser, que l'inanition et l'intoxication par les ptomaïnes ne sont pour rien dans leur complexus morbide, caractéristique. Sans enlever à l'inanition et à l'intoxication par les ptomaïnes la part qui leur revient, je veux seulement dire, qu'elles ne peuvent résumer à elles seules l'action des microbes, et qu'il y faut ajouter une autre action, l'action la plus importante à mon point de vue, et qui consiste dans l'intoxication de l'organisme par la décomposition des grandes molécules chimiques. Permettez-moi de vous développer ce point de vue, sans hésitation, mais avec toute la modestie qui m'est dictée par ma propre insuffisance vis-à-vis d'une assemblée si illustre et si capable.

L'organisme humain, l'organisme animal supérieur en général, est construit au point de vue chimique comme au point de vue anatomique d'un nombre de grandes molécules très complexes. Dans les molécules complexes plusieurs substances chimiques plus on moins simples se trouvent réunies. Comparant l'organisme animal à une maison, l'on pourrait dire, que ces grandes molécules chimiques ressemblent à des appartements entiers. On y retrouve les matériaux à construction, le bois, les briques, le marbre, le ciment, etc., combinés, rangés, groupés dans une forme définitive qui est parfaitement d'accord avec les desseins auxquels cette pièce de construction devra servir. Réunies par ce lien harmonique dans les grandes molécules chimiques, les substances plus simples serviront à l'entretien de la vie. Mais du moment que le lien est brisé, du moment que la grande molécule chimique est décomposée, les éléments simples, separés les uns des autres, ne deviennent pas seulement des substances inutiles, dont l'organisme tend à se débarrasser le plus tôt possible, mais ils lui font un dommage positif. Tout-à-l'heure des amies et des alliées, elles se conduisent maintenant en ennemies déclarées; les substances simples, agissant par elles-mêmes, se montrent des poisons. C'est ainsi que l'organisme vivant animal contient dans la plupart des substances chimiques dont il est construit, des poisons graves qui ne peuvent déployer leurs propriétés nocives, tant qu'ils sont incorporés dans les molécules chimiques complexes, que je venais de nommer, mais qui ne tardent pas à montrer leurs actions délétères, du moment qu'ils sont isolés.

Le rôle des microbes vis-à-vis de ces grandes molécules chimiques complexes est tracé d'avance. Ils les décomposeront, ils mettront en liberté les substances simples. D'après leur nature différente qui fait leur spécificité, ils s'attaqueront tantôt à celle-ci, tantôt à celle-là de ces grandes molécules, et les substances simples qui en résulteront et qui agiront comme des poisons, seront en rapport avec leurs origines différentes, c'est-à-dire : différentes entre elles. La diversité des maladies infectieuses, l'intoxication de l'organisme par l'action des microbes découlent, comme vous le voyez, d'elle-même de cette proposition, sans que vous ayez à recourir à la formation de substances nouvelles ou étrangères à l'organisme.

Je m'empresse d'apporter quelques preuves à l'appui de cette proposition. Si vous consultez les œuvres de Claude Bernard, vous trouverez dans son livre classique sur les substances toxiques et médicamenteuses, un essai sérieux, mais manqué, pour donner une définition exacte de ce que c'est qu'un poison. Il y définit le poison comme toute substance étrangère à la constitution chimique du sang. De nos jours, Messieurs, le revirement des opinions se fait vîte et la science marche d'un pas de géant. Il ne serait pas difficile à l'état actuel de la science, de prouver que cette définition est fausse, comme Claude Bernard l'a très bien entrevu lui-même, et que presque toutes les substances chimiques qui se retrouvent dans le sang, sont des poisons, du moment qu'elles ne font plus partie de la grande molécule chimique complexe, dans laquelle elles sont réunies à l'état normal. Prenez la substance la plus importante du sang : l'hémoglobine. C'est à elle que revient la propriété vivifiante du sang. C'est elle qui grâce à sa prédilection chimique pour l'oxygène, en le s'associant, apporte à tous les tissus ce pabulum vitae. Mais ce n'est pas par elle seule, qu'elle est à même de rendre ces grands services. Pour cela il lui faut entrer en combinaison intime avec les corpuscules rouges du sang, peut-être avec la lécithine ou avec quelque autre substance chimique appartenant au stroma de l'hématie. En effet, du moment que l'hémoglobine se trouve à l'état libre, isolée dans le sang — et vous savez qu'il y a plus d'un moyen pour la faire séparer de l'hématie — elle est devenue tout-à-fait inutile à l'organisme ; et en circulant à l'état libre dans le sang, elle passe aussitôt par les reins dans l'urine, mais en y passant, elle y provoque une inflammation plus ou moins passagère, et elle se montre, agissant ainsi, un vrai poison des reins.

On peut dire autant des substances albumineuses qui se trouvent dans le sérum du sang. Nous ne connaissons pas encore la grande molécule chimique, dans laquelle entrent l'albumine du sérum, et la globuline, mais nous avons des raisons de croire qu'elles se comportent vis-à-vis de l'organisme parfaitement comme l'hémoglobine, du moment qu'elles se trouvent à l'état libre dans le sang, c'est à dire, qu'à cet état, elles passent aussi dans l'urine, et en provoquant l'albuminurie, ne manquent pas d'irriter les reins. Et remarquez bien, Messieurs, que dans toutes les substances nommées vous avez encore à faire à des combinaisons chimiques si complexes, que leur constitution chimique rationnelle est encore un secret. Dès lors on comprendra sans peine, qu'elles ne se montrent des poisons, que vis-à-vis les organes d'excrétion. Mais dès qu'il s'agit de la mise en liberté des substances chimiques plus simples qui font partie de la molécule du corpuscule rouge, ou des autres grandes molécules du plasma sanguin, vous aurez à faire à des intoxications bien autrement graves et intenses. Qui ne sait pas, que l'hémoglobine contient du fer, que les sels de potasse sont liés si intimement à l'hématie, qu'ils font tout-à-fait défaut dans le plasme sanguin? Et qui ne connaît pas les belles recherches de Bernard et de Grandean, par lesquelles l'action toxique des sels de potasse circulant à l'état libre dans le sang, à été démontrée à l'évidence? Leur action se résume dans des troubles fonctionnels les plus graves : la paralysie du muscle cardiaque, la dépression du système nerveux central. Et ne croyez pas que les sels de fer, mis à l'état libre, soient plus innocents. Consultez les travaux exacts de Williams, publiés il y a quelques années, et vous verrez, que ces sels sont des poisons aussi graves que l'arsenic et l'antimoine, que l'émétine et la colchicine. En circulant à l'état libre dans le sang, ils paralysent les appareils excitomoteurs du coeur, ils dépriment le système nerveux central; mais leur action ne se borne pas là, car ils déterminent aussi une diminution importante de l'alcalinité du sang, en tant que celle-ci peut être mesurée par la quantité d'acide carbonique qu'il contient, et réduisant la pression sanguine jusqu'à un minimum, ils produisent des vomissements, des diarrhées, des changements histiologiques palpables, des hémorrhagies dans la muqueuse des intestins, etc. Ce n'est que depuis bien peu de temps, que nous avons acquis le droit de ranger les sels de chaux et de magnésie sur la même ligne. Quoique les recherches expérimentales à ce sujet ne soient pas encore menées jusqu'au bout, l'on peut affirmer déjà, que les sels de calcium, en circulant à l'état libre dans le sang, rappellent dans leur action toxique sous plus d'un rapport, celle des sels de fer, tandis que les sels de magnésie ressemblent dans leur action aux sels de potasse, en un mot qu'ils représentent de nouveau des poisons graves dont l'influence sur le cœur, sur le système nerveux central, sur les intestins, sur la composition chimique et la pression du sang est des plus évidentes. Et veuillez noter encore une fois de plus, Messieurs, que ces sels sont des éléments normaux de presque tous les tissus, qu'ils ne font défaut presque nulle part dans l'organisme, et que la vie est impossible sans leur concours.

Ma communication touche à sa fin. Je ne veux pas m'arrêter aux conclusions nombreuses qui pourraient découler de l'hypothèse que je viens d'avoir l'honneur de vous soumettre. Je ne veux pas insister sur l'importance des considérations énoncées par rapport au rôle des processus normaux de la digestion, par rapport à la constitution chimique des tissus, et je passerai sous silence l'insuffisance actuelle de la chimie physiologique, qu'elle vient de nous révéler. Ce que je tiens encore une fois à mettre en évidence, c'est qu'en recherchant les poisons propres de l'infection, l'on n'a pas besoin d'invoquer la formation de substances nouvelles étrangères à l'organisme, c'est qu'on les trouve tout prêts dans l'organisme lui-même, mais inoffensifs aussi longtemps qu'ils n'ont pas été mis en liberté. Ce que je tiens à relever, c'est qu'en acceptant les idées énoncées, c'est qu'en admettant la décomposition des grandes molécules chimiques complexes par les micro-organismes, la diversité des maladies infectieuses peut-être comprise sans aucune difficulté. En effet, les symptômes d'intoxication varieront d'après la nature propre de la molécule décomposée, et s'il s'agit de plusieurs molécules décomposées à la fois, vous verrez se présenter des affections du cœur, des reins, des intestins, du sang, et surtout du système nerveux central, en un mot de tous ces organes dont le trouble fonctionnel en des combinaisons très diverses représente le complexus morbide variable et multiple des maladies infectieuses.

Je prévois une objection, Messieurs. Vous me direz que je ressemble à ce voyageur qui, tout occupé des directions des différents chemins de fer, en se rendant à l'embarcadère, oublie la chose la plus essentielle pour le voyage : sa bourse! Vous me direz que j'oublie tout-à-fait un des symptômes les plus essentiels de la plupart des maladies infectieuses : la fièvre. Laissez-moi vous répondre, que cette objection n'en est pas une. Selon l'hypothèse énoncée, la décomposition des grandes molécules chimiques sous l'influence des microbes aura lieu surtout dans le sang. Dans ces conditions la production du complexus morbide de la fièvre n'est pas seulement possible, elle est inévitable. Rien de plus surprenant, que la production de la fièvre sous l'influence de changements, même très petits, dans le sang. Les vénésections, l'injection d'eau distillée dans les veines, l'injection intravéneuse du sang d'autres animaux, ne tardent pas à élever plus ou moins la température du corps, et de produire le complexus entier des symptômes fébriles. Même, si vous faites une vénésection très petite, et si vous réinjectez dans les veines aussitôt que possible l'exacte quantité du sang enlevé, mais après l'avoir defibriné, la fièvre se déclarera. Dans toutes ces conditions elle doit être attribuée vraisemblablement au soi-disant ferment de la fibrine. Quoi de plus naturel alors, qu'au moment de la décomposition des grandes molécules chimiques dans le sang sous l'influence des microbes, il se forme aussi presque toujours une petite quantité de ce ferment qui rend parfaitement compte du complexus fébrile, dont les maladies infectieuses sont pour la plupart accompagnées?

En me résumant, Messieurs, je crois avoir démontré, que l'hypothèse énoncée rend parfaitement compte et de la diversité des maladies infectieuses, et de leur ressemblance entre elles; qu'elle explique sans peine, le symptôme presque constant de la fièvre, et qu'elle n'est en opposition avec aucun des faits bien constatés à ce sujet. Laissez-moi donc demander pour elle une place très modeste à côté des hypothèses, qui tendent à préciser le rôle des microbes dans la production des maladies infectieuses. Elle y attendra patiemment le jour auquel la science la jugera, auquel les progrès de la chimie physiologique et pathologique et l'expérimentation décideront, si elle peut rester en place, ou si elle doit être reléguée parmi ces hypothèses nombreuses, qui ne vivent qu'un jour, et qui gagnent le plus en étant oubliées au plus vîte.

Applaudissements prolongés.

Personne ne demandant la parole à l'occasion de cette communication, le président, après avoir remercié l'orateur, donne la parole à M. le Dr. Raymondaud, de Limoges, pour traiter d'un

Projet d'organisation d'une Société de défense contre les grandes épidémies, peste, choléra, fièvre jaune, etc., etc.

M. Raymondaud:

Messieurs,

L'Epidémie actuelle de choléra a démontré une fois de plus l'insuffisance des mesures qu'il est convenu de prendre, contre l'invasion de ce fléau. — Ces mesures sont utiles sans doute, et nous devons rendre grâces aux hommes éminents qui les ont fait prévaloir dans les conventions sanitaires internationales.

Le Congrès de la Haye a lui-même sagement agi et bien mérité de l'hygiène en adoptant, dans les précédentes séances, les voeux formulés par M. Proust, et en se prononçant pour le maintien des quarantaines améliorées, conclusions qui se rapportent à cet ordre d'idées. — Mais si les mesures qui constituent jusqu'à présent notre système de protection, sont utiles, il faut avouer que leur utilité est restreinte, trop restreinte.

Elles reposent sur ce principe: Faire la part du mal; le laisser confiné dans son pays d'origine et veiller seulement à préserver de ses atteintes les pays avec lesquels l'Inde entretient des relations religieuses, commerciales ou autres.

Cependant, malgré l'exécution plus ou moins rigoureuse des mesures prescrites, le choléra passe et la propagation se fait.

Nous ne pouvons plus aujourd'hui nous contenter d'un état de choses qui permet d'accuser d'impuissance la science et l'administration, qui discrédite l'art médical et détourne du médecin le malade que l'espoir d'un secours réel abandonne.

Y a-t-il donc autre chose à faire que ce qui se fait?

Je le crois, et c'est là l'objet de cette communication.

Ce que je propose, c'est d'attaquer le mal, non pas quand il est en voie de dissémination, mais à son origine; c'est de rechercher, dans son pays natal, les conditions à la faveur desquelles il naît et se développe, de les modifier, de les atténuer, de les détruire.

On objecte que l'entreprise serait excessive, présomptueuse. On dit, notamment, que les embouchures du Gange embrassent un espace immense, que les travaux nécessaires à l'assainissement de ces seules contrées, coûteraient des sommes qu'il est difficile d'évaluer; — que d'ailleurs tout gouvernement est jaloux de son autorité et que celui qui est en cause, ne permettrait à aucun corps constitué d'entreprendre des opérations, de s'immiscer dans des questions administratives, actes d'où pourrait résulter une apparence d'emplètement.

Ces objections sont sérieuses. — Elles perdent cependant beaucoup de leur valeur quand on se place au point de vue, non de ce qui existe, mais de ce qui pourraitêtre.

D'abord, quant à la grandeur de l'entreprise, on peut répondre que ce qui n'est que difficile, peut être fait.

Pour ce qui est de l'opposition du gouvernement, elle n'aurait vraisembla-blement pas lieu de se produire, si les opérations jugées nécessaires étaient conduites par une Société, en tout ou en grande partie composée de ses nationaux, agissant à ses frais, sous la surveillance de l'état auquel elle ne demanderait que la simple tolérance.

Une telle Société obtiendrait probablement, au lieu de la tolérance demandée, au moins un bienveillant patronage.

La difficulté financière paraît devoir être une des plus graves à résoudre. Je ne la crois pas insoluble.

En fait, l'intérêt dont il s'agit est celui de l'humanité toute entière. Il est donc logique de penser que chacun des éléments dont elle se compose, collec-tions et unités, comprendront et voudront bien accepter, sinon comme un devoir, au moins comme un acte de protection personnelle, comme un honneur même, d'aider, par une participation contributive, à la réalisation d'un projet capable de satisfaire à cet intérêt.

Il est bien entendu que la demande de sonscription que je viens d'énoncer, devrait être présentée sous les formes les plus libérales. Elle devrait être volon-taire, facultative, temporaire.

Les sommes qui en résulteraient, formeraient, dans chaque pays, le budget de la Société nationale. Chaque Société serait rattachée aux autres, par des liens fédératifs; mais elle serait administrée par un comité national. Toutes seraient reliées à un comité central, directeur, composé de notabilités prises dans leur sein.

La partie disponible des divers budgets serait employée, après décision de l'assemblée générale des délégués des Sociétés nationales, au profit de l'œuvre dont l'urgence aurait été déclarée.

Cette œuvre pourrait être, suivant les circonstances, l'attaque prophylactique du choléra, — ou de la fièvre jaune, — ou de la peste, — ou de toute autre grande maladie épidémique.

L'affection prise à parti serait poursuivie dans son foyer, aussi longtemps qu'il serait nécessaire pour détruire l'endémie.

Ce serait l'œuvre fondamentale de l'association.

Si, au cours de l'entreprise, une grande épidémie éclatait sur quelque point du Globe, le comité directeur, qui aurait eu soin de préparer d'avance le cadre d'une ambulance expéditionnaire et les objets en nature que suppose son fonctionnement, enverrait personnel et matériel, là où des secours seraient demandés.

Telle est, Messieurs, dans son exposé sommaire, l'idée que j'ai cru devoir soumettre à vos délibérations.

Elle se résume essentiellement dans cette proposition : joindre l'effort individuel, multiplié à l'infini par l'association, à l'effort administratif, représenté par les conseils sanitaires internationaux.

C'est la mise en pratique de cette maxime virile : aide-toi, toi-même.

C'est l'application de ce principe stratégique : faire de l'agression contre l'ennemi, notre principal moyen de défense.

Toutes les dispositions secondaires, tous les détails qui figurent dans la conception qui vient de vous être présentée, pourront être modifiés, augmentés, supprimés par la discussion.

Ce qu'il importe seulement de retenir, c'est la proposition réduite à son principe essentiel. Si la Section la prend en considération, je prierai M. le président de vouloir bien la consulter sur cette première question :

La Section est-elle d'avis qu'il y a lieu de provoquer la création d'une Société universelle de défense contre les grandes épidémies : choléra, fièvre jaune, peste, etc., etc.

Si cette première question est résolue dans un sens favorable, je demanderai qu'une commission soit nommée pour étudier l'organisation de la future Société, ses attributions, les moyens de pourvoir à la constitution de son budget, etc., etc., et présenter, le plus tôt possible, un rapport sur ce sujet.

L'heure déjà trop avancée ne permettant pas aujourd'hui la discussion sur le discours de M. Raymondaud, celli-ci est remise à demain, simultanément avec la lettre du Dr. Dutrieux-Bey.

La séance est levée.

Suivant la dècision de la Section nous insérons ici le mémoire :

Des rapports entre la tuberculose et la scrofule au point de vue de l'hygiène individuelle. D'apres les recherches microbiques nouvelles."
Par le Dr. Hermann Albrecht, Professeur agrégé à l'Université de Berne. (Voyez plus haut, à la page 220).

Messieurs,

Nous vivons dans une époque de révélations sur les infiniment petits. Le microscope tient plus que jamais le sceptre dans le monde scientifique et le nombre de parasites nouvellement découverts s'accroît d'année en année. Pauvre corps humain! La „symbiose" si utile pour certains organismes, fait notre malheur. L'ermite fait très bon ménage avec la „adamsia palliata;"

et les „actinies" (roses de mer) n'ont pas à se plaindre de leurs hôtes „les algues".

Les algues et les champignons vivent en bonne harmonie et forment les colonies prospères que nous connaissons sous le nom de „lichens". L'association fait le bonheur de ces organismes. Ils se complètent mutuellement. Les algues transforment la matière inorganique en matière organique, en absorbant l'acide carbonique du milieu ambiant. Les champignons à leur tour procurent aux algues l'acide carbonique, l'eau et les sels nécessaires à leur existence.

Tout autre est l'effet de la symbiose des Schizomycètes avec les plantes et les animaux. Ces champignons se nourrissent de la matière organique, ils sont dévoreurs de chair. Là il n'y a plus de réciprocité, les Schizomycètes se montrent comme *égoïstes par excellence*. La plante sur laquelle les Schizomycètes se sont déposés périt, l'animal dans les organes duquel le champignon a pénétré succombe.

Un des pires représentants de cette sorte d'ennemis est pour le genre humain *le bacillus de la tuberculose*.

La victoire reste au plus fort. Il y a donc une haute importance à dévisager l'ennemi inconnu. Maintenant, nous le tenons, nous le poursuivons. Serons-nous les maitres? Il est à désirer qu'il en soit ainsi, mais, pour le moment du moins, ce n'est pas le cas. *Nous* sommes les vaincus. C'est par centaines de milliers que l'ennemi compte ses victimes parmi le genre humain.

Le jour où V i l l e m i n chercha à établir sur des bases expérimentales la doctrine de la *contagiosité* de la *tuberculose*, il inaugura une ère nouvelle dans *l'étude étiologique* de la *phthisie pulmonaire*.

Dès le lendemain, de nombreux expérimentateurs se mirent à l'oeuvre et depuis cette époque, chaque année vit paraître d'importants travaux sur ce sujet, tant en France qu'en Allemagne.

La première méthode employée par V i l l e m i n est celle de *l'inoculation*. Ses premières recherches datent du mois de Mai 1865. Si l'on fait, dit-il, 1) à l'oreille d'un lapin, à l'aîne ou à l'aisselle du chien, sur une étroite surface préalablement rasée, une plaie souscutanée si petite, si peu profonde qu'elle ne donne pas la moindre goutte de sang, et qu'on y insinue, de manière qu'elle ne puisse s'en échapper, une petite parcelle de matière tuberculeuse; si d'autre part, on injecte sous la peau d'un animal quelques gouttes de *crachat d'un tuberculeux*, voici ce qu'on observe :

Le lendemain de l'opération, la palpation la plus attentive ne perçoit plus aucune trace de la matière inoculée.

Puis, au bout de quatre ou cinq jours, il se produit une légère tuméfaction, accompagnée de rougeur, de chaleur et de sensibilité, et on assiste au déve-

---

1) La tuberculose expérimentale du Dr. S c h m i t t, à Nancy (thèse d'agrégation, 1883).

loppement progressif d'un *tubercule local*. Dans les premiers temps qui suivent l'inoculation, les animaux ne présentent aucune altération appréciable de leur santé. Quelques-uns reprennent même un embonpoint relatif; d'autres vont en s'affaiblissant progressivement, tombent dans le marasme, sont pris souvent de diarrhée colliquative et succombent dans un état de maigreur extrême.

Lorsqu'on procède à l'autopsie de ces animaux, on remarque que les tubercules du lieu d'inoculation sont constitués par une *matière caséeuse*, autour de laquelle se voient souvent de très petites *granulations jaunâtres*. Les ganglions lymphatiques en communication avec la plaie d'inoculation se tuméfient, se parsèment de granulations, de nodules tuberculeux et aboutissent quelquefois à une transformation caséeuse complète. On constate des tubercules dans le poumon, les ganglions lymphatiques, l'intestin, le foie, la rate et les reins. Les organes en sont souvent farcis. Les membranes séreuses, la plèvre, le péritoine, le mésentère sont criblés de granulations. Selon l'époque à laquelle remonte l'inoculation, on trouve les tubercules *gris*, transparents, jaunes ou caséeux, ramollis, des cavernes, des ulcérations.

Pour assurer le succès d'une inoculation, il faut se servir de la matière virulente *la plus fraîche* possible.

De plus, les *conditions d'invasion* et de généralisation du mal peuvent varier selon les animaux en expérience. L'inoculation de produits tuberculeux à des cobayes et à des lapins a toujours donné lieu à des lésions tuberculeuses. Sur le chien, la réussite est moins certaine. Le chat est très réfractaire.

Aux premières expériences de M. Villemin, on avait opposé de nombreux résultats contradictoires. Je vous épargnerai la citation des noms des expérimentateurs qui ont suivi l'ornière de M. Villemin. Se plaçant dans des conditions d'expérimentation toutes différentes, négligeant souvent les précautions opératoires sur lesquelles M. Villemin avait cependant insisté, certains observateurs étaient arrivés à *nier l'inoculabilité* et à prétendre que c'était au *traumatisme*, la blessure pratiquée pour l'inoculation, et non à une propriété spécifique des produits tuberculeux qu'il fallait attribuer les résultats obtenus.

On dût chercher alors à provoquer la tuberculose en *évitant* la blessure et M. Chauveau fut le premier qui entra dans cette voie nouvelle. En cherchant à transmettre la tuberculose par *l'ingestion* de produits tuberculeux, il tournait l'objection précédente et démontrait en même temps un des modes possibles de la *propagation* de la phthisie.

En 1868, il fit avaler à trois jeunes génisses, choisies dans les pâturages de la Savoie, 30 grammes de matière tuberculeuse broyée, provenant d'animaux morts de tuberculose. Quinze jours après, il existait déjà chez elles de l'oppression et au bout d'un mois se manifestaient tous les signes de la *phthisie pulmonaire*.

A l'autopsie, il trouva d'énormes masses caséeuses, des engorgements ganglionnaires généralisés et une tuberculose pulmonaire.

Quelque temps après, Chauveau présentait à la *Société de médecine de*

Lyon les résultats de 11 nouvelles expériences, qui avaient toutes donné les mêmes résultats. Il avait choisi pour ces expériences les représentants de l'espèce bovine les plus sains, absolument exempts de phthisie existante. Le plus âgé avait 14 mois, quelques-uns étaient des veaux de lait.

Chez *tous* il trouva une tuberculisation manifeste des ganglions lymphatiques, des ganglions et follicules intestinaux. C'était une inflammation caséeuse diffuse avec hypertrophie des organes; puis des éruptions miliaires, depuis le larynx jusqu'aux branches terminales.

Presque tous les sujets ont montré comme symptôme une diarrhée plus ou moins intense, plus ou moins rapidement mortelle.

En Allemagne, les mêmes recherches se poursuivaient avec ardeur. Aufrecht, nourrissant des lapins avec du *poumon tuberculeux*, vit se développer chez eux la *péritonite tuberculeuse*.

Mon maître, le Professeur Klebs, se servant de tubercule humain et du lait provenant de vaches tuberculeuses, put déterminer une tuberculose plus ou moins étendue sur le lapin et le cochon d'Inde. Le Professeur Bollinger à Munich fit les mêmes expériences sur la chèvre, le mouton et le porc.

Une fois lancé dans cette voie, on fut amené à rechercher par quelle voie la maladie pouvait essentiellement se propager dans *l'espèce humaine* et on la trouva dans *l'inhalation* de particules provenant de *crachats de phthisiques*.

Tappeiner fut le premier, qui tenta de résoudre scientifiquement la question, en faisant respirer chaque jour, pendant un certain temps, des animaux (11 chiens) dans un espace limité, dont l'air était chargé de produits d'expectoration de malades phthisiques. Une première série d'expériences, faites à Munich en 1876, lui ayant donné des résultats positifs, il les répéta sur une grande échelle à Méran en 1877.

D'après ce qui précède, on peut admettre que l'inoculabilité de la tuberculose est un *fait acquis*.

Mais on devait se demander si d'autres produits non tuberculeux n'amènent pas des lésions identiques; en d'autres termes, si la matière tuberculeuse possède seule ces qualités de spécificité, comme le pus syphilitique peut seul donner la syphilis (Cohnheim).

Voici la réponse de la recherche scientifique:

Hyppolite Martini, Grancher et d'autres, ont démontré qu'une goutte-lette d'huile de croton, un grain de poivre de Cayenne peuvent reproduire, trait pour trait, le nodule tuberculeux caractéristique avec ses cellules géantes centrales, sa couronne de cellules épithélioïdes et sa marge embryonaire. La particule étrangère introduite dans l'organisme, a irrité les tissus à l'endroit où elle s'est arrêtée, et a déterminé autour d'elle une réaction aboutissant à la formation d'un nodule. Ce nodule ressemble dans sa structure à la granulation tuberculeuse vraie, *mais elle en diffère en ce qu'elle n'est* pas *inoculable en séries*. Le corps étranger du *faux* tubercule, soit huile de croton ou grain de poivre, s'épuise, tandis que le *corps étranger*, *produisant* le vrai tubercule, ne s'épuise pas; il est apte à se multiplier d'une manière indéfinie, c'est un *corps vivant*. Dois-je vous nommer tous les hommes éminents qui ont fait la chasse à ce corps et qui, à tour de rôle, ont annoncé la solution de l'énigme. Ce serait mettre votre patience à une rude épreuve et je risquerais de ne pas pouvoir sortir à temps de ce dédale. La *Monadine* de K l e b s, le *Micrococcus* de S c h u e l l e r, le *Monas tuberculorum* de T o u s s a i n t, les *Bacilles tuberculeux* de S a l i s b u r y et C u t t e r, de B a u m g a r t e n, de K o c h, d'A u f r e c h t, les *zooglaeas* de M a l a s s e z et V i g n a l (1883) se sont suivis de près ces dernières années. Mais, de tous ces microbes, le plus connu c'est le *Bacillus tuberculosus* de K o c h. Bien des médecins se figurent que c'est à K o c h seul que nous devons la découverte du fameux bacille de la tuberculose et cependant K o c h n'a fait qu'ajouter un dernier anneau à la chaîne des notions acquises sur les microbes. Je tiens à faire ressortir ce point. Souvent dans l'admiration que l'on voue à un homme justement célèbre, on oublie de penser aux échelons qui lui ont servi pour grimper au haut de l'échelle.

Pour la plupart des médecins qui s'occupent d'anatomie pathologique et de médecine expérimentale, le *Bacillus tuberculosus* de K o c h est le corps vivant qui caractérise le tubercule vrai et le distingue d'autres produits pathologiques de structure semblable.

K o c h a mis *hors de contestation* l'existence du bacille *au sein des lésions tuberculeuses*. Il a su *l'isoler*, le faire *germer* et le *cultiver* dans le sérum gélatinisé et stérilisé et montrer que le produit de ses cultures donne naissance à des inoculations en séries toujours fatales.

Pour rendre les bacilles visibles, K o c h les colore avec le violet de méthyle, matière colorante qui a été introduite en histologie par C o r n i l comme réactif de la substance amyloïde.

La méthode de coloration de K o c h repose sur ce fait que tous les Schizomycètes, sauf la bactéridie de la lèpre et le bacillus tuberculosus, deviennent bruns par la vésuvine, après avoir été colorés en bleu, par le bleu de méthyle alcalinisé.

Les objets à colorer restent plongés vingt-quatre heures dans un mélange de 1 centimètre cube de solution alcoolisée, concentrée, de violet de méthyle et de 200 cm. cubes d'eau distillée, auquel on ajoute 2 cm. cubes d'une solution au 10 %/0 de potasse caustique. A la température de 40°, la coloration se fait dans une heure. Puis les lamelles sont arrosées d'une solution aqueuse concentrée de vésuvine et lavées au bout de deux minutes avec de l'eau distillée. On les débarrasse de l'eau par l'alcool et on les éclaircit par l'essence de girofle.

Ces bactéries ont la forme de bâtonnets de 3 à 6 microns de longueur. Elles se présentent en groupes serrés, ayant souvent l'apparence d'un faisceau. Cependant on en voit aussi de libres. Elles sont disposées en essaims

16

autour des foyers caséeux récents. Dès que l'éruption tuberculeuse a atteint son acmé, les bacilles deviennent plus rares et quand le processus s'éteint, ils disparaissent ou se colorent mal et deviennent à peine reconnaissables. On trouve de préférence les bacilles dans les cellules géantes, quand le produit pathologique en contient.

Ehrlich, à Berlin, a indiqué une méthode facile pour la recherche du microbe et, grâce à lui, chaque médecin peut se rendre compte en peu de temps de l'existence du parasite dans un produit pathologique quelconque, les crachats par exemple.

Dans le procédé du professeur Ehrlich, les coupes restent une demi-heure dans un liquide composé d'huile d'aniline et d'une solution concentrée alcoolique de fuchsine. Pour décolorer les coupes, ou les place pendant deux minutes dans un mélange d'une partie d'acide nitrique et de deux parties d'eau distillée ; on les lave ensuite et on les conserve dans le beaume de Canada. Les bacilles sont teintés en rouge.

Le *critérium* auquel on peut reconnaître si une lésion est tuberculeuse ou non, paraît donc trouvé. Le problème de la tuberculose, dont l'observation clinique non plus que l'anatomie n'avaient donné la clef, est maintenant transporté sur le terrain de la *médecine expérimentale*, et c'est depuis lors que les recherches sur la parenté entre la tuberculose et d'autres produits semblables, la scrofule par exemple, sont sorties de la période des hypothèses. Il existe un signe *distinctif* commun, *le bacille*.

Si le bacille se retrouve dans des lésions et si, une fois inoculé, il reproduit des lésions inoculables à leur tour, leur nature *tuberculeuse* est démontrée. La *médecine expérimentale* va dès lors éclairer les rapports qui existent entre la *tuberculose véritable* et d'autres lésions identiques. C'est ainsi qu'un bon nombre de produits scrofuleux par exemple sont reconnus comme *tuberculeux*.

Cohnheim et Salomosen *(Progrès médical* 1882*)* déduisent de leurs expériences sur l'inoculation de cultures provenant de matières scrofuleuses, que la pneunomie caséeuse, l'adénopathie caséeuse et les arthrites fongueuses doivent être comprises dans la tuberculose.

Schüller a déjà vu naître en 1879 *(Centralblatt)* des arthrites tuberculeuses après l'inoculation de ganglions scrofuleux, et il a refait récemment ces expériences avec le même résultat, en se servant pour les inoculations de *cultures de bacilles* provenant de *glandes scrofuleuses* et de *lupus.* Les poumons et d'autres organes se trouvaient régulièrement atteints chez les animaux inoculés, et ces lésions donnaient naissance à la vraie tuberculose, si elles étaient inoculées à leur tonr.

Kiener et Poulet *(Société médicale des hôpitaux,* 11 février 1881) ont toujours rencontré la généralisation de la tuberculose après l'inoculation de *matières scrofuleuses.* De même Colas (Thèse de Lille, 1881) et Hypol. Martin. *(Revue de Médecine,* 1882, p. 289).

H. Martin produit la tuberculose généralisée en inoculant, en série, des produits dits *scrofuleux*.

Damaschina fait observer qu'il sera difficile de tracer des limites entre la scrofule et la tuberculose, mais en clinique il faut maintenir l'existence des deux diathèses.

Pour Ducastel 1) il y a identité à peu près complète des lésions dans la scrofule et la tuberculose. La gravité moindre du processus dans la scrofule tient à l'influence de l'âge, et à la réparation plus facile d'un organisme en voie d'évolution.

M. Cornil et Babes ont trouvé les bacilles dans une série de lésions qui sont à la limite de la *scrofule*.

De trois *ganglions scrofuleux* du cou très hypertrophiés, deux ont présenté les bacilles de Koch ayant exclusivement leur siège dans les cellules géantes.

Sur trois tumeurs blanches (synovites fongueuses) les bacilles existaient une fois au centre des cellules géantes.

M.M. Schuchardt et Krause (*Fortschritte der Medizin*, 1888, No. 9), ont trouvé des bacilles dans deux cas de lupus.

M. Doutrelepont (*Deutsche med. Wochenschrift*, 1883, pag. 433), ayant excisé des fragments de lupus chez sept malades atteints de cette affection cutanée, y a trouvé les bacilles caractéristiques.

Demme (20e Rapport médical sur l'hôpital des enfants malades de Berne, 1882, p. 50), a trouvé chez les enfants des bacilles de Koch dans des ganglions scrofuleux, dans le lupus (3 cas), dans les fongosités des tumeurs blanches (17 cas, dont 15 avec résultat positif) et les granulations de la „spina ventosa" des doigts et des orteils.

Albrecht (Neuchâtel) a constaté la présence du bacillus dans un cas de lupus du nez et de la face, concernant un ancien infirmier de l'hôpital de la Providence à Neuchâtel. Le malade lui a été envoyé par le M. le Dr. Borel. Albrecht a de plus trouvé des bacilles de Koch dans les fongosités du genou d'un enfant scrofuleux, décédé depuis lors.

Des inoculations faites avec ces masses sur deux cobayes ont donné un *résultat positif*, c'est-à-dire une tuberculose généralisée de l'animal infecté.

Vous avouerez, Messieurs, que ce fut une conception brillante que celle qui plaça la tuberculose et la scrofule au nombre des *affections infectieuses*.

On aura désormais à lutter non plus contre une inconnue inattaquable, mais contre un élément tangible, dont on connaîtra peut-être une fois l'origine, ainsi que les moyens de le détruire. Jusqu'à ce que nous les ayons découverts, il ne nous reste guère autre chose à faire que d'améliorer nos conditions

---

1) Quinquand. «De la scrofule dans ses rapports avec la phthisie pulmonaire". *Th. d'agrég*, Paris 1883).

d'existence et d'augmenter la résistance de l'économie, car, il faut que je vous le dise, on n'est pas encore parvenu à agir *directement* sur les bacilles. On a essayé d'attaquer le bacillus par la voie stomacale, par la voie pulmonaire en inhalation et insufflation, en injection parenchymateuse dans le poumon et par la méthode souscutanée; les remèdes employés ont été le salicylate de soude, la créosote, l'acide phénique, le sublimé, l'iodoformé, le brome, l'alcool, l'alcool méthylique, l'hydrogène sulfuré, l'acide arsénieux (Buchner), l'acide borique, l'aluminium (Dr. Pick) et l'oxygène chimiquement pur (Dr. Albrecht).

Aucune de ces drogues parasiticides n'a donné des résultats incontestables et beaucoup d'entre eux nuisent même beaucoup plus au corps du malade qu'au parasite. L'agent spécifique de la destruction du bacille reste donc encore à découvrir. Pour ma part, je doute qu'on y parvienne jamais, car du moment où le bacille commence à trahir sa présence dans l'organisme, il est trop tard pour le tuer. Il faut donc avant tout *empêcher son invasion*. C'est là que l'hygiène de l'avenir aura un beau champ d'activité.

Conclusions:

1. La tuberculose est une maladie infectieuse par excellence, ainsi que vous l'à dit M. le Dr. Rochard dans son remarquable discours.

2. Le germe caractéristique en est le bacille.

3. Ce germe, le bacille de la tuberculose, se trouve également dans un grand nombre d'hyperplasies scrofuleuses.

4. La scrofule est par conséquent une forme déguisée de la tuberculose et elle exige les mêmes mesures préventives que celle-ci.

5. Comme suspecte est à refuser la vaccination de bras à bras, si on constate sur l'enfant vaccinifère le moindre symptôme de scrofule.

6. Les mères et les nourrices, qui portent des traces d'ancienne scrofule, ne devraient *jamais* être autorisées d'allaiter.

7. Les parents, qui ont eu des antécédents syphilitiques, devraient être rendus attentifs par les médecins de famille, que la syphilis produit la scrofule dans la progéniture et que la scrofule est la soeur de la tuberculose.

8. Les enfants, même légèrement atteints de la scrofule, devraient être surveillés sans cesse.

Séance du Mercredi, 27 Août 1884.

Le Président ouvre la séance.

Il fait part à la Section qu'il vient de recevoir de M. le Secrétaire général un mémoire du Dr. Stephen Smith, de New-York, sur le service sanitaire maritime des Etats-Unis, que l'Assemblée générale a renvoyé à la 1re Section.

Vu l'impossibilité de lire ce mémoire (de 47 pages), la Section décide qu'il sera inséré dans le compte rendu.

A l'ordre du jour sont les conclusions de M. le Dr. Dutrieux-Bey, émises dans sa lettre au Président du 23 août et lues dans la séance de lundi (voir la séance de lundi, pag. 198).

La parole est à M. Dutrieux.

M. Dutrieux. — La Section a émis le voeu de voir améliorer le système actuel des quarantaines; on n'a pas indiqué dans quel sens elles devraient être améliorées; je vous soumets quelques idées générales indiquant quelques améliorations à apporter; elles donnent à ma proposition un caractère pratique et transactionnel que je me borne à signaler.

Le mot de quarantaine veut dire simplement 40 jours; il n'implique donc que l'idée de la réclusion;

il est vrai qu'en théorie, il implique:

1°. l'application des mesures quarantenaires dès l'apparition des premiers cas de choléra asiatique, et leur maintien jusqu'après la disparition des derniers cas;

2°. l'isolement absolu des individus infectés ou suspects;

3°. une visite médicale sérieuse et une désinfection sérieuse des navires infectés ou suspects:

Or, dans la pratique, aucune de ces conditions d'efficacité n'est réalisée et les deux premières sont en fait irréalisables; en effet:

1°. on ne peut préciser ni le début, ni le terme d'une épidémie cholérique; le 1er et le dernier cas échappant à toute observation, à toute constatation; on établit les quarantaines trop tard, et on les supprime trop tôt pour qu'elles soient efficaces.

2°. on a signalé dans tous les pays des infractions quarantenaires qui semblent inévitables et qui rendent illusoire l'isolement des individus infectés ou suspects;

d'où il résulte que parmi les 3 éléments du système actuel des quarantaines: la réclusion, la visite médicale, la désinfection, — il est rationnel d'accorder la première place à ceux dont la valeur prophylactique est la plus sérieuse, à savoir la visite médicale et la désinfection.

Ainsi ma proposition ne vise qu'à développer ce qu'il peut y avoir de bon dans l'idée mère des quarantaines.

J'ai donc l'honneur de proposer à la Section les conclusions suivantes :

1o. Il est désirable que dans la fixation de la durée des quarantaines on prenne pour base principale le temps nécessaire à une inspection sanitaire rigoureuse (comprenant la visite médicale et la désinfection), et il y a lieu de remplacer le mot de quarantaine par le mot de contrôle sanitaire.

2o. Par application de ce principe, il est désirable que les quarantaines actuellement en vigueur vis-à-vis des ports de la Méditerranée soient modifiées au plus tôt, et que leur durée soit limitée au temps nécessaire à une inspection sanitaire rigoureuse des navires infectés ou suspects.

M. Zoéros-Bey — s'oppose fortement, disant que la Section a dans sa 2e Séance voté et accepté presque unanimement les conclusions de M. Rochard. On ne peut pas recommencer la discussion et faire voter des conclusions opposées. M. Dutrieux n'aime pas les quarantaines; c'est son affaire. Mais quant à lui, M. Zoéros-Bey déclare que le Gouvernement Ottoman n'acceptera jamais les conclusions de M. Dutrieux, et il affirme que l'année passée, et cette année-ci, Constantinople a été préservé d'une invasion du choléra par les mesures quarantènaires rigoureusement observées. Il propose de passer à l'ordre du jour.

M. Corfield — relève qu'en Angleterre presque personne ne défend plus les quarantaines.

M. Dutrieux — réfute et dit que c'est son droit de faire discuter et voter ses conclusions. Or, M. Rochard lui-même, dont les conclusions ont été acceptées dans la seconde séance, l'a engagé à formuler ses propositions et à les remettre à M. le Président, ce qu'il a fait.

M. Rochard — résumant en quelques mots ce qui s'est passé dans la 2e séance, dit qu'en vérité, après que ses conclusions avaient été acceptées, M. Dutrieux se déclarant non satisfait et manifestant le désir de faire une contre-proposition, il l'a engagé à la faire, voulant ainsi éviter le soupçon d'avoir tâché, comme président, d'étrangler les idées de M. Dutrieux, d'autant plus qu'elles étaient contraires aux siennes propres, qui avaient été acceptées par la Section. Or, maintenant M. Dutrieux peut être satisfait; la Section a entendu son discours; il est temps à présent d'en finir.

M. le Président — croit que la question est suffisamment éclairée et déclare la discussion close.

Les conclusions de M. Dutrieux sont votées et rejetées; 25 membres se déclarent contre et 12 pour; quelques membres s'abstiennent.

Le Président prie à présent M. Corfield de le remplacer à la présidence.

M. Corfield accepte. — A l'ordre est la conclusion de M. Raymondaud, lue à la fin de la séance de hier, tendant à organiser une Société universelle de défense contre les grandes épidémies, la peste, le choléra, la fièvre jaune, etc., etc.

M. Liouville — aimerait mieux une commission qui nous permettrait de nous mettre en rapport avec nos gouvernements.

M. Dutrieux-Bey — croit qu'il vaudrait mieux d'avoir un bureau général d'information, qui devrait se tenir au fait de la marche et des invasions de toutes les maladies capables d'occasionner de grandes épidémies, dans les divers pays.

M. Layet — est d'avis qu'on doit tout concentrer dans une seule commission.

M. Liouville — propose de renouveler le voeu, exprimé déjà par un congrès antérieur: qu'il soit créé, dans chaque pays, une organisation qui centralisera les différents services d'hygiène et de salubrité publique.

La conclusion de M. Raymondaud est acceptée, de même que la proposition de M. Liouville.

M. le président Corfield propose que le comité d'organisation du prochain congrès nomme une commission pour réaliser l'idée de M. Raymondaud.

Cette proposition est acceptée.

La parole est à M. Emmerich, de Munich, qui lit en allemand son rapport sur la diphthérie de l'homme et du pigeon, et sur sa cause dans les habitations.

Meine Herren!

So grossartig die Erfolge sind, welche uns die mykologischen Forschungen auf dem Gebiete der Krankheitsaetiologie gebracht haben, so ist bis zur Stunde doch nur von den Mikro-Organismen des Milzbrandes und der Schwindsucht, sowie von den Spirillen des Rückfallstyphus über allen Zweifel sichergestellt, dass sie die wirklichen Erzeuger dieser bei Thieren und Menschen vorkommenden Krankheiten sind.

Die Pilze, welche die Diphtherie verursachen, waren uns bis zur Stunde nicht bekannt. Und doch ist die Diphtherie eine der ältesten und mörderischten Krankheiten. Sie ist so alt wie das Menschengeschlecht, mindestens so alt wie die Cultur. Wir wissen, dass sie im 9ten, 11., 14., und 16ten Saeculum halbe Jahrhunderte lang in fast ganz Europa und Nordamerika furchtbar wüthete, und beispielsweise im Jahre 1517 allein in Basel innerhalb 8 Monaten 2000, und im Anfang des 17. Jahrhunderts in Unteritalien 60000 Menschen, Erwachsene und Kinder dahinraffte.

Zu Mitte des 18. Jahrhunderts hielt sie abermals einen Mordzug durch Spanien, Frankreich, Deutschland, England, die Niederlande und Schweden. Nachdem die Seuche ein halbes Jahrhundert lang verschwunden war, begann, wie Sie wissen, im Jahre 1820 eine neue Aëra für sie. Sie verbreitete sich nun pandemisch über den grössten Theil der Welt und seit dieser Zeit hält die Menschen erwürgende Hydra trotz aller Bemühungen der ärztlichen Kunst und Wissenschaft ihr Haupt hoch erhoben und fordert, Kummer und Unglück stiftend, von Jahr zu Jahr mehr Opfer unter den Menschen.

Es genügt zu bemerken, dass die Diphtherie in Bayern jährlich über 10 000 Menschen tödtet, dass sie in Paris nach den Berichten von Vacher unter den Todesursachen nach Lungenschwindsucht und Lungenentzündung die dritte Stelle einnimmt.

Eine noch weit grössere Sterblichkeit verursacht die Krankheit in ihren epidemischen Epochen. In verschiedenen epidemisch ergriffenen Gemeinden Frankreichs erkrankten z. B., nach Briquet, im Jahre 1866 von 70 000 Bewohnern nicht weniger als 17 000! Das ist eine gewaltige, schreckliche Zahl, wenn man bedenkt, dass die Mortalität durchschnittlich 15 bis 20, oft aber auch 50, 60, ja sogar 70 Proc. beträgt und somit jene der Cholera übersteigt. Unter solchen Umständen ist es erklärlich, dass, als Frankreich und Deutschland wissenschaftliche Commissionen zur Erforschung der Cholera nach Aegypten und Indien entsandten, die öffentliche Meinung in vielen Tagesblättern, besonders in Berlin, die Erforschung der Diphtherieursache als eine wichtigere und dringendere Arbeit bezeichnete.

An mich trat damals die Aufgabe heran die Ursache eines tragischen Familiendramas aufzuklären. In einer Familie waren im Verlauf weniger Wochen 4 blühende Kinder an schwerer Diphtherie gestorben, ein 5tes sowie der Vater und 2 Bedienstete an der gleichen Krankheit schwer erkrankt.

Die Ursache dieser Hausepidemie musste im Schlafzimmer der Erkrankten gesucht werden.

Um die Diphtheriepilze in ihrem ectogenen Substrat, in der Wohnung nachweisen zu können, suchte ich mich zunächst durch die Untersuchung von Diphtherieleichen und Diphtheriemembranen, sowie durch Reinculturen der in der diphtheritischen Schleimhaut und ihrem Belege vorkommenden Pilze davon zu überzeugen, ob die von Löffler gefundenen Bacillen wirklich die

Diphtherieursache darstellen. Ich kam aber zu einem gauz anderen Resultat als Löffler.

Während Löffler es unentschieden lassen musste, ob die von ihm rein-gezüchteten Bacillen Diphtherieagens darstellen oder nicht, kam ich zu einem ganz bestimmten, positiven Resultat:

Es ist mir gelungen in der diphtheritisch veränderten Schleimhaut und in den Membranen von Menschen und Tauben Pilze aufzufinden und rein zu züchten, welche bei der Diphtherie des Menschen und der Tauben identisch, d. h. von gleicher Art, regelrechte Diphtherie nach Verimpfung derselben auf der Schleimhaut der Versuchsthiere erzeugen; und zwar verursachen diese Pilze ausnahmslos, bei jeder Impfung typische, ächte Diphtherie.

Ich will Ihnen in kurzen Zügen den Weg skizziren, der zu diesem Ziele führte.

Es ist wohl kaum nothwendig zu sagen, dass ich die vortreffliche Methode der Cultur benützte, mit welcher mein berühmter Landsmann Robert Koch die Wissenschaft beschenkt hat. Als Nährsubstrate kamen Fleischwasserpepton-gelatine, Blutserum, Zucker-Pepton-Fleischsaftserum, Kartoffeln und Agar Agar in Anwendung.

Ich habe bis jetzt 8 schwere menschliche Diphtheriefälle — und zwar 5 tödtlich endende, und 3 in Genesung übergehende — und 6 Fälle von Tau-bendiphtherie untersucht.

Da man nur ausnamhsweise Gelegenheit hat mehrere Diphtheriefälle neben einander vergleichend zu prüfen, so suchte ich bei jedem einzelnen Falle durch mikroskopische Untersuchung der diphtheritische Schleimhaut und ihrer Producte ein Bild von der Art, der Zahl und Verbreitung der Pilze zu gewinnen, und führte in jedem Falle Reinculturen von mehreren der Zahl nach vorherschenden Pilzen aus. Zugleich aber verimpfte ich die noch unreinen Culturen, welche man, nach Uebertragung von Schleimhaustückchen und Membranpartikelchen auf den verschiedenen kunstlichen Nährsubstraten in erster Generation erhält, theils subcutan, theils auf die Schleimhaut der Versuchsthiere.

Diese Methode schützt vor zeitraubenden Irrwegen und lenkt die Aufmerk-samkeit sofort auf die pathogenen und essentiellen Mikro-Organismen, während hiedurch zugleich die accidentellen, unschädlichen und Fäulnisz-Pilze von vornherein ausgeschieden werden. Es waren also zwei Momente, denen ich die Auffindung der Diphtheriepilze verdanke, nämlich die Zahl und Anordnung derselben in der erkrankten Schleimhaut des Menschen und der Tauben, sowie in deren Auflagerungen, dann aber auch ihr Uebergang ins Blut und in die Organe der mit noch unreinen Culturen inficirten Versuchsthiere.

Es gelang aus der Schleimhaut und den Diphtheriemembranen mit Hülfe von Objectglas-Gelatineculturen, Verdünnung einer isolirten Colonie derselben in sterilisirtem Wasser und weitere Uebertragung eines minimalen Theiles dieser verdünnten Pilzausschwemmung auf frische Nährgelatine, nach der bekannten Methode Reinculturen derjenigen Pilze zu gewinnen, welche, in den Membranen der Zahl nach prävalirend, auch in das Blut und in die Organe der mit noch unreinen Culturen inficirten Thiere übergegangen waren.

Noch leichter war die Ausführung von Reinculturen durch Uebertragung von Blut und Organstückchen der zuletzt genannten Thiere auf Fleischwasser-peptongelatine.

Was nun die Form der für die Diphtherie des Menschen und der Tauben essentiellen Pilze anlangt, so sind dieselben, wie Sie aus den Abbildungen ersehen, weder als Coccen, noch als Stäbchen zu bezeichnen und ist es, nach dem Vorgange Koch's, wohl am richtigsten dieselben der Gattung Bacterium im Sinne Cohn's zuzurechnen und ihnen den Namen Diphtheriebacterien beizulegen.

Dieselben repräsentiren sich als längliche Coccen oder kurze plumpe Stäbchen meist doppelt solang als breit; sie variiren in der Grösse um das zwei- bis dreifache; die längeren, welke man als Stäbchen bezeichnen könnte, zeigen meist eine leichte Einschnürung, welche die Zusammensetzung aus zwei Gliedern andeutet. — Dass dies wirklich die Diphtherie verursachenden Pilze sind, dafür werde ich Ihnen den experimentellen Nachweis heute nicht schuldig bleiben. Einstweilen will ich das Zeugniss eines Mannes anführen, dessen Name in so kurzer Zeit eine Zierde der Wissenschaft geworden und der in mykologischen Untersuchungen der competenteste und zuverlässigste ist. Es gibt kaum ein Feld der hygienischen Mykologie, auf welchem wir nicht die Spuren Robert Koch's antreffen, der bei seinen rekognoscirenden Untersuchungen über das Vorkommen von Mikro-Organismen bei Infectionskrankheiten in den Organen oder im Blute von an Blattern, Erysipelas, Recurrens, Pneumonie, Typhus, etc., Gestorbenen in raschem Eroberungszuge die specifischen Mikro-Organismen mikroskopisch nachgewiesen und durch künstlerisch vollendete Photographieen seine bahnbrechenden Entdeckungen veranschaulicht hat. Ich zeige Ihnen hier die Photographie von Nierenschnitten, welche Koch aus der Niere eines' Mannes hergestellt hat, der nach erlittener Wirbelfraktur oft katheterisirt wurde und in Folge dessen an heftiger Blasendiphtheritis erkrankte. — Sie finden dichtgedrängt die charakteristischen Diphtheriebacterien.

Die Form und Grösse dieser von Koch photographirten Pilze ist ganz übereinstimmend mit der Form und Grösse derjenigen Mikro-Organismen, welche ich aus der diphtheritischen Schleimhaut, aus den Diphtheriemembranen, dem Blute und den inneren Organen von an Diphtherie verendeten Menschen und Thieren reingezüchtet habe. Wenn sie meine Abbildungen mit denen Koch's vergleichen, so wird Ihnen die unverkennbare Aehnlichkeit sofort auffallen. Obgleich diese Pilze in der menschlichen Niere geradezu eine Reincultur darstellen, was auf ihre essentielle Bedeutung aufmerksam macht, so hat sich K o c h gleichwohl damit begnügt sie abzubilden, ohne seine Entdeckung Weiter auszubeuten.

Auf der Fleischwasserpeptongelatine wachsen die Diphtheriebakterien schon bei einer Zimmertemperatur von 15° C. ziemlich rasch und üppig. Ueberträgt man eine Platinösevoll Organsaft aus der Leber, der Milz oder den Nieren eines nach Infection mit menschlicher – oder Taubendiphtherie verendeten Thieres durch Einstich auf sterilisirte Fleischwasserpeptongelatine, welche sich unter Watteverschluss in Reagensgläsern befindet, so bemerkt man schon nach 2 Tagen auf der Oberfläche des Nährmediums in der Umgebung des Impfstiches eine fast wasserhelle schwachgrau nüaucirte feste Colonie, welche sich meist aus dicht aneinander gelagerten steeknadelkopfgrossen Tröpfchen zusammensetzt. Die Colonie verbreitet sich auf der Oberfläche, occupirt dieselbe oft volkommen und nimmt allmählig ein grauweissliches Aussehen an, so wie Sie es an diesen Gelatine-Reinculturen, von denen die einen von der Diphtherie des Menschen, die anderen von der Diphtherie der Tauben stammen, wahrnehmen. Auch im Verlaufe des Impfstiches sind, wie Sie sehen, ausnahmslos runde weissliche Colonien zur Entwickelung gelangt. Eine Verflüssigung der Gelatine tritt im Verlaufe der Entwickelung der Colonien von Diphtheriebakterien niemals ein. Auf der Schnittfläche gekochter Kartoffeln wachsen diese Pilze der Pneumoniecoccen ähnlich in Form eines weisslich gelben, dicken Beleges. Rinds-Blutserum dagegen scheint ein ungünstiges Nährmedium für die Diphtheriebakterien zu sein.

Ueberträgt man kleine Mengen einer Reincultur oder Organsaft von diphtheritisch verendeten Thieren mit geglühten Platindraht in Form von Impfstrichen in erstarrte auf sterilisirten Objectträgern ausgebreitete Fleischwasserpeptongelatine, so bemerkt man nach einigen Tagen bei 80 facher Vergrösserung im Verlauf des Impfstriches gelblichbraune, fein punktirte Ausbreitungen.

Von grösster Wichtigkeit ist die Thatsache, dass die Bakterien der Menschendiphtherie mit denen der Taubendiphtherie sowohl nach Form und Grösse, als auch in Bezug auf das Aussehen der Vegetationsformen in den verschiedensten, künstlichen, festen und flüssigen Nährsubstraten und hinsichtlich ihrer Wirkung auf Thiere *vollkommen identisch* sind.

Diese Uebereinstimmnng geht soweit, dass die Reinculturen der Menschendiphtheriebakterien auf festen Nährsubstraten (Nährgelatine, Kartoffeln, etc.) von jenen des Taubendiphtheriepilzes auch nicht die geringste Abweichung oder Verschiedenheit zeigen, so dass weder der Laie noch der Fachmann im Stande ist beide zu unterscheiden.

Auch bei 70 bis 100 facher Vergrösserung ist das Aussehen der Objectglasculturen in jeder Beziehung gleichartig. Diese Concurrenz erstreckt sich auch, wie gesagt, auf die pathologisch-anatomischen Veränderungen und den klinischen Symptomencomplex, welche die Diphtheriebakterien des Menschen und der Tauben im thierischen Organismus hervorbringt, hervorrufen.

Die Thatsache von der Identität der Menschen- und Taubendiphtheriebakterien ist ein weiteres sehr wesentliches Argument dafür, dass die von mir gefundenen und reingezüchteten Pilze die essentiellen, wirklichen, und einzigen Erzeuger der Diphtherie sind, der Diphtherie, unter welchem Namen ich nicht etwa nur die pathologischanatomischen Veränderungen der Schleimhaut, sondern diese mitsammt dem klinischen Symptomencomplex, d. h. also die seit Jahrhunderten sich gleichbleibende epidemisch auftretende Infectionskrankheit verstehe.

Die Angaben Löffler's, welcher sowohl bei der Diphtherie des Menschen, als bei der Diphtherie der Tauben, der Hühner und der Kälber, 4 verschiedene Mikro-Organismen gefunden haben wollte, mussten von vornherein Bedenken erregen.

Meine Befunde dagegen, welche die Identität der Diphtherie des Menschen und der Thiere oder doch wenigstens die der Tauben sichergestellt haben, finden sich im Einklang mit den klinischen und epidemiologischen Thatsachen und mit jenen der vergleichenden pathologischen Anatomie; sie harmoniren mit den Thatsachen, welche über die specifischen Mikro-Organismen derjenigen Infektionskrankheiten festgestellt wurden, welche wie z. B. Milzbrand und Tuberculose, sowohl beim Menschen, als auch bei den Thieren vorkommen.

Nach den Resultaten meiner experimentellen Versuche muss es öfters vorkommen, dass Thiere durch diphtheriekranke Menschen und deren Krankheitsproducte, und umgekehrt dass Menschen durch diphtheritische Thiere inficirt werden.

Und in der That, Sie wissen, meine Herren, dass die Uebertragung der Diphtherie von Menschen auf Thiere und von Thieren auf Menschen wiederholt beobachtet wurde. Als im Anfange des 16. Jahrhunderts die Diphtherie, oder wie man sie damals nannte: „der Garrotillo", die französische Halbinsel und Unteritalien verheerend überzog, herrschte die Krankheit gleichzeitig unter dem Hornvieh. In Italien gingen ganze Heerden von Hornvieh an plötzlich im Schlund entstandener Diphtherie zu Grunde, und die Hirten, welche sich unter diesen Thieren aufhielten und von dem Fleisch des kranken Viehes genossen, starben unter den gleichen Erscheinungen. L. Nesti 1) in Florenz berichtet, dass ein Hund, der die Sputa eines an Diphtherie kranken Jungen aufgeleckt hatte, 4 Tage darauf an den Erscheinungen einer croupösen Angina suffocatorisch crepirte. Die Nekropsie wies die der Diphtherie charakteristischen Veränderungen nach. Prof. Damman 2) brachte Beweise für die Ansicht,

---

1) Lo Sperimentale, 1872. Tom. 30.

2) Deutsche Zeitschrift für Thiermedicin und vergleichende Pathologie. Band III, pag. 1.

dass das Contagium der Kälberdiphtherie auf den Menschen übertragbar ist. Gelegentlich einer Diphtherie-Epidemie, welche im Jahre 1876 unter den Kälbern des Küstengutes Ludwigsburg herrschte und welche über 20 junge Thiere hinwegraffte, erkrankte Prof. Damman 2 Tage nach der Section eines diphtheritischen Kalbes an Halsschmerzen; 3 andere Personen, welche die kranken Thiere gepflegt hatten, erkrankten ebenfalls an heftigen Rachencatarrhen und einer an exquisiter Diphtherie mit Membranbildung. Die Epidemie unter den Kälbern war ausgebrochen kurz nachdem ein Knabe auf dem Oekonomiehof an Diphtherie gestorben war.

Dr Roger in Kemnath beobachtete die Uebertragung der Diphtherie durch den Biss eines diphtheriekranken Huhnes auf eine Quetschwunde am Daumen. Die Wunde bedeckte sich mit diphtheritischen Membranen und in der Umgebung entstand starkes Erysipel.

Noch eine Beobachtung muss ich anführen, deren Richtigkeit durch einen Ihnen Allen wohlbekannten Namen von gutem Klang verbürgt ist und welche allein genügen würde die Uebertragung der Diphtherie von Thieren auf den Menschen zu beweisen. Prof. Gerhardt in Würzburg berichtet:

„In einem Dorfe Messelhausen bei Landa in Baden ist eine Hühnerzuchtanstalt errichtet worden, in welche 2600 Hühner aus der Gegend von Verona importirt wurden. Von diesen brachten einzelne Diphtherie mit und es starben innerhalb der ersten sechs Wochen 600 und später noch 800 von diesen Hühnern an Diphtherie. Es wurden dann im folgenden Sommer aus Eiern 1000 Hühner ausgebrütet; auch diese starben sämmtlich binnen sechs Wochen an Diphtherie. An dergleichen Krankheit verendeten 5 Katzen in der Anstalt, und auch der Papagai der Herrschaft erkrankte an Diphtherie, wurde jedoch gerettet. In November 1881 biss ein diphtheriekranker italienischer Hahn, der mit Carbollösung getupft werden sollte, den Oberwärter in den Rücken des linken Fusses und in die linke Hand. Der Mann erkrankte unter heftigen Fiebererscheinungen. Beide Wunden fanden sich bei der Untersuchung mit etwa Zweipfennigstückgrossen diphtheritischen Belege bedeckt. Die Heilung schritt unter Anwendung von Carbolsäure langsam vor und dauerte 3 Wochen. An Rachendiphtherie erkrankten zwei Drittel aller Tagelöhner, die mit den Hühnern beschäftigt waren, vier Personen, und während dieser ganzen Zeit kam in dem betreffenden Dorfe kein anderer Diphtheriefall vor."

Diese Thatsachen sind uns jetzt, nachdem wir wissen, dass die Diphtherie des Menschen und der Tauben durch ein und denselben Spaltpilz verursacht wird, wohlerklärlich.

Die Uebertragung der Diphtherie vom Thiere auf den Menschen und umgekehrt kommt jedenfalls, hauptsächlich durch die ausgehusteten Krankheitsproducte vermittelt, viel häufiger vor, als man dies nachweisen kann, und die Diphtherie des Geflügels hat jedenfalls viel dazu beigetragen, dass sich die Diphtherie so rasch über den ganzen Erdball verbreitet hat.

Nichts ist nach den Beobachtungen über die locale Verbreitung der Diphtherie wahrscheinlicher, als dass das ectogene natürliche Nährsubstrat der Diphtheriebakterien der Erdboden ist, und es erscheint daher sehr plausibel, dass Tauben und Hühner, welche den ganzen Tag Futter suchend den Boden bepicken, so häufig an Diphtherie erkranken.

Die Thatsache der Uebertragbarkeit der Diphtherie der Kälber auf den Menschen drängt zu der von vornherein wahrscheinlichen Annahme, dass auch die Kälberdiphtherie, wie schon Damman behauptete, durch die nämlichen Diphtheriebakterien verursacht wird, welche ich beim Menschen gefunden habe. Die Versuche Löffler's, welcher bei der Kälberdiphtherie in der Schleimhaut neben Coccen lange Bacillen fand und dieselben als Ursache der Krankheit zu betrachten geneigt ist, sind nichts weniger als beweisend, da derselbe die inneren Organe der Thiere nicht untersucht had und bei den mit diesen Bacillen geimpften Versuchsthieren, welche entweder gar nicht, oder erst nach Wochen zu Grunde gingen, charakteristische Diphtherie nicht erzeugen konnte. Die bei der Diphtherie des Menschen und der Thiere im Bezug auf die pathologischanatomischen Veränderungen bestehenden unwesentlichen Differenzen werden sich aus der Verschiedenheit in der Struktur der Mucosa leicht erklären lassen, ebenso wie bei der Tuberculose und dem Milzbrand, bei welchen ja ebenfalls die verschiedenen Thierspecies sehr differente Krankheitsproducte erkennen lassen, obgleich dieselben durch die nämlichen Bacillen erzeugt sind, wie die Tuberculose und der Milzbrand des Menschen.

Auch das hat die Diphtherie der Thiere mit der des Menschen gemein, dass sie vorzugsweise, ja fast ausschliesslich *nur junge Thiere* befällt.

Auf Grund dieser Ueberlegungen muss man es a priori für wahrscheinlich bezeichnen, dass sich die meisten Thierspecies für die künstliche Infection mit Diphtherie empfänglich zeigen werden.

Und in der That nichts war leichter als die Erzeugung der experimentellen Diphtherie, d. h. die Infection von Thieren mit den Reinculturen der Diphtheriebakterien vom Menschen und den Tauben.

Alle Versuchsthiere: 10 Tauben, 12 Kaninchen, 15 weisse Mäuse, etc., erkrankten wie schon erwähnt in typischer Weise. Da im Wesentlichen durch diese Versuche, die übrigens noch nicht abgeschlossen sind, der Beweis für die Specifität der von mir gefundenen Diphtheriebakterien geliefert wird, so halte ich mich zur Veröffentlichung der Krankengeschichten und Sectionsprotokolle der von mir benützten Diphtheriefälle sowie des gesammten umfangreichen Versuchsmaterials für verpflichtet, beschränke mich aber hier der Zeit und Umstände halber auf die Schilderung weniger Fälle, zumal die anderen analogen Verlauf und Erscheinungen gezeigt haben.

Am 29. April 1884 starb im Hauner'schen Kinderhospital in München unter schweren Symptomen von Croup und Diphtherie, welche die Tracheotomie nothwendig machten, ein 5-jähriges Mädchen. — Die Section constatirte den Befund: Diphtheritis crouposa, Pneumonia lobularis, Pleuritis serosa. Es sei nur erwähnt, dass auf den Tonsillen flache Ulcerationen, auf der oberen Partie der Kehlkopfschleimhaut links bis herab zu den wahren Stimmbändern eine grauweisse nicht abziehbare Stelle sich befand; eine ebensolche grauweisse Infiltration mit zackigen Rändern umgab die Trachealwunde, und die ganze Trachea zeigte sich mit einer dicken Membran ausgekleidet, welche leicht abziehbar auf der stark injicirten, livide-bläulichen Schleimhaut aufgelagert war. Sowohl van den Membranen, als auch von verschiedenen Stellen der Schleimhaut wurden kleine Stückchen auf sterilisirte Fleischwasserpeptongelatine, auf erstarrtes Blutserum, sowie auf Fleischwasser-Pepton-Zuckerserum übertragen und nach den schon erwähnten Methoden Reinculturen der Diphtheriebakterien erhalten.

Nachdem diese Diphtheriebakterien auf Nährgelatine 53 Tage hindurch in 8 Umzüchtungen cultivirt worden waren, wurde am 23 Juni 1884, Abends 5 Uhr, eine Gelatinecultur zur Infection eines 1,5 Kilo schweren schwarz und weissen Kaninchens verwendet. Das Kaninchen wurde tracheotomirt und mittelst ausgeglühten Platindraht eine Platinöse voll der Gelatinecultur auf der Kehlkopf- und Trachealschleimhaut verstrichen. Am folgenden Tag Morgens frisst das Thier noch Grünfutter bis zum Mittag, dann aber nicht mehr. Am 25ten Juni Früh ist das Kaninchen sehr krank, frisst nichts mehr, der Gang ist wankend und unsicher, Athmung tief, verlangsamt, ein rauhes pfeifendes Inspirationsgeräusch ist noch in einer Entfernung von mehreren Schritten hörbar. Das Thier hustet zeitweise und entleert weichen Koth. Am 26ten Früh 9 Uhr wird das Thier todt gefunden, ist aber noch warm, so dass also der Tod nach circa 60 stündiger Krankheitsdauer eingetreten ist.

Nach Entfernung der Haut zeigen sich die Brust- und Bauchdrüsen geschwollen und mit Milch erfüllt. Die Tracheotomiewunde ist verklebt; im subcutanen Gewebe ihrer Umgebung eine 5 Thaler grosse schmutzig gelbliche Infiltration, welche auch zwischen den Muskeln in die Tiefe geht. Wundränder der Trachea ausgefressen aussehend mit graugelblich infiltrirten feinzackigen Rändern. Trachealschleimhaut stark geröthet, stellenweise bläulich, geschwellt mit zahlreichen kleinen Ecchymosen, ist bedeckt mit einer zusammenhängenden croupösen, schmutzig graugelben Membran, welche sich in Continuo abziehen lässt; an einzelnen Stellen, besonders in der Region der Trachealwunde, adhärirt die Membran fester mit ins Gewebe eindringenden ebenfalls graugelben kleinen Herden, und hier entstehen nach dem Lossreissen der Membran Substanzverluste mit zackigen Rändern. Die obenerwähnte graugelbe Infiltration im Zellgewebe und zwischen den Halsmuskeln setzt sich auf den oberen Abschnitt des Herzbeutels im Mediastinum anticum fest. Im Herzbeutel und in den beiden Pleurahöhlen eine mässige Menge seröser Flüssigkeit (circa 15–20 cM³). Auf dem rechten Herzatrium zeigt das Pericardium beginnende fibrinöse Entzündung und auf den Lungen, besonders der linken, finden sich frische fibrinöse Auflagerungen, welche die linke Lunge mit der Costalpleura verkleben. Die linke Lunge ist ganz luftleer, zeigt in ihrer oberen Hälfte ziemlich feste Consistenz und hat dunkelbraunrothe Farbe. Die Pleura dieser Lungenpartie ist etwas rauh und zeigt feinen fibrinösen Anflug.

Bei näherer Untersuchung dieses Theils, dessen Parenchym leicht zerreisslich ist, bemerkt man sowohl von Aussen, als beim Einschnitt eine gewisse Marmorirung, beruhend auf inselförmigen graurothen bis rein gelblichen härteren Partieen, die in der graurohten Grundsubstanz sich befinden. Diese härteren Partieën sind im vorderen Theil am weitesten vorgerückt, heben sich etwas über die Schnittfläche und machen diesen deutlich granulirt. In der Mitte dieser Herde findet man gewöhnlich Bronchialäste mit graugelben Pfröpfen gefüllt. — Der übrige Theil der linken Lunge ist ohne besondern Veränderungen.

Der rechte obere Lungenlappen ist ebenfalls dunkelroth, aber von weicherer Consistenz. Beim Durchschnitt zeigt sich keine Granulation und beim Drücken tritt eine stark blutig gefärbte, nur sparsam mit Luft gemischte Flüssigkeit aus der Schnittfläche. Parenchym nicht besonders brüchig. — Der mittlere Lappen der rechten Lunge ist ebenfalls dunkelbraunroth und von fester an Hepatisation erinnernder Consistenz. Beim Einschnitt zeigt sich hier, ebsuso wie in der linken oberen Lunge, ein marmorirtes Colorirt. Die ganze Partie ist luftleer, die Schnittfläche zeigt feine Granulirung, welche an den etwas erhabenen, gelblichen, harten bis erbsengrossen Stellen besonders hervortritt. Die Stellen zeigen hier einen sehr deutlichen Zusammenhang mit den Bronchialverzweigungen und zwar so, dass diese erbsengrossen Einlagerungen sich reihenweise um die Längsschnittfläche des Hauptbronchus dieses Lungens gruppiren. Auch hier ist die Pleura glanzlos, rauh, mit dünnem fibrinösem Belag.

Die Leber zeigt venöse Blutfüllung, ohne bemerkenswerthe parenchymatöse Veränderungen. Milz und Niere sind blutreich; im oberen Darm dicker glasiger Schleim; im Dickdarm weicher Koth.

Dieses klassische Bild ächter Diphtherie, in welchem sich die verschiedenen Stadien des diphtheritisch-croupösen Processes nebeneinander erkennen lassen, decken sich fast vollkommen mit den pathologisch-anatomischen Erscheinungen in der Leiche des Diphtheriekindes, von welchem die Reinculturen, mit denen ich das Kaninchen inficirte, gewonnen wurden.

Gleichsam als Pendant theile ich Ihnen das Sectionsbericht eines anderen Kaninchens mit, welches genau auf dieselbe Weise, wie das ebenerwähnte mit der Reincultur von Taubendiphtheriebakterien inficirt worden war.

Unter dem reichen Taubenbestande eines Münchener Züchters starben in den Monaten April, Mai und Juni alle jungen Tauben an Diphtherie, 50 bis 60 an der Zahl.

Von 6 Thieren, welche ich zum Theil während der meist nur wenige Tage dauernden Krankheit zu beobachten Gelegenheit hatte, habe ich die mit den Pilzen der Menschendiphtherie identischen Diphtheriebakterien der Tauben auf Nährgelatine rein gezüchtet und die Culturen auf Kartoffeln und Gelatine in 10 Umzüchtungen 3 Monate hindurch weitergeführt.

Am 11. Juni starb eine 1 Monat alte Taube, welche ich während 3 Tagen beobachtet hatte. Die linke Gaumenhälfte war zerstört, in einen gelbweissen Schorf umgewandelt. Am linken Schnabelwinkel war die Haut bohnengross hervorgewölbt; dieser Stelle entsprechend sass in der Schleimhaut ein ovales bohnengrosses Geschwür mit welligen dicken Rändern mit gelben bröckeligen Massen bedeckt, welche aus verschorftem Gewebe bestehend bis auf die verdickten Kieferknochen in die Tiefe gehen und der infiltrirten Umgebung fest anhaften. Die Trachea war mit einem locker aufliegenden dottergelben bröckeligen Exsudat ausgegossen, welches sich aus der aufgeschnittenen Trachea in continuo als 3 Centimeter lange, wie aus Wachs gegossene Röhre herausnehmen liess. — Die Lungen waren ödematös, die Leber blutleer von braungelblicher Farbe. Sowohl aus den gelben Exsudatmassen in der Tiefe des diphtheritischen Geschwürs am Maulwinkel, als auch aus Blut und Organtheilen (Leber, Milz, Niere) erhielt ich auf Fleischwasserpeptongelatine die charakteristischen Diphtheriebakterien.

Am 22. Juli, Abends 5 Uhr, wurde von dieser Gelatine-Reincultur von Taubendiphtheriebakterien einem braunen 1325 Gram schweren Kaninchen eine Platinöse voll auf der Schleimhaut der durch einen ½ Centimeter langen Längsschnitt eröffneten Trachea verstrichen und die Muskelwunde, sowie die der Haut, durch Suturen vereinigt. Ausserdem wurde eine Platinöse voll Pilzcultur auf der vorher mit einer Nadel geritzten Conjunctiva und Cornea des rechten Auges verstrichen. — Die Körpertemperatur des Thieres war vor dem Versuch: . . . . 39,8° C.

$$\begin{array}{lllll} \text{nach 16 Stunden nach dem Versuch} & . & 40,1° \text{ „} \\ \text{„ } 24 \text{ „ } \text{ „ } \text{ „ } \text{ „ } & . & . & 40,8° \text{ „} \\ \text{„ } 40 \text{ „ } \text{ „ } \text{ „ } \text{ „ } & . & . & 41,8° \text{ „} \\ \text{„ } 48 \text{ „ } \text{ „ } \text{ „ } \text{ „ } & . & . & 40,9° \text{ „} \end{array}$$

Am Abend des folgenden Tages nach der Infection sitzt das Thier in dyspnoischem Zustande in eigenthümlicher Stellung. Das Thier sitzt, wie Sie aus der Abbildung ersehen, auf den Hinterbeinen und dem Hintertheil. Die Vorderbeine sind gestreckt, gerade oder etwas nach vorn gestellt; der Hals gerade gestreckt wird schief nach aufwärts gehalten, so dass der Kopf nach oben sieht. In dieser abnormen Stellung verharrt das Thier ununterbrochen 24 Stunden hindurch, bis er am Abend des 2ten Krankheitstages in Folge zunehmender Schwäche den Kopf nicht mehr aufwärts zu halten vermag. Während dieser ganzen Dauer ist die Athmung tief verlangsamt, und ein lautes, pfeifendes Inspirationsgeräusch hörbar. Diese Stellung ist charakteristisch für die Diphtherie des Kehlkopfs und der Trachea. Das Thier hält, um mehr Luft zu bekommen, mit grossem Kraftaufwand Hals und Trachea gerade gestreckt. Unter zunehmender Athemnoth starb das Thier am Abend des 25. Juni.

Diese gestreckte Haltung des Halses des Thieres erinnert sehr an die Erscheinungen, welche beim ersten Auftreten der Diphtherie in Spanien an den Erkrankten beobachtet wurden. — „Die Kranken, so heisst es, wurden heiser; sie klagten über Athemnoth, über das Gefühl als sei ihnen der Hals zusammengeschnürt; über starken Druck auf der Brust und im Rücken. Das Athmen wurde keuchend; schliesslich vermochten sie nur noch in aufrechter Stellung, mit weit vorgestrecktem Halse zu respiriren. Das Gesicht wurde livide, die Züge drückten die höchste Todesangst aus, und unter den ausgesprochenen Erscheinungen von Erstickung erfolgte das Ende gewöhnlich vor dem 4ten Krankheitstag."

Bei der Section des Kaninchens war die Operationswunde verklebt. Ein Schnitt durch die Haut zeigt an der unteren Halsseite eine 5 Markstückgrosse längliche missfarbige graugelbe Stelle, in welcher man eine graue käsigkrumöse Infiltration des Gewebes erkennt, welche an Umfang abnehmend bis auf Kehlkopf und Trachea in die Tiefe greift. Nach unten scharf begränzt wölbt sich diese Infiltration mit einigen knolligen gelben Verdickungen in das gesunde Gewebe hinein. — Beim Eröffnen des Larynx finden sich auf dessen vorderer Seite unter den wahren Stimmbändern zwei erbsen- bis bohnengrosse graue Flecken in der Schleimhaut, welche sich nicht abziehen lassen. Gegenüber der Trachealwunde sieht man ähnliche längliche bohnengrosse graugelbe Infiltrationen in die Schleimhaut, hier zum Theil in Zerfall und kleine Ulcerationen zurücklassend. Weiter nach abwärts liegt auf der überall dunkelrothen stellenweise bläulichen Schleimhaut ein leicht abziehbarer gelblichgrauer Membranfetzen. — Die Lymphdrüsen sind geschwellt, zum Theil blutig infundirt.

Beim Eröffnen des Thorax ziehen sich die Lungen nicht zurück, in Folge von pleuritischen Verklebungen am vorderen Theil. — Die Pleurahöhlen enthalten keine Flüssigkeit. Herzbeutel leer, Pericardium glatt und glänzend mit zahlreichen stecknadelkopfgrossen Ecchymosen. — Der rechte obere Lungenlappen durchaus hepatisirt, Seitenfläche fein granulirt, grauroth. Beim Durchschneiden und Druck kommt wenig Flüssigkeit zum vorschein. Parenchym brüchig. Diese hepatisirte Partie ist nicht homogen, sondern aus verschiedenen lobulären Nestern, d. h. aus helleren, festeren und dunkleren Stellen bestehend. — Gleiche Verhältnisse bieten der mittlere Lappen der rechten, sowie der vorderen obere Theil der linken Lunge, d. h. zerstreute, bis haselnussgrosse, graue, graurothe und graugelbe, bis weissgelbe Nester. Die Pleura über diesen Lungenpartiën ist mit einem ziemlich festen, aber leicht abziehbaren fibrinösen Beleg bedeckt. — Milz dunkel, blutreich. Leber blutreich. Nierenrinde blass mit zahlreichen feinsten Blutpunkten.

Ich bemerke nur noch, dass die Uebertragung der vom Menschen und den

Tauben gewonnenen Reinculturen der Diphtheriebakterien auf Tauben ganz analoge Veränderungen und Symptome hervorbrachte, wie ich sie in Kürze bei dem zur Reincultur benützten Falle von spontaner Taubendiphtherie geschildert habe. Von den 10 Tauben, von welchen 5 mit Reinculturen der Menschen-Diphtheriebakterien, und 5 mit reingezüchteten Tauben-Diphtheriebakterien geimpft wurden, starben 9 innerhalb 3 Tagen bis 3 Wochen, während ein Thier die Krankheit überstanden hat. Charakteristisch ist die bei künstlich inficirten Tauben 1 bis 2 Tage vor dem Tode bisweilen auftretende *Lähmung der Beine oder Flügel*. Die Abbildung zeigt Ihnen eine solche Taube, welche trotz der Paralyse der Beine Futter nahm und noch 2 Tage lebte. — Die weissen Mäuse lassen sich natürlich nicht im Kehlkopf inficiren; hier ist nur die cutane Impfung, die subcutane Injection, die Injection in die Brust- und Bauchhöhle möglich. Injicirt man eine Platinöse voll einer Gelatine- oder Kartoffelcultur der Diphtheriebakterien des Menschen oder der Tauben einer weissen Maus subcutan, so erkrankt das Thier alsbald in schwererer Weise und stirbt nach 12 bis 24 Stunden. Bei der mikroskopischen Untersuchung der Organe findet man die charakteristischen Diphtheriebakterien im Blut, in den inneren Organen und in weitaus grösster meist enormer Zahl in den Nieren. Meerschweinschen scheinen sich gegen die Diphtheriebakterien insofern refractär zu verhalten, als bei cutaner Impfung nur ein localer Process, gangränöse Zerstörung eines grösseren oder kleineren Hautstückes eintritt, nach dessen Abstossung ein graubelegtes Geschwür zurückbleibt, welches allmählig wieder vernarbt.

Bei allen 12 Kaninchen, bei 8 Tauben und bei sämmtlichen weissen Mäusen, welche mit Reinculturen von Diphtheriebakterien des Menschen oder der Tauben inficirt wurden, fanden sich nach dem Tode ausser in der Membran und Schleimhaut, die spezifischen Pilze (und zwar diese allein) mehr oder weniger zahlreich im Blute und in den inneren Organen, in der Leber, der Milz und besonders zahlreich in den Nieren. In den weitaus meisten Fällen gelang es durch Uebertragung von Blut oder Organstückchen auf Nährgelatine oder sterilisirte gekochte Kartoffeln, die charakteristischen Colonieën der Diphtheriebakterien wieder zu erhalten. Nur bei einem tödtlichen Fall von Taubendiphtherie konnten weder Pilze in den innern Organen mikroskopisch nachgewiesen, noch Culturen erzielt werden. Fünfzehn geimpfte Proben von Nährgelatine blieben steril. Oft sind die Pilze in so geringer Zahl im Blute und in den inneren Organen vorhanden, dass der mikroskopische Nachweis nicht gelingt, während die Cultur auf Nährgelatine ein positives Resultat ergibt. Derartige Fälle waren es wohl, bei welchen man auch bei der menschlichen Diphtherie in Blute und in den inneren Organen vergebens nach Pilzen suchte.

Die Abbildung zeigt Ihnen ein mikroskopisches Präparat aus der Niere einer mit Reincultur von Menschendiphtheriebakterien durch subcutane Injection inficirten Maus. Sie sehen in welch kolossalen Massen die Diphtheriebakterien in den Nieren vorkommen, weit zahlreicher als in der Leber und Milz. Diese massenhafte Pilzanhäufung in den Nieren erklärt zur Genüge die bei Diphtherie so häufig auftretende acute hämorrhagische Nephritis mit Albuminurie und Hämaturie.

Sie sehen also, meine Herren, wie auch die experimentell durch Verimpfung der Diphtheriebakterien erzeugte Diphtherie, und speciell die so eben mitgetheilten Obductionsberichte, die von vielen Autoren, insbesondere von S e n a t o r betonte Thatsache in eclatanter Weise bestätigt, dass nämlich trotz der Verschiedenheiten jener auf- und eingelagerten membanartigen Gebilde, diese mannigfaltigen Processe nicht nur nebeneinander vorkommen, sondern unmittelbar zeitlich und räumlich in einander übergehen können. — „Dieses Nebeneinandervorkommen (sagt S e n a t o r mit Recht) beweist die ätiologische Zusammengehörigkeit jener Processe". — Die Ursache dieser Variation in den pathologischanatomischen Bildern ist, nach meinen experimentellen Beobachtungen, einestheils in der Structur der Mucosa, anderntheils in dem Umstande zu fassen, ob die Invasion der specifischen Pilze in eine gesunde und intakte, oder in eine entzündlich veränderte oder mehr oder weniger lädirte Schleimhaut stattfindet.

Obgleich ich bis jetzt keine Gelegenheit hatte die inneren Organe von an Diphtherie verstorbenen Menschen auf das Vorkommen der Diphtheriebakterien zu untersuchen, so halte ich deren Uebergang ins Blut und in die Organe gleichwohl für erwiesen, da K o c h in dem schon erwähnten Falle von Blasendiphtherie die Diphtheriebakterien in grossen Massen in den Nieren gefunden hat. Wie dem auch sei — das Experiment am Thiere beweist, dass der Tod allein in Folge des localen Processes eintreten kann, auch ohne dass die Pilze ins Blut übergehen.

Meine Herren, die nächste Ursache einer der mörderischten und bösartigsten Infectionskrankheiten, an deren Erforschung seit B r e t o n n e a u und T r o u s s e a u, die ausgezeichnetsten Männer der Wissenschaft, neuerdings: V i r c h o w, B i l l r o t h, W a g n e r, B u h l, H u e t e r, T o m m a s i - C r u d e l i, K l e b s, O e r t e l, T r e n d e l e n b u r g, C o r n i l, R a n v i e r, und viele Andern, erfolgreich gearbeitet haben, die nächste Ursache dieser verheerenden Krankheit liegt enthüllt vor uns. Ich bin weit entfernt davon die Ehre der Entdeckung für mich allein in Anspruch zu nehmen. Auch die Auffindung der Diphtheriebakterien wäre nicht möglich gewesen, ohne die Errungenschaften auf dem Gebiete der mykologischen Untersuchungsmethoden, welche wir P a s t e u r und insbesondere R o b e r t K o c h verdanken.

Dass immerhin gerade die Auffindung und Reincultur der Diphtheriebakterien zu den schwierigsten Aufgaben gehörte, geht aus dem Umstande hervor, dass L ö f f l e r unter K o c h ' s Leitung sich lange Zeit mit dem Gegenstand beschäftigte und die Erkenntniss der Diphtherie-Ursache zwar wesentlich gefördert hat, ohne aber ein vollkommen befriedigendes Resultat zu erzielen.

Jetzt gilt es, meine Herren, nachdem der Feind aufgefunden ist, ihn nach wohlüberlegtem Plane und mit Nachdruck zu bekämpfen, das Terrain auf welchem er sich entwickelt, die Art und Weise seines Angriffes, seine Existenzbedingungen auszuforschen.

Wir sind jetzt im Stande viele epidemiologische Streitfragen, z. B. die, ob die Diphtheriebakterien sich in der Milch entwickeln können, ob die Diphtheriebakterien durch Milch verbreitet werden kann, in einfacher Weise durch den Culturversuch der Diphtheriebakterien in der Milch zu entscheiden.

Wir sind in den Stand gesetzt die Diphtheriebakterien in ihrem ectogenen Substrat aufzusuchen. Alles deutet darauf hin, dass sie ihre Keimstätte, wie die der meisten Infectionskrankheiten (Malariabacillen, Oedembacillen, Milzbrand-, Typhus- und Cholerabacillen, Pneumoniecoccen) im Erdboden, oder im Boden der Wohnungen, d. h. in den Zwischendecken haben. Dafür, dass sich die Diphtheriepilze im Boden entwickeln, dafür spricht, ausser der eben erwähnten Analogie, der Umstand dass Hühner und Tauben, welche ihr Futter auf dem Boden suchen und das mit Sand und Schmutz verunreinigte Futter verschlucken, so oft an Diphtherie erkranken.

Sie wissen, meine Herren, es ist mir gelungen in der Zwischendeckenfüllung eines Gefängnisses, in welchem seit 25 Jahren, Jahr aus Jahr ein, epidemische Lungenentzündung herrschte, die Pneumoniecoccen in enormer Zahl nachzuweisen, und heute kann ich Ihnen sagen, dass die Entfernung dieser siechhaften, inficirten Zwischendeckenfüllung von durchschlagendem, geradezu frappirendem Erfolg gewesen ist. Die Füllung wurde aus dem Saale, welcher in jedem Jahre und bei jeder Epidemie die meisten Pneumoniefälle aufzuweisen hatte, entfernt und durch frischen reinen Sandboden ersetzt. Es ist wohl als ein Erfolg dieser Massregel zu betrachten, dass im letzten Jahre in diesem Saal, obgleich er mit 100 Gefangenen belegt war, seit 25 Jahren zum erstenmal wieder auch nicht ein Fall von Lungenentzündung vorgekommen ist, während in allen anderen Sälen die Krankheit ihre gewohnten Opfer forderte.

Dass die Diphtherie eine Haus-Krankheit ist, dafür haben wir viele Beweise. In einem Dorfe bei Schweinfurt erkrankten in einem hoch oben unter dem Dache des Kirchthurms befindlichen Zimmer 3 Kinder des Glöckners an Diphtherie und starben. Das kleine Zimmer wurde desinficirt, die Wände abgekratzt und getäucht, der Fussboden gescheuert. Trotzdem erkrankten 14 Tage darauf, nachdem ein armer Ortsbürger in die Wohnung eingezogen war, dessen ganze Familie an Diphtherie. In diesem Fall muss die Infection, da sonst keine Diphtheriefälle im Orte vorkamen, von den Zwischendecken ausgegangen sein, denn alle Möbel waren aus dem Zimmer entfernt, etwa an den Wänden befindliche Pilze durch das Abkratzen entfernt, oder durch den neuen Wandanstrich festgeleimt oder vernichtet worden, so dass als einzige Quelle der Infection nur der unter den Fussbodenbrettern und in deren Ritzen befind liche Schmutz und Boden übrig bleibt.

Ein Blick auf diese von Herrn Medicinalrath Dr. Hofmann gesammelten Curven, welche die Diphtheriemortalität in den verschiedenen Monaten des Jahres veranschaulichen und die jetzt schon seit 7 Jahren dieselbe typische Regelmässigkeit zeigen, beweist Ihnen, dass die grösste Sterblichkeit der Diphtherie, wenigstens in Deutschland in den Monaten herrscht, in welchen die Menschen Tag und Nacht im Hause, in den geheizten Wohnungen sich aufhalten. Ausserhalb der Heizperiode im Frühling und Sommer verliert die Krankheit viel von ihrer Bössartigkeit und Gefährlichkeit. Krieger hat gezeigt, dass in den Wohnungen eines Arbeiterdorfes, in welchen durchschnittlich die höchste Temperatur herrschte, auch die meisten Diphtheriefälle vorkamen.

Die Entdeckung der Diphtheriebakterien, die Erkenntniss ihrer Wachsthumseigenthümlichkeiten auf festen Nährsubstraten setzt uns nicht nur in den Stand die Bruttstätte derselben ausserhalb des Menschen aufzufinden, wir können, ja wir müssen jetzt mit aller Energie daran gehen, durch Versuche am Thiere die medicamentösen, operativen, oder mechanischen Mittel und Massnahmen aufzufinden, welche es ermöglichen die ausgebrochene Krankheit zu bekämpfen. Es ist eine feststehende Thatsache, dass der diphtheritische Process anfangs ein ganz localer, auf die oberste Schichte der Schleimhaut beschränkter ist. So sicher man eine septische Wunde aseptisch machen kann, so sicher wird es, wenigstens in bestimmten Fällen, gelingen die Diphtherie im ersten Stadium erfolgreich zu bekämpfen.

In dieser Richtung müssen wir experimentell vorgehen und nicht etwa durch Probiren, sondern durch systematische Versuche nach wissenschaftlichen Methoden, den Erfolg erstreben. Es ist gewiss an der Zeit, dass diese Versuche, deren Ausführung für das Wohl aller Völker und Länder von grösster Wichtigkeit ist, mit grösserer Energie, in grösserem Massstab, kurz mit grösseren Mitteln ausgeführt werden, als sie z. B. mir und den meisten von Ihnen zu Gebote stehen.

Schon Kaiser Napoleon I hat, durch den an Diphtherie erfolgten Tod seines Neffens veranlasst, eine grosse Summe als Preis für die besten Arbeiten über Diphtherie ausgesetzt.

Die Kaiserin von Deutschland und Königin von Preussen, Augusta, hat vor wenigen Jahren einen namhaften Betrag zum gleichen Zweck gestiftet. Die deutsche Regierung hat zur Erforschung der Cholera grosse Mittel gewährt und den Entdecker der Cholerabacillen reichlich belohnt.

Die französische Republik hat wiederholt ihrem berühmten Mycologen Pasteur reiche Mittel für seine Forschungen über Milzbrand und neuerdings für experimentelle Untersuchungen über die Verhütung der Hundswuth gewährt.

Ich halte die Aufstellung von Preisfragen nicht für den richtigen Weg um die Wissenschaft zu fördern.

Viel zweckmässiger ist es denjenigen reiche Mittel zur Verfügung zu stellen, welche irgend ein Gebiet der Epidemiologie mit grossem Erfolg bearbeitet und gezeigt haben, dass sie die Fähigkeit und Lust und Liebe zu derartigen Forschungen haben.

Applaudissements.

Les conclusions de M. Emmerich ne sont pas votées, M. Emmerich étant d'avis que des conclusions scientifiques ne peuvent être acceptées ni rejetées à la majorité des voix.

La communication de M. Caro, intitulée la fièvre jaune devant l'hygiène internationale, est à l'ordre du jour.

Le temps ne permettant plus à M. Caro de lire le mémoire en entier, il en lit les conclusions, après quelques remarques introductoires.

M. Layet appuie les conclusions et, rappelant qu'il a fixé l'attention d'un congrès antérieur sur le danger dont la fièvre jaune menace une partie de l'Europe, remercie M. Caro d'avoir traité ce sujet si intéressant.

Les conclusions de M. Caro ne sont pas votées.

Il est décidé par acclamation que le mémoire sera inséré dans le compte rendu.

M. Angel Fernandez Caro:

Messieurs,

Le sujet dont je vais m'occuper n'est pas nouveau dans ces Congrès, et les conclusions qui en seront la conséquence vous ont déjà été présentées. Quelques hommes éminents se sont déjà occupés de cette grande question, et ils ont cherché à éveiller votre intérêt, celui du monde scientifique. Mes paroles ne seront donc qu'un nouvel écho, une nouvelle page ajoutée à cette importante étude; mais je tiens à vous les faire entendre comme l'expression de ma profonde conviction et de mon amour de l'humanité. Je vais, Messieurs, traiter de la fièvre jaune, sous le point de vue de la prophylaxie internationale.

Cette question fut présentée pour la première fois au Congrès de Turin. C'est à M. Layet que revient l'honneur de l'avoir traitée le premier, comme il revient à MM. les Docteurs Cabello, Félix, Formento, Rochard, Bourru, Da Silva, l'honneur d'en avoir soutenu l'intérêt par leurs brillantes discussions et leurs importants travaux. On pourrait croire la question déjà assez discutée, mais, comme nous ne sommes pas encore arrivés à un résultat pratique, il est nécessaire d'insister sur ce point; et c'est pour cela qu'ayant l'honneur d'être le représentant d'un pays qui, dans ses colonies, paie un terrible tribut annuel à la fièvre jaune; d'un pays qui, par sa situation géographique, par son climat et par ses nombreux ports, est le plus exposé de tous ceux de l'Europe aux ravages de l'endémie américaine, c'est pour cela, je le répète, que je me crois autorisé et presque obligé à continuer cette discussion. En le faisant, j'ai de plus la satisfaction de remplir le voeu, formulé par M. le Dr. Formento au Congrès de Genève, et qui fut adopté par le dit Congrès.

En parlant de la fièvre jaune, je vais m'abstenir de tout raisonnement théorique; je ne m'occuperai ni de sa nature, ni de ses symptômes, ni de son traitement. Ces questions, très intéressantes pour le micrographe et pour le clinicien, sont indifférentes à l'hygiéniste. Je vais seulement prouver que la fièvre jaune est transmissible, que sa zone de diffusion n'est pas encore limitée et que l'Europe se trouve hautement intéressée à prendre des mesures préservatrices pour éviter quelque jour ses ravages.

Ayant passé six années aux Antilles espagnoles, chargé de la direction d'un de nos hôpitaux pendant la guerre de Cuba, lors de grands mouvements des corps d'armée et de la marine, j'ai acquis une grande pratique de cette affection, que j'ai pu étudier sous ses diverses formes et conditions. Je regrette de dire, et veuillez me le pardonner, que la plupart des anciens auteurs qui ont écrit sur la fièvre jaune, n'aient fait que confirmer des erreurs qui ont été répétées des uns aux autres sans en examiner le fond, en constituant des doctrines qui, à l'instar d'un château de cartes, tombent d'elles-mêmes devant les faits vraiment cliniques, les seuls qui doivent donner de la valeur aux déductions pathologiques. Je vais entrer en plein et avec la brièveté possible dans le fond de la question, car le temps est limité, et il ne m'est pas permis d'abuser de l'attention du Congrès.

Je ne m'arrêterai pas à prouver la transmissibilité de la fièvre jaune. Il n'y a aucun médecin aujourd'hui qui puisse mettre cette question en doute. Cette affection ne se produit jamais en dehors de sa zone endémique, et jusqu'à présent, il n'y a point d'exemple qu'elle ait éclaté spontanément en Europe. Dans les quelques invasions de cette épidémie, sa présence a toujours pu être rapportée à l'arrivée d'un bateau infecté. Et les Etats-Unis, les régions de l'Amérique du Sud, les côtes de l'Afrique, la Péninsule Ibérique, la France, l'Italie et même l'Angleterre pourraient témoigner de la vérité de mon affirmation. La fièvre jaune a toujours été importée de son foyer d'origine et, en dehors de la zone d'endémicité, depuis que le germe en a été éteint, elle n'a reparu que lors d'une nouvelle importation. Que les agents producteurs de la fièvre jaune soient l'infection ou la contagion, les virus ou les germes, cela ne fait rien à la chose. Est-il prouvé que la maladie n'est pas spontanée en Europe? Peut-on nier son importation du foyer d'origine? Elle est donc transmissible et l'hygiène doit empêcher son entrée, elle doit élever des barrières qui s'opposent à son passage.

En Europe, on n'a pas donné à ce sujet l'importance qu'il mérite, et l'honorable M. Fauvel, toujours le premier défenseur de l'hygiène, en s'occupant des maladies exotiques qui pouvaient quelque jour menacer notre continent, oublia sans doute d'en parler. Nous, Espagnols, qui payons, dans l'île de Cuba, sur la mortalité générale le 82 °/₀ dû à la fièvre jaune; nous qui l'avons vue plusieurs fois envahir nos ports, où elle semait la mort et le deuil; nous, qui vîmes il n'y a pas longtemps la funeste endémie pénétrer dans le cœur de l'Epagne, à Madrid, ville située sur un haut-plateau élevé de 665 mètres au dessus du niveau de la mer et à plus de 700 kilomètres de la côte la plus rapprochée; nous ne pouvons regarder avec indifférence un ennemi aussi cruel, et nous ne négligerons rien pour exciter l'intérêt général, afin que nous réunissions nos efforts pour fermer à tout jamais à la fièvre jaune les ports de notre continent. La France pourrait se rappeler les faits observés à Marseille, Brest, Saint-Nazaire et au Hâvre. Elle a aussi des colonies dans l'Amérique et l'Afrique, où plusieurs fois la fièvre jaune a fait de grands ravages.

L'Angleterre a eu aussi quelques-uns de ses ports envahis; le Portugal garde le triste souvenir de Lisbonne; l'Italie, celui de Livourne. Il est vrai que la France et l'Angleterre ont vu se limiter et bientôt s'éteindre dans son origine le foyer d'importation; il est vrai que le reste des nations européennes, qui n'ont jamais souffert ses attaques, regardent avec indifférence un péril qu'elles ne craignent pas; mais cette indifférence est-elle justifiée?... la fièvre jaune ne pourra-t-elle pas envahir l'Europe et y faire les mêmes ravages que la Peste a produit autrefois, et à une époque plus moderne le choléra? Dans toutes les apparitions de la fièvre jaune, on a toujours pu prouver l'importation du germe épidémique par la voie de mer. Elle n'est entrée dans l'intérieur qu'après avoir attaqué premièrement le littoral, et ce n'est que par les communications fluviales qu'elle est arrivée dans les centres. Sur le littoral, cette affection tend à devenir endémique, tandis qu'à l'intérieur elle s'éteint insensiblement dans la plupart des cas.

Ne voit-on pas dans cette marche progressive de la fièvre jaune une notable concordance avec l'augmentation successive des relations commerciales des pays entre eux?... Cette prédilection pour les villes maritimes est-elle la conséquence d'un caractère propre de la même affection, ou provient-elle par hasard de ce que les points du littoral ont plus de densité de population, et que sur les points du littoral américain il se trouve une majorité de population européenne?

Veuillez me permettre de présenter, quoique rapidement, quelques considérations sur ce point, d'où dépend toute la prophylaxie du typhus américain.

Jusqu'au 16e siècle nous ne trouvons que bien peu de renseignements sur cette affection. On a dit qu'elle existait déjà à Saint-Domingue, lors du premier voyage de Colomb; mais, était-ce réellement la fièvre jaune?... On doit croire que non; car d'après Herrera, à qui ces renseignements sont dus, les indigènes souffraient de cette maladie et ils la communiquèrent aux compagnons de l'illustre Génois. Si la fièvre jaune avait existé, il est probable que les indigènes n'en auraient pas été atteints, comme cela a lieu aujourd'hui. Le germe de la fièvre jaune, quoique incubé dans ce pays-là depuis peut-être la création du monde, dut rester latent jusqu'au moment où il trouva un organisme propre à le recevoir. En effet, ses premières apparitions ne commencent à se manifester que depuis la domination de la race européenne dans le nouveau monde. Dans le principe, son action étant confinée à son berceau, nous la voyons élargir peu à peu ses limites, au fur et à mesure que la nouvelle race augmente ses conquêtes. Elle côtoie le littoral, elle suit le cours des fleuves, et paraît respecter les altitudes, mais, remarque digne d'attention, la nouvelle race ne pénètre pas davantage dans le pays, ni n'établit des communications par terre, et, en posant son pied dominateur sur le sol étranger, elle ne perd pas de vue son bien-aimé vaisseau, lieu d'union avec sa patrie, et refuge certain dans les jours de péril. Les années se suivent, les siècles se succèdent, l'Européen y consolide ses domaines; et tout de suite, la fièvre jaune, rompant ses étroites limites, fait aussi ses conquêtes. Elle s'étend au nord et au sud; elle abandonne quelque peu les côtes, et s'élève, quoique un peu indécise, sur les hauteurs.... Pourquoi donc ce changement? des circonstances cosmiques spéciales, ont-elles augmenté par hasard l'intensité du germe producteur? Non. C'est que la population s'est accrue, elle est devenue plus dense; l'immigration européenne a augmenté; il y a beaucoup plus de points habités; les côtes ne peuvent plus contenir les nouveaux venus, et ceux-ci se dispersent à l'intérieur du continent; les communications sont établies, l'industrie se développe, les échanges de produits se multiplient; et la fièvre jaune, ennemie opiniâtre de la race blanche, la suit implacable dans tous ses nouveaux domaines, en faisant à chaque pas de nouvelles victimes, en exigeant chaque jour un nouveau tribut.

On a considéré longtemps la fièvre jaune comme une affection exclusive du nouveau monde; on n'a jamais craint que ses ravages puissent sortir du littoral américain, et l'ancien monde vivait tranquille en se croyant à l'abri de ses rigueurs. Mais un jour arriva, où les Amériques furent trop étroites pour le cruel fléau, et celui-ci traversa les immensités de l'Atlantique. L'Europe vit avec effroi sa première apparition en 1730. Cadix, alors riche et populeuse, le plus grand comptoir du commerce des Indes Orientales, ville par où tous les produits du nouveau monde entraient, était naturellement appelée à ouvrir les portes de l'Europe à la terrible endémie des Antilles. Il ressort de là deux faits saillants; l'importation de la fièvre jaune et sa propagation dans l'Europe, coïncidant avec l'augmentation des échanges commerciaux avec l'Amérique.

Jusqu'au commencement du siècle actuel, la côte était la seule qui eût éprouvé les attaques du fléau américain. Il semblait que le caractère maritime de la fièvre jaune n'eût pas changé par son passage à nos zones tempérées. L'année 1800 survint, époque de tristes souvenirs, et la fièvre jaune apparaît de nouveau à Cadix, arrive rapidement par le cours du Guadalquivir à Séville, où elle fait plus de 14000 victimes; s'étend à Antequera, Grenade, Cordoue et atteint Valence en suivant la côte. Depuis cette époque, les épidémies de fièvre jaune ont été assez fréquentes dans la Péninsule. Je n'en parle pas, afin de ne pas abuser de votre bienveillante attention. Je vous ferai seulement remarquer qu'en 1878 elle fut importée à Santander par les troupes qui retournaient de Cuba et de là à Madrid, c'est-à-dire au coeur de l'Espagne, suivant, non comme d'ordinaire, le cours des fleuves, mais la ligne ferrée.

La fièvre ne s'est pas bornée seulement à l'Espagne. Le Portugal a éprouvé aussi ses rigueurs : Lisbonne compte deux épidémies où, dans la dernière (1857), plus de 10 000 personnes succombèrent.

L'Italie eut l'épidémie de Livourne, en 1804. La France, celles de Marseille (1802 et 1826), celles de Brest (1852 et 1856), celle de Saint-Nazaire (1861), et d'autres au Hâvre. L'Angleterre a vu très rarement la fièvre jaune qui s'est toujours éteinte au même point. Parmi ses ports, Southampton et Swansea ont seuls été attaqués. Dans ce dernier, on ne compta que vingt malades, mais de ce nombre quinze succombèrent!

Comme nous venons de l'établir par ces simples dates, la fièvre jaune comprend une zone très étendue et embrasse des contrées distinctes. Dans le nouveau monde, nous la voyons régner de Santiago de Chili et Montévideo jusqu'à Portsmouth et New Hampshire, séparés par une espace de 77 à 78 degrés de latitude. Dans le continent sud-américain, elle a visité par l'est Fernambouc, et par l'ouest, Guayaquil. Dans l'ancien monde nous l'avons vue dès le 8° de lat. S. (St. Paul de Loando) jusqu'aux 51 et 52 degrés de latitude N. (Southampton et Swansea). Dans l'intérieur de l'Amérique, elle s'est étendue par le Mississipi jusqu'à Memphis; dans le Paraguay, elle a pénétré dans la capitale sans suivre le cours du fleuve. Cachée dans les profondeurs des vaisseaux, elle a traversé l'Atlantique et nous la voyons envahir des îles perdues au milieu de la mer: l'Assomption (7° 57′ L. S.); les Bermudes, à 950 Kilom. de la côte de la Caroline du Sud; l'Archipel du Cap-Vert, à 480 Kilom. du cap-africain du même nom; tantôt elle pose le pied en Europe, et s'étend sur tout le littoral de la Méditerranée jusqu'au 9e degré de longitude est (Livourne).

La relation que nous venons de faire, concernant les épidémies de la fièvre jaune, démontre bien clairement que, quoique cette affection ait sa source dans le golfe du Mexique, sa zone géographique ne peut pas encore être déterminée; elle présente au contraire une sensible tendance à se répandre de plus en plus. Elle domine aujourd'hui dans tout le littoral des Amériques; elle a plusieurs foyers secondaires dans l'Afrique, et elle a pénétré mainte fois en Europe. Jusqu'à ce jour, l'Espagne a été pour ainsi dire la seule victime de ses ravages, sans cependant nier que le Portugal, la France et l'Italie n'en aient eu leur part, mais moins fréquente et moins mortifère. L'Angleterre a vu seulement par hasard quelques-uns de ses ports envahis par l'endémie américaine, qui s'est éteinte bientôt, non sans laisser des traces de son passage.

Mais, pourrait-on dire pour cela que le reste de l'Europe en sera toujours préservé? Ne pourrait-il pas arriver, vu la facilité des communications qui se multiplient journellement, que le germe s'introduise dans notre continent? Qu'importe que l'Europe n'ait pas de conditions d'habitabilité pour la fièvre jaune; qu'importe que les germes aient forcément à s'éteindre dans un milieu qui leur est impropre, si une épidémie enlève en bien peu de temps la moitié de la population d'une ville? Je ne discute pas des théories, je n'affirme pas d'hypothèses; ce que je viens de dire est certain. J'ajouterai que la marche constante de la fièvre jaune s'est dirigée toujours vers l'ouest. Dans l'Amérique même, on n'a jamais remarqué ses apparitions sur la côte occidentale de l'Amérique du Nord ni du Mexique. Elle n'a passé que fortuitement par le littoral du Pacifique; elle est inconnue aux Indes et dans l'Océanie où existent des conditions climatologiques semblables à celles de l'Amérique. En effet, la fièvre a toujours respecté ces régions, non qu'elles soient immunes, mais parce que le mouvement de la population penche vers l'Europe plutôt que vers l'Océanie. Si demain les circonstances changent, la fièvre jaune arrivera jusqu'à ces pays-là, comme elle tend à se propager dans les nôtres. Le jour où l'isthme de Panama sera percé, les côtes du Pacifique perdront leur défense contre le fléau de l'Amérique.

La fièvre jaune est aujourd'hui une menace constante pour l'Afrique et l'Europe, quoique née aux bords de la mer, dans une zone de luxuriante végétation; bien que montrant une remarquable préférence pour les côtes et les rives des fleuves et pour les terres baignées par les chaudes brises du midi, la fièvre jaune s'est faite sentir avec la même intensité dans les îles volcaniques et calcaires des Antilles, dans les sables de la Vera-Cruz, dans l'îlot basaltique de Gorée, sur les plateaux granitiques de la Péninsule Ibérique, et nous la verrons peut-être demain sur les brumeuses côtes de la Grande-Bretagne ou dans les villes populeuses de l'Europe centrale.

On me dira que le péril est loin, c'est vrai: quoiqu'il ne le soit pas, peut-être, autant qu'on ne le croit; et si cela était, est-ce une raison pour ne pas le prévenir et ne pas se défendre contre lui? Serait-il digne de l'hygiène que ce Congrès représente, d'attendre les bras croisés que le fléau soit parmi nous! Laissons cela au XVII⁰ siècle et agissons comme les progrès de la science l'exigent, ainsi que l'humanité, qui annule les différences des races, détruit les nationalités et fait de tous les hommes une seule famille. Je demande au nom de ces principes l'appui du Congrès, afin que tous ensemble, nous parvenions à faire de l'hygiène un rempart inexpugnable contre toutes les épidémies. L'étendard de la science flotte sur le monde entier; il n'est ni blanc ni rouge, ni d'aucune couleur; sa devise est: Humanité!

Je crois avoir prouvé que la fièvre jaune étend sa zone de propagation à mesure que de nouvelles voies de communication s'établissent et que les relations commerciales et politiques se multiplient; je dirai donc quelques mots sur l'antagonisme des races, que plusieurs auteurs ont admis comme une cause d'immunités morbides.

Les immunités pathologiques existent certainement. Elles constituent ou un caractère individuel, particulier pour la race, l'hérédité ou le climat, ou bien elles sont acquises en conséquence d'une adaptation spéciale de l'organisme à des conditions météorologiques données. Que ces immunités ne soient pas absolues, mais seulement apparentes, qu'elles puissent disparaître ou être acquises, on ne peut nier leur importance, car nous avons toujours vu, différents individus étant soumis à une même cause, que les manifestations sont diverses, selon le degré d'aptitude respective; mais il y a une différence très grande entre admettre un fait ou une série de faits et établir une loi. Sur le terrain scientifique, les principes absolus ne sont pas admissibles.

L'antagonisme de la race a été signalé avant et depuis Boudin, par Bally, Saverecy, Bryant, Daniell et d'autres. A mon avis et en me bornant à la fièvre jaune, l'immunité qu'on a toujours considérée comme une propriété de race, n'est qu'un effet de climat, mais elle n'est pas aussi absolue qu'on l'a prétendu, ni ne se conserve indéfiniment, comme cela devrait arriver si elle constituait un caractère propre à la condition particulière de chaque race. Au contraire, on observe que l'immunité se perd, quand le milieu de l'individu change ou est modifié. Il y a plusieurs auteurs qui ont soutenu que la race noire présente une immunité absolue pour la fièvre jaune et le paludisme. Quoique n'ayant vu aucun cas de fièvre jaune chez les noirs, je dois faire remarquer que, dans l'île de Cuba, la plupart des noirs qui l'habitent y sont nés, et ils se trouvent ainsi dans les meilleures conditions d'acclimatement; mais nous savons que dans l'Afrique les noirs ont été attaqués par la fièvre jaune et y ont succombé dans la même proportion que les autres races. J'ai aussi vu deux cas de fièvre jaune chez deux naturels de Cuba qui étaient restés quelques années à New-York, et je pourrais citer d'autres cas étudiés personnellement.

Les immunités sont aussi acquises. Une attaque de fièvre jaune préserve pour toujours de la récidive, et la même immunité est obtenue après un long séjour dans les pays infectés, et il est d'autant plus facile d'acquérir cette immunité, lorsqu'il y a plus d'affinité climatologique entre le pays d'où l'individu provient, et le point où il va résider. On peut considérer comme un axiome, que les plus exposés à la fièvre jaune sont ceux qui appartiennent à des pays d'isoquimènes plus basses.

Il est donc indubitable qu'il y a un concours de circonstances capables de modifier l'aptitude à la fièvre jaune. Si ces circonstances se multiplient par l'hérédité, le milieu et l'habitude climatologique, elles parviendront à produire un antagonisme comme celui dont jouissent les indigènes des pays situés dans la zone endémique. Mais cet antagonisme est purement conditionnel, et disparaît aussitôt que varient les circonstances qui ont contribué à le former, ou bien quand l'intensité de l'agent morbide dépasse la résistance acquise par l'organisme.

Les points élevés ont été également classés comme exempts de la fièvre jaune; et quoique plusieurs de nos collègues, traitant de la question au dernier congrès, n'aient pas été de cet avis, pour ne pas fatiguer votre attention je les renvoie à ce que j'ai déjà dit concernant les immunités. Quoique ne pouvant absolument affirmer que la fièvre jaune n'envahira pas des altitudes au-dessus de 1300 à 2000 mètres, il faut cependant admettre qu'il est bien difficile que cela ait lieu, non seulement parce que l'élévation n'est pas favorable à la diffusion des germes, mais parce que la densité de la population est moindre dans les lieux fort élevés.

Ces considérations faites, examinons la question sous le point de vue de la prophylaxie.

* Un système sanitaire, pour être efficace, doit remplir les conditions suivantes : empêcher l'invasion des épidémies et éviter leur propagation.

De l'étude des épidémies de la fièvre jaune, de son origine, de sa nature, de ses divers moyens de transmission, il ressort toujours un fait saillant : l'importation. Ce fait admis, étant prouvé que la fièvre ne se produit jamais spontanément en dehors de sa zone endémique, il est évident qu'elle ne peut arriver jusqu'à nous que par transmission des points infectés. Les mesures qui peuvent empêcher son entrée dans les ports d'arrivée, sont logiques et nécessaires.

Je ne m'arrêterai pas à expliquer ce qu'elles doivent être, parce que cela appartient à l'hygiène générale, et chaque pays peut mettre en pratique celles qu'il trouve les plus convenables, toujours en rapport avec l'état sanitaire des vaisseaux. Cependant, il est très nécessaire que les gouvernements placent à la tête des directions de santé de leurs ports des hommes intelligents (toujours de profession médicale), qui connaissent parfaitement les maladies exotiques et qui aient prouvé leur compétence. Cette circonstance garantit non seulement l'accomplissement exact des lois sanitaires, mais elle écarte une multitude d'entraves qui se supportent difficilement quand on ne les impose pas avec une décision juste et bien réfléchie. Il est aussi nécessaire de faire une réforme dans l'organisation des lazarets et dans les procédés de désinfection qui y sont employés. Ces procédés qui rappellent encore le XVIIe siècle, ne répondent pas aux progrès de la science d'aujourd'hui, car leur application en est longue, onéreuse, souvent ridicule et presque toujours inutile.

La fumigation, la ventilation, le grattage, le sabordement, ne sont pas suffisants. La ventilation que produisent les manches à vent ne suffit pas pour déloger l'air qui est infesté; les lavages ne détruisent pas les germes; le grattage est long, périlleux et de plus inutile; les fumigations de chlore généralement employées, n'offrent pas de garanties pour empêcher la contagion, et elles ont le grave inconvénient de compromettre le chargement, d'oxyder les métaux, et d'altérer les machines à vapeur. Le sabordement fait entrer dans le vaisseau une humidité qui ne disparaît jamais, et ne détruit pas le germe infectieux sur lequel l'eau de mer n'a point d'action.

Il n'y a qu'un seul agent puissant pour détruire les germes, c'est la chaleur. Les températures très basses considérées autrefois comme suffisantes, ne le sont pas du tout. Le froid porté jusqu'à la congélation est une cause de mort pour les organismes compliqués, mais il n'en est pas de même pour les organismes inférieurs, dont la force de résistance est admirable. Cela a été véritablement prouvé par les expériences de Frisch au sujet de l'action du froid sur la vitalité des bactéries. Vous connaissez le résultat obtenu par les Anglais et les Américains avec leurs navires ventilés à air froid. Après avoir dépensé de grosses sommes en construisant des navires dont les cales étaient pleines de glace, pour injecter l'air à une température très basse dans l'intérieur des vaisseaux infectés, ils ne parvinrent pas à faire disparaître les germes : ceux-ci renaissaient aussitôt que la température ordinaire se rétablissait. J'ai insisté sur ce point, parce qu'on voit que les pays de basse température ne se trouvent pas aussi exempts qu'on le suppose des influences de cette maladie exotique. Au dessous des températures inférieures à 20° centigrades, le germe devient infécond, mais il n'est pas anéanti. Si jusqu'ici une baisse de la température a ordinairement suffi en Europe pour arrêter la marche de la fièvre jaune, il pourra cependant se présenter des cas où cela n'aura pas lieu. Il ne faut pas oublier que Liverpool, Stockholm et Copenhague se trouvent au dessous de la même isotherme que New-York, Québec et Boston.

Le feu est un des principaux moyens pour détruire les germes qui, sous l'action de la flamme, se désorganisent et disparaissent. L'emploi du feu comme désinfectant est praticable et facile; en moins de vingt-quatre heures, on peut désinfecter un navire et le rendre propre à recevoir un nouvel équipage, avec autant ou plus de garantie de salubrité qu'au moment où il sort du chantier. Le procédé de M. Lapparent par le flambage au gaz résout parfaitement le problème. Les injections de vapeur d'eau dans les lieux où la flamme ne pourrait pas atteindre, compléteraient ce procédé qu'on pourrait rendre encore plus efficace en dissolvant dans la vapeur une substance désinfectante.

Si les précautions dans les ports d'arrivée sont nécessaires, l'inspection sanitaire dans les ports de sortie n'est pas moins indispensable. Qui garantit aujourd'hui la patente de santé? Dans la plupart des cas, c'est l'autorité consulaire qui, peu compétente, ne peut être responsable de l'état sanitaire d'un navire. Il arrive aussi autre chose qui est très digne d'attention. Dans les endroits où la maladie est endémique, on lui attache peu d'importance, à cause de l'immunité dont jouissent les naturels du pays. Dans ces ports nous voyons que les plus simples préceptes de l'hygiène sont négligés d'une façon déplorable, et par conséquent l'endémie se propage terriblement parmi les inacclimatés exposés à l'action de la maladie par la grande diffusion du principe contaminant. Comme preuve de ce que je dis, je vais citer un fait, quoiqu'il soit pénible pour moi de le narrer; mais je me dois avant tout à l'honorabilité scientifique qui, j'espère, sera dignement appréciée par ce savant Congrès. En juillet 1878, la Commission américaine pour l'étude de la fièvre jaune fit une visite d'inspection à l'hôpital militaire de la Havane, situé aux bords de la baie, dans un des quartiers les plus infectés de la ville. On remarqua beaucoup de cas de la fièvre, dont quelques-uns s'y produisaient journellement. Une salle spacieuse du rez-de-chaussée de cet hôpital contenait une grande quantité de couvertures neuves et autres accessoires d'hôpital qui représentait une valeur d'environ 400 000 francs, et l'on savait que ces dépôts se trouvaient là, pour être répartis entre les différents hôpitaux de l'île.

Les règlements sanitaires ordonnent encore que les expéditions qui sortent des Antilles dès le 1er juin au 30 septembre, soient considérées comme de patente brute. A partir de cette époque, on leur donne une patente nette, et cependant la fièvre a sévi pendant plusieurs années à cette date dans la ville. Le 4 octobre 1879, d'après le rapport de cette Commission américaine, on expédia une patente nette à un vaisseau qui sortit de la Havane, et dans la même semaine il y eut 20 morts de la fièvre jaune, 80 furent atteints le même jour et 9 vaisseaux infectés se trouvaient dans le port!

L'unique moyen de l'empêcher, c'est la création de délégués sanitaires dans les ports de l'Amérique où est la source de cette endémie exotique, ou bien encore sur les points d'où elle part pour se rendre à notre continent. Ces délégués responsables, attachés aux ambassades ou aux consulats, pourraient non seulement exercer une stricte surveillance sur l'état sanitaire de la ville, mais encore sur les conditions hygiéniques des navires, plus ou moins favorables à la réception des germes. Si chaque pays intéressé envoyait des délégués aux mêmes points, ceux-ci pourraient s'entr'aider dans leurs fonctions, en échangeant des notes et les renseignements nécessaires, en instruisant leurs gouvernements respectifs de toutes les circonstances qui pourraient contribuer à protéger les ports menacés. Ces mêmes délégués pourraient étudier l'origine et la nature des maladies exotiques, si obscures encore, et ils constitueraient, pour ainsi dire, une espèce de commission internationale permanente, très utile pour la science et surtout plus pratique que les conférences sanitaires, dont les décisions restent presque toujours à l'état de projet.

Demander un Code internationnal sanitaire est une idée noble et généreuse, qui a rempli d'enthousiasme le coeur des philanthropes. Des lois étrangères aux questions politiques, des lois qui, sacrifiant les intérêts particuliers de chaque pays au bien de tous, n'auraient d'autre fin que l'humanité, seraient l'idéal, le désidératum auquel nous voudrions aspirer; mais, par malheur, cela n'existe pas, ni n'existera jamais. Ne nous plaignons pas: l'homme est tel qu'il est, on ne peut le discuter, il faut l'accepter. Faire de nouveau cette proposition, serait non seulement peu pratique, mais encore méconnaître l'objet et la valeur de ces Congrès. Les sciences d'observation, comme la médecine et l'hygiène, sciences qui ne se traduisent pas tout de suite par des faits ostensibles, ne vivent que dans l'orbite où elles se meuvent, et quoique admirées et presque vénérées, elles n'ont jamais de pouvoir exécutif. Faire des sacrifices, s'imposer des dépenses pour éviter un péril qui est loin, qu'on ne voit pas, qui peut-être n'existe pas, c'est presque impossible pour des Gouvernements qui se trouvent embarrassés par les difficiles questions politiques qui représentent le péril actuel, plus important pour eux que toutes nos considérations qui se rapportent à un péril futur.

A mon avis et en honneur de la vérité, un Code sanitaire uniforme pour tous les pays de l'Europe, ne donnerait pas de grands résultats pratiques. Quoique nous ayons démontré que les immunités de race, de sol et de climat sont seulement relatives et conditionnelles, nous n'avons pu faire moins que de concéder que le degré de réceptivité de chaque pays, de chaque race, et de chaque nationalité, n'est pas le même. Par conséquent, des précautions qui sont indispensables sur un point, seraient inutiles et inefficaces sur un autre. Les nations qui possèdent de grandes côtes, celles qui ont de fréquentes relations commerciales avec les pays compris dans la zone endémique de la fièvre jaune, sont plus intéressées à garder leurs ports et à surveiller leurs communications que celles qui, par leur situation topographique, se trouvent dans des conditions contraires. Les pays situés au-dessous du 50e parallèle sont plus exposés à être envahis, à mesure que les degrés de latitude baissent.

Parmi les nations européennes, celle qui, par sa latitude, par sa topographie, par son commerce et sa politique réunit le plus de conditions de réceptivité, c'est l'Espagne. L'histoire de ses épidémies confirme tristement ce privilège peu enviable. C'est à l'Espagne qu'il revient plus qu'à aucun autre pays d'élargir ses précautions; et, si les lois sanitaires étaient bien appliquées, si les lazarets étaient établis d'après les progrès de la science, s'il y avait un service de santé bien organisé, on pourrait empêcher presque absolument l'entrée en Europe d'une maladie d'origine complètement exotique, jamais spontanée sur notre sol, toujours transmise par une importation quelconque prouvée, et sans autre moyen de communication que la voie de mer, c'est-à-dire, celle qui est la plus susceptible d'une surveillance facile et complète.

L'Espagne, connaissant tout cela, a établi un système sanitaire qui, quoique imparfait, a empêché plusieurs fois l'introduction de la fièvre jaune; et, lorsque la loi de santé civile qui est aujourd'hui à l'étude sera mise en pratique en modifiant les lazarets, les dispositions quarantenaires, et en garantissant l'aptitude du personnel, dont la direction exclusive sera confiée à des médecins bien au fait des maladies exotiques, il sera très difficile que la fièvre jaune trouve accès sur notre sol.

On n'a pas manqué de dire que nos quarantaines sont des précautions ridicules, vexatoires et préjudiciables au commerce; il y a eu aussi quelque nation qui s'est plainte du défaut de réciprocité, parce que n'ayant pas de quarantaine dans ses ports, elle doit les subir dans les nôtres. L'Espagne donne à ces plaintes la valeur qu'elles méritent, et elle continue de défendre ses ports du mieux qu'elle peut. Elle a acheté très chèrement le droit de se préserver, et, de cette façon, elle a pu éviter la fièvre jaune pour elle et peut-être pour ces mêmes nations qui, ayant des conditions de sol et de climat différentes, se considèrent comme étant entièrement à l'abri.

Je terminerai en résumant et en vous soumettant les conclusions suivantes:

1o. La fièvre jaune est une endémo-épidémie du Golfe du Mexique, où se trouve son foyer d'origine. Elle ne peut jamais se développer au dehors de sa zone d'endémicité, mais ses germes peuvent s'importer sur divers points du globe. Sa zone géographique, quoique limitée jusqu'à un certain point par l'altitude et la latitude, a une extension qu'on ne peut pas encore déterminer; mais l'observation et l'étude de ses quelques invasions démontrent que son domaine devient chaque jour plus grand, à mesure que les voies de communication se multiplient et que les relations commerciales augmentent.

2o. Ce que l'on appelle antagonisme de race n'est qu'un effet d'acclimatation, et les immunités qui en sont la conséquence, n'ont qu'une valeur conditionnelle qui n'existe plus, aussitôt que l'habitude climatologique a disparu ou que l'intensité de la cause dépasse la résistance acquise par l'organisme.

3o. La fièvre jaune menace actuellement l'Europe et l'Afrique, où elle a déjà des foyers de second et de troisième ordre. L'Asie et l'Océanie ont été jusqu'à présent indemnes du typhus américain; cependant cela n'est pas un effet d'incompatibilité, mais du peu de communications et du défaut de relations commerciales. Etant donné les conditions climatologiques de ces pays, conditions des plus favorables à la réception et à la culture des germes, on peut assurer d'une manière concluante que, le jour où l'isthme de Panama sera percé, les communications entre l'Amérique et l'Asie deviendront bien fréquentes et plus rapides et, comme conséquence, que la fièvre jaune envahira ces régions-là comme elle a envahi l'ancien continent.

4o. La prophylaxie de la fièvre jaune doit remplir un triple but:

a. Etudier la fièvre dans sa source;

b. Empêcher son invasion dans les ports d'arrivée;

c. Eviter son extension, si ces points en sont infectés.

Pour remplir les deux premières conditions, il faudrait adopter des mesures d'hygiène internationales, dont les bases pourraient être les suivantes: A. Envoi de délégations sanitaires sur les points principaux de la zone endémique ou dans les ports commerciaux de l'Amérique qui sont le plus en relation avec l'Europe; B. Visite des vaisseaux, et établissement de lazarets organisés d'après les derniers perfectionnements de la science.

Quant aux moyens d'éviter la propagation, il faut laisser à chaque pays la liberté de prendre les mesures qu'il croit les plus convenables par rapport à son degré de réceptivité, qui dépend de ses conditions topographiques et climatologiques.

M. Zoéros-Bey donne lecture d'une étude intitulée: „l'Hygiène et la Turquie.

M. Zoéros-Bey.

Messieurs,

Après les communications d'un si haut intérêt et d'un si haut savoir qui vous ont été présentées, permettez-moi de vous présenter à mon tour, non pas un travail savant et de haute portée, mais un humble et petit hors d'œuvre. Ma communication vous paraîtra de prime abord une digression inopportune, mais vous verrez par la suite, qu'elle n'est pas tout à fait étrangère à vos travaux.

Dans les quelques mots, très courts d'ailleurs, que je vais avoir l'honneur de vous adresser, je tiens à combattre une opinion qui, pour être généralement répandue en Europe, n'en est pas moins erronée.

Il y a quelques semaines, Messieurs, en passant par Vienne, j'eus l'occasion de parler avec un homme haut placé, un homme très distingué et plein de savoir, lequel en apprenant que je devais me rendre à La Haye pour représenter le gouvernement de S. M. I. le Sultan au sein du congrès international d'hygiène, s'en est montré fort étonné. — „Comment! m'a-t-il dit, la Turquie se fait représenter dans un congrès d'hygiène? Admet-elle donc les bienfaits des mesures hygiéniques? Est-ce que ces mesures ne sont pas contraires à la religion de l'Islam et au fatalisme oriental?"

Eh bien! Messieurs, l'opinion de ce personnage est, à ce qu'il paraît, partagée par bien de personnes en Europe, et il est fort probable qu'il y en ait, même parmi vous, qui pensent de même.

Pourtant c'est une erreur. Ce qui fait penser ainsi, c'est l'ignorance dans laquelle on se trouve sur l'esprit réel de la religion musulmane. Cette religion n'empêche nullement et d'aucune manière ses adeptes de prendre soin de leur personne et de leur santé. Elle ne leur défend nullement d'employer tous les moyens possibles afin de sauvegarder leur vie et leur santé des nombreux dangers qui les menacent. Cette religion qui est la base, le pivot de l'existence et de tous les actes du Musulman, et dont les préceptes constituent son code civil, politique et militaire, c'est précisément elle qui lui donne plusieurs règles hygiéniques, qui les lui impose même impérieusement, en en faisaut un article de foi et une des conditions fondamentales de l'Islam.

Il n'y a aucune religion qui contienne autant de règles hygiéniques. Il en existe certainement dans d'autres religions, spécialement dans celles de l'Inde, de l'Egypte, des Hébreux, etc. Je n'ignore pas les préceptes hygiéniques contenus dans les lois de Manou et dans celles de Moïse. Vous les connaissez, vous aussi; mais vous ne connaissez peut-être pas ceux de la religion musulmane et je vais vous en citer très brièvement quelques-uns, si vous me le permettez bien.

Vous êtes, Messieurs, tous des médecins distingués, des hygiénistes hors ligne et vous savez parfaitement quelle est l'action de la chaleur des climats chauds sur la peau, et de quelles précautions de propreté on doit s'entourer dans ces climats, si l'on veut conserver sa santé. Eh bien! Messieurs, la propreté est considérée précisément par la religion de l'Islam comme une condition sine qua non. Le grand fondateur de cette religion a dit que „la propreté est un article de foi" (el nazafet min el iman).

. Les ablutions qu'on retrouve, il est vrai, dans plusieurs religions de l'Asie, de l'Egypte et de l'ancienne Grèce, dans presque toutes les religions des pays chauds, sont plus fréquentes, elles sont imposées d'une façon beaucoup plus impérieuse chez les Musulmans.

Le Musulman doit faire sa prière 5 fois dans les 24 heures; le matin à l'aube naissante, à midi, à 4 heures du soir, au coucher du soleil et à 2 heures après le coucher du soleil. Or, chacune de ces cinq prières, obligatoires pour chaque Musulman, doit être précédée d'ablutions non moins obligatoires, appelées aptez et qui consistent à se laver les pieds jusqu'à la mi-jambe, les mains et les avant-bras jusqu'au coude, la face, la nuque et la cavité buccale. Un Musulman qui n'a pas fait ces ablutions (bila aptez) ne peut pas faire sa prière et en la faisant dans ces conditions, commet un péché comme en ne la faisant pas; il manquerait à un des principaux devoirs de l'Islam.

Avant de s'asseoir à table, il doit se laver les mains. Il est tenu de le faire également après avoir uriné (ce qui existe aussi chez les Juifs). Après la défécation il doit se laver à grande eau le siége et le périnée, et ensuite les mains. Aussi dans tous les lieux d'aisance des maisons et autres habitations turques, même dans les latrines publiques, il y a toujours des aiguières en métal ou en terre remplies d'eau et servant à ces lotions. Cette pratique, qui est une excellente mesure de propreté, amène encore un autre résultat auquel le fondateur de l'Islam n'a point pensé certainement, mais qui d'après mes observations suivies longtemps n'en existe pas moins : c'est un moyen prophylactique et même quelquefois curatif contre les maladies hémorrhoïdales, à la condition toutefois que ces lotions se fassent toujours à l'eau froide. J'attire, Messieurs, votre attention sur ce point.

En outre le Musulman après avoir cohabité avec une femme, doit se purifier en se lavant tout le corps (goussoul). Sans cette ablution générale, il est impur (en Turc et en Arabe Tjenabet). Il ne peut pas entrer dans une mosquée ni faire sa prière. Cette purification n'est pas imposée pour la raison que la femme est considérée comme une être impure, car la femme est astreinte à se purifier aussi bien que l'homme après l'acte générique. Aussi dans toutes les maisons musulmanes il y a des salles de bain. Dans les maisons riches ce sont de véritables bains turcs en miniature ; mais dans toutes les autres il y a dans chaque chambre à coucher un grand placard blindé de zinc où l'on entre le matin pour faire les ablusions sus-indiquées ; on appelle ces placards goussoulkhanés. A cette ablution générale est astreint le Musulman, même lorsqu'il n'a eu qu'une simple pollution nocturne. S'il néglige de le faire, il est tjenabet. Il est considéré comme impur ainsi que celui qui est atteint de blennorrhagie.

Le Musulman doit en outre ne laisser tomber la moindre goutte d'urine sur ses habits. Voici pourquoi tout musulman doit laisser bien égouter son urine et il est très fréquent de voir dans les alentours des latrines et des urinoirs publics, des hommes qui d'une main tiennent leur verge et de l'autre le pan de leur habit pour se couvrir cette partie, et qui attendent pendant plusieurs instants que la dernière goutte soit expulsée. Cela s'appelle Ibraz.

Messieurs, je ne me mettrai pas à faire ressortir le but et la portée de chacune de ces prescriptions. Il me suffit de vous les signaler et vous comprendrez immédiatement leur résultat et leur but.

Ces ablutions et ces purifications sont nettement et clairement prescrites et formulées dans le livre sacré, le Koran, spécialement dans les 8 et 9 versets du Ve livre et dans le 46 verset du IVe. En les prescrivant le livre sacré n'oublie pas cependant d'admettre une exception pour les malades et les voyageurs.

Et bien ! ces mesures si sagement conçues et si nettement formulées ne sont-elles pas autant de mesures d'hygiène et de prophylaxie très salutaires et très nécessaires pour les climats dans lesquels l'Islamisme s'est développé ?

Maintenant vous me direz qu'il y a pourtant bien des peuples musulmans qui sont très malpropres. Oui, certainement il y en a. Mais cela ne prouve que l'ignorance dans laquelle se trouvent ces peuples de l'esprit et de la base fondamentale de leur religion. Les Turcs et une partie des nombreuses tribus arabes sont plus instruits sous ce rapport. Parmi les innombrables nationalités qui habitent l'Asie, les Turcs sont incontestablement les plus propres ; ils sont même très propres. Tous ceux qui ont voyagé en Turquie et qui ont étudié de près et sans idées préconçues les hommes et les choses de l'orient, avouent que le peuple turc, le paysan, est un des plus propres, malgré sa pauvreté et malgré sa misère. Maintenant si les rues des villes de l'orient sont malpropres et jonchées d'ordures, ce n'est pas la religion musulmane qui en est la cause, c'est l'ignorance et l'indolence.

Outre ces prescriptions concernant les ablutions et les purifications, il y en a encore dans la religion musulmane une foule d'autres, visant au même but de prophylaxie et d'hygiène. Par exemple la circoncision, plus complète chez les Musulmans que chez les Juifs, l'obligation de se raser non seulement la tête (pour les hommes) mais surtout les poils qui entourent les parties génitales tant de l'homme que de la femme; celle de se frotter les dents après chaque repas avec une brosse de bois, appelée misvak, etc. etc.

Il en est de même enfin de quelques prescriptions portant sur la nourriture et sur le jeûne. La manière de prier elle même et les différents mouvements qu'on exécute durant cette prière, peuvent être considérés comme autant de mouvements gymnastiques très salutaires à des hommes qui, à cause du climat, sont portés naturellement à l'indolence et à l'immobilité.

Certainement, Messieurs, les diverses prescriptions que je viens de citer, ne sauraient jamais constituer un code complet de mesures hygiéniques tels que nos connaissances d'aujourd'hui nous les indiquent. Mais elles n'en sont pas moins remarquables ni moins salutaires, surtout pour un peuple ou plutôt pour des peuples soumis d'une manière absolue au régime théocratique et pour lesquels la religion est tout. Elles prouvent d'une autre part et d'une façon irrécusable que la religion musulmane, le Koran, ne s'opposent point aux moyens hygiéniques.

Vous comprenez maintenant, Messieurs, le parti qu'on peut tirer de cet esprit du livre sacré des Musulmans pour leur faire adopter les mesures qui sont édictées par l'hygiène et qui sont capables d'améliorer de beaucoup les conditions des pays et des races de l'Islam. Vous comprenez parfaitement quel parti peuvent tirer, par rapport à l'hygiène publique, de cet esprit de la religion musulmane, les différents gouvernements qui ont à faire à des peuples professant cette religion, nommément les gouvernements turc, français, anglais et hollandais.

„Et le fatalisme Oriental?" me dira-t-on peut-être. Vous oubliez donc que c'est ce fatalisme qui empêche ces peuples à employer les différents moyens créés par la science moderne et qui contribuent à améliorer le sort de l'homme.

Non, Messieurs, je ne l'oublie pas. Le fatalisme oriental existe, mais il n'existe pas seulement dans la religion et par le fait de la religion musulmane. La doctrine de la dépendance absolue de tout l'univers collectivement et de chaque être en particulier, des décisions et de la volonté du Créateur, se retrouve dans presque toutes les religions. „Tout se fait par Dieu et selon la volonté de Dieu", dit le Musulman. Mais est-ce que le Chrétien ou l'Israélite ne disent pas, ou ne doivent-ils pas dire la même chose, s'ils sont des bons et fervents Chrétiens ou Juifs? Est-ce que le paien ne disait pas à peu près la même chose? Vous avez fait tous, Messieurs, vos humanités et vous vous rappelez certainement du „Διὸς δ᾽ ἐτελείετο βουλή" du 5e vers de l'Iliade, d'Homère. Le fatalisme forme donc l'essence de presque toutes les religions. Il est un peu plus prononcé chez les Musulmans, voilà tout. Cependant cela ne peut nullement l'empêcher de prendre des mesures capables de le sauvegarder d'un danger qui le menace. Le Koran ne dit nulle part que le Musulman doit se croiser les bras en face d'un danger, pour la seule raison que cela est peut-être écrit dans sa destinée; car dans ces conditions l'homme ne serait qu'un zoöphyte. Il n'est dit cependant nulle part dans le Koran, que l'homme doit être comme une éponge ou comme un protozoaire. Si cela était, les Musulmans n'auraient jamais eu recours à la médecine, tandis qu'au contraire la médecine et le médecin sont très considérés chez les Musulmans.

Si maintenant l'hygiène privée et publique a été jusqu'à ce jour complètement négligée en Turquie, ce n'est point à cause de la religion musulmane, mais seulement et avant tout à cause de l'ignorance de tous et de l'incurie du gouvernement en particulier. La religion n'a donc absolument rien à faire dans cette question et il en est de cette opinion qui a généralement cours en Europe, comme de la plupart des opinions qu'on s'y forme sur les choses d'orient.

Une preuve patente de ce que j'avance, c'est la nouvelle ère que l'avènement au trône de S. M. I. le Sultan Abdul-Hamid a créé en Turquie sous le point de vue des mesures d'hygiène publique. La création, par l'initiative personnelle du souverain, d'un conseil supérieur d'hygiène publique, les mesures quarantenaires prises l'année passée et cette année pour préserver Constantinople et la Turquie en général, du choléra qui régnait et qui sévit encore aujourd'hui dans quelques contrées voisines, les différentes mesures d'assainissement ordonnées par le Sultan lui-même, et enfin les travaux entrepris et les mesures de salubrité publique proposées par le conseil sus-indiqué, dont j'ai l'honneur d'être le secrétaire-général, mesures adoptées et consacrées immédiatement par décret impérial, prouvent non seulement l'esprit éclairé et les bonnes dispositions de S. M. le Sultan actuel, mais aussi la thèse que je soutiens, à savoir: que la religion musulmane n'est point hostile aux mesures d'hygiène et de salubrité; car si cela était, le Sultan qui non seulement est un fervent Musulman, mais qui est le principal gardien et défenseur de la religion de l'Islam, dont il est, en sa qualité de Khalife et d'Iman, le chef et le pontife suprême, n'aurait pas pensé à prendre des mesures ni à créer des institutions, qui sont contraires à l'esprit de l'Islam.

Je me crois donc autorisé à penser qu'une nouvelle ère vient réellement d'être inaugurée en Turquie, et que ce pays si richement doté par la nature, profitera aussi des immenses ressources d'amélioration et de bien-être que la science lui offre et qu'il marchera, pour ce qui regarde l'hygiène publique, avec les autres nations civilisées.

Applaudissements prolongés.

La lecture du mémoire de M. Zoéros-Bey n'est pas suivi de discussion.

La parole est donnée à M. Philippe, pour faire sa communication sur le „cow-pox".

M. Philippe.

Messieurs!

Vous avez entendu à une de nos séances M. le Docteur Crocq, de Bruxelles, dire que les épidémies de variole bien moins terrifiantes que les épidémies de choléra étaient cependant plus meurtrières: notre savant collègue citait comme exemple l'épidémie de variole qui a régné à Berlin après la guerre de 1870.

Mon éminent compatriote, M. l'Inspecteur sanitaire Rochard dans la très intéressante conférence qu'il nous a faite, déclarait que bien que la médecine possède depuis près d'un siècle un moyen de se préserver de la variole, cette maladie inflige encore à l'humanité des pertes considérables même dans les pays où les vaccinations sont le mieux pratiquées.

De ceci il faut conclure que nous ne devons jamais nous relâcher de la lutte entreprise contre la variole à l'honneur du corps médical; partout on intervient avec le plus grand désintéressement, partout nous prêchons la nécessité des vaccinations et l'utilité des révaccinations. D'après ce qu'il m'a été permis de constater, la Hollande est un des pays où les services de la vaccine sont le mieux organisés.

La communication que j'ai l'honneur de présenter n'a trait qu'à la génèse du vaccin, ce que l'on appelle le „cow-pox".

L'étiologie des maladies contagieuses, est actuellement singulièrement simplifiée. En médecine-vétérinaire, nous ne croyons plus à l'influence des causes générales, invoquées jadis pour expliquer le développement de la Peste bovine, de la Morve, du Farcin, de la Rage, de la Péripneumonie, de la Fièvre aphtheuse, des affections charbonneuses, de la Clavelée. Chacune de ces maladies a pour cause unique, la contagion, et nous savons qu'en faisant disparaître les malades ou en les isolant sérieusement, on empêchera surement l'extension de la maladie.

Cette croyance ne repose pas sur des données purement doctrinales, elle est fondée sur l'histoire même de ces maladies, qui établit que depuis que nous ne nous préoccupons que du rôle de la contagion dans la propagation des maladies dites virulentes, quelques unes ont disparu, les autres deviennent de plus en plus rares. Ces faits sont acquis, ils sont indiscutables au grand avantage de notre richesse publique qui a de moins en moins à compter avec ces épizooties qui décimaient notre population animale et ruinaient notre agriculture. Il faut donc nous applaudir de ces résultats qui s'accentuent surtout depuis l'application de la loi du 21 juillet 1881 sur la Police sanitaire des animaux.

Mais à côté des maladies dont nous cherchons à nous défendre, il y en a cependant une que nous devons nous efforcer de cultiver; c'est le cow-pox, sur la nature duquel nous sommes maintenant fixés.

D'après son sens étymologique, cow-pox veut dire variole de la vache. Cette dénomination est absolument impropre, parce qu'elle est inexacte; les animaux de l'Espèce bovine n'ont pas la variole. J'habite une région où on se livre en grand à l'exploitation des vaches; jamais je n'ai rencontré, jamais mes confrères ne m'ont signalé un cas de variole sur la vache. — Si les animaux de l'Espèce bovine avaient une éruption variolique qui leur fut spéciale, cette maladie devrait atteindre les animaux mâles et femelles indistinctement; l'éruption devrait être généralisée ainsi que cela s'observe pour chaque espèce et non point localisée seulement aux mamelles; on devrait rencontrer des vaches, celles qui ont eu une éruption de cow-pox, réfractaires aux inoculations de vaccin ou de horse-pox. Le fait constant, c'est que toutes les inoculations faites à la vache sont suivies de succès tandis qu'il n'en est pas de même pour le cheval chez lequel il existe une variole parfaitement connue et déterminée: le horse-pox, qui le rend réfractaire aux inoculations vaccinales ultérieures.

Conséquemment le sexe de l'animal, le siège même de l'éruption, la constante réceptivité de la vache autorisent à admettre que le cow-pox doit être une maladie communiquée, néanmoins extrêmement précieuse puisqu'elle nous fournit le virus vaccin atténué dans ses effets primitifs, bien qu'il reste doué, l'expérience d'un siècle l'atteste, de toute sa puissance préservatrice de la variole. Le cow-pox qu'il serait préférable d'appeler le vaccin Jennérien, n'est pas autre chose que le horse-pox communiqué à la vache, volontairement ou accidentellement.

Les vues de Jenner sont aujourd'hui pleinement confirmées; le vaccin est la variole du cheval modifiée et atténuée dans ses effets par l'économie de la vache à laquelle elle a été transmise.

La recherche du cow-pox est le plus souvent infructueuse, ainsi que les faits l'ont prouvé depuis près d'un siècle que l'immortel Jenner a vulgarisé sa découverte, tant que les animaux des Espèces bovines ne sont pas placés dans des conditions à être contagionnés.

La conséquence pratique que je veux tirer de ces données scientifiques, c'est que pour obtenir du vaccin avec toute sa pureté et son efficacité originelles, il faut s'attacher à découvrir le horse-pox, l'inoculer à la vache et produire ainsi une source de vaccin authentique, le véritable vaccin Jennérien.

Le horse-pox s'inocule à l'homme. J'ai contracté une pustule de horse-pox dans le cours de mes inoculations et je puis déclarer que l'éruption s'accompagne de symptômes généraux graves : fièvre intense, inflammation locale considérable, adénite; et bienque prévenu, je ne pouvais surmonter une certaine préoccupation.

Ce virus variolique à effets si accusés porté sur la vache, perd beaucoup de son énergie; il est atténué.

Ce mode d'atténuation par le transport d'un germe virulent d'une espèce animale à une autre, vous le savez, Messieurs, a été appliqué au virus rabique dont l'énergie varie suivant qu'on l'emprunte au lapin ou au singe. Personne avant Pasteur n'avait songé à ce procédé de culture. Notre éminent savant qui n'a peut-être pas jusqu'ici rallié à ses doctrines tout le corps médical, mais qui a su convaincre tous les vétérinaires ses fervents admirateurs, avait-il connaissance de l'atténuation du virus variolique du cheval inoculé à la vache? Je l'ignore; quoiqu'il en soit, son génie l'a bien inspiré.

Le horse-pox atténué par la vache, inoculé à l'homme, ne produit que de petites pustules parfaitement caractérisées qui se particularisent par un très petit développement. Lorsqu'on inocule à un autre enfant la lymphe de ces pustules, on obtient des pustules (vaccin de 2e génération) très belles, avec leurs dimensions normales; et en continuant ces transmissions à l'espèce humaine, la vaccination ne manque jamais son effet, se maintient avec tous ses caractères classiques, et je crois qu'il m'est permis d'ajouter avec toute son efficacité préservative, autrement dit le vaccin ne dégénère pas, exactement comme le virus charbonneux après son passage sur des milliers de sujets.

Si le virus vaccin doit être raccordé à sa source originelle, ce n'est donc pas par la crainte d'une atténuation qui n'est pas démontrée, je puis dire qui n'est pas admissible; c'est plutôt dans le but d'éviter une infection possible et surtout d'obtenir l'immense avantage de se procurer une source abondante de vaccin.

Au point de vue de l'hygiène publique les vétérinaires rendront un grand service quand ils exploiteront les cas de horse-pox qui se rencontrent assez fréquemment dans la pratique. A deux époques différentes j'ai recueilli du horse-pox en tubes, et j'ai pu à mon jour et à mon heure créer le vaccin jennérien en inoculant une vache.

Dans quelques grandes villes de France pour assurer le service des vaccinations, le comité municipal de vaccine emploie le vaccin animal, un cow-pox que l'on transmet à une série de génisses ou de veaux. C'est ce que vous faites, Messieurs, dans vos principales villes de la Hollande depuis longtemps. Mes confrères M.M. Pourquier de Montpellier, Baillet de Bordeaux et Leclerc de Lyon ont institué cette organisation.

Un certain nombre de vaccinateurs emploient un cow-pox artificiel, si je puis dire, résultant du report du vaccin d'enfant à la génisse. Avec quelques tubes de vaccin d'enfant on détermine sur une génisse un nombre important de pustules fournissant amplement pour vacciner un grand nombre de personnes.

M. le Docteur Delabost, médecin en chef des prisons de Rouen, a employé le même procédé quand il a eu à combattre une épidémie de variole sur une population d'un millier de détenus. Les résultats qu'il a obtenus ont été excellents : l'épidémie de variole a été enrayée.

Comme j'ai eu l'honneur de le dire au début de cet exposé, tous ces faits sont connus et ne doivent pas rencontrer ici un seul contradicteur. Si néanmoins j'ai eu la pensée de les présenter devant le congrès international d'hygiène, c'était pour leur donner une haute et nouvelle consécration et répondre ainsi à un argument opposé à ceux qui demandent une loi pour rendre obligatoire les vaccinations et les révaccinations . . . . . le manque de vaccin.

Les administrations qui ont charge de veiller à la santé publique peuvent, quand elles le voudront, assurer le service obligatoire de la vaccine ; ce qui se passe à Montpellier, Bordeaux et Lyon, le prouve d'une façon péremptoire. Dans la Seine-Inférieure la commission permanente vaccine toutes les semaines, elle envoie gratuitement à tous les médecins la provision de vaccine qui leur est nécessaire. Les vaccinations se font à Rouen de bras à bras, les enfants vaccinifères ne font jamais défaut parce que nous donnons à chacun d'eux une prime de cinq francs. Dans l'intervalle des vaccinations une inspectrice a pour mission de recruter de jeunes enfants et de faire discrètement une enquête sur la santé de ceux qui sont appelés à nous fournir du vaccin. Ce système est excellent; il nous permet de satisfaire à tous les besoins, même à ceux de l'autorité militaire qui nous réclame des enfants vaccinifères, pour pratiquer la révaccination sur le contingent au mois de novembre, c'est-à-dire sur trois ou quatre cents hommes; enfin ce mode de faire est fort peu dispendieux, considération intéressante pour un Département ou pour la municipalité.

Applaudissements.

M. le Docteur Layet. — Le travail que nous venons d'entendre est très intéressant, mais l'orateur me permettra de ne pas partager son avis, lorsqu'il prétend que le „cow-pox" est une maladie de la vache toujours communiquée.

A Bordeaux où nous avons un service de la vaccine parfaitement organisé, nous avons constaté du „cow-pox" spontané à l'aide duquel nous avons pratiqué un très grand nombre de vaccinations.

Je reconnais chez la vache deux espèces de „cow-pox", une qui vient du cheval et une qui se développe spontanément.

A Bordeaux nous avons réussi à éteindre et à prévenir la variole à l'aide du „cow-pox", entretenu sur des génisses.

M. Philippe. — Je conteste l'existence du „cow-pox" spontané, et cela par les raisons que j'ai développées suffisamment dans mon travail et sur lesquelles je ne crois pas utile de revenir. Il ne suffit pas de dire: j'ai rencontré chez une vache une affection éruptive aux mamelles, pour déclarer et conclure que cette éruption résulte d'une évolution spontanée.

Mais M. le Docteur Layet me permettra de lui faire observer que cette partie de mon travail, controversée par lui, n'est pas le point essentiel.

Ce que j'ai tenu à faire ressortir, c'est que le „horse-pox" inoculé à la vache engendre le „cow-pox" authentique, le vaccin de Jenner. Or, le „horse-pox" n'est pas une maladie rare; conséquemment on a fréquemment l'occasion de régénérer le vaccin.

Si au contraire, vous attendez la génération spontanée du vaccin chez la vache, vous attendrez longtemps. On signale bien tous les vingt ou trente ans un cas de „cow-pox", comme on l'a rencontré à Bordeaux sans chercher la raison de son apparition; et rappelez-vous que ces faits deviendront de plus en plus rares parce que de nos jours, ce n'est pas le même personnel qui soigne les chevaux et les vaches. Ce ne peut être que par un cas fortuit qui le plus souvent nous échappe, que la contagion se produit.

Le programme des travaux de la 1re Section n'est pas encore épuisé, mais il ne reste plus de temps, l'heure de lever cette dernière Séance ayant sonné.

L'assemblée décide par acclamation que les communications annoncées, mais non lues, seront insérées au Compte-rendu.

M. Corfield remet la présidence à M. le président du Bureau de la Section, M. Egeling.

M. Egeling remercie les membres de leur présence assidue, les orateurs de leurs travaux scientifiques et des lumières qu'ils ont bien voulu apporter dans la discussion, et M.M. les présidents d'honneur de l'assistance qu'ils ont bien voulu lui prêter et déclare les séances de la 1e Section closes.

Communication destinée à la première Section par M. N. P. van der Stok.

Propagation de notions hygiéniques chez les populations indigènes de l'île de Java, en tirant parti des prescriptions et des prohibitions se trouvant dans le Koran, et dans la doctrine de l'Islam en général.

Messieurs!

Il y a quatre ans environ, le gouvernement des Indes orientales Néerlandaises crut devoir répandre quelques notions hygiéniques parmi la population indigène de l'île de Java, population se divisant en trois nations différentes

— les Soundanais, les Javanais et les Madourais — parlant trois langues différentes, mais professant toutes la religion musulmane.

Ce fut en vertu de cette décision que M. D. J. de Leeuw, à cette époque chef du service médical des Indes orientales Néerlandaises, me confia la composition d'un écrit destiné à être traduit dans les trois langues qui se parlent dans l'île de Java, et qui aurait pour but d'améliorer au point de vue hygiénique la manière de vivre des indigènes, manière de vivre qu'on pourrait désigner comme une longue série de fautes contre les règles les plus élémentaires de l'hygiène.

S'il est déjà assez difficile de populariser une science qui se mêle à tant d'actes de la vie sociale et privée que l'hygiène, pareille tâche devient doublement lourde quand on a affaire à des peuples peu civilisés, comme nos indigènes, dont les mœurs et coutumes se règlent de temps immémorial en partie d'après des traditions (en malais: „adat") que rien ne peut ébranler, en partie d'après les prescriptions et les prohibitions d'une religion décidément ennemie de tout ce qui vient des infidèles: des „Kaffirs".

Donc, s'assurer d'un allié puissant dans ces prescriptions et prohibitions mêmes, ce serait s'assurer l'appui d'un clergé fanatique et influent, ou du moins en diminuer ou en briser la résistance presque certaine, en le combattant avec ses propres armes.

C'est pourquoi que je me mis à étudier la doctrine de l'Islam pour en tirer tout ce qui pourrait servir à mon but, et cela, bien entendu, sans tenir aucun compte de l'intention réelle dans laquelle les prescriptions et prohibitions utilisées auraient été données.

Ce n'est pas seulement dans le Koran que se trouvent les matériaux nécessaires; on les trouve surtout dans les „Sonnât" (intention inexprimée, ou lois inédites du prophète), et dans les „Fetwâ" (arrêts ou décisions des savants versés dans les écrits sacrés). C'était donc dans les livres traitant de ce qu'on appelle: „le droit mahométan" qu'il fallait puiser, tout en écartant une foule de prescriptions et de prohibitions dont l'intention hygiénique est évidente, mais qui nous serviraient mal au point de vue de notre science actuelle.

Tout en feuilletant les ouvrages sur le droit mahométan, je remarquai bientôt que je pouvais en tirer des choses utiles à la propagation de notions hygiéniques chez les peuples professant la religion musulmane.

En effet, j'ai trouvé des alliés peu connus, mais en tous cas très utiles dans cette doctrine de l'Islam, dans ces formalités et ces cérémonies, dans ces prohibitions immotivées en apparence, dont la plupart ne proviennent que d'une imitation imparfaite et mutilée des lois connues de Moïse.

Quand je dis: „peu connus", c'est qu'il ne faut pas confondre les prescriptions diététiques de l'école arabe, qui nous sont connues par l'étude de l'histoire de la médecine, avec les prescriptions et les prohibitions de la religion musulmane, qu'on ne trouve que dans les livres sur le droit mahométan.

Comme j'ai cru que la manière de populariser et de propager notre science ne vous intéresserait pas moins que la science elle-même, je me permets de vous citer quelques exemples de la manière dont on pourrait se servir des prescriptions de la religion mahométane pour notre but et pour lesquels j'ose pour quelques instants réclamer votre attention.

D'abord, bien que l'indigène soit fataliste, et même à un assez haut degré, il ne l'est que par pure indolence, et ce n'est nullement sa religion qui lui commande le fatalisme absolu, comme on le croit assez généralement.

Il va sans dire qu'il est de la plus haute importance de connaître ce détail, vu que le fatalisme absolu est l'antagoniste le plus absolu de toute mesure prophylactique.

Bien au contraire, la doctrine de l'Islam, tout en admettant le dogme de la prédestination, tout en enseignant une soumission absolue à la volonté d'un Dieu qui décide d'avance du sort de toute créature (arabe: „ihtijar"), commande également aux fidèles de s'entourer des soins nécessaires pour conserver la santé et la vie, et de se procurer tout ce qui peut servir à prolonger la vie, parce que „la volonté d'Allah n'est pas connue de ses créatures, et que nul ne peut savoir si Dieu ne se servira pas de lui pour quelque œuvre". Aussi, négliger sa santé c'est se rendre coupable comme en commettant un suicide.

Il est évident que la connaissance de cette doctrine peut devenir une arme puissante dans la main de l'hygiène, partout où elle rencontre une résistance contre les mesures qu'elle croit devoir dicter — résistance fondée en apparence sur la religion dont l'indigène se sert volontiers quand il répond: „laissez-moi; ce qui est écrit, est écrit.".

Le fait que l'indigène est malpropre à l'excès, qu'il n'a l'habitude de laver ni son corps, ni ses vêtements, ni ses ustensiles de ménage d'une manière suffisante, prouve qu'il ne comprend guère les prescriptions de sa religion qui lui commandent une grande propreté.

Les soucis du prophète pour la propreté de ses disciples s'étendent jusqu'aux détails les plus minutieux. Ainsi le lavage de l'anus après la défécation (arabe: „istindja"; malais: „tjebok"), ou bien, l'eau manquant — p. e. dans un désert — le nettoyage de l'anus avec du sable (arabe: „tajammom") est un commandement impératif du Koran.

Ainsi le lavage des extrémités et de la tête (arabe: „wodhoe"), et plus encore le bain entier (arabe: „ghosl") après avoir contracté la grande ou petite souillure religieuse (arabe: „djânabat" et „hadath") — comme après le contact d'un chien, d'un cochon, d'un infidèle ou d'autres objets impurs (arabe: „nadjes") — ce lavage ou ce bain qu'on pourrait nommer une désinfection religieuse, est tellement compliqué qu'il faut un quart d'heure au moins pour l'effectuer. On y trouve qu'il faut se rincer la bouche, même à trois reprises, qu'il faut faire usage d'un cure-dent, et le prophète va même jusqu'à recommander d'écarter les orteils pour en laver les interstices.

Bien que l'indigène fidèle remplit en général la plupart de ces formalités, il est loin d'y voir une intention ou une signification sanitaire. Il n'y voit, au contraire, qu'une formalité purement religieuse, s'en acquitte à la hâte et en une minute tout au plus. C'est la tâche de l'hygiène populaire de lui faire entrevoir un but sanitaire dans ces prescriptions.

Il semble en effet que le prophète ait voulu accoutumer un peuple nomade et malpropre aux avantages de la propreté, car les cas dans lesquels on peut contracter, même involontairement, une souillure religieuse nécessitant une désinfection, sont si nombreux qu'il est difficile de méconnaître l'intention sanitaire du législateur.

En trouvant parmi les choses dont le contact — et à plus forte raison l'usage — rend impur, l'eau rendue tiède par le soleil, ne pensons-nous pas au développement plus rapide des substances organiques dans de l'eau d'une température plus élevée déjà dans un pays chaud?

Et n'est-ce pas une prohibition décidément hygiénique partout, mais surtout dans un pays tellement dépourvu de rivières que l'Arabie, que la défense péremptoire de souiller les fleuves en y déposant des ordures de toute espèce?

Il est vrai que les indigènes de Java se soucient fort peu de cette défense et que, tout en s'y baignant, ils souillent les fleuves de leurs propres excréments.

La profondeur des fosses dans les cimetières indigènes est dans la plupart des cas insuffisante, quoique l'indigène remplisse sur ce point rigoureusement, mais à la lettre, et sans en saisir l'intention sanitaire, une prescription très pratique du prophète. Cette prescription fixe la profondeur de la fosse à la hauteur du corps du fossoyeur. Oubliant que cette prescription a été donnée par Mahomet, dans un pays dont le sol est sec et sableux, et pour des hommes d'une très haute taille — profondeur à peu près conforme à nos vœux — l'indigène qui est d'une très petite taille y substitue sa propre mesure.

L'abus de l'opium, ce cancer social très répandu en Orient, et menaçant même la société européene, est un des vices les plus familiers de l'indigène de Java. Sachant cela, on s'étonnera peut-être d'entendre que le prophète a non seulement défendu le vin, mais aussi très clairement toute substance narcotique et étourdissante, dont l'opium et le hachich sont les prototypes. Tout ce qui étourdit, n'importe quoi, est condamné comme impur. Mais l'indigêne mahométan, tout fanatique qu'il soit sous d'autres rapports, se soucie peu des défenses religieuses qui s'attaquent à son intérêt ou à son plaisir; tout comme chez nous.

On sait que tout fidèle est tenu de se rendre en pélerinage au moins une fois dans sa vie, dans le mois dit „Dsoel Hidjdjat” à la Mecque, pour y prier auprès du tombeau du prophète. On n'ignore pas non plus que l'accumulation énorme des pélerins de tous les pays mahométans sur la route de Djeddah à la Mecque est un foyer d'épidémies des plus redoutés, surtout du choléra — foyer plus redoutable encore par l'impossibilité de faire observer des mesures sanitaires par ce troupeau fanatique, ignorant, agité et hétérogène qu'on trouve à cette époque autour de la Kaäba.

Il n'est pas facile de détourner de son projet un fidèle résolu de faire ce pélerinage, même en lui expliquant le danger qu'il court en se rendant à la Mecque pendant une épidémie de choléra ou de peste, mais les „Fetwâ” sont là pour nous donner une arme — Car on y trouve que le fidèle n'est pas obligé de faire son pélerinage dans le mois des fêtes, quand il peut supputer d'avance qu'il ne pourra pas atteindre le but de son voyage, soit à cause de quelque danger sur la route, soit à cause de maladie. En ce cas, il lui est permis de remettre le pélerinage à un autre mois; il existe même une expression pour un pélerinage ainsi remis — le mot arabe: „'omrat”.

Armé de cet arrêt, il sera peut-être possible de persuader l'indigène mahométan de remettre son voyage pendant quelque épidémie, vu qu'alors les deux conditions qui l'autorisent à le faire — le danger aussi bien que la maladie — existeront.

En cas d'épidémie, il y a encore un danger imminent dans l'entassement des personnes dans les mosquées, danger qui ne fait que grandir par des prières plus fréquentes que d'habitude, pour faire cesser l'épidémie, et par l'usage commun de l'eau contenue dans le bassin ou réservoir (arabe: „midhaät”) qu'on pourrait comparer à un bénitier. Seulement ce bénitier est un bassin de quelques mètres cubes, et on n'y trempe pas seulement les doigts et les mains, mais encore on s'y lave les pieds, le visage, la barbe, les cheveux, et on y rince sa bouche à plusieurs reprises avant d'entrer en état de pureté dans la mosquée pour y faire sa prière.

Ainsi il y aurait de nombreuses chances d'infection, si la clôture des mosquées en cas d'épidémie n'était pas autorisée pas la parole du prophète, que la prière peut se faire partout, et que bien que la réunion des fidèles dans la mosquée soit préférable, on n'est pas absolument obligé de s'y rendre — surtout quand des affaires graves (parmi lesquelles mention spéciale est faite d'un malade à garder) retiennent le fidèle dans sa maison.

Dans ces cas, il y a dispensation de la prière commune dans la mosquée.

Le temps qui m'est accordé pour ma communication étant limité, je dois me borner aux détails cités, bien qu'il fût facile d'en citer d'autres encore.

Il me semble, M.M., que l'allié dont je vous ai parlé et dont je me suis servi pour répandre des notions hygiéniques parmi les peuples professant la religion mahométane, n'est pas seulement un allié nouveau et peut-être utile, mais encore qu'il ne peut guère manquer d'intérêt pour les hygiénistes des nations qui ont affaire à des peuples musulmans, comme les Anglais en Egypte ou dans les Indes, et les Français en Algérie.

Communication destinée à la première Section par M. le Docteur Benito Francia y Ponce de Léon, de Madrid.

Notes sur l'épidémie de choléra de 1882 à Manille et sur d'autres points de l'Archipel des Philippines.

Les renseignements sur l'épidémie de choléra qui a sévi à Manille peuvent à peine être classés d'une manière concluante. Cependant voici l'opinion de la plupart des médecins, au sujet du passé et du présent.

En 1863, un bateau à vapeur qui mouilla à Manille, arrivant de Shanghaï, notifia l'existence du choléra dans ce port, le consul anglais en ayant été la première victime parmi les Européens. Shanghaï excepté, le choléra ne sévissait sur aucun des points commerciaux en communication avec Manille. Quelques jours après l'arrivée de ce vaisseau, le choléra éclata dans la capitale de l'Archipel. Je dois faire remarquer un fait très important pour l'histoire de la contagion. Shanghaï communique avec l'intérieur de la Chine, et l'épidémie avait commencé sa marche en Tartarie. Longtemps après son apparition à Manille, le choléra se propagea au Japon et dans les autres ports de l'Asie les plus rapprochés de la Chine. Dans les îles Philippines, l'épidémie dura jusqu'en 1863; nous n'avons pas de données statistiques à cet égard. On sait seulement qu'elle fit des grands ravages parmi les indigènes et que les Européens et les Chinois en furent à peine atteints.

En 1882 le choléra débuta à Jolo. Un bateau à vapeur anglais, le „Hong-Hong", qui faisait le commerce entre Singapore, Bornéo et Jolo débarqua à Maibung un malade atteint du choléra. Les petits villages dans les environs du port, habités par les Mauvas, furent tout de suite infectés. Aussitôt que ce fait fut connu, la place de Jolo fut rigoureusement isolée; cependant l'épidémie s'étendit parce que les villes des alentours se trouvaient aussi infectées et que leurs habitants pouvaient y entrer et en sortir sans empêchement. Malgré cela, le choléra n'y sévit pas beaucoup. Dans ce moment-là, le bateau à vapeur de la marine royale le „Legaspé" fut commandé

19

pour transporter de Jolo au Zamboanga un régiment d'infanterie qui était en garnison dans ce premier endroit. Pendant la traversée, quelques soldats succombèrent, et pour cette raison Zamboanga refusa le débarquement de la troupe; cependant après quelques délibérations et sur l'avis des médecins du bateau qui affirmaient que les décès n'avaient pas été causés par le choléra, on lui imposa une courte quarantaine, et le régiment débarqua. Un régiment établi dans une ville, la parcourt bientôt, et multiplie jusqu'à l'infini les foyers de contagion. Et en effet, sur aucun autre point de l'Archipel l'épidémie ne fit autant de ravages qu'à Zamboanga; des 14 000 habitants, 1300 succombèrent !

Le bateau à vapeur „Francisco Reyes", qui faisait le service de courrier du Sud, transporta le choléra à Manille. Pendant la traversée il y eut quelques décès parmi les passagers. Il fut mis en quarantaine et il éprouva encore de nouvelles pertes dans la baie. Une fois la quarantaine finie, on fit un semblant de fumigation au moyen de tous les procédés inutiles de l'expurge, et les passagers et la cargaison furent débarqués sans autres difficultés. Deux domestiques qui ouvrirent les malles d'un chef militaire chargé de surveiller l'aération des bagages, succombèrent d'une manière foudroyante.

Selon l'opinion générale des médecins, c'est au „Francisco Reyes" qu'on doit l'importation du choléra à Manille; mais il faut faire remarquer qu'un mois avant l'arrivée de ce bateau, quelques cas suspects avaient été observés dans la ville. Un terrible orage qui éclata bientôt après, arrêta la marche de l'épidémie. Les cas suspects qui ont été cités pour détourner l'idée de l'importation, étaient rattachés à l'arrivée d'un autre vaisseau venant d'Ilo-Ilo (port d'échelle contaminé) où il prétendait ne pas avoir touché. Mais cette assertion était fausse: on constata que ce bateau avait communiqué avec une goëlette de guerre („la Sirena", expédiée avec une patente brute de Zamboanga).

Le choléra débuta par l'attaque des bâtiments mouillés dans le fleuve de Manille; ensuite il se propagea dans les quartiers habités par les marins et les gens du port, et finalement il se répandit dans toute la ville.

Le „Corrègidor" est une petite île située à 15 ou 16 milles de Manille, avec bien peu de moyens de communication. On y accorda l'établissement d'un lazaret et des employés y furent envoyés; le lendemain des cas de choléra s'y manifestèrent.

Les vaisseaux de guerre qui s'isolèrent complètement dans le S. et dans le N., en vue des villes infectées, furent épargnés par le choléra.

La province de „la Isabela de Cagayan" s'était préservée courageusement contre le choléra durant plusieurs mois, en établissant un cordon sanitaire pour empêcher les communications avec les points infectés du voisinage et en opposant continuellement des prétextes plus ou moins acceptables aux ordres de l'autorité supérieure. Le Comité de Santé de la ville était prêt à tout, et il continua à appliquer malgré toutes les contrariétés les moyens qu'il croyait les plus convenables. Mais à la fin les ordres des autorités devinrent formels;

le maintien du cordon fut défendu et le Comité fut obligé de présenter sa démission. Aussitôt que les entraves sanitaires fussent levées, les premiers cas de choléra apparurent.

Les Pères Jésuites possèdent à Manille un bon collège où il y a 300 jeunes néophytes. A la première manifestation du fléau ils s'isolèrent et ils mirent en pratique tous les procédés prophylactiques possibles. Ils n'eurent qu'un cas de choléra.

„La Isabela de Basilan", ville située dans l'île de Basilan, entre Jolo et Zamboanga, fut contaminée par plusieurs passagers arrivés de ce dernier point pour voir les fêtes. Suivant l'ordre du Conseil de Santé, les passagers ne purent entrer; on isola la ville d'une manière admirable par mer et par terre, et l'épidémie n'y éclata pas.

Tous les médecins de l'armée et de la marine qui ont observé l'épidémie de choléra dans les îles Philippines sont d'accord sur ce point: que la propagation est due à la contagion. Les uns et les autres croient que les quarantaines doivent être imposées avec toute la rigueur prescrite dans les règlements sanitaires, sans oublier les procédés de désinfection et spécialement l'étuve sèche pour les bagages et la cargaison.

De mon côté, je ne le nierai; mais sans rejeter la contagion, je crois en outre qu'il existe une infection tout à fait indépendante, tellurique ou atmosphérique, qui donne une aptitude particulière à recevoir le germe contagieux. A mon avis, il y a une certaine constitution médicale, dépouillée de ses croyances mystiques d'autrefois. En juin 1882, quand on parlait vaguement du choléra à Jolo, je soignai à 600 milles de Cavite plusieurs malades atteints de la diarrhée cholérique. Le choléra des enfants en emporta plusieurs. Moi-même je fus atteint d'un choléra bénin, mais avec tous ses symptômes caractéristiques. Le choléra ne fut officiellement déclaré que deux mois après, en août. En juillet, je partis de Manille pour le Sud, à bord de la corvette „la Vencedora". J'eus à soigner plusieurs individus atteints de diarrhées catarrhales très intenses, pendant la traversée. De 300 volailles bien portantes et bien conditionnées que nous avions à bord, 200 succombèrent en trois jours. — Une observation encore; de toutes les races c'est la race chinoise qui a été la moins éprouvée. Faudrait-il considérer l'opium comme un bon moyen prophylactique?

Conférence destinée à une Séance générale et renvoyée à la première Section.

Le service sanitaire maritime des Etats-Unis, par M. le Docteur Stephen Smith, de New York.

Antérieurement à l'année 1879, le système de quarantaine aux Etats-Unis était placé exclusivement sous la dépendance et la direction soit des Etats du littoral, soit des municipalités, dont l'organisme et le matériel étaient très défectueux, et n'opposaient qu'une très faible barrière à l'invasion des maladies contagieuses et infectieuses venant des pays étrangers. En général, les méthodes préventives auxquelles on avait principalement recours éetaint : 1º. La détention du vieux temps, pendant de longues périodes, des navires infectés ou suspects; 2º. la désinfection moderne du navire et de la cargaison. Si la première de ces méthodes, la détention des navires, était ordinairement poussée jusqu'à l'extrême, en revanche la seconde, la désinfection, était pratiquée d'une façon si imparfaite qu'elle était inefficace. Donc, en pratique, avant 1879, les quarantaines des Etats-Unis n'étaient qu'un moyen de défense bien faible contre les maladies pestilentielles de l'étranger.

A mesure que la science sanitaire se développait et que les Commissions d'hygiène s'organisaient dans tous les Etats, on a été de plus en plus convaincu de la nécessité de réorganiser notre système de quarantaine et de le placer sur une base plus propre à le rendre efficace, en appliquant toutes les méthodes les plus récentes que la science et l'expérience ont démontré être essentielles pour prévenir la propagation des maladies contagieuses et infectieuses. Jusqu'alors le gouvernement national n'avait contribué ni à l'entretien ni à la direction des quarantaines, par suite de la jalousie des gouvernements d'Etats qui craignaient qu'il n'empiétât sur leurs droits. Mais en 1878, l'esprit public s'est vivement ému de la question de protection contre la fièvre jaune. On n'oubliera pas de sitôt les terribles leçons données, cette année-là, par l'épidémie qui s'est étendue si loin et qui a fait tant de ravages. Par suite du système défectueux de quarantaine à l'embouchure du Mississipi, les germes de la fièvre jaune ont pénétré dans la vallée du Mississipi et se sont répandus au loin parmi les habitants de cette vallée. Les villes, les villages et les districts ruraux de cinq Etats populeux ont été ravagés par le fléau qui a laissé derrière lui la mort, la misère et la ruine. Une des plus précieuses leçons données par cette épidémie a été ce fait, bien souvent répété, à savoir que l'absence de toutes relations entre les malades et ceux qui se portaient bien, l'isolement de tous les objets contaminés de la localité, étaient un moyen sûr de prévenir la fièvre jaune. La population tout entière des Etats affectés a compris, par suite, de quel prix était l'isolement en tant que moyen de protection.

Quand l'épidémie a cessé, à l'automne de cette année 1878, l'opinion publique s'est occupée de discuter des mesures de protection contre le retour de l'épidémie l'année suivante. La Société américaine d'hygiène publique, société nombreuse composée de représentants des Commissions d'hygiène des Etats-Unis, de médecins et de citoyens dévoués au bien public, a tenu sa réunion annuelle et a consacré toute la session à discuter les mesures propres à prévenir la fièvre jaune. La conclusion la plus importante à laquelle on soit arrivé a été la nécessité d'obtenir l'aide et la coopération du gouvernement national pour prévenir l'introduction de la fièvre jaune aux Etats-Unis, et l'empêcher de se propager d'un Etat à l'autre. A cet effet, on a nommé un comité chargé d'obtenir du Congrès, qui était alors sur le point de s'assembler, le vote des lois nécessaires. C'est en grande partie à l'instigation de ce comité que le Congrès a voté deux lois importantes, savoir: 1°. Une loi créant une Commission nationale d'hygiène, chargée de rechercher les causes et les origines des maladies, et d'étudier le système existant de quarantaine dans ses rapports avec les gouvernements d'Etats et avec le gouvernement national; 2°. une loi autorisant la Commission nationale d'hygiène à établir, pour mettre les navires dans la meilleure condition sanitaire possible, tels règlements et prescriptions sur la façon dont ces navires doivent être tenus, et à assister les Commissions d'Etats et les Commissions locales d'hygiène dans les mesures préventives contre les épidémies. Avec ces lois, une nouvelle ère s'est ouverte dans le système de quarantaine des Etats-Unis, et le but de ce travail est d'examiner brièvement les changements que ces lois ont apportés dans les moyens de défense nationaux contre l'invasion et la propagation des maladies contagieuses et infectieuses.

Il est bon de dire que, toujours en vue de perfectionner les moyens de protection contre l'introduction des maladies contagieuses ou infectieuses venant des pays étrangers, le Congrès a voté une résolution conjointe, approuvée le 14 mai 1880, et aux termes de laquelle le président des Etats-Unis était autorisé à: „Convoquer à Washington une conférence sanitaire internationale à laquelle les diverses puissances ayant des ports susceptibles d'être infectés par la fièvre jaune ou le choléra seront invitées à envoyer des délégués, dûment autorisés, dans le but d'assurer un système international de notification sur l'état sanitaire des ports et des villes dépendant des dites puissances, et sur celui des navires qui en partent." Vingt-huit nations ont cordialement répondu à l'invitation lancée par le président conformément à cette résolution. La conférence s'est réunie le 5 janvier 1881 à Washington, et au cours de sa session, qui a duré deux mois, elle a discuté quelques-unes des questions les plus importantes qui se rapportent à la coopération sanitaire internationale. Il y a eu à cette conférence une grande unanimité d'opinion, et on est arrivé finalement à certaines conclusions que nous nous croyons en droit de considérer comme adoptées en pratique, et comme faisant partie de notre système national de quarantaine.

Il faut dire tout d'abord que l'expression „quarantaine" ne devrait plus être employée pour désigner le système nouvellement développé, ou, si on l'emploie, il faudrait la séparer complètement de la signification qui en est dérivée, et lui donner une nouvelle définition. Cette expression ne devrait plus impliquer une question de temps, mais servir, comme terme général et convenable, pour désigner le service du gouvernement chargé de protéger la

santé publique contre l'importation des maladies contagieuses et infectieuses.
„Le service sanitaire maritime" serait une expression préférable au mot:
„quarantaine". Aujourd'hui ce service n'exige plus la simple détention des
navires, des cargaisons, des passagers et des équipages comme moyen de
prévenir l'introduction des maladies contagieuses et infectieuses aux Etats-Unis,
mais il vise à appliquer à l'entretien sanitaire des navires toutes les ressources
de la science de l'hygiène, de façon à écarter des grandes voies maritimes du
commerce et des voyages tout danger pour la vie ou la santé, et à empêcher
les navires de jamais engendrer ou servir à propager l'infection.

En esquissant les diverses branches de ce service, il est bon de suivre
l'ordre suivant: 1°. Coopération internationale; 2°. Moyen de recueillir et de
distribuer les renseignements sanitaires; 3°. Règles et règlements maritimes;
4°. Inspections sanitaires maritimes; 5°. Traitement sanitaire des navires
arrivant dans les ports des Etats-Unis; 6°. Coopération des autorités nationales
et des autorités des Etats; 7°. Organisation de nouvelles quarantaines et
amélioration de celles dont le système est défectueux.

I. Coopération sanitaire internationale.

Sans aucun doute le progrès le plus grand et le plus important auquel on
soit arrivé pour arrêter la propagation des maladies pestilentielles dans leurs
formes les plus sérieuses, a été la coopération des nations commerciales dans
l'adoption de mesures uniformes et réfléchies de défense et de protection. Les
nations civilisées du monde entier commencent à comprendre que les maladies
contagieuses et infectieuses sont l'ennemi commun de l'humanité, et que les
agents d'importation de ces maladies, que ce soient des personnes, des marchandises, du fret, des cargaisons ou des navires, doivent être arrêtés et
débarrassés de l'infection avant qu'on ne les laisse continuer leur route. Une
nation commerciale ne peut pas efficacement se protéger de l'invasion des
maladies contagieuses ou infectieuses venant des autres pays avec lesquels elle
est en communication directe, à moins d'appliquer à son commerce et à son
trafic de voyageurs des mesures restrictives ou de s'assurer la coopération des
autres nations. L'importance de ce fait s'est fait sentir de plus en plus dans
les temps modernes, en raison de l'immense extension du commerce du monde
entier, et aussi de la grande augmentation des facilités et du développement
du mouvement des voyageurs et du trafic sur l'océan et sur les chemins de
fer. Dans plusieurs cas les nations ont combiné leurs efforts et pris de concert
de bonnes mesures pour se protéger mutuellement contre l'invasion du choléra
et de la peste, et les résultats obtenus ont été des plus satisfaisants. Dans ce
pays-ci, on a reconnu en pratique l'impossibilité d'appliquer des mesures
préventives contre l'importation de la fièvre jaune, parce qu'on n'a pas pu,
jusqu'ici, s'assurer la coopération internationale.

Quelques-unes des dispositions les plus importantes des lois du Congrès dont il est question plus haut, deviennent nulles et sans effet par suite de l'indifférence, dans certains cas, et de l'hostilité, dans d'autres cas, de nations ayant des relations commerciales intimes avec les Etats-Unis. Le secrétaire Evarts a mis ces faits en pleine lumière dans un memorandum qui accompagnait la résolution par laquelle le Congrès invitait les nations commerciales à une conférence sanitaire internationale. Il disait: „Cette résolution a eu pour origine les difficultés pratiques éprouvées dans l'application des lois et règlements recommandés par la science de l'hygiène et édictés par la législature de ce pays dans le but de prévenir l'introduction et la propagation de la fièvre jaune, du choléra et des autres maladies contagieuses ou infectieuses sur le territoire des Etats-Unis. L'étendue et la persistance de l'épidémie de fièvre jaune dans certaines parties de ce pays pendant les deux dernières années, et l'existence presque continuelle du danger d'introduction de maladies contagieuses ou infectieuses comme la fièvre jaune et le choléra par des navires venant dans ce pays de ports étrangers infectés, ont motivé ces mesures législatives; mais la difficulté éprouvée dans leur application est venue principalement de ce fait que, dans certains ports étrangers où des maladies infectieuses ou contagieuses existaient, ou étaient supposées exister, les autorités locales ont mis quelque hésitation à donner leur concours aux consuls et aux médecins des Etats-Unis pour la mise à exécution des règlements jugés essentiels par ce gouvernement pour la protection sanitaire. De plus, par suite des renseignements vagues et peu dignes de confiance obtenus dans certains cas sur la condition sanitaire de ports étrangers suspects, des navires venant de ces ports aux Etats-Unis ont, dans maintes circonstances, comme on l'a reconnu plus tard, subi des quarantaines inutiles dans les ports de ce pays. D'autre part, des navires venant de ports non-infectés des Etats-Unis ont été de même obligés de subir des délais inutiles et vexatoires par suite des règlements de quarantaine d'autres pays, règlements résultant d'une connaissance imparfaite de la condition sanitaire des ports américains."

Il est évident, dès lors, que des règlements internationaux sous forme de traités destinés à assurer la coopération des nations commerciales pour l'adoption, de concert, de mesures propres à prévenir l'exportation et l'importation des maladies pestilentielles, sont essentiels dans tout système complet et efficace de quarantaine.

Il est à désirer qu'on adopte les importantes méthodes suivantes de coopération internationale, et ces méthodes sont aujourd'hui réalisables, comme l'ont prouvé les travaux de la conférence sanitaire internationale qui s'est réunie récemment à Washington:

1º. La communication régulière et systématique, entre les nations contractantes, de renseignements courants sur la santé publique chez chacune d'elles, au moins en ce qui concerne l'existence ou le développement de maladies contagieuses ou infectieuses, et la désignation précise des localités où ces maladies existent.

Cette question a été le principal sujet de discussion à la conférence sanitaire internationale. Il y a eu unanimité complète pour reconnaître l'utilité de renseignements de cette nature dans l'organisation d'un système quelconque destiné à prévenir l'importation des maladies contagieuses ou infectieuses dans un pays. Des divergences d'opinions se sont produites seulement lors de la discussion des méthodes à employer. On peut donc considérer comme une question réglée dans le système de coopération internationale, l'adoption d'un commun accord de cette proposition.

2º. Une patente de santé internationale qui contiendra un exposé exact de la condition sanitaire du navire, de la cargaison, des passagers et de l'équipage, de la santé publique au port de départ et aux environs, et des maladies infectieuses et contagieuses qui y règnent.

Cette question a été également discutée longuement par la conférence internationale, qui a adopté un modèle de patente de santé.

II. Moyen de réunir et de distribuer les renseignements sanitaires.

Non seulement il est nécessaire pour un service sanitaire maritime efficace qu'il y ait coopération internationale, au moins dans les limites indiquées ci-dessus, mais encore une branche de ce service devrait être consacrée à la réunion des renseignements sanitaires et à leur distribution parmi les agents de service à l'intérieur et à l'étranger. Si l'on pouvait se procurer ces renseignements de telle sorte qu'ils présentassent un exposé exact de la condition sanitaire de tous les pays étrangers et des principales villes, communes et villages des Etats-Unis, et si ces renseignements pouvaient être communiqués immédiatement à tous les agents du service maritime, il est évident que cela aurait une importance énorme au point de vue de l'efficacité de ce service. C'est afin d'atteindre ce but que le Congrès a adopté les mesures suivantes:

„Il sera du devoir de la Commission nationale d'hygiène d'obtenir des renseignements sur la condition sanitaire des ports et des villes de l'étranger d'où des maladies contagieuses et infectieuses sont ou peuvent être importées aux Etats-Unis; et à cet effet les consuls et agents consulaires des Etats-Unis, dans les ports et les villes qui seront désignés par la Commission nationale d'hygiène, devront faire à la dite Commission d'hygiène des rapports hebdomadaires sur la condition sanitaire des ports et des villes où ils exercent respectivement leurs fonctions, et ce dans les formes prescrites par la dite Commission d'hygiène; et la Commission d'hygiène devra également se procurer à toutes les sources possibles, et notamment auprès des autorités des Etats et des municipalités dans tous les Etats-Unis, des rapports hebdomadaires sur la condition sanitaire des ports et des villes des Etats-Unis; et la Commission

evra préparer, publier et transmettre aux médecins du service des hôpitaux
le la marine, aux receveurs des douanes, et aux agents sanitaires et aux
autorités des Etats et des municipalités, des extraits hebdomadaires des rapports
sanitaires des consuls, et les autres renseignements intéressants recueillis par
la dite Commission; et elle devra aussi, autant que cela lui sera possible, se
procurer, à l'aide du concours volontaire des autorités des Etats et des
municipalités, des sociétés publiques et des particuliers, des renseignements
sur les conditions climatériques et autres pouvant affecter la santé publique.''

Conformément à cette loi, le Département d'Etat a adressé aux consuls et
agents consulaires des instructions leur recommandant de fournir à la Commission nationale d'enquête les renseignements demandés, et aujourd'hui on
reçoit ces renseignements de toutes les parties du monde. De son côté, la
Commission d'hygiène a organisé dans tous les Etats-Unis un système de
correspondance et des rapports statistiques sur la mortalité, grâce auquel elle
obtient sur la condition de la santé publique dans les ports et les villes et
dans les grands centres de population, un ensemble de renseignements qui
ont une immense valeur pour toutes les autorités sanitaires. Ces renseignements,
soigneusement mis en ordre, et accompagnés d'extraits des rapports consulaires
et d'autres documents intéressants, sont transmis chaque semaine par la commission aux autorités et agents spécifiés par la loi. La Commission nationale
a également pris l'arrêté suivant:

„Toutes les fois qu'un navire quelconque partira d'un port infecté, ou qu'un
navire ayant à bord des marchandises ou des passagers venant d'une ville ou
d'un district quelconques infectés par le choléra asiatique, la fièvre jaune ou
la peste, partira d'un port étranger quelconque à destination d'un port
quelconque des Etats-Unis, le consul, l'agent consulaire ou le représentant des
Etats-Unis au port de départ ou dans les environs, devra immédiatement en
informer par télégraphe la Commission nationale d'hygiène à Washington,
D. C., en indiquant le nom, la date du départ et le port de destination de
ce navire.''

La propagation de ces renseignements a grandement augmenté l'efficacité
de toutes les branches du service sanitaire dans ce pays, et spécialement de
celle qui a pour but de prévenir l'importation des maladies pestilentielles. Un
navire aujourd'hui ne peut plus partir d'un port infecté sans que le fait de
son départ ne soit immédiatement connu de la Commission nationale, qui en
avise de suite l'autorité sanitaire du port de destination de ce navire.

III. Règles et règlements sanitaires maritimes.

Une des branches les plus importantes d'un service sanitaire maritime doi
être consacrée à assurer la meilleure condition sanitaire possible pour l(
navires, leurs passagers, leurs cargaisons et leurs equipages. Pour arriver

ce but, il faut établir des règles et des règlements et les appliquer aux capitaines et aux armateurs, en tout temps et en quelque endroit que se trouvent les navires. Le Congrès a conféré à la Commission nationale d'hygiène le droit d'établir :

Tels règles et règlements autorisés par les lois des Etats-Unis et qui doivent être observés par les navires au port de départ et pendant la traversée, lorsque ce navire part d'un port ou d'une ville quelconque où règnent des maladies contagieuses et infectieuses, à destination d'un port ou d'une ville quelconque des Etats-Unis, afin d'assurer la meilleure condition possible de ce navire, sa cargaison, de ses passagers et de son équipage; et lorsque ces règles et règlements auront été approuvés par le président, on les publiera et on les communiquera aux consuls et agents consulaires des Etats-Unis qui seront chargés de les appliquer."

En vertu de cette loi, la Commission nationale d'hygiène a préparé les règlements nécessaires et les a communiqués aux consuls et aux agents consulaires des Etats-Unis. Ces règlements forment donc une partie du service sanitaire maritime de ce pays. Ils sont destinés à introduire les réformes suivantes à bord de tous les navires se trouvant dans des ports étrangers et en partance pour un port quelconque des Etats-Unis:

1o. Assurer la propreté parfaite du navire avant l'embarquement de la cargaison.

3o. Empêcher qu'on ne prenne à bord ni cargaison ou objet infecté quelconque, ni passager contaminé.

3o. Assurer la propreté et la ventilation à la mer.

4o. Exiger un traitement convenable pour les malades pendant la traversée, et l'isolement complet des cas de maladies infectieuses ou contagieuses qui pourraient se produire.

5o. Obtenir que les passagers aient suffisamment de place, de façon à ce qu'il n'y ait pas encombrement.

IV. Inspections sanitaires maritimes.

Les règles et règlements destinés à assurer la meilleure condition sanitaire possible pour les navires seraient inefficaces si on ne les appliquait dans des inspections faites avec soin et à-propos. L'occasion de faire ces inspections ne se présente que dans deux endroits, savoir: (1) au port de départ, et (2) au port d'arrivée.

1o. Au port de départ ou port étranger, la seule personne compétente pour procéder à une inspection est le consul. Comme c'est à ce fonctionnaire qu'il appartient de certifier la patente de santé, on reconnaît de suite que c'est à lui que doit incomber l'inspection. Conséquemment, le Congrès a imposé aux consuls le devoir d'inspecter les navires et d'appliquer les règles et règlements adoptés par la Commission d'hygiène. Il peut arriver que, dans les ports infectés, le consul ait besoin de l'aide d'un médecin expérimenté; et dans ce cas le Congrès a autorisé le président à désigner un médecin de service au bureau du consul dans n'importe quel port étranger pour procéder aux inspections et délivrer les certificats. Actuellement les consuls des Etats-Unis ont pour instructions de faire les inspections nécessaires, et à la Havane un médecin est attaché au bureau du consul. Cette nouvelle disposition de notre système de quarantaine, si elle est rigoureusement appliquée dans tous ses détails, constituera une mesure radicale prise pour empêcher les navires, leurs cargaisons, leurs passagers et leurs équipages d'être des agents de transmission de l'infection.

2°. Au port d'arrivée l'inspection doit être faite par l'agent du service de santé. Cet agent dépend ordinairement de l'Etat, et il a pour devoir d'appliquer les règlements locaux de quarantaine. Le Congrès admet cela, mais il sous-entend aussi que sa juridiction doit s'exercer au même titre que celle de l'Etat. La loi à ce sujet est ainsi conçue:

„Il sera illégal de la part de tout navire, marchand ou autre, venant d'un port étranger quelconque où règnent des maladies contagieuses ou infectieuses, d'entrer dans un port quelconque des Etats-Unis sans se conformer aux prescriptions de cette loi, ainsi qu'aux règles et règlements des commissions d'hygiène des Etats, et à toutes les règles et à tous les règlements établis en vertu de cette loi."

Evidemment le Congrès supposait que les règles et les règlements des Etats, et ceux établis en vertu de sa propre loi, seraient en harmonie parfaite et qu'aucun conflit ne pourrait se produire, car les autorités des Etats et les autorités nationales, dans leurs sphères respectives, cherchaient précisément à atteindre le même but à l'aide des mêmes moyens.

Il est bien évident que le succès de notre système de quarantaine dépendra beaucoup de la façon intelligente et complète dont sera appliqué le système d'inspection sanitaire au port d'arrivée. Si des navires qui négligent de se conformer aux règles et règlements destinés à leur assurer une bonne condition sanitaire sont admis librement dans les ports de ce pays, un des éléments les plus importants d'un service maritime efficace se trouvera être sans valeur; mais, comme il est du plus haut intérêt pour les Etats que leurs quarantaines soient administrées de façon à prévenir l'invasion des maladies pestilentielles venant des ports étrangers, il est à présumer que l'inspection des navires dans nos ports sera efficace. Pour qu'il y ait harmonie d'opinions et de pratiques entre les autorités des Etats, la Commission nationale d'hygiène a, dès le début, invité les principaux agents du service de santé aux Etats-Unis à l'aider à préparer „des règles et des règlements qui seraient adoptés et observés dans tous les ports des Etats-Unis;" et à cette conférence on a adopté d'un commun accord un code de règlements dictés par l'expérience.

V. Traitement sanitaire des navires arrivant dans les ports des Etats-Unis.

Tout système de service sanitaire maritime est imparfait, s'il n'offre pas tous les moyens nécessaires, non seulement pour empêcher un navire arrivant avec une maladie contagieuse ou infectieuse à bord d'introduire cette maladie dans le pays, mais encore pour permettre de purifier ce navire et de le rendre au commerce dans le plus bref délai possible. Dans un établissement de quarantaine, complètement équipé pour parer à toutes les éventualités, on doit avoir: 1º. Un endroit où les navires seront accostés et retenus; 2º. Des logements où seront retenus les passagers bien portants; 3º. Un hôpital pour les malades; 4º. Des allèges, des quais et des entrepôts pour la réception et l'emmagasinage de la cargaison; 5º. Un médecin en chef, et tels autres médecins ou employés nécessaires pour l'inspection, le nettoyage et la désinfection du navire et de sa cargaison, des passagers et de l'équipage; 6º. Les embarcations, appareils, etc.... nécessaires pour le service; 7º. Des logements pour les médecins et les employés; 8º. Un cimetière.

Il est vrai que dans un grand nombre de ports des Etats-Unis on aurait rarement occasion de se servir de celles des dépendances d'un établissement de ce genre qui coûtent le plus cher; mais il est également vrai que ces dépendances pourraient être nécessaires dans tous les ports. Et c'est du manque de facilités dans les moments critiques qu'est résultée l'introduction de maladies pestilentielles dans leurs formes les plus virulentes et les plus dangereuses. En me livrant personnellement à une inspection, j'ai acquis la conviction qu'il n'y a pas aujourd'hui aux Etats-Unis une quarantaine dépendant d'un Etat ou d'une municipalité qui soit à même de donner à un navire, à une cargaison, à des passagers et à un équipage infectés les soins sanitaires que le commerce et le trafic modernes sont en droit d'exiger, et que la science a démontrés être bons et efficaces: et il n'est pas surprenant que ni les Etats ni les municipalités n'aient organisé ces établissements qui coûtent tant d'argent à fonder et à entretenir, et dont la nécessité absolue se fait si rarement sentir; et pourtant il n'y a pas à douter un seul instant de leur nécessité absolue. Chaque saison, il surgit tel ou tel évènement rendant ces établissements nécessaires sur un ou plusieurs points de notre vaste littoral.

Les quarantaines des Etats et les quarantaines locales aux Etats-Unis ne sont guère, à deux ou trois exceptions près, que des stations où on accoste les navires, mais où on n'a, pour les soins sanitaires à donner aux navires, que les ressources dont dispose individuellement chaque navire et qu'on utilise à bord. Si ces moyens sont suffisants pour prévenir l'introduction des maladies contagieuses et infectieuses de forme bénigne, comme la fièvre scarlatine, la rougeole, etc...., ils sont insuffisants lorsque des navires arrivent infectés par la fièvre jaune, ou ayant des cas de choléra à bord. Les navires de la première catégorie peuvent être suffisamment nettoyés et désinfectés dans n'importe quel port sans danger pour les localités avoisinantes; mais quant aux navires de la seconde catégorie, on ne devrait jamais leur laisser toucher terre avant qu'ils n'aient été complètement débarrassés de l'infection, ainsi que leurs cargaisons, leurs passagers et leurs équipages. Ces navires devraient être désinfectés dans des établissements élevés sur des îles inhabitées, où il y aurait tous les aménagements nécessaires pour soigner les malades, pour protéger les passagers bien portants pendant qu'ils sont en observation, pour emmagasiner, nettoyer et désinfecter les cargaisons, et pour examiner entièrement toutes les parties du navire susceptibles de garder l'infection, et y appliquer les remèdes nécessaires. Pour combler cette lacune dans notre système de quarantaine, le Congrès a décrété ce qui suit:

„La Commission d'hygiène aura le droit, quand elle le jugera nécessaire, pour prévenir l'importation des maladies contagieuses ou infectieuses aux Etats-Unis, ou d'un Etat dans un autre Etat, d'élever, avec le consentement et l'approbation du Secrétaire du trésor, des constructions pour y établir des quarantaines temporaires, et de faire, au nom des Etats-Unis, l'acquisition de terrains à cet effet."

Conformément aux dispositions de cette loi, sur l'avis d'avocats compétents et avec le consentement du Secrétaire du trésor; la Commission nationale d'hygiène a résolu de suppléer aux imperfections des quarantaines des Etats et des quarantaines locales, en établissant dans des îles, sur des points bien choisis de la côte, des Stations-refuge pour le traitement sanitaire spécial à faire subir aux navires, cargaisons, passagers et équipages infectés. Les principes sur lesquels s'est basée la Commission en agissant de la sorte sont les suivants, savoir: 1°. Aucun navire infecté par la fièvre jaune ne doit être autorisé à toucher terre avant d'avoir été complètement purifié et débarrassé de l'infection. 2°. Pour atteindre ce but, il faut fonder des établissements sur des îles inhabitées, suffisamment éloignées de la terre pour rendre impossible toute communication de l'infection aux localités avoisinantes, et munir ces établissements de tout ce qui est nécessaire pour le traitement des malades, pour l'entretien des passagers bien portants, et pour la purification de la cargaison et du navire. On croyait qu'en établissant un nombre suffisant de ces stations parfaitement bien équipées, de telle sorte que tout navire infecté à destination d'un port des Etats-Unis pût être complètement purifié avant d'approcher de la terre, le but que s'était proposé le Congrès serait rempli, et que notre système de défense nationale contre l'importation des maladies pestilentielles venant de l'étranger s'enrichirait d'un service des plus importants. En conséquence on a fondé de suite trois stations qui ont été placées sur des points où on a jugé qu'elles étaient immédiatement nécessaires et qu'elles rendraient le plus de services, savoir: à Ship Island, sur la côte du golfe du Mexique; à Sapelo Sound, Blackbeard Island, sur la côte sud de l'Atlantique, et à Norfolk, Virginie. La Commission nationale a proposé que chaque station eût les aménagements et l'outillage suivants:

1o. Un endroit pour accoster, retenir, nettoyer et désinfecter les navires.

2o. Des logements pour les passagers et les équipages des navires infectés qui ne sont pas malades.

3o. Un hôpital pour les malades.

4o. Un quai, des entrepôts et une chambre de fumigation pour recevoir, emmagasiner et désinfecter les cargaisons.

5o. Des médecins et un personnel d'employés en nombre suffisant pour assurer l'examen du navire, de sa cargaison, de ses passagers et de son équipage, et pour tels travaux de nettoyage et de désinfection qui pourront être nécessaires.

6e. Des embarcations, des appareils, etc. pour assurer le service de la station.

7o. Des logements pour les médecins et pour les hommes.

8o. Un cimetière.

Le service de ces Stations-refuge est exclusivement consacré aux soins sanitaires à donner aux navires, à leurs cargaisons, à leurs passagers et à leurs équipages, qui touchent volontairement à ces stations au cours de leur voyage, ou qui y sont envoyés par les agents sanitaires des stations de quarantaine sur la côte voisine. Ce ne sont nullement des stations où on accoste et où on intercepte les navires qui arrivent ou qui passent. C'est aux quarantaines des Etats et quarantaines locales du voisinage qu'il appartient exclusivement d'intercepter les navires, et les Stations-refuge n'interviennent en aucune façon et ne se substituent nullement à ces établissements. Le service de ces stations n'exerce même pas d'action obligatoire sur les navires infectés qui arrivent aux quarantaines établies sur la côte. Celles-ci peuvent, si elles le désirent, retenir les navires infectés et exiger d'eux qu'ils se livrent aux opérations de purification qu'elles leur indiqueront. Les stations-refuge représentent simplement l'autorité nationale prête à donner son concours aux autorités des Etats et aux autorités locales pour empêcher l'introduction aux Etats-Unis des maladies contagieuses ou infectieuses, en purifiant complètement les navires infectés.

Au point de vue de l'expérience et de la science sanitaire, il n'est pas douteux qu'on pourrait rendre les quarantaines des Etats et les quarantaines locales bien plus efficaces en fondant et en entretenant un nombre suffisant de stations-refuge sur des points bien choisis, où les navires infectés devraient se rendre pour subir une purification complète avant d'être autorisés à entrer dans les ports de la côte. Il ne pourrait pas y avoir le moindre conflit d'autorité. Les quarantaines des Etats et les quarantaines locales joueraient le même rôle qu'aujourd'hui, seulement elles devraient reconnaître que la station-refuge est le lieu où les navires infectés doivent subir la quarantaine qu'elle leur auraient ordonnée; la station-refuge serait consacrée à la purification des navires qu'on lui enverrait, ou certifierait que ces navires ne sont pas infectés. Ce service ajouté à notre système de quarantaine ne sera pas un embarras pour le commerce lorsqu'il aura pris tout son développement et qu'il sera mis en pratique de bonne foi par tout le monde. Si, par exemple, il y avait des stations-refuge à Galveston, Ship Island, Key West, Sapelo, Norfolk, Delaware Breakwater, New York et Boston, les côtes seraient garnies d'un nombre suffisant de ces établissements. Les navires infectés venant de ports étrangers toucheraient à l'une de ces stations au cours de son voyage, et y subirait la purification nécessaire avant d'essayer d'entrer dans un port quelconque. Par suite ces navires éprouveraient moins de retard qu'ils n'en éprouvent actuellement, en raison de la rapidité avec laquelle ils seraient désinfectés.

VI. Coopération des autorités nationales et des autorités des Etats et des municipalités.

Le Congrès n'a pas limité la coopération des autorités nationales et des autorités des Etats et autorités locales à l'établissement de ces stations-refuge, mais il a prescrit les méthodes par lesquelles toutes les quarantaines locales pourraient être renforcées en cas de besoin avec l'assistance nationale. L'article suivant de la loi fera voir le but que s'est proposé le corps législatif:

„La Commission nationale d'hygiène devra coopérer avec les commissions d'hygiène des Etats et des municipalités, et autant que les lois le permettront, les aider dans la mise à exécution et l'application des règles et règlements de ces commissions pour empêcher l'introduction aux Etats-Unis des maladies contagieuses et infectieuses venant des pays étrangers."

Cette loi a été interprétée par la Commission nationale comme signifiant que toutes les fois qu'une quarantaine locale est défectueuse dans les détails qui la rendent insuffisante pour un traitement sanitaire convenable des navires non-infectés, et que l'Etat ou la municipalité n'a pas les moyens voulus pour pourvoir à ce traitement, la Commission pourra lui venir en aide à l'effet de combler la lacune. Mais dans aucun cas la Commission nationale n'est autorisée à construire et à équiper des quarantaines locales dans le but de leur donner les moyens de traiter les navires infectés par la fièvre jaune ou le choléra. Les établissements à ce destinés doivent être organisés séparément, et chacun d'eux doit être situé de façon à répondre aux besoins d'un grand nombre de ports.

C'est là une disposition sage, et convenablement appliquée elle peut produire des résultats importants. Il y a un grand nombre de petits ports de mer qui sont susceptibles d'être visités par des navires infectés par la fièvre jaune, mais qui n'ont pas les moyens nécessaires pour prendre des mesures convenables pour l'inspection et le traitement des navires. Un peu d'aide donnée à ces ports dans les moments critiques aura pour effet de prévenir l'introduction de la fièvre jaune dans ce pays.

VII. Absence de quarantaine, et règlements insuffisants de quarantaine.

Finalement, il y a deux éventualités dans lesquelles l'autorité nationale pourrait avoir à agir pour prévenir des conséquences désastreuses par suite d'un mauvais système de quarantaine. La première est celle où un Etat pourrait ne pas créer et ne pas entretenir de quarantaine dans quelque port important; la seconde est celle où les règlements d'une quarantaine existante quelconque pourraient être défectueux. En prévision de ces éventualités, le Congrès a décrété ce qui suit:

„Dans les ports et les villes des Etats-Unis où il n'existe pas, en vertu des lois de l'Etat, de règlements de quarantaine, quand, dans l'opinion de la Commission nationale d'hygiène ces règlements sont nécessaires pour prévenir l'introduction aux Etats-Unis des maladies contagieuses et infectieuses venant des pays étrangers, ou leur introduction d'un Etat dans l'autre, et dans les ports et villes des Etats-Unis où il existe, en vertu des lois de l'Etat, des règlements de quarantaine qui, dans l'opinion de la Commission nationale d'hygiène, ne sont pas suffisants pour prévenir l'introduction de ces maladies aux Etats-Unis, ou d'un Etat dans l'autre, la Commission nationale d'hygiène signalera les faits au Président des Etats-Unis qui, s'il le juge nécessaire et à-propos, donnera l'ordre à la dite Commission d'hygiène d'établir telles régles et tels règlements additionnels qui sont nécessaires pour prévenir l'introduction aux Etats-Unis de ces maladies venant des pays étrangers, ou leur introduction d'un Etat dans l'autre; ces règles et règlements, lorsqu'ils auront été établis et approuvés par le président, seront promulgués par la Commission nationale d'hygiène et appliqués par les autorités sanitaires de l'Etat, où les autorités de l'Etat devront les exécuter et les faire exécuter; mais si les autorités de l'Etat ne font pas exécuter ou refusent de faire exécuter ces règles et règlements, le président pourra détacher un fonctionnaire ou nommer une personne à cet effet."

Grâce à cette disposition de la loi, si la Commission nationale d'hygiène est vigilante, on ne peut manquer de réussir à maintenir une chaîne non interrompue et efficace de postes de quarantaine sur toute l'étendue de notre littoral.

Conclusions:

Si, pour conclure, nous groupons les différentes branches de ce système de service sanitaire maritime en vue de répartir les diverses fonctions entre les autorités nationales et les autorités des Etats, nous aurons le tableau suivant:

1o. Les autorités nationales sont chargées d'assurer:

(a) La coopération sanitaire internationale.

(*b*)   La réunion et la distribution des renseignements sanitaires.

(*c*)   La préparation des règlements sanitaires maritimes.

(*d*)   L'application de l'inspection sanitaire maritime dans les ports étrangers.

(*e*)   La construction et l'entretien des stations-refuge.

(*f*)   L'aide à donner aux autorités des Etats.

(*g*)   L'organisation des quarantaines là où il n'en existe pas.

(*h*)   L'addition des règlements nécessaires à tout système défectieux de quarantaine.

2º.   Les autorités des Etats sont chargées d'assurer l'organisation et l'entretien d'un service efficace de quarantaine dans les ports de ces Etats.

Cette obligation comprend :

(*a*)   L'inspection des navires.

(*b*)   Les mesures à prendre pour le traitement des navires non infectés par le choléra ou la fièvre jaune.

(*c*)   Le choix d'un médecin compétent.

(*d*)   La préparation et l'application de règles et de règlements pour l'administration de la quarantaine.

De cet énoncé de fonctions, il s'ensuit inévitablement que notre service sanitaire maritime, bien que grandement développé, est, en pratique, une société et un département public. Il faut nécessairement qu'il dépende en partie des autorités nationales et en partie des autorités des Etats, mais il n'y a rien d'incompatible dans l'exercice de ces pouvoirs par des gouvernements séparés. Ce système formera un tout complet, quand tout son mécanisme sera convenablement ajusté, et fonctionnera en vue d'atteindre un but donné, qui intéresse au même degré la nation et les Etats. Le but qu'on se propose d'atteindre est de protéger les Etats et la nation contre l'invasion d'un ennemi commun. Les autorités nationales forment des alliances avec les puissances étrangères amies à l'effet d'arriver à la coopération internationale; elles établissent des règles et des règlements pour assurer la meilleure condition sanitaire possible des navires, de leurs cargaisons, de leurs passagers et de leurs équipages, et donnent l'ordre aux consuls d'appliquer ces règlements dans les ports étrangers; elles construisent et entretiennent de solides défenses extérieures, ou stations-refuge; elles sont prêtes à assister les Etats partout et toutes les fois que ceux-ci ont besoin d'aide; elles surveillent toute la ligne de défense des côtes, et toutes les fois qu'un poste est faible ou mal protégé, elles lui fournissent immédiatement les renforts ou l'aide nécessaire. Les autorités des Etats, à tous les points qui donnent accès sur leurs territoires, postent des sentinelles qui examinent avec soin tout navire suspect, et qui refusent l'entrée à tout navire qui ne s'est pas conformé aux règles et règlements édictés par les autorités des Etats et par les autorités nationales. Tous les navires qui n'exigent qu'un nettoyage et un traitement ordinaires sont aussitôt rendus au commerce, tandis que les navires infectés par la fièvre jaune sont envoyés à la station-refuge la plus proche pour y subir une purification complète.

Il est bon d'ajouter, en terminant, que bien que la loi en vertu de laquelle ces réformes ont été accomplies ne soit plus en vigueur, le système a pu être maintenu par d'autres moyens. Des lois sont encore nécessaires pour coordonner et compléter toutes les parties du système. La coopération internationale devrait être étendue, de façon à comprendre la condition sanitaire générale des navires et la création d'un système de sations-refuge pour les navires infectés à des points situés sur les grandes voies du commerce avec les tropiques; le système de nos stations-refuge devrait être complété, de façon à ce que tout navire infecté approchant de nos côtes pût trouver des secours prompts et sûrs sans s'éloigner beaucoup de sa route accoutumée; les quarantaines locales dans tout le pays devraient être placées sous la direction des Commissions d'hygiène des Etats dans leurs Etats respectifs. Si le même esprit, sage et éclairé, qui a guidé jusqu'à présent le Congrès et les législatures des Etats pour la confection des lois sanitaires, continue à présider au perfectionnement et au développement de notre système de protection contre les maladies pestilentielles venant de l'étranger, les Etats-Unis sont assurés d'avoir dans un avenir prochain le système de service sanitaire maritime le plus efficace qui ait jamais été organisé.

Monsieur le Docteur Bonnafont, membre du Congrès, a eu l'intention d'y présenter un travail sur la nécessité de combattre les invasions du choléra aux sources choléragènes dans l'Inde et de réunir un congrès international pour aviser aux mesures hygiéniques à prendre, propres à arrêter les invasions du choléra en Europe — thèses qu'il a présentées le premier en France et qu'il ne cesse d'exposer depuis le Congrès d'Arras en 1843. Mais une indisposition a mis M. Bonnafont dans l'impossibilité d'assister au Congrès, et il a lu son travail à l'Académie de médecine.

Comme auteur du mémoire allemand placé en seconde ligne par le Jury, s'est fait connaître à la "Société de l'Oeuvre internationale pour l'amélioration du sort des aveugles", président: M. Lavanchy Clarke,

M. le Docteur Wilbrandt, à Hambourg.

Comme auteur du mémoire anglais, placé en troisième ligne, digne d'obtenir la médaille avec diplôme de cette Société, s'est fait connaître,

M. le Docteur P. H. Mutes, à Manchester.

(Voyez plus haut, page 174 et 175).

TABLE.

SÉANCES GÉNÉRALES.

SÉANCES DES SECTIONS.

PREMIÈRE SECTION.

HYGIÈNE GÉNÉRALE ET INTERNATIONALE.

Prophylaxie des maladies infectieuses et contagieuses; etc.

ERRATA.

Dans la liste générale des membres du Congrès, pages 26 à 37, n'auraient pas dû être inscrits MM. da Cunha Bellem, Ennes, Koechlin-Schwartz, Lewis, da Silva Amado et Texier.

Page	65	—	18e	ligne	d'en bas,	lisez	dîme	au lieu de	dime.
	66	—	13e	"	"	"	habileté	"	"	habilité.
	69	—	11e	"	d'en haut,	"	croît	"	"	croit.
	72	—	12e	"	"	"	quel qu'il	"	"	quelqu'il.
	73	—	15e	"	"	"	européens	"	"	Européens.
	74	—	10e	"	"	"	entraîner	"	"	entrainer.
	75	—	20e	"	"	"	demi-siècle	"	"	demi siècle.
	79	—	11e	"	"	"	persévérance	"	"	perséverance.
	80	—	10e	"	"		eût	"	"	eut.
	"	—	5e	"	d'en bas,	"	eux-mêmes	"	"	eux mêmes.
	81	—	4e	"	d'en haut,	"	traînant	"	"	trainant.
	84	—	1e	"	d'en bas,	"	épidémique	"	"	èpidémique.
	85	—	10e	"	d'en haut,	"	elles-mêmes	"	"	elles mêmes.
	86	—	3e	"	"		établît	"	"	établit.
	134	—	10e	"	d'en bas,	"	anciens	"	"	ancieus.
	135	—	5e	"	"		à	"	"	a.
	136	—	14e	"	"		connu	"	"	conuu.
	137	—	2e	"	"	"	médecins	"	"	médecine.
	140	—	14e	"	d'en haut,	"	puisqu'ils	"	"	puis qu'ils.
	141	—	20e	"	"		leurs	"	"	leur.
	142	—	5e	"	"		écraser	"	"	ecraser.
	"	—	10e	"	d'en bas,	"	quels	"	"	quelles.
	164	—	13e	"	"		légumes	"	"	legumes.
	222	—	12e	"	"		voix	"	"	voeux.

Lightning Source UK Ltd.
Milton Keynes UK
UKHW020456051118
331786UK00011B/332/P

9 781334 562556